HISTOIRE
DES PAYS DE L'EST

TRAVAUX PUBLIÉS :

I. LIVRES ET ÉTUDES

• *Le Commerce extérieur des démocraties populaires*, Paris 1965 (N. et Et. Doc. 3245).
• *Histoire de la Hongrie*, Paris 1966 (P.U.F.).
• *La situation économique de l'Allemagne Orientale*, Paris 1967 (N. et Et. doc. 3397).
• *Un aspect des relations byzantino-hongroises à l'époque des Comnène, les tentatives d'union personnelle entre Byzance et la Hongrie* in Mélanges offerts à Aurélien Sauvageot, Budapest 1972 (Akadémiai Kiadó).
• *Le problème des minorités nationales dans les « États successeurs » de l'Autriche-Hongrie*, Louvain 1976 (Cahiers de l'Institut de recherches de l'Europe Centrale n° 6).
• *Séries d'articles relatifs aux Arméniens, Biélorusses, Budapestois, Estoniens, Hongrois, Géorgiens, les habitants de Léningrad, Moscovites, Russes et Soviétiques* in *l'Europe et ses populations*, La Haye 1978 (M. Nijhoff éditeur).
• *La question royale en Hongrie au lendemain de la Première Guerre mondiale*, Louvain 1979 (Cahiers de l'Institut de recherches de l'Europe Centrale n° 7).
• *De Varsovie à Sofia : Histoire des Pays de l'Est*, Paris 1982, (Dossiers de l'Histoire).
• *From Warsaw to Sofia : a history of Eastern Europe*, Santa-Fé/USA 1989, (éd. Pro Libertate).

II. ARTICLES

In *Le Courrier des Pays de l'Est*, Paris.
– *La Hongrie et le tourisme international* (1966).
– *Le IIIe Plan quinquennal hongrois* (1967).
In *La Documentation sur l'Europe Centrale* (Louvain).
– *A propos du millénaire de la naissance de Saint Étienne, premier roi de Hongrie* (VIII. 3. 1970).
– *La situation actuelle des Hongrois de Transylvanie* (XVI. 3. 1977).
– *Munich 1938. Mythes et Réalités* (XVII. I. 1979).
– *Aspects et Problèmes de la politique extérieure de la Hongrie 1919-1939* (1980).
– L'Empereur Charles, Prince de la Paix (1982).
In *Les Dossiers de l'Histoire* (n° 27 septembre-octobre 1980).
Les minorités nationales dans les Pays danubiens.
– in *AUSTRIACA* (n° 18, mai 1984).
Les historiens hongrois et le Dualisme.

DIVERS

Collaboration pour comptes rendus à la *Revue d'Histoire de la Deuxième Guerre mondiale* (Paris) et chargé de la chronique bibliographique « Hongrie xix-xxe s. » à la *Revue des Études Slaves* (Paris).

HENRY BOGDAN

HISTOIRE
DES PAYS DE L'EST

Des origines à nos jours

PERRIN
8, rue Garancière
Paris

AVANT-PROPOS

Les pays de l'Europe de l'Est, depuis quelques années, font régulièrement et de plus en plus fréquemment la « une » de l'actualité, mais pendant l'année 1989 (et il en sera de même au cours des années suivantes), l'actualité a été dominée par les événements d'une portée incalculable qui s'y sont produits, un gouvernement dirigé par une personnalité non communiste en Pologne, la justice enfin rendue aux « combattants de la liberté » de 1956 en Hongrie, le démantèlement du « rideau de fer » et la destruction du « mur de Berlin », le retour aux affaires de Dubcek aux côtés du dissident Havel à Prague, enfin et surtout la tragédie roumaine et la chute de Ceaucescu !

Toute l'Europe de l'Est est sous le coup des événements qu'elle a vécus. Le système communiste mis en place dans cette partie de l'Europe au lendemain de la Seconde Guerre mondiale s'est effondré en quelques mois et de nouvelles formes de pouvoir sont élaborées. Les peuples redécouvrent leur identité nationale ; les nationalismes, longtemps dissimulés sous le masque de l'internationalisme prolétarien, resurgissent de façon exacerbée. Voilà autant de raisons qui nous confortent dans notre désir d'offrir au grand public et à tous ceux qui, étudiants, enseignants, journalistes, diplomates, s'intéressent à ces pays, un ouvrage de synthèse dans lequel le lecteur pourra trouver, sous un éclairage original, une documentation aussi complète et aussi actualisée que la rapidité de l'évolution des situations le permet.

Notre but est d'éclairer le lecteur sur ce qu'est réelle-

ment cette « autre Europe », sur ses habitants, sur leur histoire passée et présente, sur leurs traditions. Nous pensons que la présente étude correspond à une nécessité d'autant plus grande que le public a été, ou est encore, mal ou insuffisamment informé, quand il n'est pas désinformé *sur tout ce qui touche l'Europe de l'Est. Car, aussi bien dans le passé qu'après 1945, l'image que l'on a donnée de l'Europe de l'Est et de ses habitants, relevait trop souvent de la caricature ou de l'hagiographie plutôt que de la réalité vraie. Qu'est-ce que l'Europe de l'Est aujourd'hui ? Qui sont ses habitants, d'où viennent-ils, quel est leur passé, quelles sont leurs traditions, leurs similitudes et leurs différences ? Comment vont évoluer les Nations d'Europe de l'Est après les changements profonds qu'elles ont vécus ? Quels sont les* points chauds *qui risquent d'y apparaître à plus ou moins long terme ? Telles sont les questions que se posent aujourd'hui beaucoup de gens au moment où, dans toute l'Europe de l'Est, les valeurs jugées hier encore sûres sont brutalement remises en question. Nous essaierons d'apporter au lecteur des éléments de réponse aux questions qu'il se pose. Mais cette réponse,* notre réponse, *ne pourra être que partielle et imparfaite, l'auteur étant le premier à le déplorer et à s'en excuser auprès des lecteurs. Mais notre réponse sera toujours inspirée du sincère désir de rechercher la vérité, même si dans cette démarche, il nous faudra s'attaquer à des mythes admis jusqu'alors comme réalités.*

Une dernière remarque enfin. Comme beaucoup de localités d'Europe centrale et orientale ont changé d'appellation au gré des vicissitudes de l'Histoire, nous nous sommes donné pour règle de désigner les localités par le nom officiel qu'elles portaient au moment des événements auxquels il est fait référence. Nous invitons donc le lecteur à bien vouloir se reporter à l'index des équivalences des noms de lieux qui se trouve à la fin du livre.

Henry Bogdan

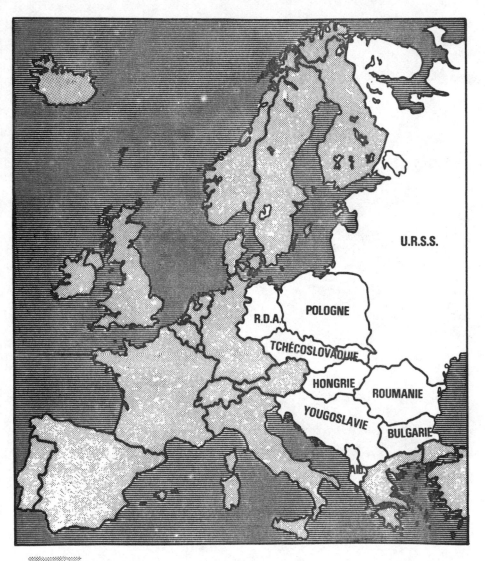

U.R.S.S.

POLOGNE

R.D.A.

TCHÉCOSLOVAQUIE

HONGRIE

ROUMANIE

YOUGOSLAVIE

BULGARIE

ALB.

Pays occidentaux

EUROPE DE L'EST
OU EUROPES DE L'EST

Pouvait-on encore parler d'*une* Europe de l'Est au milieu des années 80, à la veille des grands changements qui allaient se produire? Telle était la question que l'on était en droit de poser quand on observait, même d'un peu loin, ce qui se passait alors en Europe de l'Est. Et pourtant, il y a 40 ans, une telle question aurait été jugée saugrenue et sans objet, et ne serait même pas venue à l'esprit du spécialiste, et à plus forte raison de celui de l'homme de la rue.

En effet, dans les toutes premières années après la Seconde Guerre mondiale, l'Europe de l'Est correspondait à une réalité facile à cerner. L'expression « Pays de l'Europe de l'Est » était alors courante pour désigner l'ensemble des États occupés directement ou indirectement par l'Armée Rouge dans les derniers mois de la guerre. Ils étaient devenus des *démocraties populaires*, c'est-à-dire selon la définition d'Andrei Jdanov, des États « où le pouvoir appartient au peuple, où la grande industrie, les transports et les banques appartiennent à l'État, et où la force dirigeante est constituée par le bloc des classes laborieuses de la population ayant à sa tête la classe ouvrière ». Ces États, au nombre de 8, forment, aux côtés de l'URSS, ce qu'on appelait alors le *bloc soviétique*; on les qualifiait souvent aussi de *pays satellites de l'URSS*.

Les pays de l'Europe de l'Est occupent un ensemble de territoires compris entre le 56° de latitude Nord qui traverse les États baltes et la partie septentrionale de l'ancienne Pologne, et le 40° qui passe au sud de l'Albanie. Ils ont pour limite à l'ouest une ligne à peu près verticale qui, sur un peu plus de 1 000 km, joint Lübeck à Trieste, et à l'est, une ligne longue d'un peu plus de 1 500 km reliant Kaliningrad – l'ancienne Königsberg – à la Thrace bulgare.

L'Europe de l'Est ainsi délimitée et définie est donc une notion essentiellement géopolitique. Cette Europe de l'Est, dans le sens où nous l'entendons tout au long de cet ouvrage, est loin de coïncider avec ce que les géographes désignaient traditionnellement sous ce vocable. En effet, des pays comme la République Démocratique Allemande (dont le territoire correspond aux anciennes provinces allemandes de Thuringe, de Saxe et de Brandebourg), la Hongrie, la Pologne et la Tchécoslovaquie font partie de l'Europe de l'Est en raison de leur système politico-économique, bien que tous ces pays soient situés au cœur de l'Europe, tandis que la Grèce et la partie européenne de la Turquie, effectivement situées à l'est du continent européen, ne sont pas considérées – et pour des raisons analogues – comme faisant partie de l'Europe de l'Est.

La limite entre le *monde occidental* (autre expression à caractère politique puisqu'on y incorpore la Grèce et la Turquie, quand ce n'est pas le Japon!) et l'Europe de l'Est était constituée par le *rideau de fer*. Mais l'emploi de l'expression « rideau de fer » était jugé inconvenant par l'*Establishment* des Pays occidentaux et avait été banni du langage des diplomates et des discours officiels au nom de la politique de *détente*. Il n'en était pas moins vrai que ce *rideau de fer* avait été une réalité, avec ses champs de mines et ses miradors; il avait constitué de Lübeck à Trieste, de la Baltique à l'Adriatique, une frontière entre deux mondes que tout séparait. Ce *rideau de fer* avait été une réalité pour les Berlinois qui, pendant près de 30 ans, avaient eu le triste privilège d'en observer la présence en plein cœur de leur ville.

L'Europe de l'Est, c'est aussi l'Europe du CAEM (Conseil d'Assistance Économique Mutuelle) ou du *Comecon* – si l'on adopte l'abréviation anglo-saxonne. Certes, l'Albanie a quitté le CAEM en 1962, et la Yougoslavie n'en est qu'un membre associé, mais tous les autres États, rassemblés autour de l'URSS, en sont membres.

L'Europe de l'Est, c'est aussi l'Europe du Pacte de Varsovie, – à l'exception de la Yougoslavie qui n'en a jamais fait partie et de l'Albanie qui s'en est retirée *de facto* en 1962 et *de jure* en 1968 –, c'est-à-dire une Europe où s'affirme la présence de l'Armée Rouge.

Et pourtant, en dépit des apparences, cette unité qui avait caractérisé pendant de longues années les pays de l'Europe de l'Est, apparaît à l'aube des années 90 de plus en plus illusoire. Nombreux sont dans l'Europe de l'Est d'aujourd'hui les différends et les différences. Longtemps dissimulées par le voile pudique de l'idéologie officielle, par l'euphorie rituelle des communiqués et par le silence gêné des *média*, les diversités nationales, et les tensions de toutes sortes qui se multipliaient, apparaissent maintenant au grand jour. S'agit-il de phénomènes accidentels et localisés dans le temps et dans l'espace, ou bien plutôt, comme nous le pensons et comme nous essaierons de le faire ressentir comme tel à nos lecteurs, de situations durables liées à des problèmes anciens remontant en surface à l'heure actuelle et dont il faudrait rechercher les origines à la fois dans le passé plus ou moins ancien, et dans les contradictions et difficultés que rencontrent en ce moment les gouvernements de certains pays de l'Est.

Si cette dernière hypothèse correspondait à la réalité, cela voudrait dire qu'après plus de 40 ans de régime socialiste, au cours desquels les structures politiques, économiques et sociales, les modes de penser, le système d'éduction, les valeurs spirituelles ont subi une transformation radicale, les diversités nationales et les traditions culturelles et religieuses sont demeurées intactes, alors même que la génération de ceux qui avaient été éduqués et formés par les anciens régimes se fait de moins en moins nombreuse.

LE MONDE ROMAIN DU IIᵉ SIÈCLE

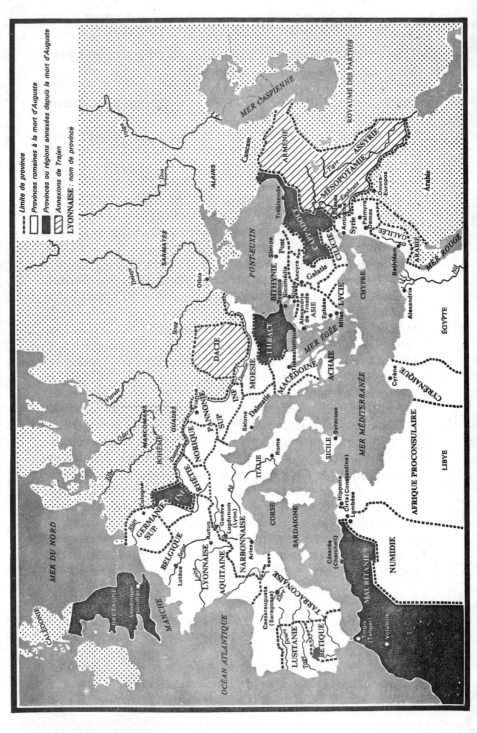

I

LE PUZZLE HUMAIN

Plus de 140 millions d'habitants[1]*, 8 États, une bonne douzaine de langues, deux alphabets utilisés, 6 religions.* Ainsi se présente dans toute sa complexité le paysage humain de l'Europe de l'Est, au terme d'une longue histoire faite d'invasions, de guerres civiles et étrangères, de déplacements forcés ou volontaires de populations, de modifications territoriales, de persécutions.

DIVERSITÉ LINGUISTIQUE DE L'EUROPE DE L'EST

La langue est l'un des principaux critères que l'on peut utiliser pour différencier les populations qui peuplent l'espace est-européen. C'est aussi le critère qui colle le mieux à la réalité de tous les jours car, en Europe de l'Est, la citoyenneté est insuffisante pour caractériser une population. En effet, une des constantes de la géographie historique dans cette partie du monde est l'absence de coïncidence entre les frontières des États et les limites des zones peuplées par les divers peuples. Dans le passé, il y a eu des États multinationaux comme la monarchie austro-hongroise jusqu'à son démembrement par les traités de 1919-1920, tout comme il y a eu des nations morcelées et placées sous l'autorité de plusieurs États comme ce fut le cas de la nation polonaise et de la nation serbe. Au XIXe siècle l'apparition et le développement de l'idée

1. 150 millions si l'on tient compte de la population des 3 Républiques baltes incorporées à l'URSS.

de *nation*, une conception nouvelle du Droit international fondée sur le *principe des nationalités* – c'est-à-
dire sur cette idée que les membres d'une même Nation
doivent vivre dans un même État si tel est leur désir, tout
cela a, dans une certaine mesure, permis la naissance, ou
la renaissance, *d'États nationaux*, mais la coïncidence
entre frontières d'État et frontières linguistiques est
encore loin d'être parfaite.

L'espace est-européen se divise en plusieurs domaines
linguistiques :

Le domaine indo-européen :

Dans leur grande majorité, les peuples de l'Europe de
l'Est parlent des langues indo-européennes. Parmi
celles-ci, les langues du groupe oriental sont les plus
répandues : *les langues baltes* (letton et lituanien) et surtout *les langues slaves*. En 1989, on estimait à près de
90 millions le nombre des habitants de l'Europe de l'Est
qui avaient pour langue maternelle une langue slave.
Trois Européens de l'Est sur cinq sont des Slaves. A la
limite, on pourrait dire que l'Europe de l'Est, c'est
l'*Europe slave*, au voisinage immédiat des 200 millions de
Slaves de l'*Union soviétique*.

Certaines langues slaves sont parlées par des groupes
sporadiques qui n'ont jamais cherché à constituer des
Nations. C'est le cas des quelques 100 000 *Sorabes* (ou
Serbes) de Lusace, descendants lointains des *Wendes* qui
occupaient dans le Haut Moyen Age les plaines d'entre
Elbe et Oder, et qui furent peu à peu absorbés par
l'avance germanique; les toponymes en – itz, fréquents
en Allemagne du nord-est sont des survivances de
l'ancienne expansion des *Wendes*. Mais, l'immense majorité des peuples slaves de l'Europe de l'Est constitue des
blocs cohérents et homogènes, qui sont presque tous parvenus à une date plus ou moins récente à constituer des
États nationaux indépendants.

Ces peuples slaves se répartissent en 3 groupes principaux :
• Le groupe *slave occidental* qui comprend les Polonais,
les Tchèques, les Moraves et les Slovaques;
• Le groupe *slave oriental* constitué par la minorité

ruthène, très proche des Ukrainiens, qui vit en Slovaquie orientale ;

• Le groupe *slave méridional* ou *yougoslave* qui regroupe les Slovènes, les Croates, les Serbes et auxquels il faut ajouter les Bulgares. Ceux-ci étaient, à l'origine, des Turcs qui ont adopté, après leur installation dans les Balkans au VIIᵉ siècle, la langue slave que parlait alors la plupart des populations autochtones, ce qui fut d'autant plus facile que l'effectif des conquérants bulgares était des plus réduits.

Outre les langues slaves, on parle également d'autres langues indo-européennes en Europe de l'Est. Le groupe le plus important après celui des langues slaves, est celui des *langues illyro-balkaniques*, représenté par l'albanais et le roumain.

Traditionnellement, on classe le roumain parmi les langues romanes en raison de l'importance du vocabulaire d'origine latine qu'il contient. Or, des travaux récents sur les origines de la langue roumaine confirment une idée ancienne selon laquelle la langue roumaine s'est formée dans les Balkans. D'après ces travaux, le roumain peut être considéré comme une langue illyrienne formée en symbiose avec l'albanais – comme l'atteste l'incontestable parenté des vocabulaires de base albanais et roumain – qui, par la suite, a été fortement enrichie par des apports latins et slaves. Le roumain est parlé aujourd'hui par un peu plus de 20 millions de personnes, et l'albanais par près de 4 millions.

L'allemand, enfin, occupe une place particulière dans la géographie linguistique de l'Europe de l'Est. L'allemand est parlé bien sûr par les habitants de la RDA, mais il est aussi plus ou moins compris et parlé par beaucoup d'Européens de l'Est en raison des longues périodes de cohabitation entre les Allemands et les diverses populations de l'Est européen au cours des siècles. L'allemand est en quelque sorte resté la *Koinè* de l'Europe de l'Est, même si depuis 1945, le russe, enseigné obligatoirement dans les lycées et les universités de la plupart des pays de l'Est, a cherché en vain à le supplanter.

Le domaine finno-ougrien

Les langues indo-européennes ne sont pas les seules langues utilisées en Europe de l'Est. On y parle aussi les *langues finno-ougriennes* originaires de régions de l'Oural occidental. C'est le cas de l'estonien *(eesti)* parlé par environ 1 million de personnes en RSS d'Estonie, et du hongrois *(magyar)* introduit en Europe centrale à la fin du IXe siècle à l'issue de la longue pérégrination qui conduisit le peuple hongrois depuis les confins de l'Oural jusqu'aux plaines du Moyen Danube. L'installation des Hongrois dans leur habitat actuel a d'ailleurs séparé les Slaves du Nord et de l'Ouest, de leurs frères yougoslaves. Aujourd'hui, la langue hongroise est parlée par un peu plus de 15 millions de personnes.

Si la langue peut séparer les hommes, que dire alors si l'alphabet utilisé pour l'écrire ajoute un obstacle supplémentaire à la compréhension, et ceci parfois à l'intérieur d'un même État ? C'est ainsi que, si un peu plus de la moitié des habitants de la Yougoslavie (les Slovènes, les Croates, les Albanais) utilise l'alphabet latin, les Serbes emploient l'alphabet cyrillique. Tout comme d'ailleurs leurs voisins bulgares. C'est là encore un élément de différenciation supplémentaire entre les différentes composantes ethniques de l'*Europe de l'Est*.

NATIONS DIVISÉES ET MINORITÉS NATIONALES

Les vicissitudes de l'Histoire récente et les modifications territoriales qui ont suivi les deux conflits mondiaux ont parfois abouti à l'établissement de frontières politiques qui séparent les membres d'une même Nation. L'exemple-type en est fourni par la nation allemande coupée en deux par le « *rideau de fer* » et formant encore aujourd'hui deux États souverains, la RFA rattachée au monde occidental, et la RDA intégrée à l'Europe de l'Est. Le symbole de cette division *subie* et non *désirée* par les peuples était la ville de Berlin coupée en deux depuis le 13 août 1961 par le trop fameux *mur*. En outre, cette division récente ne rend qu'une image incomplète du morcellement de l'ethnie allemande (même si l'on exclut le cas des Allemands d'Autriche qui sont conscients aujourd'hui de former une *nation autrichienne*, et des Allemands des Cantons alémaniques qui se sont toujours considérés comme des Suisses). Il y a encore en effet dans différents pays de l'Est quelques groupes d'Allemands minoritaires, considérablement réduits quant à leur importance numérique après les expulsions massives de 1945-1946. Ces Allemands sont encore au nombre de 400 000 en Pologne, 300 000 en Roumanie, 250 000 en Hongrie et 150 000 en Tchécoslovaquie. La plupart cherchent d'ailleurs à être rapatriés vers la RFA.

De la même façon, il existe, en dehors des Allemands, d'autres minorités nationales séparées de la masse de leurs compatriotes par un tracé plus ou moins arbitraire des frontières. Ainsi, à l'heure actuelle, plus de 30 % des Hongrois vivent hors des frontières de la Hongrie, sur le territoire des États voisins : 2 millions au moins en Roumanie, plus de 600 000 en Tchécoslovaquie, 550 000 en Yougoslavie et près de 200 000 en URSS. Une proportion analogue d'Albanais vit en dehors de l'Albanie, en territoire yougoslave, sans compter des minorités moins importantes de Bulgares et de Roumains qui vivent en Yougoslavie, et de Serbes en Roumanie.

NATIONALITÉS DISPERSÉES OU DÉRACINÉES

A côté de ces populations relativement homogènes qui ont toujours cherché à un moment quelconque de leur histoire à former des États nationaux et qui, dans la plupart des cas, y sont parvenues, on rencontre en Europe de l'Est des populations déracinées, étrangères à ces régions, mais qui s'y sont fixées au cours de leus migrations : ce sont les Arméniens, les Tsiganes et les Juifs.

Des petits groupes d'Arméniens, à l'époque byzantine ou au temps de la splendeur de l'Empire ottoman, se sont fixés dans les Balkans et leurs descendants constituent encore des communautés vivantes et conscientes de leur arménisme, en Bulgarie où ils sont 55 000 et en Roumanie. D'autres Arméniens avaient préféré se réfugier dans l'Empire d'Autriche, en particulier au XVIIe siècle, où certains se fixèrent en Transylvanie et se sont assimilés totalement à la population hongroise locale.

Les Tsiganes étaient, avant la Deuxième Guerre mondiale, présents dans toute l'Europe de l'Est, mais surtout dans les pays balkaniques. Leur nombre a sensiblement diminué à la suite des déportations qui les frappèrent de 1942 à 1944; ils sont encore 200 000 en Bulgarie et en Roumanie, 75 000 en Hongrie et en Yougoslavie. Ailleurs, leur nombre est plus réduit.

Quant aux Juifs, ils constituaient avant 1939 une part non négligeable de la population urbaine des pays de l'Europe centrale et orientale. Ils étaient particulièrement nombreux en Pologne (plus de 3 millions, soit près de 10 % de la population totale), en Roumanie (700 000) et en Hongrie (500 000); ailleurs, leur nombre était beaucoup plus restreint. Les persécutions nazies ont presque totalement anéanti les communautés juives de Pologne, de Roumanie et de Tchécoslovaquie. Les Juifs de Hongrie, épargnés jusqu'en mars 1944, se sont retrouvés au nombre de 250 000 à la fin de la guerre et, avec les quelque 200 000 Juifs de Roumanie, ils forment la communauté juive la plus importante d'Europe de l'Est. Depuis 1945, plusieurs dizaines de milliers de Juifs d'Europe de l'Est ont émigré vers Israël, ce qui a encore réduit la part de l'élément juif dans la population.

DIVERSITÉ DES RELIGIONS

La religion constitue aussi un important facteur de différenciation entre les peuples de l'Est européen. En dépit de l'athéisme officiel jusqu'à une époque toute récente, la religion y est encore bien vivante. Nous ne disposons pas de statistiques sur le taux de pratique religieuse, mais on peut néanmoins affirmer qu'au pire, il n'est pas inférieur à celui des pays de l'Ouest. Toutes les grandes religions monothéistes sont représentées.

• *Le catholicisme* est présent sous ses deux formes : le catholicisme de *rite latin* qui demeure la religion quasi exclusive des Polonais, des Slovènes, des Croates, de la majorité des Slovaques (85 %), des Hongrois (65 %) et des Tchèques (60 %) tandis qu'il est minoritaire chez les Serbes (10 %) et les Allemands de l'Est (10 %), et le catho-

licisme de *rite grec* ou *uniate* pratiqué par la moitié des
Roumains de Transylvanie bien qu'interdit depuis 1948
par les autorités de Bucarest, par les Ruthènes de Slovaquie, et par quelques milliers de Hongrois.

• *Le protestantisme* est largement majoritaire en RDA
sous sa forme luthérienne, minoritaire en Tchécoslovaquie, en Hongrie sous sa forme calviniste et luthérienne,
et en Roumanie chez certains membres des minorités
allemandes et hongroises de Transylvanie.

• *La religion orthodoxe* est très largement majoritaire
chez les Serbes, les Bulgares et les Roumains.

• *L'Islam*, en raison de 4 siècles d'occupation turque, a
réussi à s'implanter chez les Serbes de Bosnie-Herzégovine, chez les Bulgares du Rhodope (Pomaci) et en
Albanie, où il est la croyance dominante (70 %).

• *Le judaïsme* demeure le trait d'union entre les communautés juives des pays de l'Est.

L'attitude du pouvoir politique, athée et marxiste, à
l'égard des religions, varie d'un pays à l'autre, allant
depuis la liberté totale du culte de l'enseignement et de la
propagande religieuse en Pologne, jusqu'à l'interdiction
totale de toute pratique religieuse décidée en Albanie en
1967 avec toutes les situations intermédiaires. Mais dans
l'ensemble, la situation des Églises catholiques et protestante, très précaire dans les années cinquante, s'est en
général améliorée. Quant à l'Église orthodoxe, en Roumanie, en Bulgarie et en Yougoslavie, elle ne semble pas
avoir subi de difficultés majeures dans sa mission spirituelle.

L'élection en 1978 de l'archevêque de Cracovie Karol
Wojtyla au Pontificat suprême, son voyage triomphal
l'année suivante dans son pays natal, ses prises de position claires en matière doctrinale et en faveur des Droits
de l'homme et de la liberté religieuse au cours de ce
voyage, tout cela a eu un impact considérable non seulement sur tous les peuples de l'Europe de l'Est, croyants et
non-croyants confondus, mais aussi sur les clergés nationaux souvent trop portés à sacrifier l'intérêt de leur
Église à leur confort personnel. Le réveil religieux s'est
confirmé au cours des années 80 et a joué un rôle non
négligeable dans les événements récents.

DIVERSITÉ DES COMPORTEMENTS DÉMOGRAPHIQUES

Avant la Seconde Guerre mondiale, la démographie des peuples de l'Europe de l'Est relevait d'un modèle relativement homogène, (à l'exception de l'Allemagne), à savoir celui de populations à forte natalité et à mortalité moyennement élevée en raison de l'importance de la mortalité infantile. Depuis 1945, des différences sensibles sont apparues dans le comportement démographique des divers peuples. Toutefois, chez tous, on observe depuis 1945 des traits communs : diminution plus ou moins importante de la fécondité, recul très net de la mortalité et surtout de la mortalité infantile.

Compte tenu des différences nationales, on peut envisager les cas suivants :

• L'**Albanie**, pays à fort taux d'accroissement naturel, grâce au maintien d'un taux élevé de natalité de l'ordre de 30 pour 1000 et d'un taux de mortalité faible, inférieur à 8 pour 1000.

• La **Pologne**, la **Roumanie** et la **Yougoslavie** qui, en dépit d'une diminution lente mais régulière de leur taux de natalité, ont pu conserver un taux d'accroissement naturel moyen annuel voisin de 10 pour 1000 en raison d'une natalité encore honorable et d'une mortalité en baisse sensible surtout au niveau de la mortalité infantile.

• La **RDA**, pays où l'accroissement naturel est pratiquement nul en raison d'un taux de natalité faible de l'ordre de 14 pour 1000 et d'un taux de mortalité élevé de 13 pour 1000 qui s'explique dans son caractère anormal par le vieillissement de la population. Ce vieillissement est lié à la fois au nombre restreint des naissances et aux conséquences encore sensibles aujourd'hui des départs massifs des jeunes vers la RFA entre 1950 et 1961.

• La **Bulgarie**, la **Hongrie** et la **Tchécoslovaquie**, dans lesquels le taux d'accroissement naturel diminue rapidement à la fois d'un taux de natalité relativement faible et d'un taux de mortalité assez élevé en raison du vieillissement de la population.

DIVERSITÉ DE L'OCCUPATION DE L'ESPACE

L'Europe de l'Est a une densité moyenne de l'ordre de 105 habitants au km^2 (France 100 habitants au km^2). Quatre pays, la Bulgarie, la Yougoslavie, la Roumanie et l'Albanie, ont une densité inférieure à la moyenne. Ce sont à la fois des pays où l'importance des montagnes et où le maintien d'une population agricole encore nombreuse ont été des obstacles aux fortes concentrations humaines. Au contraire, les quatre autres pays de l'Est où la densité est nettement plus forte que la moyenne sont ceux où, d'une part, dominent les plaines et les bassins intérieurs fertiles, et d'autre part l'industrie est la plus développée. Mais à l'intérieur de chacun de ces pays, les densités peuvent considérablement varier d'une région à l'autre.

Le même contraste se retrouve en ce qui concerne la répartition de la population entre citadins et ruraux. Certes partout, l'urbanisation a fait des progrès sensibles au cours des trente dernières années en liaison avec les politiques d'industrialisation partout mises en œuvre. Dans tous les pays de l'Europe de l'Est, les citadins sont majoritaires sauf en Bulgarie où citadins et ruraux s'équilibrent, et en Albanie et en Yougoslavie où les citadins ne représentent encore que 44 % de la population. Mais il faut distinguer les pays d'ancienne tradition urbaine où les citadins, comme en RDA, représentent plus des 4/5 de la population, et les autres pays où l'urbanisation est plus récente. Partout à côté des villes traditionnelles dont les fonctions à l'origine étaient administratives ou commerciales, s'est développé un nouveau type urbain, que l'on pourrait appeler la *ville socialiste*. C'est le cas de localités anciennement rurales ou commerçantes, qui sont devenues de véritables villes-champignon à la faveur d'implantations industrielles : on peut évoquer à ce propos le cas de Leninváros et de Dunaujváros en Hongrie, de Nowa-Huta en Pologne, de Eisenhüttenstadt en RDA ou de Hunedoara en Roumanie.

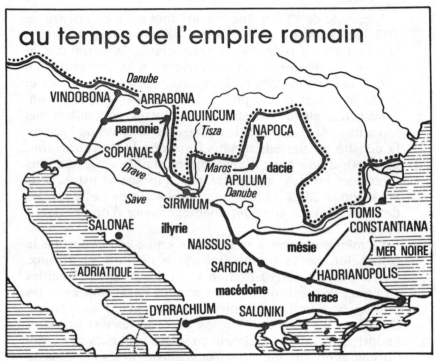

au temps de l'empire romain

LIMITES DE L'EMPIRE ROMAIN
PRINCIPALES CITÉS ROMAINES
VOIES ROMAINES

II

UN ESPACE AUX MULTIPLES VISAGES

Les pays de l'Europe de l'Est appartiennent à des domaines géographiques différents, tant sur le plan du relief que sur celui du climat et des paysages.

DIVERSITÉ DES TYPES DE RELIEF

Trois grands ensembles de relief se partagent l'espace est-européen :

• *au nord*, le relief est constitué par la partie centrale de l'immense plaine qui s'étend des rives de la Mer du Nord jusqu'à l'Oural. Cette plaine, que les géographes appellent la *plaine germano-polonaise*, occupe sur une largeur de 400 à 500 km la plus grande partie du territoire de la RDA et de la Pologne. Fortement marquée par l'influence des glaciations de l'époque quaternaire, elle se divise du nord au sud en plusieurs zones. Au voisinage de la Baltique, la monotonie de la plaine est interrompue par la présence de collines, les *croupes baltiques* plus élevées à l'est de la Pologne que dans les régions occidentales ; entre ces collines s'étendent des cuvettes qui furent érodées par les glaciers et qui sont occupées aujourd'hui par des marécages et des lacs. Ce type de paysage se rencontre en Mecklembourg, dans le Pomorze entre l'Oder et la Vistule, et en Mazurie, à l'est de la Vistule. Au sud de cette région, la partie médiane de la plaine germano-polonaise est constituée de vastes étendues sablo-argileuses, au sol pauvre, pays de landes, d'étangs et de tourbières, dans lesquels autrefois les anciens glaciers ont laissé des traînées de moraines parallèles. Enfin, la partie méridionale de la plaine germano-polonaise correspond à une étroite bande de sols riches constitués de loess ; c'est la *Börde*, surtout présente en RDA et au sud-ouest de la Pologne.

• *au centre* s'étend de la RDA aux confins de la Biélo-Russie une succession de massifs anciens érodés et de blocs cristallins isolés, le tout généralement boisé, alternant avec des bassins d'effondrement aux sols fertiles. D'ouest en est, on rencontre ainsi successivement les Monts de Thuringe et le Harz en RDA encadrant le bassin de Thuringe ; les Monts Métallifères (Erzgebirge), les Monts de Bohême, les Monts des Sudètes et les collines de Moravie, qui ceinturent la cuvette de Bohême ; les plateaux de Petite Pologne et de Lysa Gora qui séparent les bassins de Silésie et du Haut-Oder, des Monts des Sudètes. Ces massifs anciens qui renferment pour la plupart d'entre eux des minerais ferreux et non ferreux, ont des altitudes allant de 700 à 1 700 m.

• *le sud* – c'est-à-dire plus de la moitié de l'espace est-européen – correspond à un important système montagneux de chaînes récentes formées à l'époque tertiaire, au milieu ou au voisinage desquelles s'étendent de vastes plaines. Ces montagnes jeunes qui prolongent vers l'est et le sud-est les chaînes alpines sont constituées, au nord, de l'arc carpatique dont les altitudes maxima ne dépassent guère 2 600 m (Monts Tatry 2 663 m), au sud, des chaînes dinariques, plus élevées (point culminant Mont Korab 2 751 m), qui, en Macédoine et en Bulgarie se rejoignent pour constituer les Monts Balkan et le Rhodope (2 925 m au Pic Mousala). Le plissement alpin qui fut à l'origine de ces montagnes jeunes a favorisé la formation de grands bassins d'effondrement qui sont devenus de riches plaines d'accumulation sédimentaires : plaine de Pannonie à l'ouest, Grande Plaine hongroise ou *Alföld* entre le Danube et la Tisza, plaine de Voïvodine et du Banat dans la zone de confluence entre Danube, Tisza, Save et Drave, séparées des plaines de Valachie et de Moldavie par l'isthme montagneux des Portes de Fer. Cette opposition entre les massifs montagneux et les plaines se double d'une opposition entre les paysages végétaux, forêts de conifères ou de feuillus sur les hauteurs, « prairies » dans les plaines utilisées à l'origine comme pâturages dans le cadre de l'élevage extensif pratiqué par les peuples nomades qui s'y sont succédé, puis peu à peu mises en culture par les agriculteurs sédentaires.

Les massifs anciens et les montagnes jeunes alimentent un réseau hydrographique abondant. Des Monts de Bohême et des Carpates septentrionales partent les grands fleuves de direction sud-nord, l'Elbe, débouché naturel de la Tchécoslovaquie et surtout de la RDA mais dont l'embouchure se trouve en RFA, l'Oder, par où remontent vers le nord les productions de la Silésie et de la Lusace, et qui constitue depuis 1945, avec son affluent la Neisse, la limite orientale du monde allemand, mais dont l'embouchure est dans son intégralité en territoire polonais; la Vistule enfin, le fleuve polonais par excellence, qui traverse le pays du sud au nord sur une longueur de 1 090 km arrosant les deux capitales successives, Cracovie la capitale du passé, Varsovie la capitale actuelle.

Au sud, à travers les plaines qui s'étendent entre les Carpates les Alpes dinariques et les Balkans coule le Danube; sur une longueur totale de 2 850 km, plus de 2 000 km se trouvent en Europe de l'Est. Le Danube fut toujours un trait d'union entre l'Europe de l'Est et l'Europe de l'Ouest; il le sera encore davantage en 1990 lorsqu'il sera uni au Rhin avec l'achèvement de la liaison Rhin-Main-Danube. Mais le Danube, c'est avant tout une grande artère commerciale utilisée principalement par les pays de l'Est qui en sont riverains (Tchécoslovaquie, Hongrie, Roumanie, Yougoslavie et Bulgarie) et par l'URSS qui, depuis l'annexion de la Bessarabie en 1945 est devenue à son tour un pays danubien.

DIVERSITÉ DES CLIMATS

L'Est européen se différencie aussi par ses climats qui relèvent de plusieurs régimes. L'hiver, les températures moyennes diminuent d'ouest en est, et les montagnes ont en général des températures plus basses que les plaines voisines. L'été, les températures s'élèvent du nord vers le sud. Les précipitations, elles, sont surtout liées au relief; les montagnes reçoivent au minimum une moyenne annuelle de 1 000 mm alors que les plaines en reçoivent le plus souvent de 500 à 600 mm avec une diminution des quantités d'ouest vers l'est. Quant au régime des vents, il est marqué par une lutte d'influence entre les vents d'ouest qui peuvent pénétrer assez loin à l'intérieur de la plaine germano-polonaise, et les vents d'est envoyés à partir de l'anticyclone sibérien, qui apportent les grands froids de l'hiver et les vagues de chaleur l'été, sans oublier les influences méditerranéennes qui touchent les régions bordières de l'Adriatique et de la Mer Noire.

Tout cela fait que plusieurs types de climat existent en Europe de l'Est. Dans la plaine germano-polonaise, les vents d'ouest parviennent souvent l'hiver à atténuer les effets de l'anticyclone sibérien et apportent l'été une certaine fraîcheur, mais leur influence diminue d'ouest en est. A Berlin, la période durant laquelle la moyenne des températures est inférieure à 0° est de l'ordre de 40 jours et aucun cours d'eau n'est pris par les glaces en Allemagne. A Varsovie au contraire, la température demeure en dessous de 0° durant 3 mois et la Vistule est partiellement prise par les glaces. Les étés en revanche sont plus uniformes. Quant aux précipitations elles sont de l'ordre de 600 à 800 mm en bordure de la Baltique, autour de 600 mm à l'intérieur. Une partie de ces précipitations se fait sous forme de neige qui couvre le pays de 1 à 3 mois en général selon que l'on est à l'ouest ou à l'est.

Les régions montagneuses constituent un milieu climatique distinct avec une continentalité plus marquée, des hivers plus froids, des étés chauds, des précipitations abondantes, toujours supérieures à 1 000 mm, dépassant même 2 000 mm dans les Alpes dinariques et les Carpates, avec un fort enneigement. Mais les altitudes toujours inférieures à 3 000 m excluent l'existence des glaciers et de névés. Cependant, l'abondance de la neige hivernale fait de ces montagnes de véritables châteaux d'eau pour les plaines voisines.

Dans les pays danubiens, la continentalité est plus marquée, car les vents d'ouest sont arrêtés par les Alpes et les massifs d'Allemagne moyenne. En Hongrie, dans les plaines du nord et du nord-est de la Yougoslavie, en

Basse-Roumanie et dans les plaines bulgares, les hivers sont rudes (– 2° à Budapest en janvier, – 3°5 à Bucarest) mais l'enneigement y est modéré tant en quantité qu'en durée. Les étés, chauds, subissent parfois les influences méditerranéennes, surtout en Roumanie et en Bulgarie où la sécheresse est entrecoupée d'averses orageuses. Mais en général, le volume annuel des précipitations est faible, voisin de 500 mm.

Enfin, les bords de l'Adriatique et de la Mer Noire bénéficient d'un climat de type méditerranéen surtout l'été où la sécheresse s'étend sur au moins 3 mois, tandis que l'hiver, en dépit de la prédominance d'un temps doux et ensoleillé, les vents froids venus de l'intérieur (le Bora en Yougoslavie) peuvent parfois provoquer une chute brutale mais de courte durée, du thermomètre.

Ces diversités climatiques et morphologiques expliquent la diversité des activités agricoles et des formes d'élevage ; elles sont responsables, pour une bonne part de l'inégale répartition de la population et de l'inégal niveau de développement économique que l'on constate encore aujourd'hui dans ces régions.

DIVERSITÉ DES NIVEAUX ÉCONOMIQUES

Les pays de l'Europe de l'Est présentent aussi des différences sensibles sur le plan économique. Ces différences ne datent pas d'aujourd'hui. Elles sont dues pour une part aux conditions naturelles (relief, sol, climat), pour une part aussi à l'existence ou à l'absence de ressources en énergie ou en matières premières, mais aussi à l'héritage du passé. Certains pays comme la RDA et la Tchécoslovaquie avaient déjà atteint en 1938 un niveau de développement économique voisin de celui des grandes puissances industrielles de l'Europe du Nord-Ouest ; d'autres au contraire, comme les États balkaniques et dans une certaine mesure la Pologne, pouvaient alors être qualifiés de « pays en voie de développement ».

Après 1945, les économies des Pays de l'Est ont eu à faire face à deux séries de problèmes, d'abord ceux liés à la reconstruction car le territoire de beaucoup d'entre eux a subi d'importantes destructions dues aux bombardements et au déroulement des opérations militaires, sans parler des pillages et des déprédations commises par les occupants successifs ; ensuite, ceux consécutifs aux changements des structures politiques, économiques tels que les réformes agraires, les nationalisations et le passage d'une économie plus ou moins libérale à une économie socialiste planifiée donnant la priorité à l'industrialisation. Enfin, à partir de 1949, tous ces pays, à de rares exceptions près, se sont regroupés au sein du *Conseil d'Assistance Économique Mutuelle* dominé politiquement et économiquement par l'Union Soviétique. De ce fait, chcun d'entre eux est par rapport à tous les autres un partenaire commercial privilégié. La mise en place de la *division socialiste du travail*, c'est-à-dire de la spécialisation, à partir du début des années soixante, a encore renforcé la coopération et les liens entre tous ces pays.

A l'heure actuelle, compte tenu des différences de niveau économique qui subsistent entre ces États, on peut classer les pays de l'Europe de l'Est en 3 groupes :
• Les États fortement industrialisés qui disposent également d'une agriculture à haute productivité et fortement mécanisée : la RDA et la Tchécoslovaquie ;
• Les États moyennement industrialisés et où l'agriculture occupe encore une place importante au niveau de l'emploi et de la production : la Hongrie, la Pologne et depuis peu la Roumanie ;
• Les États de tradition agricole en cours d'industrialisation plus ou moins rapide : l'Albanie, la Bulgarie et la Yougoslavie.

Le niveau de développement économique coïncide *grosso modo* avec le niveau de vie, en dépit de quelques légères différences. Dans ce domaine, c'est la RDA qui arrive largement en tête, suivie par la Tchécoslovaquie et la Hongrie ; loin derrière vient la Pologne qui, depuis une dizaine d'années, se débat dans de sérieuses difficultés d'ordre économique, suivie assez loin par les autres pays, l'Albanie en lanterne rouge avec un revenu individuel proche de celui des Pays en voie de développement.

Depuis quelques années, l'impact de la crise économique qui affecte la plupart des pays commence à se faire sentir en Europe de l'Est. Si les pays les moins développés continuent à maintenir un taux de croissance élevé (6 à 7 % en moyenne), les pays les plus industrialisés par contre, ceux qui sont importateurs de sources d'énergie et de matières premières, et en même temps exportateurs de produits manufacturés, ont une croissance réduite (de l'ordre de 2 %) ce qui n'est pas sans poser de problèmes pour leurs dirigeants.

DIVERSITÉ APPARENTE OU RÉELLE DANS L'EXERCICE DU POUVOIR ?

L'unité de l'idéologie, l'appartenance commune au système socialiste et l'identité des principes qui régissent la politique intérieure et extérieure ne doivent pas nous faire oublier que les pays de l'Est présentent des différences souvent importantes au niveau des institutions politiques et de l'exercice du pouvoir.

Un premier clivage permet de séparer les États qui se trouvent encore à la première étape sur le long chemin qui mène au communisme, et ceux qui ont atteint un degré supérieur d'évolution. Dans le premier cas, il s'agit de la Bulgarie, de la Hongrie, de la Pologne et de la RDA qui sont encore des *Démocraties Populaires*; dans le second cas, il s'agit des pays qui, comme l'Albanie, la Roumanie, la Tchécoslovaquie et la Yougoslavie, s'affirment déjà comme des *Républiques socialistes*.

Une deuxième distinction peut être faite entre les États dans lesquels la vie politique est animée par une coalition de Partis politiques au sein de laquelle le Parti Communiste joue un rôle prépondérant, et ceux où, au contraire, le Parti Communiste détient le monopole de la vie politique. Le premier modèle est représenté par la Bulgarie, la Pologne, la RDA et la Tchécoslovaquie, où, à côté du Parti Communiste, coexistent d'autres formations politiques alliées à lui. Au contraire, le Parti du Travail albanais, le Parti Socialiste Ouvrier hongrois, le Parti communiste roumain et la Ligue des Communistes yougoslaves, constituent dans leur pays respectif la seule formation politique autorisée. Cependant, dans un cas comme dans l'autre, le Parti Communiste et, le cas échéant, les autres Partis politiques, sont regroupés au sein de vastes rassemblements populaires qui portent des noms différents selon les pays (Fronts de la Patrie bulgare, Front Patriotique hongrois, Front National polonais, Alliance socialiste du Peuple travailleur de Yougoslavie, etc.), où ils ont leur place à côté des grandes organisations de masse (Syndicats, Organisations de Jeunesse, Associations culturelles, représentants des Églises soigneusement triés, etc.).

Dans tous les Pays de l'Est, officiellement, le pouvoir politique émane du peuple qui l'exerce au moyen de ses représentants élus au suffrage universel, direct et secret, par tous les citoyens majeurs, hommes et femmes. Une liste unique de candidats préparée par le Parti Communiste et les organisations de masse est soumise à l'approbation des électeurs. Mais là où il y a des différences entre les États, c'est que, depuis quelques années, dans certains pays, en particulier en Hongrie et en Pologne, les listes présentent un nombre de noms supérieur à celui des sièges à pourvoir, ce qui permet à l'électeur de rayer les noms de certains candidats. Dans les autres pays au contraire, la liste unique est à accepter ou à rejeter en bloc.

Un autre facteur de différenciation peut être trouvé encore dans le fait que, si dans certains pays les organes de l'État représentés par le Conseil d'État et son Présidium élus par l'Assemblée Nationale sont distincts de la direction du Parti Communiste, dans d'autres pays au contraire, les institutions de l'État et celles du Parti sont détenues par les mêmes personnes. Ce fut le cas en Yougoslavie à l'époque du maréchal Tito; c'est encore le cas aujourd'hui en Albanie, en Bulgarie, en Roumanie, en RDA et en Tchécoslovaquie. Dans tous ces pays, Enver Hoxha, Todor Jivkov, Nicolas Ceaucescu, Erich Honecker et Gustave Husak ont été à la fois Chef de l'État et Secrétaire Général du Parti jusqu'aux changements survenus à la fin de 1989.

Sur le terrain politique aussi, il y a donc des différences entre les Pays de l'Est, sans oublier non plus que, dans le cadre d'institutions identiques ou voisines, l'attitude des dirigeants peut être radicalement différente. Les uns peuvent être amenés à faire preuve de souplesse et d'un certain libéralisme, tandis que d'autres, dans le pays voisin, demeurent fidèles à une ligne dure. Mais aujourd'hui, les différences se sont brutalement évanouies. Tous ces pays ont rejeté le régime communiste qu'on leur avait imposé et chacun à sa manière cherche à trouver sa propre voie vers la démocratie.

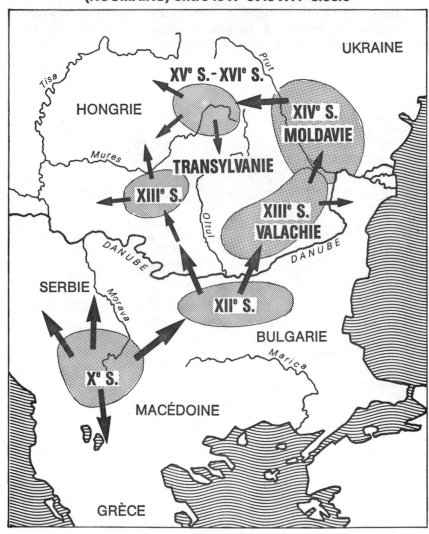

MIGRATION DES VALAQUES
(ROUMAINS) entre le Xᵉ et le XVIᵉ siècle

LE POIDS DU PASSÉ

III

LA MISE EN PLACE
DU PEUPLEMENT

LA PROTOHISTOIRE

Le peuplement des territoires qui correspondent à ce que l'on appelle aujourd'hui l'Europe de l'Est, remonte à une très haute époque, mais nos connaissances à ce sujet demeurent souvent obscures car jusqu'au début du Ier millénaire avant J.-C., ces régions ont vécu à l'écart des grandes civilisations du monde méditerranéen.

A l'exception des *Proto-Finnois* – les ancêtres des actuels Finnois et Estoniens – qui sont arrivés par petits groupes au cours du Ier millénaire avant J.-C. et qui se sont d'abord fixés sur les rives de la Baltique entre les vallées du Niemen et de la Néva, les premières populations connues en Europe de l'Est sont des populations *indo-européennes*. Au IIIe millénaire, les Indo-Européens occupaient encore les steppes qui vont des Carpates au sud de l'Oural. Tandis que certains d'entre eux – les Cimmériens et les Scythes – s'y maintînrent jusqu'aux premiers siècles de notre ère, la plupart des Indo-Européens, à la fin du IIIe millénaire ont commencé à se disperser tout en se différenciant. Certains, au cours du IIe millénaire avant J.-C. comme les Hellènes et les Italiotes entrèrent en contact avec les brillantes civilisations méditerranéennes qu'ils assimilèrent et furent à l'origine des civilisations grecque et romaine. D'autres, les Thraco-illyriens, sans aller jusqu'aux mers chaudes, s'en rapprochèrent. Ainsi les Illyriens s'établirent entre la Save, le Danube et l'Adriatique; les Daces entre la

Tisza, le Danube et la Mer Noire; les Thraces dans les Balkans. Ils furent ainsi tous plus ou moins au contact de la civilisation grecque. L'immense majorité des Indo-Européens cependant se fixa à l'écart du monde méditerranéen. Certains s'installèrent en Scandinavie, où ils fusionnèrent avec les ancêtres des Germains et leur imposèrent leur langue indo-européenne. Les Proto-Baltes, mal connus, s'établirent eux entre la basse vallée de l'Oder et le Niémen, au contact vers le Sud avec les Proto-Slaves fixés au Nord des Carpates, de la Vistule au Dniestr. Enfin, le cœur de l'Europe fut, à partir du milieu du IIᵉ millénaire avant J.-C. le foyer de plusieurs civilisations propagées par les Proto-Celtes et beaucoup mieux connues en raison de l'abondance du matériel archéologique découvert: civilisations des Champs d'Urnes, civilisation de Hallstadt au début du Iᵉʳ millénaire avant J.-C., puis de la Tène. Les Celtes, à partir du IVᵉ siècle avant J.-C. firent à plusieurs reprises des raids dévastateurs dans le monde grec et romain, et étendirent peu à peu vers le sud et le sud-est leur zone d'influence en s'assimilant aux populations thraco-illyriennes locales, pour donner naissance à des ethnies mélangées, les Celto-Scythes en Europe orientale, les Celto-Thraces dans les Balkans. Seul, l'actuel territoire hongrois avait encore un peuplement celte homogène à la fin du Iᵉʳ millénaire.

HÉLLÉNISATION ET ROMANISATION DES BALKANS ET DES PAYS DANUBIENS

Dès le début du Iᵉʳ millénaire avant J.-C., les Grecs ont cherché à s'assurer le contrôle des régions montagneuses situées au nord de leur pays. Au Vᵉ et IVᵉ siècles avant J.-C., ils y sont parvenus grâce à leur politique d'établissement de colonies en Epire et sur la côte adriatique, sur le littoral thrace et sur les rives de la Mer Noire. Par ces colonies, la civilisation grecque a lentement pénétré dans les Balkans. Lorsque Rome se substitua aux Grecs dans cette région à partir du IIᵉ siècle avant J.-C. avec la création de la Province de Macédoine et la soumission de la Thrace, le destin de la partie méridionale de l'Europe de l'Est fut étroitement associé à celui de Rome pour plusieurs siècles. Sous Auguste et sous Tibère, Rome soumit les uns après les autres les territoires situés au sud du Danube; le fleuve devînt le *limes* septentrional de l'Empire. Ainsi furent créées les provinces de Norique (Autriche), de Pannonie (Hongrie occidentale), et de Dalmatie (actuelle Croatie). Sous Claude et sous les Flaviens, la Thrace, État protégé, devint Province en 46 après J.-C., tandis que vers l'est les pays au sud du Danube formèrent les provinces de Mésie supérieure (Vieille Serbie) et Inférieure (Bulgarie). A l'Ouest, les Romains atteignirent pendant un court moment les rives de la Weser, mais en fait ce furent le Rhin et le Neckar, qui constituèrent la limite de la pénétration romaine dans le monde germanique. Sur le Danube, les Romains se trouvèrent en contact avec d'autres populations germaniques, les Quades de Moravie et les Marconans de Bohême, mais aussi avec des peuples de civilisation scythe, les Iazyges et les Sarmates installés au cœur de la plaine hongroise entre le Danube et la Tisza, et les Daces qui, à la fin du Ier siècle après J.-C. constituèrent sous leur roi Décébale un État organisé, allié aux Iazyges et aux Sarmates et dont le centre était consitué par la Transylvanie. A plusieurs reprises, les Daces firent des incursions dans les provinces romaines du Bas Danube. En 2 campagnes (101-102 et 106-107), Trajan soumit la Dacie et en fit une Province romaine. Une grande partie des Daces furent massacrés, le reste vendu comme esclaves et dispersé dans tout l'Empire. La Dacie fut repeuplée avec des colons venus de toutes les Provinces, et en particulier des provinces asiatiques; par ses mines d'or et d'argent, elle contribua à la prospérité du monde romain.

Au début du IIe siècle après J.-C., le contraste entre l'Europe de l'Est demeurée libre, et celle soumise à Rome est saisissant. Là, ce sont des tribus nomades, inorganisées, divisées: Germains entre Rhin et Elbe, Slaves entre Haut-Oder et Haut-Dniestr, Baltes en bordure de la Baltique, Iazyges et Sarmates au nord du Danube. Ici au contraire, on a des territoires bien administrés avec des villes en plein essor dont la création a été voulue par Rome dans un but militaire et également civilisateur. C'est dans ces villes que vivent les officiels romains et les élites indigènes plus ou moins romanisées. Ces villes sont des centres à partir desquels rayonne la civilisation romaine sur toutes les campagnes peuplées d'indigènes, sauf en Dacie, où ils ont été massacrés ou déportés. Dans les campagnes, la romanisation demeura superficielle, plus ou moins selon les régions. Même ceux des indigènes qui servaient dans les *auxilia* de l'armée romaine s'affirmaient fièrement *Dalmates ou Pannoniens* pour bien marquer leur originalité ethnique. Toutefois, l'effet le plus durable de la présence romaine fut l'introduction du christianisme dès le début du IIIe siècle mais qui se diffusa surtout aux IVe et Ve siècles et principalement dans les régions voisines de la Grèce et du littoral dalmate, et en Pannonie.

LA PREMIÈRE VAGUE
DES GRANDES INVASIONS (IIe-Ve siècles)

A partir du IIIe siècle, l'empire romain eut à subir périodiquement les raids des *barbares* qui dévastèrent les provinces proches du Rhin et du Danube. C'est le début de ce que les historiens d'autrefois appelaient les *Grandes Invasions* et qu'il vaut mieux appeler aujourd'hui les « *migrations de peuples* », les *Völkerwanderung* des historiens allemands.

Les premières attaques ont commencé à la mort de Marc Aurèle en 180. La situation fut passagèrement redressée par Septime Sévère – le premier Empereur illyrien – et par ses fils mais au prix de luttes incessantes sur le Rhin et le Danube. Puis, en 235, à la mort d'Alexandre-Sévère, la situation redevînt critique à un moment où l'Empire était affaibli par les querelles intestines, et où le monde barbare d'Europe centrale et orientale entamait un long processus de transformations. C'est en effet à cette époque que les tribus germaniques, longtemps isolées commencent à se grouper, ce qui aboutit à la formation de véritables fédérations de peuples : Alamans, Burgondes et Francs à l'Ouest, Angles et Jutes dans l'actuel Danemark, Saxons et Lombards entre les bouches de la Weser et celles de l'Elbe, Van-

dales en Galicie et dans les Carpates du Nord, où ils
côtoient les Proto-Slaves, Goths et Gépides entre Dniestr
et Don. Profitant des difficultés du monde romain, les
Germains ont multiplié leurs attaques entre 235 et 270.
Les Goths furent particulièrement agressifs dans les Balkans et en Dacie, où ils parurent en 238, en 248, en 256
et surtout en 269. C'est dans ces conditions que l'Empereur Aurélien (270-275) décida d'évacuer la province de
Dacie afin de ramener le *limes* au niveau du Danube.
L'évacuation de la Dacie, à en croire l'historien romain
Eutrope, fut totale : « Il fit un désert de la Dacie que Trajan avait constitué au-delà du Danube, car la dévastation
de toute l'Illyrie et de la Mésie lui ôtait l'espérance de
pouvoir la conserver ; ayant retiré les Romains des villes
et des campagnes de Dacie, il les établit en Mésie centrale » (Eutrope IX). Ce texte a été contesté par la plupart des historiens roumains : selon eux, les Roumains
d'aujourd'hui seraient les descendants des Daces et des
Romains qui seraient demeurés en Dacie après 270, mais
cette thèse inspirée surtout par des préoccupations politiques, manque de sérieux. Après 270 en effet, les toponymes et les noms de rivières d'origine dace ou romaine
disparurent à jamais à la différence de ce qui se passa
dans les autres provinces romanisées puis conquises par
les Barbares.

A la fin du IIIe siècle, le redéploiement des forces effectuées par Aurélien après l'abandon de la Dacie, a permis
de contenir les Barbares. Avec Dioclétien (285-305), Illyrien de Dalmatie, et Constantin (306-337), l'Empire
romain semble retrouver le calme et conclut des traités
avec les chefs barbares, qui font d'eux des *fédérés :* en
échange de terres ou de ravitaillement, ces fédérés
s'engagent à défendre les frontières rhénanes et danubiennes et à fournir un contingent de soldats.

Mais à partir de 370, l'entrée en scène des Huns venus
d'Asie mit fin à près d'un siècle de paix. Les premiers à
subir leur assaut furent les Alains – peuple indo-
européen établi au nord de la mer Caspienne – puis en
374 – 375, ce fut au tour des Goths divisés alors en deux
groupes, les Ostrogoths entre la Volga et le Don, les
Wisigoths entre le Don et le Dniestr ; quant aux Gépides,
ils se soumirent facilement et suivirent les Huns dans

leur progression vers l'Ouest. Beaucoup d'Alains et d'Ostrogoths furent massacrés lors du choc de 375; d'autres réussirent à fuir vers l'ouest. Des Alains se répandirent en bandes pillardes à travers l'ancienne Dacie, puis longeant le Danube, se joignirent aux Germains occidentaux qui déferlèrent sur la Gaule le 31 décembre 406. Quant à ceux des Ostrogoths qui avaient réussi à échapper aux Huns, ils se joignirent aux Wisigoths et avec eux cherchèrent refuge dans l'Empire romain. A l'automne 376, la plupart d'entre eux furent établis par l'Empereur Valens en Thrace, tandis que d'autres demeurèrent au nord du Danube, plus ou moins dans la mouvance des Huns. Après la mort de l'Empereur Valens sous les coups des Goths lors de la bataille d'Andrinople en 378, son sucesseur Théodose encouragea les Goths à s'en aller vers l'Occident. Les Wisigoths d'Alaric s'établirent d'abord en Illyrie, puis de là passèrent en Italie où ils occupèrent momentanément Rome avant de passer en Gaule puis de là en Espagne. Quant aux Ostrogoths, après 378, ils s'établirent en Pannonie.

Après avoir provoqué le départ vers l'Ouest des Wisigoths et des Ostrogoths, les Huns devinrent maîtres de toutes les steppes et plaines s'étendant du Turkestan aux Carpates. Afin de les éloigner de Constantinople, Théodeore les incita sans doute à s'établir en Pannonie, où ils apparaissent vers 390. Peu à peu, le territoire de l'actuelle Hongrie devint le centre de l'*Empire* des Huns qui se constitua à partir de 425 avec les rois Mundziuch et Rua, le père et l'oncle d'Attila. En 434, Attila devint le maître de cet Empire qu'il gouverna avec son frère Bleda jusqu'en 445, puis seul jusqu'à sa mort en 453. A partir des plaines du moyen Danube, les Huns, pendant près de 30 ans, lancèrent des raids dévastateurs d'abord en direction de l'Empire d'Orient, où ils poussèrent en 447 jusqu'à Salonique, puis à partir de 449, vers les royaumes barbares d'Occident. Mais là, l'union entre Romains et Barbares les mit en position difficile à la bataille des Champs Catalauniques le 20 juin 451, ce qui n'empêcha pas Attila l'année suivante de paraître devant Rome.

La mort d'Attila en 453 entraîna en très peu de temps

la dislocation de son Empire. Les peuples que les Huns avaient soumis, notamment les Goths de Pannonie et les peuples pannoniens romanisés en profitèrent pour se soulever. La plupart des Huns repartirent vers l'Asie centrale, certains sans doute demeurèrent sur place. Une légende hongroise reprise par l'humaniste Bonfini au xve siècle affirme que les Sicules des Carpates orientales seraient les descendants de Huns demeurés en Europe – ou plus vraisemblablement de Proto-Hongrois entraînés par les Huns dans leur migration vers l'Ouest.

Avec l'effrondrement de l'Empire d'Attila, s'achève la première période de migrations de peuples. Mais que de changements en Europe! l'Empire Romain d'Occident s'est éteint doucement et a disparu officiellement en 476. L'Empire d'Orient a mieux résisté aux coups des Barbares : son autorité s'arrête vers le Nord au cours de la Save et du Danube, mais à l'ouest, ses limites sont plus floues bien que théoriquement l'ensemble de l'Illyrie en fasse partie. Au-delà de la Save et du Danube, les anciennes provinces de Pannonie et de Dacie, vidées d'une grande partie de leur population par les vagues successives d'invasion, connaissent le vide politique qui s'ajoute au vide humain. Au-delà des Carpates et des Monts de Bohême s'étend le domaine encore inorganisé des Slaves.

LA DEUXIÈME VAGUE
DES GRANDES INVASIONS (VIe-VIIe SIÈCLE)

A la fin du ve siècle, les Lombards, peuple germanique originaire de Scandinavie et installé au IIIe siècle dans la basse vallée de l'Elbe, apparaissent en Basse Autriche, puis en Pannonie, où sous leur roi Wacho (510-540) et son successeur Audoin ils constituèrent un État lié par traité à l'Empire romain reconstitué par Justinien. C'est à ce tire qu'ils participent en 552 à la reconquête justinienne en Italie ostrogothique. Or à ce moment-là apparaissent à l'est de l'Europe de nouveaux envahisseurs venus des steppes de l'Asie Centrale, les Avars. Au début, leur Khan Bayan collabora avec les Lombards pour soumettre les Gépides qui contrôlaient alors la région comprise entre la Tisza et la Mer Noire. En 567, les Gépides, battus, furent intégrés à l'Empire avar naissant. Devant le risque que présentait pour son peuple le voisinage des Avars, le roi lombard Alboin (561-572) quitta la Pannonie en avril 568 et emmena son peuple à la conquête de l'Italie. Désormais, les Avars devenaient les seuls maîtres dans la moyenne vallée du Danube.

Les Avars, par bien des côtés, ressemblaient aux Huns. Comme eux, ils se présentaient sous l'aspect de cavaliers nomades qui parlaient une langue proto-turque ; comme eux, ils étaient accompagnés d'une cohorte de peuples venus des steppes. L'Empire avare étendit son influence à toute la zone carpatique, et aussi aux pays de l'Elbe et de l'Oder, mais ne dépassa pas la Save et le Danube ; la prise de Sirmium en 582 marqua son avancée extrême vers le sud. Byzance réussit non sans mal à contenir la poussée des Avars dont l'échec devant Constantinople en 626 marqua la fin de leur puissance conquérante.

Cet effacement momentané de la puissance avare permit aux Slaves d'entrer dans l'histoire. Jusqu'au vie siècle, les Slaves avaient occupé une zone comprise entre la Vistule et le cours moyen du Don. La fin du vie siècle marque le début de l'expansion slave vers le sud. Au moment où les Lombards et les Slaves commencèrent à se disputer les plaines du moyen Danube, les Slaves avaient déjà occupé le territoire de l'actuelle Bohême – Moravie et certaines tribus s'étaient même infiltrées dans l'ancienne Pannonie ; puis, de là, elles descendirent, les unes vers l'Adriatique, où elles détruisirent vers 614 la ville de Salona, centre de l'administration byzantine en Dalmatie, les autres vers l'est, où elles mirent à sac Singidunum, Naïssus et Sardica. Au début du viie siècle, l'Illyrie et la plus grande partie des Balkans étaient aux mains des Slaves – les ancêtres des actuels Slovènes, Croates et Serbes – et les populations locales furent en partie slavisées.

L'échec des Avars devant Constantinople permit aux Slaves de Bohême et de Moravie de s'émanciper. Vers 630, un État éphémère s'y constitua sous la direction d'un marchand d'origine franque, Samo, qui regroupa les Tchèques, les Moraves, les Sorabes de Lusace, et les Slovènes de Carinthie. Puis en 658, l'État de Samo disparut à son tour, et chacun des peuples qui le composaient suivit son propre destin. Les Slaves du Nord (Tchèques, Moraves) demeurèrent plus ou moins autonomes soumis alternativement aux Germains et aux Avars : les Slaves du Sud, de leur côté, s'établirent de plus en plus solidement dans les anciens territoires byzantins d'Illyrie et de Mésie avec plus ou moins le consentement de l'Empire d'Orient.

Les Avars, demeurés dans les plaines du Moyen Danube, reçurent après 670 des renforts venus d'Asie Centrale; parmi les nouveaux venus, il y avait très certainement des tribus proto-hongroises. L'historien hongrois G. László superposant la carte des tombes avares des VIIIᵉ-IXᵉ siècles, et celles des tombes hongroises des Xᵉ et XIᵉ siècles, a démontré qu'il n'y avait pas coïncidence, mais juxtaposition; travaillant ensuite sur une carte des toponymes du XIᵉ siècle, il y a trouvé des noms slaves et hongrois. En confrontant la carte des toponymes avec les deux cartes des tombes, il a remarqué que la carte des toponymes hongrois du XIᵉ siècle coïncidait à la fois avec les lieux où il y avait des tombes hongroises et avec ceux où il y avait des tombes avares. Pour László, il n'y a aucun doute; les Avars dont il a repéré les tombes parlaient le hongrois. Sa démonstration d'ailleurs porte sur le territoire de l'ancienne Hongrie, ce qui inclue la Transylvanie. A partir du VIIᵉ siècle les Avars n'eurent plus qu'un rôle effacé; les campagnes menées contre eux par les Carolingiens de 791 à 796 aboutirent à la prise de leur trésor accumulé dans leur *Ring* (Camp) situé au confluent du Danube et de la Tisza. Après 822, on n'entend plus parler d'eux.

Le VIIIᵉ siècle a été marqué également par l'arrivée en Europe des Bulgares. Ceux-ci avaient constitué au VIᵉ siècle un vaste Empire au nord-ouest du Caucase. Aux prises avec les Khazars, une partie des Bulgares passa vers l'Ouest, franchit le Bas-Danube en 679 et se fixa sous la direction du Khan Asparuk dans l'ancienne Mésie. Sous les successeurs d'Asparuk, les Bulgares, d'origine turque, se slavisèrent peu à peu au contact des populations des Balkans, et un État Slavo-Bulgare se constitua aux dépens de Byzance, qui étendit peu à peu son autorité sur l'ancienne Dacie et même aux plaines du Moyen Danube après la destruction de l'Empire Avar au début du IXᵉ siècle, à l'époque du Khan Kroum (802-814).

LA FIN DE L'ÉPOQUE DES INVASIONS

Au IXᵉ siècle, on assiste d'abord à une stabilisation des peuples migrateurs et à la formation des premières principautés slaves, mais dont le degré d'organisation varie d'un peuple à l'autre. Les moins organisés sont les Proto-Polonais qui ne se sont guère éloignés de l'habitat slave primitif; ils occupent au IXᵉ siècle la vallée de l'Oder, et les plaines situées de part et d'autre de la Vistule. En revanche, les Tchèques et les Moraves vont constituer au IXᵉ siècle la principauté de Grande-Moravie qui devait connaître son heure de gloire avec Swatopluk (874-884). Les Slaves du Sud n'atteignirent pas ce degré d'organisation. Les Slovènes furent dès 788 intégrés au royaume carolingien; les Croates, pris entre le monde carolingien et Byzance parvinrent peu à peu à s'émanciper et formèrent un État sous Tomislav (910-928). Quant aux Serbes, ils étaient partagés en deux groupes de tribus, fixés, l'un en Rascie, l'autre en Zéta.

Les Slaves étaient, lors de leurs migrations, demeurés païens; il en était de même des Bulgares. Byzance et Rome rivalisèrent de zèle pour les christianiser. Rome, par l'intermédiaire de l'archevêché de Salzbourg et du patriarcat d'Aquilée, intégra à sa zone d'influence les Slovènes et les Croates qui se convertirent dans le courant du IXᵉ siècle; le prince Croate Tomislav reçut même du pape la couronne royale en 925. En revanche, Byzance eut plus de succès dans les Balkans grâce à l'action de deux moines, les frères Cyrille et Méthode, originaires de Salonique, qui parlaient le slave et qui mirent au point, à l'intention des peuples slaves qu'ils allaient visiter, l'alphabet glagolitique. Cyrille et Méthode se rendirent d'abord en Moravie en 863, où ils trouvèrent déjà quelques communautés chrétiennes converties par des missionnaires venus de Salzbourg; il y avait même un évêché à Nitra. Mais l'hostilité du clergé germanique leur ferma bientôt les portes de la Moravie et de la Pannonie. Après 885, les disciples de Méthode furent expulsés de Moravie et s'attaquèrent à l'évangélisation des Balkans. Là, l'évangélisation fut plus facile et les missionnaires grecs remportèrent de francs succès chez les Serbes et chez les Bulgares dont le prince Boris avait déjà reçu le baptême en 864. L'alphabet glagolitique fut simplifié et en souvenir de Cyrille fut appelé *alphabet cyrillique*. Si Byzance avait perdu une grande partie de son autorité politique dans l'Est de l'Europe, en revanche l'action évangélisatrice de ses missionnaires lui permit de récupérer une partie de son influence. L'évêché d'Ochrid fondé par Cyrille et Méthode devînt un important centre religieux, foyer de la culture gréco-slave.

A l'extrême fin du IXe siècle, un nouveau peuple, le peuple hongrois (magyar) vînt s'établir en Europe centro-orientale. Originaires de la région de l'Oural, les Hongrois, après avoir longtemps séjourné en Asie Centrale et avoir été intégrés à l'Empire d'Attila puis à celui des Avars, se trouvaient au IXe siècle installés dans les steppes d'Ukraine méridionale. Talonnés par les Petchènègues, venus eux aussi d'Asie Centrale, les tribus hongroises conduites par leur chef Arpád franchirent les cols des Carpates en 895-896 et s'installèrent dans les vastes plaines du Moyen Danube et dans les vallées transylvaines à l'abri derrière l'arc carpatique qui devait désormais constituer pour plus de 1 000 ans la frontière naturelle de l'État hongrois. L'occupation du pays qui allait devenir la Hongrie se fit sans grandes difficultés. D'abord, à la différence des peuples qui les avaient précédés dans ces régions, les Hongrois était assez nombreux (200 à 300 000) par rapport à des populations locales résiduelles, survivantes des différents peuples qui avaient passé ou s'étaient établis là, Celtes plus ou moins romanisés, Proto-Hongrois venus peut-être avec les Huns et plus sûrement avec les Avars (tels les Sicules de Transylvanie), Croates en îlots éparpillés à travers toute la Pannonie. Les seuls habitants relativement nombreux se trouvaient dans les hautes et moyennes vallées des Carpates occidentales; il s'agissait de Slaves assez inorganisés, lointains ancêtres des actuels Slovaques, parents des Tchèques et des Moraves dont ils s'étaient détachés

dans le courant du ixe siècle. Vers 905, ces Proto-
Slovaques reconnurent la souveraineté des nouveaux
arrivants.

Ainsi, au début du xe siècle, les peuples dont les descendants constituent les populations actuelles de
l'Europe centrale et orientale sont déjà en place, à
l'exception des Roumains qui, sous le nom de Valaques,
errent encore à cette époque avec leurs troupeaux dans
les confins albano-macédoniens d'où ils se préparent à
descendre vers les plaines du Bas-Danube.

IV

LA NAISSANCE DES ÉTATS NATIONAUX
(Xᴱ-XIIIᴱ SIÈCLES)

L'installation des Hongrois en Europe centrale met fin à la longue série des migrations de peuples. Dès lors, entre un Occident qui s'est stabilisé autour des États successeurs de l'Empire carolingien, et un Orient dominé par Byzance, les peuples de l'Europe centro-orientale vont chercher à s'organiser en États nationaux structurés : la plupart y parviendront entre le Xᴱ et le XIIIᴱ siècle.

LA FORMATION DES PREMIERS ÉTATS AU Xᵉ SIÈCLE

La zone d'influence germanique

A l'aube du Xᴱ siècle, la limite orientale du royaume de Germanie correspond au cours de l'Elbe et de la Saale, aux Monts de Bohême et aux derniers massifs orientaux des Alpes autrichiennes. Au-delà commence le domaine des Slaves et des Hongrois. La royauté germanique encore puissante au IXᵉ siècle s'est peu à peu affaiblie et face aux grands féodaux, la seule force morale et politique cohérente est constituée par l'Église.

Aux VIIIᵉ et IXᵉ siècles, des évêchés et des archevêchés ont été créés dans les marches frontières (Ratisbonne, Passau, Salzbourg, Halberstadt, Magdebourg) qui ont constitué autant de bastions avancés du christianisme face aux Slaves et aux Hongrois. A partir de ces évêchés, des missionnaires sont partis vers l'est pour y convertir les peuples encore païens et ce fut généralement par la conversion des chefs, entraînant celle des peuples, que les Slaves du Nord (Tchèques et Polonais) ainsi que les Hongrois sont parvenus à s'organiser en États nationaux.

Au X^E siècle, le duché de Bohême se constitue définitivement sous la famille princière des Przemyslides. Après un premier contact avec le christianisme au IXe siècle à l'époque de la *Grande-Moravie*, des missionnaires venus de Ratisbonne parvinrent à convertir le duc Venceslas (915-929); mais le paganisme avait encore de profondes racines, preuve en est l'assassinat de Venceslas par son frère Boleslas. La malheureuse victime, peu après, sera canonisée et Saint Venceslas deviendra ainsi le Saint patron de la Bohême. Boleslas I dit le Cruel (929-961) finit à son tour par se rallier au christianisme et s'efforça de maintenir de bonnes relations avec le Roi de Germanie Othon Ier le Grand aux côtés duquel il participa en 955 à la bataille de Lechfeld qui mit fin aux incursions hongroises en Occident. Boleslas se reconnut vassal d'Othon, devenu en 962 l'Empereur Othon Ier. Devenu ainsi fief d'Empire, le duché de Bohême se retrouva sur le même plan que les autres fiefs d'Empire, c'est-à-dire qu'il eut une existence d'État quasi indépendant sous réserve des obligations féodales. Sous Boleslas II dit le Pieux (967-999), qui fonda en 973 l'évêché de Prague, suffragant de l'archevêché de Mayence, la religion chrétienne triompha définitivement. Le premier évêque de Prague, Vojtech, plus connu sous le nom de Saint Adalbert, tchèque d'origine, eut lui-même une activité missionnaire chez les Prussiens, les Polonais et les Hongrois. La Bohême était devenue alors un membre à part entière de l'Occident chrétien.

Au moment où les Przemyslides commençaient à organiser la Bohême, le prince Mieszko, de la famille des Piast, chef de l'une des nombreuses tribus slaves qui occupaient les plaines d'entre Oder et Vistule, fit de Poznan le centre d'une confédération de tribus dont le territoire, à partir de cette époque, fut désigné sous le nom de *Polska* c'est-à-dire *la plaine*, dont nous avons fait le nom de *Pologne*. Mieszko, qui régna de 960 à 992 sur cet embryon d'État polonais, influencé par l'action, des missionnaires allemands et par sa femme, chrétienne, sœur du duc de Bohême Boleslas Ier, reçut en 966 le baptême.

Dès lors, Mieszko Ier favorisa la diffusion du christianisme en Pologne, fonda en 968 un évêché à Poznan, suffragant de l'archevêché de Magdebourg. Ici, comme en Bohême, le haut clergé allemand guida les premiers pas de l'Église polonaise. Le fils de Mieszko, Boleslas Le Vaillant (992-1025) poursuivit l'unification des tribus polonaises; il étendit son autorité en Lusace sur la rive gauche de l'Oder, et même jusqu'en Moravie. La Pologne de l'an 1000 est déjà une Pologne chrétienne qui reçoit alors sa pleine indépendance religieuse vis-à-vis de l'Église allemande avec la fondation de l'archevêché de Gniezno qui demeure encore aujourd'hui le siège primatial de l'Église polonaise.

La conversion des Hongrois fut plus difficile. Pendant toute la première moitié du xe siècle, les Hongrois utilisèrent les plaines du moyen Danube comme une base de départ pour des incursions dévastatrices aussi bien vers les pays allemands (907, 908, 909, 910, 913) qu'en direction de Byzance (927, 934, 943). Mieux en 917-918, les cavaliers hongrois poussèrent jusqu'en Lorraine et en Champagne, sans parler de leur lointaine expédition de 924-925 qui les conduisit jusqu'en Languedoc et en Toulousain. Toutefois, peu à peu, les expéditions se raréfièrent. Décisive fut la bataille du Lechfeld, près d'Augsbourg, le 10 août 955, au cours de laquelle le roi de Germanie Othon le Grand infligea aux Hongrois une cuisante défaite. Dès lors, l'influence des Slaves voisins favorisa la sédentarisation des Hongrois. De plus, les missions chrétiennes envoyées par l'évêque de Passau Pilgrim et par son collègue de Prague Vojtech accélérèrent le processus d'intégration des Hongrois à la communauté chrétienne d'Occident. Dès 985, le chef Géza, descendant du conquérant Arpád, se convertit, ainsi que son fils Vajk, qui prit le nom chrétien d'Étienne et épousa la princesse Gisèle, fille du duc de Bavière. Avec Étienne Ier (997-1035) – dont l'église fera en 1081 Saint Étienne et qui est encore aujourd'hui le saint patron de la Hongrie – la Hongrie devint à son tour un État chrétien, organisé sur le modèle des monarchies féodales d'Occident. A l'occasion de la Noël de l'an 1000, le Pape Sylvestre II – l'ancien moine auvergnat Gerbert d'Aurillac – envoya à Étienne la couronne royale. Fort de son indépendance

reconnue par Rome, Saint Étienne organisa l'Église de
Hongrie sur une base nationale, créant 8 évêchés et deux
archevêchés dont le siège primatial d'Esztergom, en
même temps qu'il jeta les bases d'une administration calquée sur le système des *comtés* en Occident. Pour ache-
ver l'œuvre d'évangélisation, il fit appel aux moines béné-
dictins qui fondèrent entre autres l'abbaye de
Pannonhalma qui est encore aujourd'hui un important
centre de culture et de spiritualité.

La zone d'influence byzantine

Au xe siècle, la dynastie macédonienne qui règne à
Constantinople depuis 867 se heurta à des difficultés
grandissantes en Asie à cause de l'expansion arabe. De ce
fait, les peuples des Balkans, théoriquement soumis à
Byzance, en ont profité pour s'affirmer.

Déjà, les Croates avec Tomislav (910-928) avaient
constitué un royaume indépendant à la fois des Francs et
de Byzance. Cette situation fut entérinée par l'Empereur
Basile II à la fin du xe siècle par la reconnaissance officielle du prince Drgislav (969-995) comme roi de Croatie
et de Dalmatie, souverain chrétien dont l'Église demeura
rattachée à Rome.

En fait, face à Byzance, ce sont les Bulgares qui ont le
mieux réussi dans leur tentative pour constituer un État
indépendant. Convertis au christianisme à l'époque du
Prince Boris (852-889), les Bulgares vivaient encore au
début du xe siècle dans la mouvance byzantine mais le fils
de Boris, Syméon (893-927) n'hésita pas, avec l'aide des
Petchenègues installés en Russie du Sud, à secouer la
tutelle de Byzance. Après sa victoire sur les armées impériales en 896, Syméon se fit reconnaître comme chef
d'une Bulgarie indépendante à laquelle Byzance dut
chaque année verser un tribut. Plus tard, Syméon envahit
l'Empire, et parut même en août 913 sous les murs de
Constantinople; puis de 913 à 925, ses armées dévastèrent la Thrace et la Macédoine jusqu'à ce qu'en 925,
l'Empereur Romain Lecapène le reconnaisse comme
Tsar des Bulgares. Le fils de Syméon, Pierre (927-969)
poursuivit la politique d'édification d'un Empire bulgare,
indépendant de Byzance; reconnu lui aussi comme Tsar,

il épousa la princesse Marie Lecapène et s'efforça de maintenir de bonnes relations avec Byzance. Pierre réussit même à obtenir pour l'Église bulgare l'autonomie. Toutefois, ses trop bonnes relations avec Byzance provoquèrent des réactions chez certains Bulgares, qui se détachèrent du christianisme traditionnel au profit de l'hérésie bogomile. Les adeptes de cette hérésie rejetaient les formes extérieures du culte et l'existence même d'une église organisée; ils préconisaient une religion purement spirituelle accompagnée d'une vie ascétique. La Bulgarie s'en trouva momentanément affaiblie. Mais avec le Prince Samuel (976-1014), les Bulgares connurent un nouveau réveil à partir du centre politique et culturel d'Ochrid.

Le patriarcat bulgare, supprimé en 971, fut rétabli et un vaste – mais éphémère – Empire bulgare fut constitué de l'Adriatique à la Mer Noire. La réaction byzantine fut brutale sous l'Empereur Basile II (976-1025). Après de longues et dures campagnes, Basile II parvint en juillet 1014 à écraser l'armée bulgare; des milliers de soldats bulgares, aveuglés sur ordre de l'Empereur, furent renvoyés au Tsar Samuel. La tentative pour créer, face à Byzance, un Empire bulgare indépendant, avait donc échoué. Le qualificatif de *Bulgaroctone* – le tueur de Bulgares – attribué à Basile II, était là pour le rappeler aux Bulgares qui, pendant près de deux siècles, seront étroitement soumis à Byzance.

Les autres peuples balkaniques – en l'occurrence, les Serbes de Rascie et de Zéta – ne firent guère parler d'eux au Xe siècle; ils furent toujours des vassaux plus ou moins dociles du voisin le plus puissant du moment, des Bulgares sous les tsars Syméon et Samuel, de Byzance le reste du temps. A la même époque, les tribus montagnardes d'Albanais et de Valaques demeuraient soumises à Byzance, mais on note dès cette époque, un lent mouvement de migration des bergers valaques vers les plaines de Bulgarie.

Ainsi, autour de l'an 1000, Byzance a réussi avec plus ou moins de facilité à enrayer la formation d'États nationaux aux confins de son territoire.

Le Xe siècle a constitué une période charnière pour la formation et l'avenir des Nations de l'Europe centrale et orientale. Là où l'Église romaine a réussi à s'implanter chez les peuples « barbares », elle a facilité la formation d'États durables et indépendants de l'Empire germanique. Là au contraire où a dominé l'influence de l'Église d'Orient, l'association étroite entre l'Église et l'Empire byzantin a entravé, et pour longtemps encore, la formation d'États slaves indépendants. Byzance a utilisé l'Église grecque – et l'Église grecque s'est laissé volontiers utiliser – comme moyen de domination politique, tout comme plus tard à l'époque ottomane, l'Église grecque sera le meilleur agent de l'oppression turque sur les Slaves des Balkans.

DIVERSITÉ DES DESTINS DU XIE AU XIIIE SIÈCLE

Le contraste entre les États occidentalisés et les peuples des Balkans soumis à l'influence de Byzance se maintient et s'accentue au cours de ces trois siècles.

CONSOLIDATION DES ÉTATS OCCIDENTALISÉS

La Bohême des Przemyslides

Fief d'Empire, le duché de Bohême s'organise progressivement. Le duc, vassal de l'Empire, est choisi par la noblesse au sein de la famille des Przemyslides mais il n'y a aucun ordre précis de succession si bien qu'à la mort du souverain, des conflits intérieurs peuvent se produire ce qui provoque immanquablement l'intervention de l'Empereur, suzerain du duché. Le duc, aussitôt après son élection, prête l'hommage-lige à l'Empereur, ce qui implique de sa part des devoirs, mais aussi lui donne des droits, en particulier celui de participer à l'élection de l'Empereur en tant que Prince-Électeur. Au xie siècle, certains ducs ont reçu à titre viager la couronne royale ; en 1198 profitant des difficultés qui affaiblissaient la puissance impériale, Premysl Ier a fait de la Bohême un royaume héréditaire et cette situation sera confirmée solennellement en 1212.

Les liens étroits qui unissent la Bohême à l'Empire ont

facilité la pénétration des influences germaniques. Dès le XIᵉ siècle, prêtres, moines et marchands allemands sont attestés en Bohême et coexistent avec la paysannerie tchèque. Au XIIᵉ siècle, pour accroître ses revenus, la noblesse tchèque entreprend sur une grande échelle une politique de défrichement analogue à celle que connaît alors l'Occident; elle fait appel à des colons allemands pour peupler ces nouveaux territoires situés générale- ment dans les régions montagneuses qui ceinturent le quadrilatère de Bohême. A la fin du XIIᵉ siècle, on assiste à une arrivée massive de marchands et d'artisans alle- mands dans les villes de Bohême qui, au XIIIᵉ siècle, vont s'organiser en communes gérées le plus souvent selon le Droit de Magdebourg. Les villes ont cependant conservé une population en majorité tchèque, mais l'élite cultu- relle et financière y est souvent allemande. Pendant long- temps, cette dualité du peuplement ne posera aucun pro- blème, même à la fin du XIIIᵉ siècle, lorsque l'Empereur Rodolphe de Habsbourg disputera au roi Premysl- Ottokar II (1253-1278) l'héritage des Babenberg (Styrie, Autriche, Carinthie, Carniole) que les rois de Bohême avaient confisqué en 1246. Toutefois, après la défaite et la mort d'Ottokar II le 26 août 1278 sur le champ de bataille de Dürnkrut (Suché Kruty) et pendant la minorité de Venceslas II (1278-1305), la régence d'Othon de Brande- bourg imposée par l'Empereur, fut durement ressentie par les Tchèques. Devenu majeur, Vencelas II réussit momentanément à faire de son royaume, par d'heureux héritages, le centre d'un Empire qui rassembla pendant quelques années, autour de la Bohême, les couronnes de Pologne (1300) et de Hongrie (1301). Mais en 1306, l'assassinat du fils de Venceslas II mit fin brutalement à cette brillante période. Avec la mort de Venceslas III s'éteint la descendance masculine de la dynastie natio- nale des Przemyslides.

La Pologne des Piast

Les débuts de l'époque féodale en Pologne sont mar- qués par une succession de reculs et de progrès du pou- voir ducal constamment aux prises avec la noblesse. A côté des seigneurs, les villes constituent une force montante. Si Cracovie s'affirme depuis le xie siècle, comme la capitale du pays, les autres villes (Gdansk, Poznan, Wroclaw, Gniezno) se développent et à côté de leur fonction de places-fortes, apparaît très vite la fonction commerciale. Au xiie siècle, comme en Bohême, l'arrivée de colons allemands modifia la composition ethnique des villes et développa les activités artisanales et commerciales. Ici aussi au xiiie siècle, le mouvement communal s'affirma et le Droit de Magdebourg s'imposa. L'élément allemand plus cultivé fournit aux villes leurs élites et souvent aussi une partie de leur clergé ; les religieux allemands introduisirent la réforme cistercienne (plus de 12 fondations d'abbayes entre 1143 et 1260). Les Allemands jouèrent aussi un rôle essentiel dans l'exploitation des richesses du sous-sol : c'est à cette époque que l'on commença à exploiter les mines de sel de Wieliczka, celles de cuivre et de fer de Kielce, celles de plomb argentifère d'Olkusz et de Chenciny. Au xiiie siècle, Gdansk, membre de la Ligue Hanséatique, bien situé à l'embouchure de la Vistule, est le port d'où partent vers l'Occident les céréales, les bois et les minerais de Pologne et par où arrivent les textiles de Flandre et les produits méditerranéens.

Les plaines du nord de la Pologne furent constamment menacées à la fois par les populations prussiennes demeurées païennes et par les Chevaliers teutoniques qui, sous prétexte de les convertir, n'hésitèrent pas à considérer ces régions comme des zones de colonisation.

A la fin du xiiie siècle, l'État polonais a réussi à affirmer son indépendance mais ses structures sont moins solides que celles de la Bohême. Et en 1300, la bourgeoisie allemande de Cracovie alla même jusqu'à offrir la couronne au roi de Bohême Venceslas II sans que cela ne provoque de grandes réactions dans le pays.

La Hongrie sous les premiers successeurs de Saint Étienne

Après la mort de Saint Étienne, la Hongrie connut pendant près d'un demi-siècle des troubles successoraux dont tenta de profiter l'Empereur Henri III. La situation se redressa avec Géza I (1075-1077) et surtout sous son frère Ladislas, qui, comme Saint Étienne, fut canonisé. Saint Ladislas (1077-1095) acheva la christianisation du pays. Face aux grands seigneurs qui avaient profité des troubles pour renforcer leur emprise sur le gouvernement du pays, Saint Ladislas s'appuya sur les villes, déjà nombreuses, à qui il accorda souvent le statut de *villes libres royales*. A l'extérieur, Saint Ladislas, le *roi-soldat*, repoussa les attaques des Coumans et des Petchénègues. A la mort de son beau-frère le roi de Croatie Zvonimir, il occupa la Slavonie et une partie de la Croatie (1091-1095). L'héritage croate fut définitivement incorporé à la couronne de Hongrie par le neveu et successeur de Ladislas, Coloman (1095-1116) qui occupa également la Dalmatie en 1105, ce qui donna à la Hongrie un accès à la mer mais aussi un contact direct avec l'Empire byzantin. Désormais, le royaume de Croatie-Slavonie fut uni à la Hongrie jusqu'en 1918 sous la forme d'une union personnelle. La Croatie conserva ses institutions et ses privilèges sous l'autorité du *Ban*, représentant le Roi.

Au XIIe siècle, l'influence byzantine en Hongrie alla en s'amplifiant. Déjà sous Géza Ier, l'Empereur Michel VII Doukas avait tenté une approche en offrant au Roi de Hongrie une couronne qui, jointe à celle envoyée autrefois à Saint Étienne par le Pape, forma *la Sainte Couronne*, symbole millénaire de l'État. Sous les successeurs de Coloman et notamment sous Étienne II (1162-1172), l'Empereur Manuel Comnène intervint ouvertement dans les affaires hongroises et occupa même la Dalmatie de 1163 à 1180. A la fin du XIIe siècle, la Hongrie retrouva sa force et sa puissance avec le roi Béla III (1172-1196) qui, bien que élevé à la cour de Constantinople, confirma l'orientation occidentale de la Hongrie. La réforme cistercienne pénétra en Hongrie, et avec elle l'art roman. Béla III lui-même épousa successivement deux princesses françaises, Anne de Chatillon, puis Marguerite, fille du roi Louis VII. Comme les souverains de Bohême et de Pologne, il encouragea la venue des colons allemands qu'il établit surtout dans l'Est de la Transylvanie. De cette époque date aussi probablement les premières infiltrations de bergers valaques en Transylvanie. Il reprenait ainsi à son compte la formule de Saint Étienne selon laquelle « un royaume est faible et fragile s'il ne s'y trouve qu'une seule langue et une seule coutume ».

Après la mort de Béla III, le pouvoir royal connut une période d'affaiblissement au profit des Grands. A son retour de Croisade, le roi André II (1204-1235) se vit contraint d'accorder à la noblesse révoltée la *Bulle d'Or* de 1222 qui donna aux Grands un droit de regard sur la politique royale au moyen d'une Diète annuelle qui se réunissait à *Székesfehérvar*. La Bulle d'Or donnait aussi aux nobles le droit d'insurrection mais garantissait aussi les droits des hommes libres et des villes royales. On remarquera que la Bulle d'Or hongroise suit de peu l'octroi par Jean sans Terre de la *Grande Charte* de 1215 aux barons anglais révoltés.

LES BALKANS FACE À BYZANCE

Au XIe siècle et pendant la plus grande partie du XIIe siècle, les Serbes, les Bulgares, les Albanais et les Valaques sont des sujets plus ou moins dociles de Byzance. Cette hégémonie byzantine est à la fois religieuse [1] et politique, et même là où des princes nationaux subsistent, ils sont les vassaux de l'Empire d'Orient. Mais à mort de Manuel Commène en 1180, les peuples soumis à Byzance profitèrent des troubles successoraux pour s'émanciper.

La naissance de l'État Serbe

Longtemps les Serbes ont vécu divisés dans les deux principautés patriarcales de Rascie et de Zéta. En 1170, Stevan Nemanja, grand Joupan de Rascie depuis 1159, réussit à étendre son autorité sur les tribus de Zéta. Lors du passage de la IIIe Croisade dirigée par Frédéric Barberousse, Stevan Nemanja tenta d'obtenir des Croisés leur appui; il rencontre même Barberousse à Nich en 1189 puis l'année suivante, il obtint de l'Empereur de Byzance Isaac II Ange la reconnaissance de l'indépendance de la Serbie. Après avoir abdiqué en faveur de son fils cadet Étienne (1196-1227), Stevan Nemanja se retira d'abord au

1. Les peuples convertis par Byzance ont suivi l'Église grecque devenue « orthodoxe » après le schisme de 1054.

monastère de Studenica puis au mont Athos, où se trouvait déjà un autre de ses fils Rastko, plus connu sous le nom de Saint Sava (ou Sabas). Étienne I, non sans mal réussit à préserver l'indépendance de la Serbie, à la fois vis-à-vis de l'Empire Latin de Constantinople qui s'était formé à la suite de la IVe Croisade, et de l'Empire byzantin reconstitué à Nicée. En 1219, Sava, reconnu comme métropolite de l'Église serbe devenue autocéphale couronna en 1219 son frère Étienne; en fait, ce fut un deuxième couronnement, car le Pape Honorius III avait déjà en 1217 envoyé une couronne royale à Étienne, espérant en vain rattacher l'Église Serbe à Rome. Étienne I Prvovençani (le *Premier couronné*) fut le véritable fondateur de la royauté serbe au profit de la dynastie des Nemjanides. A sa mort en 1227, la Serbie acheva de s'organiser autour de la Rascie qui en est le centre, sous les fils d'Étienne I, Radoslav (1227-1233), Vladaslav (1233-1243) et Uros I (1243-1276).

Le deuxième empire bulgare

Après les victoires de Basile II, les Bulgares furent étroitement soumis à la domination de Byzance et intégrés à l'Empire. Même si les Bulgares purent conserver leur autonomie religieuse avec l'archevêché autocéphale d'Ochrid, l'hégémonie politique et culturelle de Byzance est flagrante. Au niveau de la population, l'élément bulgare fut numériquement affaibli par l'installation dans les villes de Grecs, de Juifs, d'Arméniens, tandis que les Valaques s'infiltraient peu à peu en Macédoine et de là descendaient vers les plaines du Bas Danube, où ils rencontraient les Coumans qui venaient de s'y établir. Les Valaques et les Coumans ont joué un rôle important lors du soulèvement bulgare dirigé à partir de la Macédoine par les frères Pierre et Asen en 1185-1186, avec l'aide de Stevan Nemanja. En 1187, Isaac II Ange abandonna aux Bulgares la région comprise entre le Danube et les Balkans. Ce fut le point de départ du *Second Empire bulgare*. En 1187, l'archevêque de Tirnovo couronna solennellement en l'église Saint-Demetrios, l'Empereur Asen Ier (1187-1196). Byzance accepta à contrecœur cette situation et Asen Ier dut constamment lutter pour défendre son trône. En 1196 d'ailleurs, il tomba sous les coups du boyard Ivanko, le chef d'une rebellion suscitée par Byzance. Le successeur d'Asen, Kalojan (1197-1207), rétablit la situation. Grâce à la IVe Croisade, Constantinople était aux mains des Latins et c'est du Pape Innocent III que Kalojan reçut en novembre 1204 la couronne impériale, ce qui ne l'empêcha pas de se réconcilier avec l'Empire grec de Nicée. Sous Jean Asen II (1218-1242), le *Second Empire bulgare* connaît son apogée : outre la Bulgarie, il s'étend sur la Thrace, la Macédoine et une partie de l'Albanie. Mais, ce Second Empire fut aussi éphémère que le premier. Après Jean II Asen commence une période de déclin qui coïncide avec l'invasion tatare de 1241 suivie vingt ans après par la restauration de l'Empire byzantin.

L'INVASION DES TATARS ET SES CONSÉQUENCES

La formation de l'Empire Tatar

Dans les premières années du XIIIe siècle, unifiés par Gengis Khan, les Tatars de la Horde d'Or – un peuple turco-mongol originaire d'Asie Centrale – sont parvenus à constituer un vaste Empire qui s'étendait de la Chine jusqu'aux steppes de l'Ukraine, repoussant devant eux certaines populations nomades, en particulier les Coumans, dont une partie s'installa dans les plaines du Bas Danube, tandis que les autres trouvaient asile en Hongrie, où le roi Béla IV (1235-1270) les installa dans les plaines entre le Danube et la Tisza.

L'invasion tatare de 1241-1242

A partir de 1240, les Tatars lancent une série de raids en direction de l'ouest. En 1241, une partie d'entre eux, sous la conduite de leur chef, Orda, s'en alla dévaster la Galicie et la Haute-Silésie mais ne purent s'emparer de Cracovie. Le gros de la troupe, avec Batou Khan, se dirigea vers la Hongrie et défit l'armée que Béla IV avait envoyé à leur rencontre à la bataille de Mohi, le 11 et le 12 avril 1241. Le nord et le centre de la Grande Plaine hongroise furent dévastés et pillés, une partie de la population périt dans la tourmente. Au début de 1242, après avoir hiverné en Hongrie, les Tatars descendirent jusqu'en Slavonie et en Croatie, puis, brusquement, en mai, ils retournèrent en Ukraine non sans avoir dévasté sur le chemin du retour les villes et les campagnes des vallées transylvaines.

Les conséquences

Béla IV, qui s'était réfugié en Dalmatie, retrouva, après le passage des Tatars en Hongrie, un pays exsangue. Pour repeupler les régions dévastées, il fit appel à la colonisation étrangère. Des colons allemands vinrent combler les vides. Béla IV accueillit aussi des Ruthènes qui s'installèrent sur les versants méridionaux des Carpates du Nord, fuyant les plaines de Galicie toujours occupées par les Tatars; il laissa aussi pénétrer en Transylvanie des bergers valaques, toujours plus nombreux, et sans cesse à la recherche de nouveaux pâturages. L'invasion tatare amena des changements dans la composition ethnique de la population du royaume. A la fin du règne de Béla IV, plus de 15 % de la population de la Hongrie était d'origine étrangère. En même temps, pour prévenir toute nouvelle attaque, Béla IV autorisa les Grands Seigneurs à construire sur leurs propres terres des forteresses (Késmark, Trencsén, Beszterce), tandis que lui-même fit fortifier les villes libres royales (Buda, Visegrad, Pozsony, Várasd). Une autre conséquence de l'invasion tatare fut le vide laissé dans les plaines situées sur la rive septentrionale du Bas Danube. De nombreux Valaques en profitèrent pour s'y établir et c'est là qu'en 1247 fut constitué la première ébauche d'un État Vlacho-roumain avec la formation de la Principauté de Valachie.

A l'aube du xive siècle, en dépit des difficultés qu'elles ont rencontrées, les monarchies occidentalisées de Bohême, de Pologne, et de Hongrie, sont désormais des entités politiques bien structurées. Le système féodal y est solidement implanté sur le modèle des monarchies occidentales. Toutefois au début du xive siècle, les dynasties nationales qui avaient été à l'origine de la formation de ces États s'éteignirent en Hongrie dès 1301 avec la mort du dernier descendant d'Arpád, André III (1293-1301), puis en Bohême en 1306 avec la mort du dernier Przemyslide Venceslas III, tandis qu'au même moment en Pologne, les Piast se heurtent à d'épineux problèmes de succession. Il y a là motif à des interventions étrangères; en l'occurrence celle du Saint Empire Romain Germanique. Toutefois, l'existence même de ces États n'est pas remise en question.

Dans les Balkans, si les Serbes et dans une moindre mesure les Bulgares, sont parvenus à atteindre un certain degré d'indépendance vis-à-vis de Byzance, c'est seulement à cause de l'affaiblissement de l'Empire d'Orient. Mais leur situation demeurait très précaire, à la fois à cause de la fragilité de leurs structures, mais aussi à cause de l'apparition en Asie Mineure d'un nouveau danger avec l'arrivée des Turcs Ottomans.

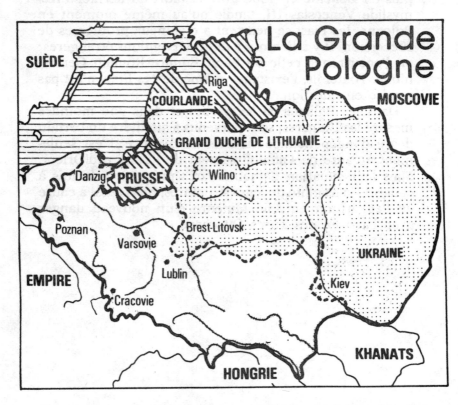

La Grande Pologne

PETITE POLOGNE et GALICIE (début XVIIe siècle)

GRANDE POLOGNE

V

LE TEMPS DES RUPTURES
(XIVᵉ-XVIᵉ SIÈCLES)

A partir de 1300, les oppositions qui existaient déjà entre les monarchies occidentalisées intégrées au développement politique, économique et culturel de l'Occident latin, et les principautés balkaniques soumises avec plus ou moins de succès à l'hégémonie politique de Byzance et étroitement associées depuis le schisme de 1054 à l'univers religieux de l'Église orthodoxe, s'accentuent et se renforcent, en même temps que, dans les Balkans, la menace ottomane se profile à l'horizon et pèse déjà virtuellement sur toute l'Europe chrétienne.

HUMANISME, RENAISSANCE ET CRISES DANS LES MONARCHIES OCCIDENTALISÉES (XIVᵉ-XVᵉ SIÈCLES)

La prospérité de la Bohême et de la Hongrie au XIVᵉ siècle

L'arrivée sur les trônes de Bohême et de Hongrie de deux dynasties d'origine française après l'extinction des dynasties nationales qui avaient été à l'origine de la fondation de ces États, leur a apporté un nouveau dynamisme qui s'est traduit par un remarquable essor culturel et économique. Alors que les États d'Europe Occidentale sont touchés par le début de la guerre de Cent Ans et par les difficultés économiques et sociales liées à la Grande

Peste de 1348-1349, la Bohême et la Hongrie au contraire
connaissent un véritable *âge d'or.*

L'âge d'or de la Bohême (1313-1378)

Après la sérieuse crise successorale qui secoua le pays
après la mort du dernier Przemyslide, la Bohême retrouve
en 1310 la stabilité avec l'avènement de Jean l'Aveugle, fils
du comte Henri de Luxembourg, qui introduit la culture
française et italienne dans un pays où jusque-là dominait
l'influence allemande. Sous le règne du roi Jean, la
Bohême se trouva mêlée aux grandes crises qui affectèrent
alors l'Occident ; le roi Jean prit position en faveur de Philippe VI de Valois lors du déclenchement de la Guerre de
Cent Ans et c'est d'ailleurs en combattant à ses côtés qu'il
trouva la mort sur le champ de bataille de Crécy, le 26 août
1346.

Le fils et successeur de Jean l'Aveugle, Charles IV
(1346-1378) fit de la Bohême un État puissant dont le
rayonnement politique et culturel s'étendit à toute
l'Europe Centrale. Prince lettré, amoureux des Arts et des
Lettres, il fut le type parfait de l'*humaniste,* faisant venir à
sa Cour des érudits italiens comme Cola di Rienzo. Deux
ans après son accession au trône, Charles IV fonda l'Université de Prague, la première d'Europe Centrale non germanique et lui donna des statuts voisins de ceux de l'Université de Paris. Sous son règne, la ville de Prague se
développe, surtout sur la rive méridionale de la Moldau
(Vltava) où l'on entreprend la construction de la *Nouvelle
Ville* (Nové Mesto) dominée par la Tour Poudrière et
reliée à la *Vieille Ville* (Staré Mesto) par un nouveau pont,
le *Pont Charles.* Au même moment sur la colline du Hradschin se poursuivirent les travaux de construction du
chœur gothique de la Cathédrale Saint-Guy sous la direction de l'architecte Mathieu d'Arras et avec la collaboration du maître tchèque Pierre Parlérj qui travailla aussi
au château de Karlstejn, destiné à abriter le joyaux de la
couronne. Au milieu du XIVe siècle, Prague est déjà une
ville de plus de 35 000 habitants, capitale d'un État centralisé et siège d'un archevêché depuis 1347, ce qui émancipe dorénavant l'Église de Bohême de la tutelle du haut
clergé allemand.

L'organisation de l'État se précisa dans le cadre d'une monarchie s'appuyant sur l'aristocratie et le haut clergé. Toutefois, les pouvoirs de la noblesse furent clairement délimités par le *Majestas Carolina*, véritable code qui fixait les attributions respectives de la Couronne et des nobles.

Charles IV étendit les frontières du royaume au nord vers la Silésie et la Lusace et au sud, aux dépens de la Basse-Autriche. Élu empereur en 1355, Charles IV fit de la Bohême le cœur du Saint-Empire Romain Germanique, sans pour autant qu'en souffre la position des Tchèques puisque leur langue demeura la langue officielle du royaume. La Bulle d'Or de 1356 précisa les droits des différents corps de l'Empire. Chacun des 7 Princes-Électeurs – dont le roi de Bohême en tant que tel – devenait ainsi maître chez lui, ce qui confirmait la souveraineté de fait du royaume de Bohême, l'Empereur conservant le pouvoir judiciaire suprême.

La prospérité du royaume est à son apogée. Les campagnes sont riches et la Bohême exporte son blé et les poissons de ses étangs dans toute l'Allemagne du Sud, ce qui rapporte des revenus considérables à l'aristocratie foncière. Outre Prague, les autres villes sont d'importants centres d'échanges où marchands allemands et tchèques collaborent à la prospérité générale. L'exploitation des mines de cuivre, de fer, d'étain et d'or et surtout de plomb argentifère se développa et l'atelier monétaire de Kutná Hora commença à frapper une monnaie de bon aloi, le *gros* de Prague.

Cet *âge d'or* s'acheva avec la mort du roi Charles IV. Alors commença une grave crise politique, économique et religieuse qui devait lourdement peser sur l'avenir du pays.

La première renaissance en Hongrie sous la dynastie angevine (1307-1382)

Après six ans de troubles intérieurs dus à l'extinction de la dynastie arpadienne, la Diète de 1307 offrit la couronne de Hongrie au candidat soutenu par le Pape, Charles-Robert d'Anjou, descendant lointain de Saint Louis, et qui régnait déjà à Naples et en Croatie. Le règne de Charles-Robert (1307-1342) fut une période de remise en ordre d'un pays où les Grands féodaux avaient pris trop d'assurance. Charles-Robert les soumit les uns après les autres, notamment Mathieu Csak (Csák Maté) qui avait constitué une vaste principauté territoriale au nord du Danube entre Trencsén, Nyitra et Komáron ; il réorganisa également l'armée avec la création des *Régiments de la Bannière* où les contingents fournis par la noblesse se trouvaient mêlés à une armée de métier payée par le Roi. Son fils, Louis le Grand (1342-1382) s'efforça de rendre plus efficace le pouvoir royal. A côté de la Diète qui représentait la noblesse, il élargit le *Conseil du Roi* en y faisant entrer des représentants du clergé et des villes.

Sous la dynastie angevine, la Hongrie devînt la plus grande puissance du monde danubien. Sa monnaie d'or, le *florin*, de même poids et de même aloi que son homonyme de Florence, fut une preuve éclatante de la prospérité du pays. La frappe de cette monnaie qui débuta en 1325 fut rendue possible grâce à la richesse minière des Carpates du Nord et de la Transylvanie. Au XIVe siècle, le tiers de l'or produit dans le monde connu et le quart de l'argent extrait en Europe provient des mines de Hongrie. L'abondance des métaux précieux a suscité un intense courant d'échanges entre la Hongrie et les pays voisins. Des marchands étrangers (Italiens, Allemands, Tchèques, Polonais) fréquentent les villes hongroises. Avec plus de 3 millions d'habitants, la Hongrie est un des États les plus peuplés d'Europe Centrale : elle fait partie du vaste ensemble politique dirigé par la Maison d'Anjou, qui s'étend de la Méditerranée à la Baltique depuis qu'en 1370, la Diète polonaise a choisi Louis le Grand comme Roi de Pologne à la mort du dernier Piast, Casimir III.

Le règne de souverains angevins correspond en Hongrie à l'apparition et au développement d'une *Première Renaissance*. Les Italiens, nombreux dans la plupart des villes, y ont introduit leur culture et leurs techniques. De nombreux lettrés hongrois fréquentent alors les Universités de Bologne et de Padoue. En Hongrie même, à côté des Collèges religieux fréquentés par une bourgeoisie de plus en plus nombreuse, le roi Louis a créé deux Universités nationales, l'une à Pécs en 1369, l'autre à Ó-Buda en 1381. Les artistes hongrois bénéficiant du mécénat princier multiplient leurs productions dans toutes les formes de l'art, architecture civile (châteaux forts de Zólyom et de Pozsony), architecture religieuse (église Notre-Dame de Buda, dite du « couronnement » dans le plus pur gothique rayonnant) et sculpture avec les frères Georges et Martin de Kolozsvár qui travaillèrent tant en Hongrie qu'en Bohême, où ils ont donné leur œuvre majeure, la statue équestre de Saint-Georges au Hradschin de Prague.

OMBRES ET LUMIÈRES DANS LA POLOGNE DU XIVe SIÈCLE

Pardoxalement, la Pologne, qui conserva la dynastie nationale des Piast jusqu'en 1382 connut au XIVe siècle une situation moins brillante que ses deux voisins méridionaux.

Les difficultés commencèrent dès 1300 lorsque la révolte des bourgeois de Cracovie élimina momentanément la dynastie nationale au profit du Roi de Bohême Venceslas II. Un Piast cependant, Ladislas Ier le Bref (1305-1333), mena victorieusement la lutte contre son rival tchèque ; en 1305, il se fit couronner Roi et reconstitua l'unité du pays. Les conflits dynastiques qui avaient affaibli la Pologne profitèrent aux État voisins. Le Roi Jean de Bohême se fit céder une partie de la Silésie en échange de la renonciation définitive des rois de Bohême à la couronne de Pologne. Le danger le plus grave venait cependant de l'Empire. Le margrave de Brandebourg s'empara de quelques territoires à l'est de l'Oder aux dépens de la Pologne, tandis que les Chevaliers Teutoniques s'établirent solidement sur les rives de la Baltique, en Poméranie et à Gdansk. Sous Casimir III (1333-1370), fils de successeur de Ladislas, la Pologne se redressa. Certes, Casimir III dut abandonner à la Bohême la totalité de la Silésie, mais en revanche il étendit son autorité sur la Mazovie et la Galicie. C'est le début d'un lent mouvement de déplacement du centre de gravité de la Pologne vers l'est.

Casimir III, beau-frère de Charles-Robert de Hongrie, ne parvint pas à donner à son pays la force et l'éclat que connaissaient alors la Bohême et la Hongrie. Toutefois, il améliora l'organisation intérieure de son royaume ; il fit codifier les nombreuses coutumes de la Pologne en un Code unique, le Statut de Wielicka (1364) ce qui améliora le fonctionnement des institutions judiciaires. La noblesse cependant conserva toutes ses positions, tant politiques qu'économiques. Casimir III, comme ses prédécesseurs, favorisa l'immigration étrangère, Allemands et aussi Juifs occidentaux qui trouvèrent en Pologne un asile sûr. Sous son règne, les campagnes furent mises en valeur, de nouveaux villages furent fondés, tandis que les villes se développèrent. La tradition populaire rapporte que Casimir III qui avait trouvé à son avènement une Pologne en bois, laissa à sa mort une Pologne en pierre. Mort sans héritier, la couronne de Casimir III échut à son plus proche héritier, son neveu Louis le Grand de Hongrie, qui régna jusqu'en 1382.

LA BOHÊME EN CRISE

A partir du dernier quart du XIVᵉ siècle, le royaume de Bohême entre dans une longue période de difficultés, dominée par la crise hussite, et qui se prolonge pendant près d'un siècle.

Déjà sous Charles IV, la Bohême avait connu une prolifération d'hérésies de toutes sortes diffusées par de petites gens, d'origine allemande ou tchèque, qui réclamaient la Réforme d'une Église jugée trop riche et préconisaient le retour à la Bible. A partir de 1360, le prêtre allemand Conrad Waldhauser et le prélat tchèque Jean Milic développèrent avec brio ces thèmes au cours de leurs prédications. A côté d'eux, d'autres prédicateurs, plus hardis amplifièrent les critiques contre l'Église; ils étaient en rapport avec le mouvement hollandais de la *Devotio moderna*. Après 1378, qui marque à la fois la mort du roi Charles IV et le début du Grand Schisme, le besoin de réforme se fait de plus en plus ressentir dans une société qui commence à souffrir des premiers effets d'une dégradation de l'économie. Seule, l'Église conserva sa richesse, cherchant même à augmenter les redevances qu'elle tirait de ses domaines et les droits qu'elle percevait sur toutes les nouvelles nominations ecclésiastiques pour compenser la dévaluation de la monnaie. A côté du

haut clergé et des Grands Seigneurs qui s'appuient sur le
nouveau roi Venceslas IV (1378-1419), la petite noblesse
ruinée par la crise économique, les petites gens des villes
et des campagnes prêtèrent une oreille de plus en plus
favorable aux paroles des prédicateurs réformistes. C'est
dans ce contexte qu'apparaît Jean Hus (1370-1415). Étudiant à l'université de Prague, Jean Hus avait lu les
œuvres des réformateurs de son temps, en particulier
celles de John Wycliff; là, il avait également pris
conscience de l'opposition sociale qui existait dans les
villes de Bohême entre le patriarcat allemand ou germa-
nisé, et la petite bourgeoisie et le peuple en majorité
tchèque. Devenu prêtre et Maître de la Faculté de Théologie, Jean Hus commença en 1402 ses prédications en la
chapelle de Bethléem à Prague, s'adressant en langue
tchèque à un public très mélangé, prenant violemment
position contre la richesse de l'Église, contre la simonie.
Jusqu'en 1409, Jean Hus crut pouvoir réformer l'Église
par le haut avec l'appui du Roi, du Pape et du Concile.
Mais lorsque l'archevêque de Prague jeta l'anathème sur
les partisans de Wycliff, Jean Hus et ses amis rompirent
avec l'Église officielle, avec le Roi et avec une partie des
nobles qui les avaient soutenus au début. En revanche,
l'audience de Hus et de ses disciples grandit chez les
petites gens. Jean Hus à partir de 1410 publia de nombreux ouvrages en latin, et surtout en tchèque, où il reprit
toutes ses critiques contre l'Église et où il insistait sur la
nécessité de recourir aux Textes sacrés. C'est dans cet
esprit qu'il donna la première traduction de la Bible en
Tchèque. Convoqué au Concile de Constance et muni
d'un sauf conduit de l'Empereur Sigismond, frère de Venceslas IV, Jean Hus y défendit avec véhémence ses idées
contre ceux qui, comme le chancelier de l'Université de
Paris, Jean Gerson, lui reprochaient sa prédication à
cause des conséquences sociales qu'elle pouvait avoir.
    La mort de Jean Hus sur le bûcher le 6 juillet 1415, puis
celle de son disciple Jérôme de Prague le 30 mai 1416,
provoqua en Bohême de sérieux troubles, jacqueries dans
les campagnes, révoltes dans les villes. Des nobles en profitèrent pour s'emparer des biens d'Église, tandis que les
amis de Jean Hus organisèrent une véritable « église »
parallèle dans laquelle on pratiquait la communion sous

les deux espèces pour bien montrer que dans l'église, prêtres et laïques étaient traités de la même façon et ceci en dépit de l'interdiction formulée par le Concile en 1415. La révolte de la Bohême atteignit son plein développement lorsque, le 30 juillet 1419, les Hussites les plus radicaux conduits par le prédicateur Jean de Zéliv s'emparèrent de l'Hôtel de Ville du Nové Mesto de Prague, et y massacrèrent une dizaine d'échevins demeurés fidèles à l'Église romaine.

La mort inopinée de Venceslas IV le 16 août 1419 provoqua la rupture entre les Hussites et la Couronne. La Diète de Bohême refusa de reconnaître pour Roi, l'Empereur Sigismond. Le 1er août 1420, le Pape Martin V lança un appel à la Croisade contre les partisans de Wycliff et de Hus. Les Hussites appuyés par le petit peuple des villes et des campagnes et par une partie de la noblesse tentèrent d'organiser une véritable « République », tandis que la Haute noblesse et la plupart des Allemands prenaient parti pour Sigismond. La crise religieuse se doublait d'un conflit social et débouchait sur l'affrontement entre Allemands et Tchèques. De 1420 à 1436, les *Guerres hussites* ravagèrent la Bohême et la Moravie, opposant les *Croisés* aux Hussites, partagés d'ailleurs entre modérés et radicaux. Parmi ceux-ci, Jean Zizka de Trocnov tenta à Tabor, de 1420 à 1424, une expérience de république égalitaire dirigée par les réformateurs sur la base de l'enseignement biblique. Les unes après les autres, les Croisades échouèrent, mais à partir de 1430, la lassitude gagna les deux camps. Finalement les négociations entre le roi Sigismond et la Diète de Bohême aboutirent le 5 juillet 1436 au compromis des *Compacta* : le culte catholique était rétabli en Bohême, mais les *Utraquistes*, – c'est-à-dire ceux qui communiaient sous les deux espèces – étaient reconnus comme « les vrais et fidèles enfants de l'Église ». En même temps, par la *Lettre de Majesté*, Sigismond entérinait tous les transferts de propriété qui s'étaient faits aux dépens de la Couronne et surtout de l'Église, faisait du tchèque la seule langue officielle de l'État. La paix religieuse était ainsi rétablie, la Réforme de l'Église décidée par les Conciles de Constance et de Bâle était bien accueillie par les Hussites modérés, mais le pays était en ruines.

Les idées hussites connurent un certain succès à l'extérieur de la Bohême notamment en Hongrie où régnait déjà Sigismond depuis 1387. Dans le nord-ouest de la Hongrie, où vivaient des Slovaques, apparentés aux Tchèques dont ils étaient séparés depuis le xe siècle, il y eut des jacqueries d'inspiration hussite. En 1437, les paysans hongrois et valaques de Transylvanie se soulevèrent contre l'Église et les Seigneurs; les villes furent touchées également, surtout Pozsony, où il y eut de vifs affrontements entre les pauvres et le patriciat.

Le mouvement hussite, s'il échoua au niveau de ses idées les plus radicales, ébranla cependant les positions de l'Église catholique en Bohême; il mit fin à la coexistence jusque-là pacifique des Allemands et des Tchèques et fut à l'origine d'un *patriotisme tchèque* qui s'exprima par la suite dans le culte voué à Jean Hus promu au rang de héros national. Face aux catholiques et aux utraquistes en principe réconciliés, les nostalgiques de Jean Hus se regroupèrent dans le mouvement de l'*Unité des Frères* qui insistait sur la nécessité d'appliquer à la lettre les lois de l'Écriture, et sur l'égalité et la fraternité qui devait unir tous les hommes. L'Unité des Frères eut pour maître Pierre de Chelcice (1390-1470) et s'organisa à partir de 1460 en véritable Église unissant foi et humanisme.

Après la mort de Sigismond, les catholiques reprirent momentanément la direction des affaires sous Albert de Habsbourg (1437-1439) et son fils aîné Ladislas Ier (1440-1457). Tout comme sous Sigismond, la Bohême et la Hongrie eurent le même souverain, mais face à la Bohême affaiblie et déchirée par ses conflits religieux, la Hongrie, fidèle à l'Église Romaine, faisait figure de hâvre de paix en Europe centrale.

L'Apogée de la Hongrie indépendante (1458-1490)

Après la mort de Louis le Grand, la couronne de Hongrie avait échu à la fille aînée du roi défunt, Marie, épouse de l'Empereur Sigismond. Sous les règnes de Sigismond et de ses successeurs immédiats, le destin de la Hongrie fut lié à celui de l'Empire et de la Bohême. L'absence fréquente du Roi, occupé par les Croisades contre les Turcs ou contre les Hussites, profita à la Haute noblesse qui renforça son pouvoir aux dépens des villes et des paysans.

A la mort de Ladislas (roi de Bohême sous le nom de Ladislas Ier) la Diète hongroise de janvier 1458 rejeta le candidat des Habsbourg, l'Empereur Frédéric III, au profit d'un roi national, Mathias Hunyadi. Le roi Mathias, né en 1440, appartenait à une famille de la petite noblesse de Transylvanie entrée dans l'histoire avec le père de Mathias, Jean Hunyadi, qui avait arrêté les Turcs devant Belgrade en 1456. Mathias est le plus souvent désigné sous le nom de Mathias Corvin. C'est à l'humaniste italien Bonfini que l'on doit ce qualificatif de Corvin, *Corvinus* en latin, car dans les armes des Hunyadi figurait un corbeau, *corvus* en latin, allusion au village d'où était originaire la famille Hunyadi, *Hollós*, ce qui signifie en hongrois *au corbeau*.

Mathias Corvin fut un des plus grands souverains de l'Europe du xve siècle. Sous son règne, la Hongrie devînt le centre d'un vaste Empire axé sur le Danube. La fidélité de Mathias à Rome lui valut d'être chargé par le Pape de conduire une nouvelle Croisade contre les Hussites de Bohême qui relevaient alors la tête. La Diète de Bohême en effet avait élu comme roi en 1458 un seigneur tchèque, Georges de Podébrady, qui n'avait jamais caché ses sympathies pour les Hussites. Le roi Georges de Podébrady (1458-1470) aurait voulu réconcilier les catholiques et les utraquistes au sein d'une Église nationale tchèque, dégagée de l'autorité romaine et débarrassée des éléments radicaux de l'Unité des Frères. Le Pape Paul II qui venait d'excommunier le roi Georges chargea donc en 1466 Mathias Corvin de conduire la Croisade envisagée. Disposant de forces bien aguerries grâce à l'*Armée Noire* formée de mercenaires bien soldés et soutenu par les seigneurs tchèques catholiques groupés dans l'Union de Zelena Hora, le roi de Hongrie mena à partir de 1468 plusieurs campagnes en Bohême. Lors d'une Diète tenue à Brno, Mathias fut élu roi de Bohême et se fit couronner en 1470.

La mort du roi Georges de Podébrady en 1471 remit tout en question. La couronne de Bohême passa alors au prince polonais Vladislas Jagellon (1471-1516). Toutefois, à la paix d'Olomouc, si Mathias dut renoncer à la

Bohême, il fut entendu qu'il conserverait sa vie durant la
Moravie et la Silésie. Mathias n'en continua pas moins
pour autant à mener sa politique expansionniste. Il s'en
prit à son ancien rival, l'Empereur Frédéric III à qui il
enleva Vienne en 1485 et le duché de Styrie l'année suivante. Il semble bien qu'à ce moment-là, Mathias Corvin
ait songé à se porter candidat à la couronne impériale; il
pouvait y prétendre dans la mesure où ses victoires sur
les Turcs dans les Balkans faisaient de lui le défenseur de
la Chrétienté face à l'Islam.

La Hongrie de Mathias Corvin est alors un des grands
État de l'Europe avec une population de plus de 3 500 000
habitants, à plus de 80 % magyare; elle est aussi peuplée
que l'Angleterre d'alors. Si la plupart des habitants du
royaume sont des paysans, paysans libres ou serfs dépendants de l'Église ou de la noblesse, les villes continuent à
se développer. Buda, la résidence du souverain, atteint
alors 20 000 habitants : Pozsony, Kassa et Kolozsvár s'en
approchent. Si les mines d'or et d'argent connaissent une
certaine stagnation, les mines de cuivre de Besztercebánya connaissent une florissante industrie du raffi-
nage animée par le financier et entrepreneur d'origine
polonaise, Jean Thurzó.

Comme les princes italiens de son temps, Mathias Corvin a accueilli à sa Cour des humanistes, hongrois comme
ses maîtres Jean Vitéz et Jean le Pannonien ou le financier Clément Ernuszt, italiens comme Bonfini, Galotti,
Ugoletto, Bartolome della Fonte. L'influence italienne y
devint prépondérante, lorsqu'en 1476 le roi Mathias
épousa Béatrice d'Aragon, fille du roi de Naples. L'enseignement fit de grands progrès. Une nouvelle Université
fut créée à Pozsony en 1467, tandis que l'ancienne Université d'Ó-Buda fut agrandie et transférée à Buda. Cela
n'empêchait pas des étudiants hongrois, toujours plus
nombreux, d'aller étudier dans les Universités étrangères
à Vienne, à Cracovie, à Prague, à Paris, à Bologne, à
Padoue. Mathias fonda à Buda une Bibliothèque royale, la
Corvina où près d'un millier de volumes furent rassemblés, notamment des manuscrits grecs et latins achetés à
prix d'or; à la Corvina fut adjoint un atelier où une trentaine de copistes travaillaient sous la direction de l'humaniste Félix de Raguse. En 1471, sur l'initiative du vice-

chancelier Ladislas Kara, l'érudit allemand André Hess installa à Buda la première imprimerie qui sortit de ses presses en 1473 la *Chronica Hungarorum* de Thuróczy. L'esprit de l'humanisme et de la Renaissance se manifesta aussi dans l'art. Le Roi fit construire à Buda un splendide palais qu'il orna des œuvres des maîtres italiens de son temps, Verrochio et Botticelli, mais comme la plupart des constructions de cette époque, le palais de Buda fut détruit par les Turcs au XVIe siècle. En revanche, il reste encore aujourd'hui de nombreux rétables et des pièces d'orfèvrerie qui témoignent de la vigueur de l'expression artistique dans la Hongrie du XVe siècle.

LES OTTOMANS EN EUROPE DE L'EST (XIVᴱ-XVIᴱ SIÈCLES)

L'entrée en scène des Turcs Ottomans au début du XIVe siècle devait non seulement accentuer les contrastes déjà observés entre les Balkans et les monarchies occidentalisées, mais encore allait constituer un danger permanent pour toute l'Europe centro-danubienne.

LES DÉBUTS DE LA PUISSANCE OTTOMANE

La décadence de l'Empire byzantin qui avait commencé en 1204 lors de la prise de Constantinople par les Croisés de la IVe Croisade, ne fut pas interrompue par la destruction de l'Empire latin en 1261 ni par la restauration byzantine qui la suivit. En Europe, les anciens sujets de Byzance, les Bulgares et les Serbes, avaient réussi à s'émanciper, mais le véritable danger pour Byzance tout autant que pour les États Slaves des Balkans, se trouvait en Asie. Jusqu'à la fin du XIIIe siècle, l'Asie Mineure fut aux mains des Turcs Seldjoucides; mais vers 1300, les Seldjoucides furent supplantés par d'autres Turcs venus d'Asie Centrale, les Ottomans qui tirent leur nom de leur chef Othoman (1288-1326). Celui-ci et son fils Orkhan (1326-1360) constituèrent en Asie Mineure un puissant État musulman, disposant d'une armée efficace dominée par les Corps d'élite des janissaires. Les Ottomans enlevèrent bientôt aux Grecs leurs dernières positions en

Asie, avec la prise de Nicée en 1329 et de Nicomédie en 1337.

Face au danger ottoman, on aurait pu s'attendre à ce que Byzance prit la tête de la résistance. Il n'en fut rien. Bien au contraire, les Empereurs tentèrent de s'entendre avec les nouveaux venus. Mieux, l'usurpateur Jean VI Cantacuzène pensa amadouer le sultan Orkhan en lui donnant en 1346 sa fille en mariage et n'hésita pas à se servir des Ottomans contre son rival Jean V et à les payer en leur cédant la forteresse de Gallipoli, ce qui leur donnait une base en Europe.

Quant aux États slaves des Balkans, ils n'étaient pas en général suffisamment puissants pour résister efficacement aux Ottomans. Les Bulgares, depuis la fin du XIIIe siècle, étaient entrés dans une période de décadence qui s'accentua lorsque Mourad Ier (1359-1389) leur enleva une partie de la Thrace et de la Macédoine, et établit en 1365 sa capitale à Andrinople. Les principautés valaques au nord du Danube, la Valachie fondée en 1247 et la Moldavie, fondée en 1352, étaient encore trop inorganisées pour lutter contre les Turcs. Seuls, les Serbes disposaient à cette époque d'une certaine puissance.

L'APOGÉE DE LA PUISSANCE SERBE

La désagrégation de l'Empire byzantin et l'effacement de la Bulgarie avaient profité dans les Balkans aux Serbes. La dynastie des Nemjanides qui avait fondé l'État serbe au début du XIIIe siècle était parvenue à tenir la Serbie à l'écart des crises qui avaient affecté les Balkans, et à maintenir l'indépendance de leur principauté. Sous Étienne VI Uros II (1282-1321) et Étienne VIII Uros III (1321-1331), la Serbie étendit son influence en Macédoine et en Bulgarie. Mais c'est sous Étienne IX Douchan (1333-1355) qu'elle connut sa véritable apogée. Étienne Douchan règne alors sur un « Empire » qui comprend la Rascie, la Zéta, la Macédoine, l'Albanie et la Thessalie jusqu'au golfe de Corinthe. La Serbie s'émancipe alors de la tutelle religieuse du Patriarche de Constantinople et en 1346, l'archevêque de Péc est élevé au rang de « Patriarche de tous les Serbes ». Désormais, le patriarche de Péc sera élu par les seuls évêques serbes. C'est d'ailleurs ce patriarche qui couronna à Uskub Étienne Douchan, comme « Tsar des Serbes et des Romains (Grecs) ». La tradition a fait de Douchan le « *Charlemagne de la Serbie* ».

Sous le règne de Douchan, l'administration du pays fut améliorée et le code (zakonik) qui porte le nom du roi, mélange le droit byzantin et des coutumes serbes, donna une assise plus solide à la justice. La société serbe achève alors de s'organiser sur la base de la féodalité. La noblesse laïque et les monastères enrichis par les donations royales reçurent pleine autorité sur les paysans qui cultivaient des tenures héréditaires en échange de redevances et de services. Le roi fit venir des colons « saxons » de Hongrie afin d'exploiter les mines de cuivre, et surtout d'or et d'argent, ce qui permit la frappe d'une monnaie serbe. Cependant, en dépit de sa puissance, l'État serbe n'était pas en mesure de faire face aux Ottomans.

LES BALKANS AUX MAINS DES TURCS

Mourad Ier solidement installé en Thrace évita d'attaquer Byzance de front; c'est sur les États slaves des Balkans qu'il porta ses premiers coups. Après 1370, la Serbie entra dans une période difficile marquée par l'éclatement du pays, le nord demeurant aux mains des héritiers de Douchan, le sud livré aux luttes intestines de l'aristocratie. Quant à la Bulgarie, sa faiblesse demeurait. Mourad Ier s'attaqua d'abord aux Serbes. En 1371, la Serbie du sud tomba sans coup férir; ce fut le tour de Sofia en 1385 et de Nich l'année suivante. La Serbie du Nord résista plus longtemps, mais le 15 juin 1389, dans la plaine de Kossovo, Mourad écrasa l'armée du prince serbe Lazare; au cours de la bataille, Mourad trouva la mort, tandis que Lazare, fait prisonnier, fut décapité par les Turcs. Peu après, la Bulgarie succomba à son tour : le 17 juillet 1393, Tirnovo tombait. De là, les Turcs se dirigèrent vers le Danube. Le Prince de Valachie, Mircea l'Ancien, appuyé par des renforts hongrois envoyés par le roi Sigismond, tenta de les arrêter, mais vaincu, il dut se soumettre aux Turcs, leur payer tribut mais put conserver l'autonomie politique et religieuse de sa principauté.

L'Occident fut long à réagir. Seul, l'Empereur Sigismond, roi de Hongrie, prit l'initiative de lancer une Croisade à laquelle prirent part des contingents allemands, hongrois, valaques et 10 000 hommes envoyés par le roi de France et commandés par Jean Sans Peur, fils du duc de Bourgogne. La Croisade se termina par la sanglante défaite de Nicopolis le 28 septembre 1396.

Le nouveau Sultan Bajazet se trouvait ainsi maître des Balkans, au contact immédiat du territoire de la Hongrie. Mais le danger ottoman fut provisoirement écarté en raison du conflit qui éclata en 1402, entre Bajazet et le Khan Mongol Tamerlan. Le petit-fils de Bajazet, Mourad II (1421-1451) reconstitua intégralement la puissance ottomane. Les Serbes et les Bulgares, momentanément émancipés au début du xve siècle, retombèrent sous le joug ottoman. Les Turcs rencontrèrent cependant une forte résistance de la part des Albanais, peuple de bergers isolés dans ses montagnes et qui avait été successivement soumis à Byzance, aux Bulgares, aux Serbes et depuis le début du xve siècle, aux Ottomans. Sous la conduite d'un seigneur devenu fonctionnaire turc, Skander-Beg, les tribus albanaises se soulevèrent et Skander-Beg se proclama en 1443 Prince d'Albanie et d'Epire. Le soulèvement albanais coïncide avec l'intervention des Hongrois en Serbie sous la direction du voïvode de Transylvanie, Jean Hunyadi. La Hongrie répondait ainsi à l'appel à la Croisade lancé en 1439 par le Concile de Florence. Vainqueur à Nich en 1443, Jean Hunyadi repoussa les Turcs jusqu'à Sofia, mais il fut battu près de Varna le 10 novembre 1444; au cours de la bataille, le roi de Bohême-Hongrie Vladislas fut tué ainsi que le légat Cesarini. Au même moment, Skander-Beg était battu à Kossovo.

Jean Hunyadi reprit la lutte dès 1448; battu d'abord en Serbie, il organisa sur les confins hungaro-serbes un système de forteresses (1448-1452) dominé par la forteresse de Belgrade dont les Serbes lui avaient confié la défense. Après la prise de Constantinople par Mohamet II le 29 mai 1453, les Turcs, déjà maîtres des Balkans, lancèrent une grande offensive vers l'Occident. A la demande du Pape Calixte III et de son légat Jean Capistran, Jean Hunyadi organisa la défense de Belgrade. Il réussit le 6 août 1456 à repousser les assauts des Turcs.

Blessés au cours des combats, Jean Capistran et Jean Hunyadi succombèrent quelques jours plus tard de leurs blessures. La Hongrie était devenue le « *Bouclier de la Chrétienté* » ; en l'honneur de la victoire de Belgrade le pape ordonna que dorénavant on sonnerait dans toutes les églises de la chrétienté l'*angélus* de midi.

Sous Mathias Corvin, les Turcs furent sur la défensive, préoccupés qu'ils étaient à absorber leurs dernières conquêtes c'est-à-dire l'Empire byzantin, ils négligèrent quelque peu les Balkans ; Mathias Corvin put leur enlever momentanément la Bosnie en 1463, la Moldavie et la Valachie en 1467, et la Serbie en 1482, mais il ne parvint pas à les chasser des Balkans.

L'ASSAUT FINAL DES TURCS

Après la mort de Mathias Corvin, les régions qu'il venait de reconquérir furent rapidement récupérées par les Turcs. En dépit de la résistance du prince valaque Vlad l'Empaleur, la Valachie devint un État vassal du Sultan et peu après aussi la Moldavie. Au début du xvie siècle, les Turcs poussèrent encore leurs avantages en direction de l'Ouest, pénétrant dans les plaines de la vallée de la Save, contournant l'obstacle que constituait toujours la forteresse de Belgrade dont ils finirent par s'emparer en 1521.

La position des Turcs était particulièrement favorable ; alliés du roi de France François Ier aux prises avec Charles Quint, les Turcs bénéficiaient également de l'affaiblissement de la Hongrie sous les successeurs de Mathias Corvin, Vladislas II Jagellon (1490-1516) et son fils Louis II (1516-1526) qui, aux prises avec l'aristocratie et avec la révolte paysanne de Georges Dózsa, ne pouvaient faire face, seuls, à la menace turque.

Les deux souverains régnaient également sur la Bohême, mais l'aide qu'ils pouvaient en attendre était limitée en raison des querelles religieuses permanentes qui s'y déroulaient. Louis II, à plusieurs reprises, fit appel aux souverains d'Occident. Ce fut en vain ; le roi de France était allié aux Turcs et l'Empereur Charles-Quint était en guerre contre lui et se débattait alors dans la crise religieuse qui touchait l'Allemagne. De plus, au début du xvie siècle, l'idée de Croisade était morte depuis bien longtemps. Lorsqu'en 1526 des Turcs envahirent la Hongrie, Louis II n'eut que peu de forces à lui opposer. Le Voïvode de Transylvanie, Jean Szapolyai ne daigna même pas répondre à son appel. A la bataille de Mohács le 29 août 1526, l'armée du roi de Hongrie fut écrasée et Louis II trouva la mort au milieu de ses soldats. La Hongrie, outre son roi, perdit ce jour-là son indépendance. Dès lors, seule la monarchie des Habsbourg, solidement réorganisée par Charles Quint, pouvait arrêter les Turcs.

LES HABSBOURG FACE AUX TURCS ET À LA RÉFORME

Mohács marque la fin définitive de l'époque des monarchies nationales indépendantes en Europe Centrale. Face au danger que représente pour la Chrétienté l'avance des Turcs, les Grandes Puissances de l'Europe de l'Ouest étaient seules susceptibles de constituer un barrage efficace : celles-ci sont au nombre de deux, la France et le Saint Empire. Or, la France de François Ier est devenue l'alliée des Turcs. C'est donc au Saint Empire sur lequel règne maintenant la Maison de Habsbourg qu'incombe la charge d'assurer la défense du monde chrétien : il ne s'agit pas tant de reconquérir que de sauver ce qui peut encore être sauvé.

LES CONSÉQUENCES DE MOHÁCS

La défaite de l'armée hongroise et la mort du roi Louis II sur le champ de bataille de Mohács ont provoqué deux séries de conséquences. D'une part, la Hongrie se trouva à la merci des armées turques; par chance, celles-ci après avoir parcouru et pillé les plaines du centre et du sud du pays et exigé le paiement de lourds tributs aux villes rencontrées au passage, ont regagné leurs bases de départ dans les Balkans. D'autre part, et surtout, les trônes de Bohême et de Hongrie se sont trouvés vacants par suite de la mort du roi Louis II.

En Bohême, à nouveau déchirée par les luttes reli-

gieuses qui venaient de reprendre en liaison avec la pénétration des idées de Luther, la Diète s'est prononcée en
faveur du beau-frère du roi défunt, l'archiduc Ferdinand
de Habsbourg, frère de l'Empereur Charles Quint. En
Hongrie, la succession de Louis II fut plus difficile à
régler. Une Diète dominée par la petite noblesse désigna
comme Roi le voïvode de Transylvanie, Jean Szapolyai,
espérant que ce Prince qui s'était abstenu de participer à
la lutte contre les Turcs, serait à même d'éviter au pays de
nouvelles attaques. Mais une autre Diète tenue à Pozsony
et dominée par la haute noblesse choisit le 16 décembre
1526 contre le candidat « national » le candidat « allemand », Ferdinand, déjà élu roi de Bohême. Jean Szapolyai avait pour lui d'être hongrois et de ne pas être trop
mal vu des Turcs : en revanche, Ferdinand de Habsbourg,
outre ses liens avec le roi défunt – ce qui lui donnait une
certaine légitimité-offrait une garantie de sécurité plus
grande pour le pays puisqu'il avait derrière lui toutes les
forces de l'Empire de Charles Quint, à la fois le Saint-
Empire et les Pays de la Couronne d'Espagne. La Hongrie
avait donc deux rois, chacun s'appuyant sur une partie du
pays, Jean Szapolyai sur la Transylvanie, Ferdinand de
Habsbourg sur la Hongrie occidentale et septentrionale.
Chacun des deux souverains chercha à évincer le rival.
Ferdinand I (1526-1564) reprit Buda le 20 août 1527 à son
rival qui dut s'enfuir en Pologne, tandis que Jean Szapolyai (1526-1560) rechercha l'alliance turque et c'est grâce
aux Turcs qu'il put se réinstaller solidement en Transylvanie dont il fera la base de sa puissance.

L'éclatement du royaume de Hongrie après Mohács a
mis en évidence le fait transylvain. Jusqu'au XVIe siècle, la
Transylvanie avait été une partie intégrante du royaume
de Hongrie, ayant les mêmes lois et les mêmes institutions : la présence d'un *Voïvode*, représentant du Roi,
s'expliquait par l'éloignement géographique de cette
région par rapport au centre de l'État. Avec Jean Szapolyai, la Transylvanie va s'organiser en Principauté indépendante, avec sa Diète siégeant à Gyulafehérvár avec des
délégués des Trois Nations privilégiées (hongroise,
saxonne et sicule) dont le rôle est d'élire le Prince et de
l'assister au moyen d'un Conseil élu par elle. Désormais,
pendant deux siècles, la Transylvanie va chercher à

s'affirmer en tant qu'État hongrois, mais indépendant des Habsbourg, et à jouer un rôle de troisième force entre les Habsbourg et les Turcs.

RÉFORME ET CONTRE-RÉFORME EN EUROPE CENTRALE

La progression des Turcs dans l'espace danubien coïncide chronologiquement avec la rupture de l'unité chrétienne en Europe Centrale provoquée par la Réforme protestante. Déjà au xve siècle, l'unité morale et religieuse de l'Europe Centrale avait été fortement remise en cause par la diffusion des hérésies de Wycliff et de Jean Hus. Dans le Saint Empire, la nécessité d'une réforme de l'Église était ressentie par tous; seuls les moyens préconisés pour y parvenir étaient différents. En Bohême, les idées hussites demeuraient encore solidement enracinées dans une partie importante de la population, et l'Église de *l'Unité des Frères* continuait à les propager.

Or, au début du xvie siècle, la fragile paix religieuse qui s'était établie en Bohême fut brutalement ébranlée par la prédication et les écrits de Luther et de ses disciples. Les idées de Luther exprimées au grand jour dans ses *95 thèses* de novembre 1517 remettaient en question à la fois la doctrine de l'Église sur le salut, et l'autorité du Pape et de la hiérarchie; elles étaient assez semblables à celles qu'avait exprimées un siècle plus tôt Jean Hus. Condamnées par Rome dès 1520, les idées de Luther eurent très vite un immense retentissement dans tout l'Empire et déclenchèrent de vives polémiques. Beaucoup de princes allemands profitèrent de l'occasion pour séculariser les biens de l'Église comme l'avaient fait un siècle auparavant les seigneurs tchèques. En Bohême et en Hongrie, la pensée luthérienne fut bien reçue à la Cour de Louis II, où la reine Marie passait pour lui être favorable. Tout de suite, le luthéranisme se développa rapidement en Bohême et facilita un certain rapprochement entre Allemands et Tchèques autrefois divisés par les idées hussites. Un certain nombre d'utraquistes ralliés à Rome après l'accord de 1436 adoptèrent les positions de Luther et proclamèrent l'Écriture comme unique source de la Foi. En dépit de certaines divergences, les luthériens de Bohême et l'Unité des Frères trouvèrent dès 1542 un compromis. La réforme semblait avoir alors triomphé.

L'Unité des Frères, en dépit des difficultés rencontrées, n'en continua pas moins pour autant son activité, notamment dans le domaine culturel. Son évêque Jan Blahoslav (1523-1571) fut un humaniste actif; il fonda à Ivancine une École et une imprimerie où furent publiées une *grammaire tchèque*, une *Bible* dite *de Kralice* et de nombreux ouvrages de musique religieuse.

En Hongrie, au début du moins, Luther, en tant *qu'allemand*, fut moins bien reçu. Seules les communautés allemandes des villes prêtèrent quelque attention à ses idées. En Transylvanie, la ville de Brassó (Kronstadt) où résidaient de nombreux colons *saxons*, fut la première acquise au luthéranisme à l'initiative de Jean Honterus. Puis ce fut au tour des villes minières de Haute-Hongrie, où résidaient aussi des colons allemands, d'être touchées par la Réforme. Enfin, au moment ou les armées turques déferlaient sur la Hongrie, la Réforme faisait son apparition parmi les populations hongroises des plaines de la Tisza et de Transdanubie. La Réforme connut des succès encore plus nets lorsque apparut à partir de 1535 sa version calviniste. Dans la Hongrie demeurée aux mains des Habsbourg et surtout dans les régions occupées par les Turcs, les idées de Calvin se diffusèrent rapidement; les Turcs en facilitant l'expansion dans la mesure où elles affaiblissaient les Habsbourg. Au milieu du XVIe siècle la ville de Debrecen devint le centre spirituel du calvinisme hongrois sous la direction de Martin Kálmáncsehi, ancien chanoine de Gyulafehérvár; celui-ci prêcha la réforme chez les Hongrois de Transylvanie. Rapidement, le Protestantisme devint majoritaire en Transylvanie où les biens de l'Église catholique furent sécularisés. On eut ainsi côte à côte la *religion hongroise*, le calvinisme, et la *religion allemande*, le luthéranisme, face à un catholicisme diminué certes, mais disposant encore de bases solides. La Réforme en Transylvanie se montra tolérante et la Diète de Torda en 1558 y proclama le libre exercice de tous les cultes. La Réforme présenta en Hongrie, comme en Bohême, des aspects intellectuels; elle favorisa la langue nationale aux dépens du latin. L'humaniste réformateur Gaspard Heltai donna en 1591 une traduction de la Bible en hongrois. De nombreux collèges protestants s'ouvrirent un peu partout, tant en Transylvanie, et en Hongrie Habsbourgeoise, que dans les territoires occupés par les Turcs ; les plus célèbres furent ceux de Sarospatak (encore en activité aujourd'hui), de Debrecen, de Kolozsvár et de Pápa.

La Papauté n'est pas restée sans réagir devant ces divisions de la Chrétienté occidentale, à un moment où l'Islam s'implantait solidement dans les pays danubiens. Certes, dans le Saint Empire, la paix de compromis conclue à Augsbourg en 1555 légalisa la situation des Luthériens là où ils avaient triomphé. Mais les Habsbourg, défenseurs traditonnels du catholicisme, n'avaient pas renoncé à extirper le protestantisme de leurs possessions héréditaires et si nécessaire par la force. La Papauté, elle, songeait plutôt à agir par la persuasion. A la *Réforme protestante*, elle chercha à opposer la Contre-Réforme, c'est-à-dire en réalité la *Réforme catholique*. Élaborée au Concile de Trente (1545-1563) et diffusée par les Jésuites, la Contre-Réforme va regagner un certain nombre de positions perdues par Rome, notamment en Allemagne du Sud, en Autriche, en Bohême, en Hongrie, en Pologne.

C'est en Bohême que la Contre-Réforme s'est manifestée de la façon la plus brutale, d'abord en raison de la radicalisation des positions des Réformés, ensuite parce que, sous prétexte de réforme religieuse, on n'avait pas hésité à y remettre en cause l'autorité royale. Au début du règne de Ferdinand I, la paix religieuse régna en Bohême car la bourgeoisie des villes aspirait à la tranquillité. Mais le conflit éclata lorsque le roi décida de lever des troupes sans l'accord de la Diète afin de lutter contre les Protestants allemands de la Ligue de Smalkalde. Prague et la plupart des villes se soulevèrent alors et se prononcèrent en faveur de la Ligue. Après la défaite des protestants allemands en 1547, le roi Ferdinand châtia durement les villes qui s'étaient soulevées : il leur enleva leurs privilèges, leur imposa des administrateurs catholiques, et les priva de leurs ressources en confisquant les domaines qu'elles possédaient dans le plat pays au profit de la noblesse catholique. Profitant de sa position de force, Ferdinand réussit en 1554 à faire voter par la Diète l'hérédité de la couronne de Bohême dans la famille des Habsbourg. En même temps, soucieux de rétablir les positions de l'Église catholique, le roi abandonna la politique de tolérance pratiquée jusque-là : les *frères de l'Unité* et les utraquistes ralliés au luthéranisme furent persécutés. Les Jésuites se chargèrent de l'œuvre de restauration. En 1556, ils ouvrirent à Prague une véritable Université, le *Clementinum*, et en Moravie, ils fondèrent des collèges à Olomouc en 1566 et Brno en 1572. Les collèges jésuites accueillirent des jeunes gens des familles nobles qui furent plus tard de zélés propagateurs de la Réforme catholique. Le symbole le plus clair de cette rentrée en force du catholicisme fut la nomination en 1561 d'un archevêque à Prague, dont le siège était demeuré vacant depuis plus d'un siècle et demi. Les successeurs de Ferdinand, Maximilien II (1564-1576) et Rodolphe I (1576-1611) poursuivirent la lutte contre l'hérésie. Toutefois en 1575, une *Confession tchèque* calquée sur la *Confession d'Augsbourg* fut acceptée par le Roi et établit un certain climat de tolérance. Le catholicisme, toujours minoritaire, se trouvait cependant à la fin du xvie siècle en bien meilleure posture qu'un siècle auparavant. La reconquête sera longue et la Réforme catholique ne porta véritablement ses fruits que dans le courant du xviiie siècle.

En Hongrie, en revanche, la tolérance s'imposa dans toutes les régions et la Contre-Réforme catholique fut plus tardive et aussi beaucoup plus tolérante même au xviie siècle lorsqu'elle devient triomphante.

La lutte contre les Turcs

Au début de 1529, les Turcs reparurent en Hongrie et s'établirent solidement dans la plaine de Voïvodine. Ils bénéficièrent d'un appui non négligeable en la personne du roi *national* Jean Szapolyai. Le 18 août 1529, à Mohács, là même où le roi Louis II était tombé les armes à la main, le « Roi » Jean Szapolyai vint prêter hommage au sultan Soliman II. Son hostilité au roi Ferdinand de Habsbourg lui faisait livrer la Hongrie aux Turcs, et c'est en son nom que les Turcs portèrent la guerre plus avant dans le pays, « libérant » Buda le 7 septembre. Seules, la Hongrie occidentale et les régions montagneuses du nord et du nord-ouest demeurèrent aux mains des Habsbourg. L'attitude de Jean Szapolyai choqua. Ferdinand sut exploiter cette situation, mais ses forces étaient limitées et il ne pouvait guère compter sur l'aide de Charles Quint aux prises avec François Ier et avec les conflits religieux qui déchiraient l'Empire.

Néanmoins, après l'échec des Turcs devant Köszeg (10-29 août 1532), Ferdinand I dut négocier ; tout comme son rival transylvain, il se reconnut vassal du Sultan pour la partie de la Hongrie qu'il contrôlait. Les deux rois furent très vite conscients que leur rivalité ne profitait qu'aux Turcs. En 1538, ils conclurent entre eux la paix de Nagy-várad : à la mort de Jean Szapolyai, la couronne reviendrait aux seuls Habsbourg mais en attendant, Szapolyai conserverait à titre viager la Transylvanie.

A plusieurs reprises, le compromis de 1538 fut remis en cause mais à la mort de Ferdinand I, son héritier Maximilien (1564-1572) fut le seul à porter le titre de *Roi de Hongrie*, tandis que le fils de Jean Szapolyai, Jean-Sigismond demeurait Prince de Transylvanie, et vassal à la fois du Roi et des Turcs. Pendant toutes la seconde moitié du xvie siècle, les Habsbourg tentèrent de contenir la progression des Turcs, avec plus ou moins de chance. En Transylvanie, après la mort du Prince Jean-Sigismond, tous les Princes élus par la Diète, Étienne Bathory (1571-1576), son frère Christophe (1576-1581) et le fils de ce dernier Sigismond (1581-1601), reconnurent les droits éminents des Habsbourg sur la Principauté. Les Habsbourg tentèrent de transformer cette propriété éminente en une propriété concrète. Ce fut le cas du successeur de Maximilien, Rodolphe (1576-1608) qui intervint en 1601-1602 en Transylvanie, dont venait de s'emparer, sous prétexte de lutter contre les Turcs, le Prince de Valachie Michel Le Brave. Ce dernier avait même pris le titre de *Prince de Valachie, Moldavie et Transylvanie*. Les troupes de Michel Le Brave traitèrent la Transylvanie en pays conquis et pour s'en débarrasser, le commandant en chef des troupes habsbourgeoises n'eut pas d'autre moyen que de le faire assassiner.

Lorsque s'achève le xvie siècle, la position des Habsbourg, devenus défenseurs du catholicisme et champions de la lutte contre l'Islam en Hongrie, s'est consolidée. Les Habsbourg règnent maintenant sur la Bohême et sur la Hongrie – ou du moins sur les régions non contrôlées par les Turcs. C'est là le point de départ d'un Empire multinational suffisamment puissant par ses possessions germaniques, pour envisager sérieusement l'expulsion des Turcs hors du bassin danubien.

UN HAVRE DE PAIX – LA POLOGNE DES XVe ET XVIe SIÈCLES

La Pologne des premiers Jagellon (1382-1572)

A la mort de Louis d'Anjou, la Pologne une nouvelle fois se trouva confrontée à un problème de succession. Le roi défunt laissait une fille, Hedwige, qui fut promise en mariage très jeune au grand-duc de Lithuanie Jagellon, prince païen qui régnait sur un peuple païen. Proclamée reine en 1384 à l'âge de 10 ans, Hedwige associa au trône son mari qui fut baptisé et reçut à cette occasion le nom chrétien de Ladislas.

Sous Hedwige et Ladislas II (1386-1434), l'union entre le royaume de Pologne et le grand-duché de Lithuanie s'établit. Cette union facilita la pénétration du christianisme en Lithuanie, où fut fondé l'évêché de Wilno, et permit aux Lithuaniens d'échapper à l'emprise des Chevaliers Teutoniques. Ceux-ci, qui avaient tenté d'intervenir, furent défaits le 15 juillet 1410 à la bataille de Grünwald (Tannenberg) : cette victoire polono-lithuanienne permit aux Lithuaniens de retrouver un accès à la Mer Baltique.

Mais les Chevaliers Teutoniques constituèrent une menace permanente contre la Pologne ; en dépit de leur échec à Grünwald, ils contrôlaient toujours les villes et les campagnes du nord de la Pologne proprement dite, ce qui interdisait à ce pays tout accès direct à la mer.

L'union polono-lithuanienne fut maintenue après la mort de Ladislas II. Son fils Ladislas III (1434-1444), qui régna aussi en Hongrie après 1440, participa à la lutte contre les Turcs et mourut lors du désastre de Varna. Son autre fils, Casimir IV Jagellon (1444-1492) engagea le combat contre les Chevaliers Teutoniques de 1454 à

1466 : à la paix de Torun, Casimir IV récupéra la Poméranie entre l'Oder et la Vistule. La Pologne retrouva ainsi une façade maritime importante, avec notamment le port de Gdansk. L'action de Casimir IV en tant que Grand-Duc de Lithuanie ne fut pas négligeable non plus. La Lithuanie était au contact avec la Moscovie au nord-est et avec l'Ukraine occupée par les Tatars du sud-est. Sous Casimir IV, les Polono-Lithuaniens chassèrent les Tatars d'Ukraine occidentale et occupèrent Kiev. Les régions ainsi « libérées » furent livrées à l'aristocratie polonaise qui s'y tailla de vastes domaines sur lesquels travaillaient les paysans ukrainiens et orthodoxes.

Sous les premiers Jagellon, la Pologne unie à la Lithuanie est devenue un vaste État qui s'étend de la Baltique aux steppes de l'Ukraine. Les villes, longtemps peuplées d'étrangers – en fait, presque exclusivement d'Allemands – se polonisèrent peu à peu. Ce fut le cas de la capitale, Cracovie, où dès la fin du xve siècle, l'élément polonais est redevenu majoritaire. Mais Cracovie, c'est aussi la capitale culturelle du pays avec son Université fondée en 1364, et où, au xve siècle, brillent ses Théologiens, ses Mathématiciens et surtout ses Astronomes, qui au début du xvie siècle allaient la rendre célèbre avec Nicolas Copernic. Au milieu du xve siècle, plus de 700 étudiants fréquentent l'université de Cracovie.

L'organisation de l'État s'est précisée sous Casimir Jagellon. A côté du Roi et des grands dignitaires du royaume – dont l'archevêque Primat qui assure la continuité de l'État en cas de vacance du pouvoir – Casimir Jagellon a fixé les règles du fonctionnement de la *Diète* formée de deux assemblées, le Sénat et la Chambre des Nonces élue par la noblesse ; le principe a été posé que, pour tout changement en matière de droit privé ou de droit public, il faut le consentement commun des sénateurs et des députés. Cette organisation sera étendue au xvie siècle à la Lithuanie.

Le Siècle d'or de la Pologne

Les succès militaires des premiers Jagellon qui ont permis à la Pologne de s'affirmer en tant que *Grande Puis-*

sance indépendante face au Saint Empire et aux Chevaliers Teutoniques à l'ouest et au nord, face aux Tatars et à
la Moscovie naissante à l'est, permirent au pays de
connaître au XVIᵉ siècle une ère de paix propice à l'éclo-
sion et au développement d'une brillante civilisation.

La stabilité des institutions se renforça par l'absence de
problèmes lors des successions et par la marche vers une
monarchie héréditaire. En effet, si les deux premiers successeurs de Casimir Jagellon, Albert (1492-1501) et
Alexandre (1501-1506) eurent des règnes courts. Sigismond Iᵉʳ (1506-1548) régna suffisamment longtemps pour
préparer la voie à l'hérédité de la couronne. N'ayant
qu'un fils, Sigismond le fit reconnaître dès 1530 comme
roi de Pologne et Grand-Duc de Lithuanie, si bien qu'à sa
mort, ce fils Sigismond-Auguste (1548-1572) hérita sans
difficulté des deux couronnes. L'union entre la Pologne
et la Lithuanie fut consolidée. En effet, Sigismond-
Auguste fit adopter par le Diète de 1569 l'*Union de Lublin*
qui faisait de la Pologne et de la Lithuanie une *République
unie et indivisible*, chacun des deux membres de la République conservant ses lois, sa justice, son armée particulières. A la tête de cette République se trouvait le souverain commun, élu par la Diète représentant les deux
nations. Cette *Grande Pologne* de plus de 850 000 km² et
peuplée de près de 8 millions d'habitants a duré deux
siècles jusqu'à l'époque des Partages. Tout comme la
monarchie des Habsbourg qui se constitue à la même
époque, la Pologne est un État multinational où
coexistent une majorité de Polonais, mais aussi des Allemands, surtout dans les villes, des Lithuaniens et des
Ukrainiens.

Au XVIᵉ siècle, la Pologne fut, comme tous les pays
d'Europe centrale et orientale, touchée par la Réforme
religieuse.

En Pologne, la Réforme luthérienne pénétra d'abord
dans les villes septentrionales à population allemande. En
1525, le Grand maître de l'Ordre Teutonique, Albert de
Brandebourg, sécularisa les biens de son Ordre et se proclama *Duc de Prusse* et vassal du roi de Pologne. En quelques années, toutes les villes de la côte baltique adoptèrent le luthéranisme. Le roi Sigismond I au début tenta
de réagir : en 1526, il écrasa une sédition luthérienne à

Gdansk, mais les progrès de la Réforme furent si nets qu'un climat de tolérance s'instaura peu à peu. Les Allemands de Pologne et les intellectuels polonais adoptèrent presque tous les principes de la Réforme. Comme en Hongrie, les Allemands suivirent Luther, tandis que les idées de Calvin trouvèrent davantage d'audience auprès des Polonais. Au milieu du xvie siècle, la Pologne ainsi est devenue un État multiconfessionnel où, comme en Transylvanie, la tolérance est officialisée en 1572. En dépit des condamnations du clergé catholique, les mariages mixtes furent fréquents et admis par les autorités civiles. L'unité morale du pays fut maintenue au nom de ce principe qui fut le symbole de l'humanisme polonais au xvie siècle : « Rappelle-toi que tu es venu au monde Polonais avant que d'être catholique. » Et lorsque Henri de Valois fut élu Roi de Pologne en 1573, lui qui était pourtant le frère du roi de France Charles IX qui avait ordonné le massacre de la Saint-Barthélemy, il dut s'engager à maintenir la paix religieuse. « Je veillerai à ce que règne la paix entre ceux que la religion met en désaccord » déclara le Prince avant de recevoir la couronne royale.

Comme la tolérance y fut la règle officielle, l'Église catholique s'efforça de reconquérir pacifiquement les positions qu'elle avait perdues. L'évêque de Varmie, Stanislas Hosius fut le principal artisan de la réforme catholique : en 1551, il publia une *Confession de Foi catholique* dans laquelle il exposa les principaux dogmes du catholicisme en les opposant aux idées des Réformés. Devenu cardinal en 1560 Hosius participa au Concile de Trente puis s'établit à Rome. Sur sa demande, les Jésuites s'installèrent en Pologne dès 1564 et redonnèrent tout son éclat à l'université de Cracovie. Des collèges furent fondés dans tout le pays, notamment à Wilno, à Poznan et à Varsovie. La reconquête catholique fut facilitée par l'action des prédicateurs : parmi eux, l'un des plus actifs fut le jésuite P. Skarga (1536-1612). L'Église catholique s'efforça de réintégrer au sein de l'Église romaine les nouveaux sujets de la Pologne, les Ukrainiens orthodoxes. Avec eux fut trouvé le compromis de Brest-Litovsk qui donna naissance à l'*Église uniate*. Les Uniates reconnaissaient l'autorité du Pape, mais conservaient le rite grec.

Le climat de tolérance fut favorable au développement

de l'humanisme et au progrès des Sciences. Le roi Sigismond, qui avait épousé une princesse italienne, Bona
Sforza, et son fils Sigismond-Auguste furent des mécènes
lettrés qui protégèrent les Lettres et les Arts. L'Université
de Cracovie connut alors ses heures de gloire avec les travaux de son École d'Astronomie illustrée par Copernic.
Nicolas Copernic, né à Torun en 1473, après des études
universitaires à Cracovie, Prague, Padoue, Bologne et
Ferrare est le type parfait de l'homme de la Renaissance.
Docteur en Droit canon et en Médecine, Copernic est surtout connu par ses travaux sur la mécanique céleste et en
particulier par son traité *De revolutionibus orbium celes-
tium* dans lequel il montre que le Soleil, centre de l'Univers, est entouré de planètes, dont la Terre, qui gravitent
sur leurs propres orbites. Copernic s'est aussi intéressé
aux faits économiques, puisqu'il a jeté les fondements
d'une étude sur les mécanismes monétaires, qui annonce
déjà les travaux ultérieurs de Gresham. L'Université de
Cracovie fut un centre actif dans le domaine des études
des langues anciennes et orientales, et dans la publication
des travaux historiques et géographiques.

La richesse spirituelle et intellectuelle de la Pologne au
xvie siècle se doubla d'une prospérité économique indé-
niable. L'aristocratie polonaise a développé la politique
de défrichement systématique qu'elle avait inaugurée au
xive siècle. De nouvelles terres furent mises en culture :
les forêts et les pâturages reculèrent au profit des labours.
Comme les redevances en argent versées par leurs tenanciers s'avéraient moins intéressantes en raison de la
hausse générale des prix, les seigneurs polonais leur ont
substitué les redevances en nature et surtout ont développé le système des corvées. Au xvie siècle, les magnats
polonais sont devenus marchands de grains et la Pologne
exporte ses céréales vers l'Europe méditerranéenne et
surtout vers les villes de l'Europe du Nord et du Nord-
Ouest. Le port de Gdansk connaît de ce fait un grand
essor. En revanche, les industries extractives connaissent
un certain tassement.

Les succès de la Contre-Réforme

La mort de Sigismond-Auguste, dernier représentant de la famille Jagellon, mit fin aux tentatives faites pour établir en Pologne une monarchie héréditaire. Conduite par Jean Zamoyski, la masse de la petite noblesse, la *Szlachta*, qui se démarque de plus en plus des *Magnats*, imposa la participation directe de tous les nobles à l'élection royale. Après avoir écarté un prince Habsbourg jugé trop dangereux pour la paix religieuse et aussi pour le maintien de la paix avec les Turcs, la Diète confia la couronne en juin 1573 au frère du roi de France, le Prince Henri de Valois : le roi Henri séjourna peu de temps dans son royaume, car à la mort de son frère, il rentra en France où il régna sous le nom de Henri III. La succession fut encore difficile à régler : les magnats appuyèrent le candidat Habsbourg Maximilien, tandis que la *Szlachta* confia le pouvoir au Prince de Transylvanie Étienne Báthory (1575-1587) qui sut rallier ses adversaires par le maintien d'une politique tolérante. Toutefois il donna tout son appui au mouvement de la Contre-Réforme et multiplia les donations aux Jésuites. Beaucoup de familles nobles qui étaient passées à la Réforme au début du xvie siècle, revinrent à l'Église catholique ; la plus belle réussite de P. Skarga fut l'abjuration du fils du chancelier, le prince Georges Radziwill qui, converti et entré dans les ordres, devint évêque de Wilno. Grâce à Étienne Báthory, l'action éducative des Jésuites rencontra de nombreux succès. Le collège de Wilno devint une Université tenue par les Jésuites, où vinrent étudier non seulement des étudiants catholiques, mais aussi des protestants et des uniates.

Toutefois, le triomphe de la Contre-Réforme n'entraîna jamais de persécutions à l'égard des Réformés. Les protestants conservèrent leurs temples et leurs écoles, qui connurent même une période d'éclat à la fin du siècle grâce au cénacle groupé autour de l'humaniste italien Lelio Sozzino installé depuis 1579 à Cracovie. Ses disciples, les *Sociniens* ou *Frères Polonais*, fondèrent dans le village de Rakow, près de Sandomir, un véritable foyer de culture protestante avec écoles et imprimerie. Les Sociniens y développèrent des idées originales sur la guerre, sur la liberté de conscience, qui font d'eux davantage des humanistes d'inspiration érasmienne que des militants religieux intransigeants. Toutefois, la Contre-Réforme triomphante au début du xviie siècle, amena la dispersion des Sociniens. A ce moment-là, la Pologne sans guerre de religion ni persécutions, était redevenue un pays catholique.

A la fin du xvie siècle, ce que nous appelons l'Europe de l'Est a totalement éclaté. Les Balkans et une partie de la Hongrie se trouvent aux mains des Turcs; le reste de la Hongrie et le Royaume de Bohême ont été intégrés à la monarchie habsbourgeoise, unique rempart de la chrétienté occidentale face aux Turcs. Seule, la Pologne a su conserver son indépendance et elle connaît même alors ses plus belles années. Mais à la diversité des destins politiques s'est ajouté l'éclatement de l'unité religieuse qui longtemps avait donné à la Bohême, à la Hongrie et à la Pologne une unité morale et spirituelle. Les forces de division semblent désormais devoir l'emporter sur les forces de regroupement. C'est peut-être cela qui fut le plus décisif pour le destin des nations de cette partie de l'Europe.

VI

L'EUROPE DE L'EST
ENTRE LES HABSBOURG,
LES TURCS ET LA RUSSIE

Depuis que les Turcs se sont installés en Europe centrale et orientale, les peuples de ces régions ont perdu la maîtrise de leur destinée. Les uns sont devenus sujets des Turcs, les autres se sont placés plus ou moins volontairement sous la protection des Habsbourg qui, grâce aux forces qu'ils tiraient du Saint Empire et de leurs possessions héréditaires, paraissaient le rempart le plus efficace devant les Turcs. Seuls, les Polonais ont réussi tant bien que mal à conserver pendant un certain temps une certaine indépendance, mais leur pays est l'objet des convoitises de leurs puissants voisins qui, d'ailleurs, ne vont pas tarder à se le partager.

LES BALKANS SOUS LA DOMINATION OTTOMANE

Depuis la fin du xive siècle, les peuples des Balkans, les uns après les autres, après une résistance plus ou moins longue, sont tombés sous la domination des Ottomans. Cette domination a été essentiellement une domination politique, mais elle ne s'est pas exercée partout de la même manière et avec la même rigueur. Certains peuples balkaniques ont bénéficié d'un statut de relative autonomie – ce fut le cas des Albanais et des Roumains –; d'autres, au contraire, furent soumis à un régime de stricte soumission – ce fut le cas des Serbes. Mais en dépit de la diversité des situations locales et particulières, un certain nombre de caractères communs se retrouvent dans tous les pays soumis aux Turcs. Tous ces pays reçurent des garnisons turques, cantonnées dans les villes et dans les principaux points stratégiques ; ils durent tous payer un tribut plus ou moins substantiel, symbole de leur dépendance. Les Turcs, en dépit d'implantations de colons dans certaines régions, furent partout minoritaires par rapport aux populations chrétiennes indigènes. Les Turcs, d'autre part, ne cherchèrent jamais à imposer à leurs sujets chrétiens la religion musulmane ; il y eut certes des conversions, mais la plupart furent volontaires, même si un certain opportunisme en fut souvent la cause.

Les peuples privilégiés

Parmi les peuples soumis aux Turcs, les Albanais, et les habitants de Moldavie et de Valachie – c'est-à-dire les ancêtres des Roumains actuels – bénéficièrent d'une situation particulièrement favorable. Les Albanais, en dépit d'un sursaut de résistance à l'époque de Skander-Beg, devinrent après la mort de celui-ci en 1468, de loyaux sujets des Turcs. Les récalcitrants choisirent d'émigrer en Calabre et en Sicile où leurs descendants conservent encore aujourd'hui le souvenir de leur origine, mais la grande majorité des Albanais demeura sur place et se convertit facilement à la religion de leurs maîtres. A partir du XVIᵉ siècle, l'Albanie est une terre musulmane qui fournit aux Turcs des fonctionnaires, des officiers, et de nombreux soldats.

Quant aux principautés du Bas-Danube, malgré les tentatives de résistance du Prince de Valachie Mircea le Grand, et de celui de Moldavie Étienne le Grand, elles devinrent toutes deux vassales de l'Empire Ottoman dès la fin du XVᵉ siècle. En fait, la tutelle turque fut loin d'être pesante. Elle se traduisait principalement par le versement du tribut annuel, le *Pechkèche* ainsi que des redevances en nature auxquelles s'ajoutait le monopole commercial. Les Turcs, en échange, garantissaient les frontières des deux principautés contre les ennemis extérieurs. Chaque Principauté conserva une large liberté d'action dans le domaine administratif et judiciaire : la noblesse locale – *les Boyards* – conservait le droit d'élire

le Prince, mais les Turcs pouvaient mettre leur véto.
Cette situation n'empêche pas cependant le développement de mouvements d'opposition, surtout lorsque les
Turcs étaient aux prises avec des difficultés. Ce fut le cas
à l'époque du Prince Michel le Brave (1593-1601). La plupart du temps, les Princes de Moldavie et de Valachie se
contentèrent d'être de loyaux vassaux du Sultan. Ils
entretinrent dans leurs capitales, Jassy pour la Moldavie,
et Bucarest pour la Valachie une vie de cour luxueuse.
Profitant de la tolérance des Turcs, l'Église roumaine
connut une période florissante : elle réussit à se dégager
de l'influence du Patriarcat de Constantinople et à partir
du xvie siècle, les textes liturgiques furent traduits en roumain. De nombreuses églises et monastères furent
construits qui témoignent de l'influence encore forte de
l'art byzantin. Aux xvie et xviie siècles, les Principautés
roumaines ont connu un développement culturel marqué. Les Princes Matéi Basarab de Valachie (1632-1654)
et Vasile Lupu de Moldavie (1634-1653) ouvrirent de
nombreuses écoles et fondèrent les premières imprime-
ries à Jassy en 1646 et à Bucarest en 1652. Les deux capitales eurent alors chacune leur Académie. Cette renaissance relativement tardive fut favorisée par la large
autonomie dont bénéficièrent au xviie siècle les deux
Principautés. Mais au siècle suivant, les Turcs, durement
éprouvés par la reconquête de la Hongrie par les Habsbourg et très inquiets par les progrès de l'État russe, renforcèrent leur contrôle sur les Principautés danubiennes.
Cette politique suscita des troubles et les Roumains firent
appel au Tsar Pierre le Grand. Les Turcs ripostèrent en
remplaçant les princes autochtones par les *Phanariotes*,
c'est-à-dire par des Grecs originaires du quartier du Pha-
nar à Constantinople, qui furent en réalité de véritables
gouverneurs exerçant le pouvoir au nom du Sultan. Par
l'intermédiaire des gouverneurs phanariotes (1711-1821),
les Turcs tirèrent des Principautés danubiennes des revenus accrus; le tribut annuel fut multiplié par 5 au cours
du xviiie siècle. De nombreux paysans roumains, pressu-
rés par le fisc turc, se réfugièrent en Transylvanie.
D'autres eurent recours à la révolte et furent soutenus
par la Russie qui mena contre les Turcs une guerre victorieuse (1768-1774). A la paix de Kuciuk-Kainardji, les

Turcs s'engagèrent à respecter les Privilèges des Principautés danubiennes et accordèrent au Tsar un droit de
protection sur les Chrétiens orthodoxes de l'Empire ottoman. A la domination ottomane s'ajoute désormais la
« protection » russe. Mais au même moment les Habsbourg, qui avaient soutenu les Russes dans les affaires, se
firent céder par les Turcs, la Bukovine, c'est-à-dire le
nord de la Moldavie.

Les peuples opprimés

La Bulgarie connut un sort beaucoup moins favorable.
Après l'échec de la *Croisade* de Nicopolis en 1396, le
peuple bulgare allait connaître cinq siècles de domination ottomane. Les Bulgares qui avaient fait preuve d'une
résistance beaucoup plus opiniâtre que les Roumains
furent durement traités, et comme leur territoire était au
voisinage immédiat du centre de l'Empire turc, il fut soumis à un très strict contrôle. Au lendemain de la
conquête, la noblesse bulgare fut totalement éliminée et
ses domaines furent transformés en fiefs militaires distribués aux officiers et fonctionnaires turcs qui y maintinrent le régime seigneurial antérieur. Les paysans bulgares changèrent ainsi de maîtres et continuèrent à payer
aux nouveaux seigneurs la capitation et la dîme, et à exécuter pour leur compte la corvée. Mais le peuple bulgare,
déjà fortement éprouvé par les massacres et les ventes sur
les marchés d'esclaves qui eurent lieu dans les premiers
temps de l'occupation turque, dut encore fournir périodiquement une partie de ses fils pour le recrutement des
Janissaires.

Pour mieux contrôler et exploiter le pays, les Turcs dis-
persèrent les paysans bulgares des plaines côtières et de
la vallée de la Maritsa et les remplacèrent par des colons
venus d'Asie Mineure. Des Turcs, des Arméniens, des
Grecs et des Juifs vinrent s'établir dans les villes qui
prirent ainsi un aspect cosmopolite et oriental avec leurs
mosquées et leur bazar. La religion orthodoxe fut tolérée
mais, pour mieux la contrôler, les Turcs confièrent à des
évêques grecs le soin d'encadrer le clergé bulgare. Dans
la région frontière du Rhodope, les Turcs procédèrent à
des conversions forcées : les descendants de ces Bulgares

convertis à l'Islam sont connus aujourd'hui sous le nom de Pomaci. Çà et là, surtout dans les régions montagneuses isolées, une résistance sporadique fut entretenue par des groupes de hors la loi, les *Haidouks*, surtout actifs aux XVIIe et XVIIIe siècles.

Le sort des Serbes fut beaucoup plus proche de celui des Bulgares que de celui des Albanais et des Roumains. Certes, les Serbes de l'ancienne Zéta, qui vivaient dans les régions montagneuses du Crna Gora, le Monténégro, parvinrent à conserver leur indépendance et à constituer un solide bastion chrétien entouré de forteresses turques. De temps à autres, ces Monténégrins n'hésitèrent pas à s'attaquer aux Turcs, seuls, ou avec l'aide de l'Autriche et de Venise qui tenait le littoral dalmate. Mais on ne peut pas parler d'État à propos du Monténégro : il s'agit plutôt d'une Confédération de tribus dirigée par un chef, le *Vladika*. A la fin du XVIIe siècle, la dynastie des Pétrovic-Njegos réussit à monopoliser la fonction de Vladika sur la base d'une hérédité d'oncle à neveu. Pour ce qui est des Serbes de Bosnie chez lesquels se trouvaient de nombreux adeptes de l'hérésie bogomile, il y eut là de nombreuses conversions à l'Islam, ce qui leur valut de connaître une relative tranquillité, d'autant plus que la configuration orographique de leur pays ne permettait guère aux Turcs d'y pénétrer en nombre.

Les Serbes de la Serbie proprement dite, c'est-à-dire la grande majorité du peuple serbe, furent soumis à un strict régime d'occupation militaire. Les terres devinrent la propriété du Sultan qui les transforma en fiefs militaires héréditaires ou viagers attribués à des fonctionnaires turcs. Comme en Bulgarie, les paysans furent tenanciers des propriétaires turcs et comme en Bulgarie, les familles serbes durent livrer périodiquement de futurs janissaires.

L'Église serbe fut l'âme de la résistance. Au début de l'occupation turque, la tolérance fut à peu près totale et le patriarcat serbe de Pec fut même rétabli en 1557. Mais, après l'échec de la révolte de 1688-1690, des milliers de Serbes conduits par le Patriarche de Pec Arsenije III se réfugièrent en Hongrie où l'Empereur-Roi Léopold Ier leur accorda des terres et des privilèges : ce fut là l'origine du peuplement serbe dans les provinces méridio-

nales de la Hongrie. A titre de représailles, les Turcs sup-
primèrent le patriarcat de Pec et le clergé serbe demeuré
sur place fut rattaché à l'Église grecque. Ainsi, en Serbie,
comme en Bulgarie, le clergé grec se révéla un agent efficace du pouvoir turc.

LA CONSOLIDATION DE LA MONARCHIE HABSBOURGEOISE DANS L'ESPACE DANUBIEN

Au début du xviie siècle, les Habsbourg d'Autriche sont
à la tête d'un ensemble de territoires qui s'étendent
depuis l'Alsace et l'Allemagne du Sud jusqu'à la Plaine
hongroise. Outre la dignité impériale, les Habsbourg ont
joint à leurs possessions héréditaires les couronnes de
Bohême et de Hongrie. Leur Empire constitue ainsi un
solide bastion uni autour d'une dynastie *catholique*, à partir duquel la lente reconquête des régions occupées par
les Turcs va s'opérer.

Le Triomphe de la Contre-Réforme en Bohême

Depuis le début du xvie siècle, les pays de la Couronne
de Saint Venceslas (Bohême, Moravie et Silésie) font partie intégrante du patrimoine de la Maison d'Autriche. Les
luttes religieuses issues de l'époque hussite et de la diffusion de la Réforme protestante continuèrent longtemps à
peser sur la vie du pays. L'Empereur Rodolphe II, désireux d'y mettre fin, octroya à la Bohême en 1609 la *Lettre
de Majesté* : la liberté du culte, le droit d'ouvrir des
temples et des écoles étaient accordés aux Protestants qui
obtenaient même le privilège d'élire des représentants,
les Défenseurs de la Foi, chargés de veiller au respect des
clauses de la Lettre de Majesté. La paix religieuse semble
ainsi revenir et elle fut effective pendant le règne de
Rodolphe II et au début du régime de son successeur
Mathias (1612-1629). La Contre Réforme catholique n'en
demeurait pas moins active grâce à l'action missionnaire
et éducatrice des Jésuites. A partir de 1617, la réalité du
pouvoir fut exercée par l'archiduc Ferdinand de Styrie,
qui devint roi sous le nom de Ferdinand II deux ans plus

tard. Ferdinand II (1619-1637), ancien élève du collège jésuite d'Ingolstadt voulut rétablir l'unité religieuse dans ses États et dès son avènement, il chercha à restreindre les privilèges des protestants. Il en résulta d'abord en Bohême, puis dans tout le Saint Empire une véritable guerre de religion. Cette guerre de Trente ans (1618-1648) ranima l'ancienne querelle entre la Maison d'Autriche et la France, dans la mesure où la France, pour affaiblir les Habsbourg, appuya les Protestants allemands, en même temps qu'elle s'efforça de réanimer son alliance traditionnelle avec les Turcs.

La guerre de Trente Ans trouva son origine au début de 1618 dans un conflit qui opposa l'archevêque de Prague aux Protestants tchèques. L'archevêque ayant fait fermer un temple et interdire le culte protestant dans une ville qui dépendait de son autorité, les *Défenseurs de la Foi* protestèrent en convoquant une assemblée protestante. Le 21 mai 1618, les Lieutenants-gouverneurs interdirent la tenue de cette assemblée. Une délégation protestante conduite par un grand seigneur protestant d'origine allemande, le comte de Thurn, se rendit le 23 mai au Palais Royal pour se plaindre auprès des Lieutenants-Gouverneurs. L'entrevue fut orageuse, et les deux Lieutenant-Gouverneurs, deux seigneurs tchèques catholiques, Guillaume de Slavata et Jaroslav de Martinic, ainsi qu'un Secrétaire, furent jetés par la fenêtre. La « *défenestration de Prague* » marqua ainsi le début de ce long conflit qui ravagea pendant trente ans toute l'Europe Centrale. Sur ces entrefaites, l'Empereur Mathias mourut, et la Diète de Bohême refusa de reconnaître le nouveau souverain Ferdinand II, exclut du trône la famille des Habsbourg, décida l'expulsion immédiate des Jésuites de Bohême, et la confiscation de tous leurs biens. Puis, en août 1619, la Diète choisit pour Roi un prince allemand calviniste, l'Électeur Palatin Frédéric I, chef de l'*Union Évangélique*. L'« anti-roi » Frédéric I reçut l'appui de la plupart des Princes protestants de l'Empire, et celui du Prince de Transylvanie Gabriel Bethlen qui en profita pour se faire élire roi de Hongrie l'année suivante. Face à la coalition protestante, Ferdinand II s'appuya sur la *Ligue Catholique*. Une armée bavaroise commandée par le comte de Tilly pénétra en Bohême et le 8 novembre 1620, elle infli-

gea à l'armée protestante de Frédéric Ier une sévère
défaite près de Prague, à la Montagne Blanche (Bila
Hora). Le lendemain, Frédéric I quittait la Bohême et
Prague faisait sa soumission.

Pour la tradition historique tchèque reprise par l'historien français Ernest Denis, la bataille de la Montagne
Blanche marque la fin de l'indépendance tchèque. En
réalité, il vaut mieux la considérer comme la victoire de
la Contre-Réforme catholique. Les vaincus furent châtiés
durement, non pas parce qu'ils étaient des Tchèques,
mais parce que, en opposant au roi légitime un « anti-
roi », ils s'étaient comportés en rebelles. La répression fut
menée par le gouverneur Prince Charles de Liech-
tenstein, un protestant converti; un tribunal extraordinaire condamna à mort 27 chefs de la rebellion qui
furent exécutés le 21 juin 1621 sur la Place de la Vieille
Ville à Prague; parmi les victimes se trouvait le recteur
de l'Université de Prague Jean Jensensky. Une *Commission de Confiscation* procéda de 1622 à 1629 à la confiscation des biens des rebelles; près des trois quarts du sol
changèrent de propriétaires en Bohême, la moitié seulement en Moravie. Quant à la Silésie, elle ne fut pas touchée par les confiscations. Une partie des terres confisquées fut distribuée à une nouvelle noblesse, catholique
et souvent d'origine étrangère, une autre partie fut donnée à l'Église catholique. Le régime de tolérance institué
par la Lettre de Majesté fut aboli. Le catholicisme redevint religion d'État; le protestantisme et l'utraquisme
furent interdits et tous les pasteurs furent expulsés. Les
nobles et les bourgeois qui refusèrent d'abjurer durent
s'exiler en abandonnant leurs biens. Au cours des dix
années qui suivirent la Montagne Blanche, près de
15 000 personnes s'exilèrent ainsi. Parmi les exilés
célèbres, une place spéciale doit être faite à Jean-Amos
Komensky, plus connu sous le nom de Comenius (1592-
1670), dernier évêque de l'Unité des Frères, savant, linguistique et pédagogue, le Descartes tchèque.

La Bohême soumise reçut du Roi une nouvelle Constitution en 1627. D'après cette Constitution, la Couronne
était rendue héréditaire en ligne masculine dans la
famille de Habsbourg : le roi nommait toute l'administration et les membres des Tribunaux Supérieurs : la Diète

était maintenue, elle conservait le droit de consentir à l'impôt mais la représentation des villes était diminuée tandis que le clergé y était réintroduit. Enfin, pour accentuer l'appartenance de la Bohême à l'Empire, l'allemand devenait langue officielle.

La pacification de la Bohême ne mit pas fin, loin de là, à la guerre de Trente Ans. Les armées de Ferdinand II, conduites par le général Wallenstein, aventurier tchèque catholique, menèrent la guerre contre les Princes protestants allemands et contre leurs alliés suédois. Avec le nouveau souverain Ferdinand III (1637-1657), un régime plus libéral s'établit peu à peu. La Paix de Wesphalie mit fin en 1648 à la Guerre de Trente Ans : le pouvoir impérial en sortit affaibli, et le principe *Cujus Regio Ejus Religio* fit de chaque souverain le maître de la religion de ses sujets. Le roi de Bohême étant catholique, ses sujets devaient l'être également, sinon s'exiler. Mais pour la Bohême, comme pour l'Empire, ces guerres avaient été ruineuses : la Bohême avait perdu le cinquième de sa population et fut partiellement repeuplée avec des catholiques allemands chassés des États protestants.

Après 1650, la Bohême pacifiée se releva peu à peu de ses ruines et fut intégrée définitivement à la monarchie habsbourgeoise. L'économie retrouva sa prospérité : elle repose essentiellement sur une base agricole. Le régime seigneurial fut renforcé par la généralisation de la corvée sur les réserves, ce qui permit aux seigneurs de vendre leurs excédents de récolte. En revanche, l'exploitation des mines qui avait été très active à la fin du Moyen Age recula en raison de l'épuisement des gisements. Peu à peu, la population a augmenté et au recensement de 1754, les pays de la Couronne de Saint Venceslas rassemblent plus de 3 millions d'habitants, tandis que Prague en compte plus de 50 000, bien qu'ayant perdu sa fonction de résidence des souverains au profit de Vienne.

A la fin du xviie siècle, grâce à l'action des Jésuites, la Bohême et surtout la Moravie sont redevenues des pays catholiques. Les Jésuites contrôlent l'enseignement supérieur et disposent de 175 collèges qui forment les futures élites. La Réforme Catholique a utilisé pour séduire les milieux populaires tout ce qui pouvait frapper l'imagination et provoquer l'admiration. L'introduction de l'art baroque avec ses églises somptueusement décorées et ses cérémonies fastueuses a été un précieux auxiliaire de la reconquête des esprits. En 1729, la canonisation de Saint Jean Nepomucène, martyr du secret de la confession donna aux catholiques tchèques un point de ralliement spirituel qui compensa partiellement l'impact qu'avait jusque-là le personnage de Jean Hus. Toutefois, même redevenu majoritaire, le catholicisme n'aura jamais en Bohême la même intensité et la même ferveur qu'en Pologne. Le souvenir des luttes religieuses était trop vif et avait trop marqué les populations.

LES HABSBOURG, LA HONGRIE ET LES TURCS

Au début du XVIIe siècle, les Habsbourg contrôlent effectivement l'ouest et le nord-ouest du royaume de Hongrie, et ils sont, en théorie du moins, maîtres de la Transylvanie dont les Princes sont leurs vassaux, tout en étant également vassaux des Turcs. Jusqu'en 1660, la politique des Habsbourg en tant que rois en Hongrie, fut essentiellement une politique de conservation de l'acquis. Face aux Turcs, les Habsbourg ont alors une attitude essentiellement défensive : la Guerre de Trente Ans les empêche d'agir efficacement. Face aux Protestants assez nombreux dans la partie du royaume qu'ils contrôlent, ils appuyèrent à fond le mouvement de Réforme catholique animé par le cardinal Pierre Pázmány (1570-1637) et ses successeurs. Pázmány a surtout agi par la prédication et la persuasion, si bien qu'en Hongrie, la Contre-Réforme ne provoqua pas les mêmes tensions qu'en Bohême. Une Université dirigée par les Jésuites fut fondée en 1635 à Nagyszombat, de nombreux collèges furent ouverts, et la formation du bas clergé catholique fut améliorée. L'art religieux baroque se répandit dans toute la Hongrie occidentale et contribua, comme en Bohême, à rallier à l'Église les réformés. Au milieu du XVIIe siècle, la Contre-Réforme a triomphé en Hongrie occidentale sans violence.

Au même moment, la Transylvanie, terre de tolérance religieuse, maintient son autonomie et connaît sous Gabriel Bethlen (1613-1629) un véritable *âge d'or* qui se

prolonge sous ses successeurs Georges I (1630-1648) et
Georges II Rákoczi (1648-1662). Toutefois, en dépit des
ambitions des Princes, la Transylvanie demeure dans la
mouvance des rois Habsbourg, tout en jouissant d'une
autonomie totale.

A partir de 1660, les Turcs cherchèrent à reprendre
l'offensive en Hongrie. Ils tentèrent d'intervenir d'abord
en Transylvanie, où ils s'opposèrent au nouveau Prince
Jean Kemény (1660-1661). Les Habsbourg, libérés des
conflits en Europe Centrale par la paix de Wesphalie, réagirent notamment sous l'Empereur Roi Léopold I (1657-
1705). La lutte contre les Turcs fut menée d'abord par un
grand seigneur de Hongrie occidentale, Nicolas Zrinyi,
qui harcela les garnisons turques de Hongrie Centrale
(1663-1664) et détruisit le pont d'Eszek, l'une des voies
traditionnelles d'invasion. Les Turcs tentèrent de riposter
en envoyant l'armée du Vizir Köprülü, mais les forces
conjointes de l'Empereur et de Zrinyi le battirent à Szent-
Gottárd le 1ᵉʳ août 1664. La paix de Vasvár, qui laissa aux
Turcs les positions qu'ils tenaient en Hongrie,
mécontenta vivement la noblesse hongroise. Certains
nobles entrèrent en rapport avec des agents de Louis XIV
alors en guerre contre Léopold I ; un des conjurés Emeric
Thököly se réfugia en Transylvanie d'où, à partir de 1672,
il mena campagne contre les Impériaux. Du coup, Thököly se trouva du côté des Turcs, ce qui lui aliéna nombre
de ses partisans. Pour aider Thököly, à qui ils accordèrent
le titre de « Prince de Hongrie », les Turcs lancèrent une
grande expédition et s'en vinrent assiéger Vienne en juillet 1683. L'intervention du roi de Pologne Jean Sobieski
et sa victoire du Kahlenberg le 1ᵉʳ septembre 1683 sau-
vèrent la ville. Dès lors commence une grande contre-
offensive qui va aboutir à la libération de la Hongrie. Les
Impériaux libèrent Visegrád en 1684, puis Buda le 2 septembre 1686, Belgrade en 1688. Après la victoire du
Prince Eugène de Savoie à Zenta le 11 septembre 1697, le
Sultan abandonne à Léopold I par la paix de Karlovici
(26 janvier 1699) la Hongrie et la Transylvanie, mais
garde le Banat de Temesvár, qui sera d'ailleurs libéré à
son tour en 1718 lors de la paix de Passarovitz.

Le prestige des Habsbourg leur permit de raffermir leur
position en Hongrie. A la Diète d'octobre 1687, l'hérédité

de la couronne de Hongrie fut proclamée : en échange, le souverain reconnaissait les droits traditionnels de la Nation à l'exception du droit d'insurrection. A l'égard de la Transylvanie, Léopold I sut se montrer libéral. Par le *Diploma Leopoldianum* de 1691, la Transylvanie fut reconnue autonome avec sa Diète et ses libertés, mais le titre de Prince revenait héréditairement au Roi de Hongrie. Enfin, partout, la liberté des cultes était solennellement réaffirmée. C'est à ce moment qu'une partie du clergé orthodoxe roumain de Transylvanie réintégra l'Église romaine pour former l'*Église Uniate*.

La Hongrie sortait épuisée des guerres civiles et étrangères qui s'étaient déroulées sur son territoire depuis 1526. Sa population avait été sérieusement touchée : en 1700, elle comptait à peine plus de 2 500 000 habitants dont 900 000 allogènes : c'est l'élément magyar de la population qui avait été le plus touché, car les régions montagneuses périphériques où vivaient les allogènes avaient été relativement épargnées par les guerres.

Une partie de la noblesse, surtout en Transylvanie, la plupart des protestants, n'acceptèrent qu'à contre cœur l'hérédité de la Couronne en faveur des Habsbourg et gardèrent la nostalgie de l'indépendance. Les intrigues de Louis XIV et les difficultés des Habsbourg lors de la guerre de Succession d'Espagne incitèrent François Rákoczi, apparenté aux Zrinyi et à Thököly, à déclencher une insurrection. En mai 1703, François Rákoczi appela les Hongrois à la révolte. Maître de la Haute Hongrie avec l'appui des paysans hongrois, slovaques et valaques, il se fit proclamer Prince de Transylvanie sous le nom de François II. A la mort de Léopold I, les révoltés refusèrent de reconnaître le nouveau roi Joseph I (1705-1711) et proclamèrent la déchéance des Habsbourg. Mais le pays aspirait à la paix : l'Église catholique était méfiante à l'égard de l'entourage protestant de François II tandis que la noblesse redoutait ses projets de réformes sociales : enfin et surtout, l'appui attendu de Louis XIV était purement symbolique. A partir de 1708, les armées de Joseph I sont partout victorieuses. La paix de Szatmár le 30 avril 1711 mit fin à l'insurrection : les révoltés furent tous amnistiés, la liberté religieuse et les garanties constitutionnelles furent solennellement réaffirmées. Après deux siècles de guerre, la Hongrie retrouvait enfin la paix dans le cadre de ses frontières historiques, mais elle avait désormais un souverain étranger, qui régnait également sur d'autres territoires.

L'intégration de la Hongrie dans la monarchie des Habsbourg permit au pays de refaire ses forces. Les règnes bénéfiques de Charles III (1711-1740) et surtout de Marie-Thérèse (1740-1780) firent oublier les difficultés et les malheurs des deux siècles précédents. La Constitution fut respectée par les souverains, et la Diète régulièrement réunie. A l'époque de Marie-Thérèse, la Hongrie devint le véritable centre de l'Empire. La Diète de 1741, aux cris de *Vitam et Sanguinem Pro Rego Nostro Maria Theresia*, vota la levée de 60 000 hommes pour permettre à la souveraine de poursuivre la guerre contre Frédéric II et c'est un général hongrois, André Hadik qui, plus tard en octobre 1757, entra à Berlin à la tête des troupes impériales.

En dépit de la participation hongroise à toutes les guerres menées par l'Empire, le pays connut au XVIIIe siècle une période de prospérité incontestable. Sous l'influence éclairée du chancelier Kaunitz, la monarchie habsbourgoise se dota d'une administration efficace et de finances saines, dont profitèrent la Hongrie tout autant que la Bohême. Marie-Thérèse s'intéressa aussi aux questions d'enseignement. Pour former les jeunes nobles de l'Empire, elle fonda à Vienne en 1760 le *Theresianum* véritable pépinière de diplomates et d'administrateurs. Le français devint la langue de culture, tandis que le latin restait la langue officielle en Hongrie, ce qui avait l'avantage de mettre toutes les nationalités sur le même plan, mais qui pouvait présenter le risque d'étouffer les cultures et les langues nationales. Mais à l'époque de Marie-Thérèse, les avantages l'emportaient sur les inconvénients, d'autant plus que, pour repeupler le pays après les guerres du siècle précédent, on avait fait appel à des colons étrangers, allemands en particulier, et accueilli des réfugiés des régions encore aux mains des Turcs, Serbes et Roumains en particulier.

La politique de Marie-Thérèse visait à réaliser un Empire unifié tout en maintenant les privilèges propres à la Hongrie. Son fils, Joseph II (1780-1790), pénétré des idées rationalistes, voulut aller plus loin dans l'unification. Despote éclairé, Joseph II abolit le servage en 1785, mit fin au régime des corporations et des monopoles commerciaux, mais provoqua les protestations véhémentes de la Diète hongroise lorsqu'il voulut, par souci d'unité, faire de l'allemand la langue officielle de tous ses États. Sa mort mit fin à ces tentatives, mais la réaction unanime de la Diète montrait, qu'en dépit du loyalisme dynastique, le sentiment du particularisme national était en train de renaître.

La monarchie des Habsbourg dans cette Europe de la fin du xviiie siècle, constituait cependant un édifice viable, suffisamment centralisé pour être efficace, et en même temps assez souple pour ne pas être oppressif. Elle avait réussi à chasser les Turcs du pays du Moyen Danube et à faire coexister dans un même ensemble politique des Nations différentes unies entre elles par le lien dynastique et par une certaine communauté d'intérêts. La devise de la dynastie AEIOU c'est-à-dire *Austriae Est Imperare Orbi Universo* semblait alors plus que jamais justifiée. Mais cette idée d'*Empire universel* héritée du Moyen Age chrétien et adaptée au monde moderne par la Philosophie de la Raison pouvait-elle s'accommoder avec le sentiment national qui, çà et là, était en train d'apparaître?

DÉCLIN ET MORT DE LA POLOGNE

Depuis la fin du xvie siècle, la Pologne est redevenue une monarchie élective. A chaque vacance du trône, l'élection du souverain donne lieu à des marchandages entre les divers clans qui composent la Diète, et entre les candidats et les électeurs. La Pologne est en fait une *république aristocratique* dans laquelle la Diète détient la réalité du pouvoir. Peu à peu, un nouveau principe de Droit public s'est imposé au xviie siècle : c'est le *liberum veto* selon lequel toutes les décisions importantes de la Diète doivent être prises à l'unanimité. Le *liberum veto* a abouti rapidement à paralyser l'État et à renforcer le pouvoir de la noblesse. Lorsque la situation se trouvait ainsi bloquée, il arrivait que les nobles, d'accord avec le Roi, réunissaient une *Confédération*, sorte d'*anti-Diète* à l'intérieur de laquelle le *liberum veto* ne s'appliquait pas. Lorsque plusieurs Confédérations étaient en présence, on aboutissait alors à une situation de guerre civile.

La Pologne de Sigismond III Vasa (1587-1632) donna encore l'illusion d'être un État puissant mais à sa mort, la faiblesse institutionnelle de l'État polonais et la diversité ethnique et religieuse dues aux conquêtes antérieures se révélèrent face à la montée des périls extérieurs. Les voisins de la Pologne en effet, la Prusse, la Suède et la Russie sont devenus au xvii⁰ siècle des forces avec lesquelles la Pologne doit compter. Les difficultés apparurent au grand jour sous le roi Jean-Casimir (1648-1668). A son avènement, il se trouva confronté à la révolte des Cosaques d'Ukraine conduite par Bogdan Chmielnicki ; les Cosaques, après avoir battu les troupes royales, se placèrent en 1654 sous la protection du Tsar de Russie Alexis. La guerre russo-polonaise qui en résulta aboutit au partage de l'Ukraine entre les belligérants : les pays à l'est du Dniepr ainsi que les villes de Kiev et de Smolensk furent abandonnées à la Russie. Au même moment, la Pologne se trouva mêlée à la *Première Guerre du Nord*, son territoire fut envahi par les Suédois dont le roi Charles X tenta de devenir Roi de Pologne. A la paix d'Oliva, en 1660, la Pologne dut abandonner à la Suède la Livonie et renoncer à sa suzeraineté sur la Prusse. Avec Jean Sobieski (1674-1696), on eut un moment l'impression que la Pologne allait se relever. La victoire du Roi sur les Turcs devant Vienne en 1683 rendit confiance au pays, mais les querelles entre les différentes factions de la Diète empêchèrent toute réorganisation de l'État. La succesion de Jean Sobieski donna lieu à des querelles violentes auxquelles se mêlèrent les pays voisins et la France. L'Électeur de Saxe Auguste II le Fort (1697-1733) soutenu par l'Autriche et la Russie, fut élu Roi mais l'alliance conclue à cette occasion avec Pierre le Grand entraîna la Pologne aux côtés de la Russie dans la *Deuxième Guerre du Nord* (1700-1721) contre les Suédois alliés aux Turcs. Vainqueur à Narva en novembre 1700, Charles XII de Suède envahit la Pologne et en 1704 il fit élire un nouveau roi en la personne de Stanislas Leczynski. La défaite de Charles XII à Poltava en mai 1709 permit à Auguste II de retrouver son trône, mais il devait sa restauration au bon vouloir de Pierre le Grand dont les troupes avaient libéré Varsovie.

La Pologne sortait ruinée d'une guerre au cours de laquelle son territoire, une nouvelle fois, avait servi de champ de bataille. La paix de Nystadt de 1721 renforça les positions de la Russie. Pour la Pologne, la Russie allait s'avérer bientôt être un voisin dangereux, d'autant plus que Pierre le Grand voulait établir un contact direct avec l'Occident. Or, la Pologne, au même titre que la Suède et que la Turquie, était un obstacle à ce contact. Au même moment, la montée de l'État prussien, devenu royaume en 1701, constituait pour la Pologne un nouveau danger, car les terres polonaises en bordure de la Baltique constituaient un obstacle pour la formation d'un État prussien d'un seul tenant. L'indépendance de la Pologne se trouvait donc désormais sérieusement menacée. On le vit clairement à la mort d'Auguste II, lorsqu'en septembre 1733 la Diète élut comme Roi le candidat national Stanislas Leczynski, beau-père du Roi de France Louis XV, tandis que l'Autriche et la Russie appuyaient le fils du roi défunt. Trois semaines après l'élection de Stanislas, les armées russes entrèrent à Varsovie et firent élire par une minorité de nobles, le rival de Stanislas, Auguste III. La succession de Pologne déboucha sur une guerre européenne qui se termina par la renonciation au trône de Stanislas Leczynski. La Pologne connut alors sous Auguste III (1733-1763) une période de paix relative, mais à l'intérieur, le *liberum veto* continua à paralyser l'action du gouvernement. A cette époque, la Pologne abandonna peu à peu la politique de tolérance religieuse qui avait été la sienne depuis le xvie siècle : les dissidents, protestants et orthodoxes, furent exclus des charges publiques. Cela devait fournir bientôt un prétexte supplémentaire aux pays voisins pour intervenir, la Prusse pour défendre les Protestants, la Russie pour défendre les Orthodoxes.

La faiblesse de la Pologne allait apparaître dans toute son ampleur à la mort d'Auguste III. Catherine II de Russie et Frédéric II de Prusse virent là une excellente occasion pour agir. Sous l'influence de la famille Czartoryski, la Diète élut comme Roi Stanislas-Auguste Poniatowski

(1764-1795), ancien favori de Catherine II, et les troupes russes vinrent aussitôt prêter main-forte au nouveau souverain. Mais les Czartoryski comptaient sur le Roi pour réaliser les réformes indispensables afin de sauver le pays de l'anarchie; ils souhaitaient entre autre l'abolition du *liberum veto* et la création d'une armée permanente afin de défendre l'indépendance du pays. Ces tentatives de réforme inquiétèrent vivement Catherine II qui se rapprocha de la Prusse. Lors de la Diète de 1766, la Russie et la Prusse exigèrent par ultimatum le rétablissement du *liberum veto* et la restitution des droits politiques aux dissidents. Pour appuyer ces exigences, l'ambassadeur de Russie, Repnine, fit appel aux troupes russes et la Diète céda aux exigences des Puissances. Le chancelier Zamoyski démissionna, tandis que l'archevêque de Cracovie qui avait osé protester contre l'intervention des armées russes fut arrêté et déporté à Smolensk. Quelques centaines de nobles ripostèrent en organisant en 1768 près de la frontière autrichienne la *confédération de Bar* « pour la foi et la liberté ». La Russie riposta en suscitant une révolte des paysans orthodoxes d'Ukraine et de Podolie : des milliers de Polonais furent ainsi massacrés. Les confédérés firent appel à la France : Choiseul leur envoya une mission militaire dirigée par le général Dumouriez et poussa les Turcs à déclarer la guerre à la Russie. Les défaites turques de 1770 amenèrent l'Autriche à se rapprocher de la Prusse et de la Russie, car elle ne voulait pas que les Russes s'installent en Turquie comme ils l'étaient déjà en Pologne. Le résultat, ce fut l'accord de Saint-Pétersbourg du 25 juillet 1772 qui aboutit au *Premier Partage de la Pologne* « par crainte de la décomposition totale de l'État Polonais » était-il précisé dans le texte du traité. L'Autriche recevait le comté de Zips et la Galicie avec la ville de Leopol; la Prusse occupait le territoire situé entre la Poméranie orientale et la Prusse orientale à l'exception de Gdansk et de Torun. Quant à la Russie, elle annexait tous les territoires situés à l'est de la Duna ainsi que les pays du Haut Dniepr.

La Diète polonaise résista un an avant de ratifier le traité, elle ne céda qu'après l'occupation du pays par les troupes des puissances copartageantes; elle dut également s'engager à ne pas modifier la Constitution. La

Pologne demeurait cependant en tant qu'*État*, un État peuplé de 11 millions d'habitants, mais étroitement surveillé par ses voisins et privé de toute liberté d'action. Le Roi Stanislas-Auguste dépourvu de tout pouvoir devenait ainsi un souverain *protégé*.

Le système de *protectorat* fonctionna tant bien que mal jusqu'en 1788. La Diète se borna à adopter quelques réformes économiques visant à promouvoir le commerce et l'industrie, et à développer l'enseignement. Mais à partir de 1788, profitant de ce que la Russie avait repris la guerre contre les Turcs, la Diète animée par le magnat du *Parti patriote* Ignace Potocki et Adam Czartoryski, s'engagea résolument sur la voie des réformes. L'influence des événements parisiens de 1789 fut décisive. Le 3 mai 1791, le roi Stanislas-Auguste vint présenter solennellement une nouvelle Constitution qui établissait l'hérédité de la Couronne dans la Maison de Saxe : le Roi, chef du pouvoir exécutif, gouvernerait avec des ministres responsables devant une Diète où, à côté des nobles, siégeraient aussi des représentants des villes. Certains magnats hostiles aux Réformes réunirent en mai 1792 une Confédération à Targowica et firent appel aux Russes. Catherine II répondit à cet appel. L'armée polonaise conduite par le Prince Joseph Poniatowski et le général Thadée Kosciuszko tenta de résister, mais le 23 juillet 1792, le roi se rallia aux vues des Confédérés et renonça à sa Constitution, tandis que les troupes russes occupaient Varsovie. En janvier 1793, la Prusse, inquiète de l'expansion des idées révolutionnaires, envoya des troupes pour ne pas laisser aux Russes seuls le soin de régler la question polonaise. La Russie occupa toute la Podolie, une partie de la Volhynie et toute la Russie Blanche avec les villes de Minsk, tandis que la Prusse annexait Gdansk et Torun, ainsi que la Posnanie.

Les patriotes polonais songèrent à répondre à ce coup de force par une insurrection nationale et ils confièrent le pouvoir suprême à Kosciuszko. A Cracovie le 24 mars 1794, Kosciuszko lança un appel à la Nation Polonaise. Quelques jours plus tard, Varsovie se soulevait, puis ce fut au tour de Wilno. Un mois après l'appel de Kosciuszko, la Pologne était libérée dans un grand élan d'enthousiasme populaire. Le dictateur tenta d'intéresser la France révolutionnaire à la cause polonaise. Ce fut en vain. L'Autriche, qui jusque-là n'avait pas réagi, réclama sa part de Pologne, tandis que les Prussiens et les Russes intervenaient militairement. Le 15 juin 1794, les Prussiens s'emparaient de Cracovie, tandis que le 5 novembre, les Russes conduits par le général Souvarov, entraient à Varsovie. Kosciuszko et les chefs de l'insurrection tombèrent aux mains des Russes. C'est en vain que le roi Stanislas-Auguste, écarté en 1794, tenta de sauver la situation en plaçant la Pologne sous la protection de Catherine II : il dut abdiquer. Le 24 octobre 1795, la Russie, la Prusse et l'Autriche se partagèrent ce qui restait de la Pologne. Lors de ce *Troisième Partage de la Pologne*, l'Autriche reçut la Petite Pologne avec les villes de Lublin et de Sandomir ainsi que la ville de Cracovie qui bénéficia jusqu'en 1846 du statut de « république indépendante » ; la Prusse conserva ce qu'elle avait annexé en 1793 et reçut en plus la Mazovie avec Varsovie. La Russie enfin occupa toute la Lithuanie, et les pays à l'est du Niemen et du haut Bug avec la ville de Brest-Litovsk. La Pologne avait cessé d'exister.

CONCLUSION
DE LA PREMIÈRE PARTIE

Au terme de cette rapide évocation du passé lointain des peuples qui constituent aujourd'hui l'Europe de l'Est, quelques remarques peuvent être énoncées. Tout d'abord, il faut souligner l'importance du fait religieux chez tous ces peuples et de l'impact que la religion a eu sur leurs destinées. Beaucoup plus que la langue, la religion a été dès le début un facteur essentiel de différenciation. Le schisme de 1054 qui a séparé Constantinople de Rome, et qui a abouti à la division de la Chrétienté entre Catholiques à l'Ouest et Orthodoxes à l'Est a établi une première coupure à l'intérieur des peuples de l'Europe Centro-orientale, à laquelle s'est ajoutée au XVIe siècle une autre coupure provoquée par la diffusion de la Réforme protestante. C'est parce que l'Église orthodoxe a été trop intimement associée à l'Empire byzantin que les peuples slaves des Balkans n'ont pu se développer en États indépendants et que de ce fait, ils n'ont pu organiser efficacement leur défense face aux Turcs. De même alors que l'Islam menaçait toute l'Europe, les luttes religieuse qui ravagèrent l'Europe Centrale à l'époque de la Réforme, obligèrent les Habsboug à disperser leurs forces alors que le véritable danger était le Turc. Mais c'est aussi parce que les Habsbourg représentaient l'unité symbolisée par la Réforme catholique, qu'ils ont réussi à exercer une attraction sur la plupart des peuples d'Europe Centrale. De plus, chez tous les peuples, qu'ils aient été soumis aux Turcs comme les Serbes ou les Bulgares, ou qu'ils aient réussi à préserver ou à recouvrer leur indépendance comme les Hongrois ou les Polonais, c'est la religion qui a été le meilleur soutien de l'identité nationale. Et même en Bohême, où les luttes religieuses ont été durables, Jean Hus pour les protestants, et Saint Venceslas ou Saint Jean Nepomucène pour les Catholiques se sont identifiés avec la Nation.

La seconde remarque qui s'impose est d'ordre politique. Déjà dans ce lointain passé, le monde est-européen apparaît divisé en trois ensembles que l'on peut ainsi définir :

– *les peuples balkaniques*, qui ont conservé une structure patriarcale et qui ne sont parvenus qu'exceptionnellement à se constituer en États. De ce fait, et pour de longues années, ils furent voués à n'être que des peuples vassaux ou dépendants de voisins plus puissants.

– *les peuples du moyen Danube*, sujets des Couronnes de Bohême et de Hongrie, toutes nationalités confondues, qui très tôt, se sont organisés en États nationaux grâce à l'influence de l'Occident et avec l'appui de l'Église romaine, et qui, par le jeu des hasards de l'Histoire, se sont trouvés associés aux possessions des Habsbourg. Dès lors, ils ont participé à une forme originale de structure politique, celle d'un Empire multinational, de forme quasi confédérale, qui assurait à ses membres une assez large autonomie tout en les rapprochant dans une communauté d'intérêts.

– *la Pologne*, qui, en dépit de ses atouts certains, tomba dans l'anarchie et fut finalement rayée de la carte, en raison de la faiblesse de ses institutions, de ses querelles intestines, de l'absence de frontières naturelles défendables, que surent exploiter habilement ses voisins.

A bien des égards, ces traits du passé se retrouvent, *mutatis mutandis* dans l'Europe de l'Est actuelle. La Yougoslavie, fédération de peuples de traditions balkaniques et de traditions habsbourgeoises, montre bien dans ses contrastes régionaux et ses luttes internes actuelles, la persistance de l'héritage du passé. De même, la crise actuelle en Pologne, avec ses affrontements entre tendances, et les interventions plus ou moins voilées des Puissances voisines, n'est pas sans présenter d'analogies avec la situation du xviiie siècle.

LE RÉVEIL
DES PEUPLES

VII

LES SIGNES AVANT-COUREURS

A partir de la dernière décennie du XVIIIe siècle, l'Histoire de l'Europe centro-orientale a été dominée par le conflit entre les Nations qui commencent à s'éveiller et à prendre conscience de leur originalité et de leur particularisme, et les États traditionnels issus des structures politiques de l'Ancien Régime. A une Europe des États *qui s'était progressivement constituée à partir du XVIe siècle et qui s'était solennellement affirmée lors du congrès de Vienne en 1815 va se substituer peu à peu une* Europe des Nations, *mais où les Nations vont souvent, malgré elles, être l'enjeu des rivalités entre les Grandes Puissances.*

LA GENÈSE DE L'IDÉE DE NATION

A la fin du XVIIIe siècle, les peuples de l'Europe de l'Est relèvent tous de structures politiques qui leur sont pour la plupart étrangères. Pour certains d'entre eux, l'insertion dans ces structures fut le résultat d'une adhésion consentie sous la pression des circonstances historiques du moment; pour d'autres au contraire, cette insertion fut le résultat d'une conquête. Quatre États se partagent alors l'autorité sur les peuples de l'Europe centro-orientale. Au nord-ouest, le royaume de Prusse vient d'étendre son autorité sur une partie de la nation polonaise, tandis qu'à l'est, l'Empire Russe en domine une autre partie ainsi que tous les peuples non slaves riverains de la Baltique (Estoniens, Lettons, Lituaniens et même Finlandais à partir de 1809). Dans les Balkans, les Roumains de Moldavie et de Valachie, les Bulgares, les Grecs et les Albanais sont sujets de l'Empire ottoman depuis qu'au xive siècle les Turcs ont déferlé sur l'Europe. Enfin, dans l'espace danubien, la Maison d'Autriche a rassemblé en un vaste Empire multinational les habitants des royaumes de Bohême et de Hongrie, ainsi que tous ceux qui fuyaient les zones occupées par les Turcs, et de ce fait, elle a fait figure de bastion de la Chrétienté face à l'Islam.

Dans le cas de la Prusse, de la Russie et de l'Empire ottoman, les peuples soumis n'ont, par rapport à ces États, que des liens de vainqueur à vaincu, de dominant à dominé. Dans le cas de la Monarchie autrichienne au contraire, les liens entre l'État et les sujets reposent sur la fidélité à la dynastie des Habsbourg et sur une incontestable communauté d'intérêts même dans le cas de la fraction du peuple polonais intégrée à l'empire en 1795 et qui jouit du même traitement que les autres habitants de l'Empire.

A partir de la fin du xviiie siècle, on constate, chez les nations sujettes comme chez les nations associées, une prise de conscience du fait national. Cette prise de conscience fut le fait des élites, aristocratie, clergé, milieux intellectuels, et elle fut favorisée par des influences extérieures. On assista en effet partout à partir de cette époque, à la naissance ou au réveil de l'idée de Nation. Le phénomène ne fut pas propre à l'Europe de l'Est ; il s'est manifesté d'abord en Europe occidentale, et plus particulièrement en France sous l'influence du mouvement philosophique. Pendant tout le xviiie siècle en effet, les philosophes français ont, par touches successives, élaboré de nouvelles conceptions sur les rapports entre l'État et le peuple. Ces conceptions qui furent l'œuvre de Montesquieu, de Voltaire, de Diderot, de d'Alembert, de J.J. Rousseau, furent exposées globalement dans l'*Encyclopédie* dont l'audience déborda largement les frontières de la France. Les encyclopédistes rejetaient toute idée de *monarchie de droit divin* reposant sur le seul bon vouloir du Prince ; ils insistaient sur la notion de souveraineté nationale et sur cette idée que tout le pouvoir émanait de la Nation. Pour les uns d'ailleurs, la

Nation se limitait à une élite de l'esprit ou de la fortune, pour d'autres, elle s'identifiait avec tout le peuple. C'était le point de vue en particulier de J.J. Rousseau qui, dans le *Contrat Social*, affirmait la liberté de l'homme dès sa naissance : pour lui, nul n'avait le droit de l'assujettir contre son gré. Ces idées avaient inspiré les colons anglais d'Amérique en 1776 lorsqu'ils se soulevèrent contre l'autorité du gouvernement de Londres. Ce n'est d'ailleurs pas par hasard si le chef de l'insurrection polonaise de 1794, Kosciuszko, fut un de ceux qui avaient combattu aux côtés de Georges Washington, au même titre que La Fayette et Rochambeau. La Révolution Française et la Déclaration des Droits de l'Homme et du Citoyen apportèrent beaucoup en faveur du développement de l'idée de Nation et du droit des peuples à disposer d'eux-mêmes. Les événements de 1789 en France eurent un retentissement considérable dans toute l'Europe.

Il ne fallait pas oublier en effet que toute l'élite européenne, y compris celle de l'Europe centrale et orientale, lisait et parlait couramment le français. A la cour de Vienne et à celle de Saint-Pétersbourg, dans toute l'aristocratie et les milieux cultivés hongrois, polonais, tchèques, le français était d'un usage courant et les bibliothèques privées regorgeaient d'ouvrages politiques et philosophiques publiés en France; on y lisait avidement les gazettes françaises. En Pologne, l'influence de J.J. Rousseau fut considérable et ses idées sur l'éducation, autant que celles de Condillac, eurent une grande audience à l'époque du roi Stanislas-Auguste Poniatowski qui, lui-même, avait fait son éducation politique dans le salon parisien de Madame Geoffrin. Il en était de même en Hongrie, où l'écrivain Alexandre Kisfaludy fut un fervent admirateur de J.J. Rousseau, tandis qu'un aristocrate influent à la Diète, le comte Jean Fekete, penchait davantage vers Voltaire. Dans son ensemble, l'aristocratrie hongroise lut avec enthousiasme l'*Esprit des Lois*, car elle s'identifiait volontiers à ces « corps intermédiaires » chers à Montesquieu. Lorsque éclata la Révolution Française, en Hongrie, en Bohême, en Pologne, tous ceux qui aspiraient à des réformes furent enthousiasmés. La Diète hongroise de 1793 prépara même un projet de Déclaration hongroise des Droits de l'homme et du citoyen.

Même dans les lointaines Principautés roumaines de Moldavie et de Valachie, l'influence culturelle de la France avait pénétré à la fin du xviiie siècle à la suite des contacts entretenus par l'élite avec l'aristocratie russe francisée.

La France avait apporté l'idée de réforme, mais elle apportait aussi l'idée de Nation. L'idée que les peuples devaient avoir le droit de choisir leur propre destin avait été diffusée largement par les révolutionnaires. Cette idée, vue d'Europe de l'Est, semblait prometteuse d'indépendance pour les peuples soumis – même si, dans la réalité, elle cacha souvent des visées impérialistes ; elle fut bien accueillie par les élites, même si les excès de 1793 furent en général jugés sévèrement.

Les idées françaises arrivaient à une époque où, dans toute l'Europe centrale et orientale, l'aristocratie et les milieux cultivés redécouvraient peu à peu le passé national, réapprenaient non sans mal les langues nationales, que l'usage du français, du latin ou de l'allemand, avait reléguées au niveau de patois réservés aux paysans. A la fin du xviiie siècle, le grammairien Kopczynski épura et codifia la langue polonaise. Au même moment en Hongrie, les linguistes Gyarmathi et Sajnovics régularisent et enrichissent la langue nationale qui devient en 1792 langue d'enseignement à la place du latin. En Bohême, on assiste au même moment à une résurrection de la langue et de la littérature tchèque avec l'Abbé Joseph Dobrovsky qui insiste sur la parenté linguistique des Slaves. Cette renaissance culturelle jointe à l'influence des *Lumières* venues de France a joué un rôle déterminant dans le réveil des peuples d'Europe centro-orientale.

Les premières manifestations de ce réveil se produisirent en 1794 en Pologne avec la révolte de Kosciuszko. Malgré son échec, et la disparition de l'État polonais, les patriotes polonais furent attentifs à tout ce qui venait de France. C'est pourquoi, les premières victoires de Napoléon Ier sur les Russes et leurs alliés prussiens en 1805-1806 suscitèrent l'enthousiasme. Des volontaires polonais, conduits par un héros de 1794, Dombrowski, vinrent se mettre au service de l'Empereur.

Un gouvernement provisoire se forma à Varsovie pour accueillir les libérateurs français. Et effectivement, lorsque les armées de Napoléon pénétrèrent en territoire polonais, elles furent accueillies en libératrices. L'aventure amoureuse de Napoléon avec la jeune Marie Walewska fut décisive pour le sort de la Pologne. Le gouvernement provisoire chargea la jeune femme de plaider la cause de son pays et elle eut partiellement gain de cause. Après la paix de Tilsitt en effet, Napoléon créa un Grand-Duché de Varsovie ayant pour souverain le roi de Saxe, avec un Statut constitutionnel établissant la liberté et l'égalité de tous les citoyens, et abolissant le servage. En 1809, le Grand-Duché de Varsovie récupéra même la Pologne autrichienne, mais les Russes conservèrent les provinces orientales. Le peuple polonais joua à fond la carte française, fournit à Napoléon des troupes sans compter; l'un de ses généraux, Joseph Poniatowski, fut même fait Maréchal de France et mourut sur le champ de bataille de Leipzig le 19 octobre 1813.

En Hongrie, l'influence de la Révolution française et de ses idées sur le droit des peuples à disposer d'eux-mêmes fut moins bien reçue qu'en Pologne. Il est vrai que la Hongrie, à l'intérieur de la Monarchie habsbourgeoise, conservait son autonomie et ses institutions. Seuls les éléments les plus radicaux des milieux intellectuels s'agitèrent. Il y a eut quelques « Jacobins » hongrois; on traduisait en hongrois la *Marseillaise* et le 10 août 1794, des jeunes Jacobins conduits par Ignace Martinovics commémorèrent en chantant le « *ça ira* » la prise des Tuileries. Ils furent arrêtés, jugés pour complot et six d'entre eux, dont leur chef, furent exécutés le 20 mai 1795. En fait, ce mouvement jacobin n'eut qu'une influence modeste. Lors des guerres napoléoniennes, la Diète hongroise fournit argent et soldats, et les Hongrois restèrent sourds à l'appel à la révolte que leur lança Napoléon dans sa proclamation du 15 mai 1809.

Chez les Slaves du Sud de la Monarchie habsbourgeoise, l'influence française pénétra par la conquête militaire. A la suite de la 5ᵉ coalition, la paix de Vienne du 14 octobre 1809 fit de l'Istrie, de la Carniole et de la plus grande partie de la Croatie des territoires français. Jusqu'en 1813, ces territoires constitués en *Provinces Illyriennes* bénéficièrent des réformes introduites par la France : abolition des privilèges et du servage, égalité civile. Sur le plan culturel, le slovène devint langue officielle au même titre que l'italien et l'allemand, ce qui donna un nouvel élan au combat que menait le grammairien Kopitar en faveur de langue slovène. Au même moment, chez les Serbes de Hongrie on assistait à un renouveau culturel déjà sensible depuis la fin du xviii⁰ siècle ; c'est en 1791 qu'avait été fondé en Hongrie le premier lycée serbe – alors qu'il n'y aura pas de lycée en Serbie avant 1855 – et c'est la même année que parut à Vienne le premier journal en langue serbe. D'ailleurs, ce fut le réveil culturel des Slaves du Sud vivant dans la monarchie habsbourgeoise qui suscita un mouvement analogue chez les Slaves de l'Empire ottoman, même s'il fut plus lent à se développer. Il en fut de même pour le réveil du sentiment national chez les Roumains de Moldavie et de Valachie. Déjà à la fin du xviii⁰ siècle, des idées françaises avaient commencé à pénétrer les classes dirigeantes : mais ce sont les Roumains de Transylvanie, plus cultivés et bénéficiant d'une large autonomie culturelle qui furent de véritables *éveilleurs* de la conscience nationale dans les Provinces du Bas-Danube, en particulier l'évêque uniate Innocent Micu (Klein) qui fut à l'origine de la théorie en grande partie erronée selon laquelle les Roumains seraient les descendants des Daces. En ce sens, c'est lui qui est le véritable père du mot *roumain* par lequel nous désignons ceux qui furent appelés jusqu'au xviii⁰ siècle *valaques*.

Ainsi, au début du xix⁰ siècle, partout en Europe centrale et orientale, les Nations – ou plus précisément leurs élites – étaient en train de commencer à prendre conscience de leur originalité les unes par rapport aux autres, redécouvraient leur langue, leur culture, leurs traditions. Pouvaient-elles, devaient-elles en rester là ? ou bien cette émancipation culturelle, acceptée par les pouvoirs en place, ne risquait-elle pas de déboucher sur des revendications d'indépendance politique ? Le débat se trouvait désormais ouvert entre ceux qui demeuraient partisans du maintien des structures politiques traditionnelles, et les tenants du *principe des nationalités* selon lequel les peuples de même langue, de même culture et de même tradition ont droit à l'indépendance s'ils le désirent, pourvu qu'ils occupent un territoire nettement délimité.

LE CONGRÈS DE VIENNE ET SES CONSÉQUENCES IMMÉDIATES

Le 22 septembre 1814 s'ouvrait à Vienne un Congrès auquel participèrent les représentants de tous les États européens. Ce congrès qui venait après vingt ans de guerre quasi continue entre la France révolutionnaire puis impériale d'une part, et le reste de l'Europe d'autre part, n'avait pas pour seul objet de régler le sort de la France : il visait aussi à reconstruire politiquement et territorialement l'Europe. Réuni à l'initiative de l'Empereur d'Autriche François II et présidé effectivement par son chancelier Metternich, le congrès de Vienne s'acheva le 26 juin 1815 par la signature de l'*Acte Final*, véritable charte de réorganisation de l'Europe.

Durant toute la durée du Congrès, deux groupes d'États s'affrontèrent. Les uns, avec la Prusse et la Russie, souhaitaient obtenir le maximum d'avantages territoriaux ; les autres, avec l'Autriche et le Royaume-Uni, soutenus en sous-main par le représentant de la France, Talleyrand, cherchaient surtout à maintenir un certain équilibre entre les Puissances. Tous cependant étaient d'accord pour s'opposer désormais au développement de tout mouvement révolutionnaire en quelque région que ce soit. Face au mouvement des nationalités qui commençait à se dessiner çà et là, les attitudes étaient différentes. La Russie y était hostile en Pologne – tout comme la Prusse d'ailleurs – mais elle semblait prête à le soutenir dans l'Empire ottoman dans la mesure où le réveil des peuples balkaniques pouvait être utile à ses visées impérialistes en direction des Détroits et de la Méditerranée. Metternich *a priori* n'était pas hostile aux nationalités mais il pensait que l'on pourrait canaliser et domestiquer leurs aspirations en créant non pas des *États-Nations*, mais des *États Confédéraux* dans lesquels les notables, les élites, l'aristocratie, l'Église, seraient associés au pouvoir, quelle que fut l'ethnie à laquelle ils appartinssent. Metternich était persuadé que le modèle autrichien était le plus apte à assurer la coexistence pacifique entre des peuples différents sans pour autant les dissocier.

Qu'est-il sorti finalement de l'affrontement entre ces divers programmes pour les peuples de l'Europe de l'Est ?

Le sort de la Pologne fut l'objet de longues discussions. Il était étroitement lié à celui de la Saxe dont le roi avait été l'allié de Napoléon et qui avait été alors désigné comme souverain du Grand Duché de Varsovie. Pour punir le roi de Saxe de sa trahison à l'égard de la Nation allemande, la Prusse voulait purement et simplement annexer la Saxe. La Russie y consentait à condition que la Prusse lui cédât la part de Pologne qu'elle avait obtenue en 1772 et en 1791. On aurait eu alors une Pologne à peu près reconstituée mais sous la souveraineté russe. Certains magnats polonais dont le prince Adam Czartoryski, ami du Tsar Alexandre, optaient pour cette solution. Les autres grandes Puissances s'y opposèrent, surtout l'Autriche, qui redoutait une trop grande progression de la Russie vers l'Ouest, et l'Angleterre qui voyait là une rupture du futur équilibre européen au profit de la Prusse et de la Russie. Le traité secret du 3 janvier 1815 entre l'Autriche, la France et l'Angleterre aboutit au rétablissement du roi de Saxe dans ses États au nom du principe de la *légitimité*. Dès lors, le Congrès de Vienne opta finalement pour le maintien de la division de la Pologne telle qu'elle résultait des partages antérieurs, avec quelques légères modifications. L'Autriche conserva la Galicie, ainsi qu'une suzeraineté de fait sur la « République libre » de Cracovie ; la Prusse garda la Posnanie, Danzig et le comté de Thorn. La Russie fut avantagée : elle conserva ce qu'elle avait acquis depuis 1772 et avec l'ancien Grand Duché de Varsovie, également annexé, le Tsar créa un Royaume de Pologne dit *royaume du Congrès*. Le tsar Alexandre de Russie devenait ainsi *Roi de Pologne* mais d'une Pologne privée de ses provinces occidentales et de la Lituanie, devenues parties intégrantes de l'Empire russe. Alexandre donna à son nouveau royaume une *Charte* en décembre 1815. La Pologne disposerait d'une Diète formée d'un *Sénat* de 30 membres nommés par le Roi, et d'une *Chambre des Nonces* élue par les nobles et les représentants des villes ; cette Diète voterait les impôts et les lois, mais les ministres ne seraient pas responsables devant elle mais devant le vice-Roi, en l'occurrence le Grand-Duc Constantin, frère du Tsar, et aussi devant le Commissaire Impérial comte Novosiltzov. En fait, c'était l'aristocratie polonaise, propriétaire de la majorité des terres, qui administrait le pays sous la haute surveillance de la Russie.

Le Congrès de Vienne ne changea rien au statut des Balkans. L'Empire ottoman conserva théoriquement son intégrité territoriale, mais en fait son autorité y avait été fortement ébranlée à l'époque napoléonienne à la suite des guerres qui avaient opposé Russes et Turcs de 1808 à 1812 et au cours desquelles les armées russes avaient occupé la Moldavie et la Valachie. La paix de Bucarest en 1812 laissa aux Russes les confins orientaux de la Moldavie entre le Pruth et le Dniestr, qui formèrent la province de Bessarabie. En outre, les Russes obtinrent un droit de regard sur les Principautés danubiennes. Quant aux Serbes, ils avaient tenté en mars 1804 de se soulever sous la conduite de Georges Pétrovitch dit Karageorge; ils remportèrent quelques succès et comptaient sur l'aide des Russes pour les amplifier. Mais après la paix de Bucarest, les Russes peu soucieux de s'engager dans une nouvelle guerre contre les Turcs, abandonnèrent les insurgés serbes. L'insurrection fut durement réprimée en 1812-1813 et Karageorge dut se réfugier en Hongrie. Une nouvelle insurrection éclata au printemps de 1815 sous la direction de Miloch Obrénovitch, rival de Karageorge. Plus habile et plus prudent, Miloch parvint à se faire reconnaître par le Sultan comme *Gouverneur* (Knez) de Serbie. Deux ans plus tard, en 1817, les Turcs reconnurent l'existence d'une Principauté serbe autonome, vassale du Sultan, payant tribut annuel, avec des garnisons turques dans les principales villes. Tout cela n'empêchait pas que l'autorité de l'Empire ottoman, proclamée à Vienne, demeurait théoriquement intacte sur les Serbes comme sur tous les autres peuples chrétiens des Balkans.

Quant aux possessions héréditaires de la monarchie des Habsbourg situées dans la moyenne vallée du Danube, elles furent confirmées dans leurs frontières d'avant 1792. La Bohême tout comme la Hongrie demeuraient intégrées à ce qui était devenu en 1806 l'Empire d'Autriche; en outre, la Bohême au même titre que les duchés et comtés de l'Autriche traditionnelle, fit partie de la *Confédération Germanique* qui remplaçait le *Saint Empire*. La Hongrie ne faisait pas partie de la Confédération à cause de son statut particulier dû à l'existence de sa Constitution propre.

Le Congrès marqua le triomphe des Grandes Puissances qui ont imposé leurs vues aux petits États. Ce fut aussi le triomphe du principe d'autorité sur le libéralisme, le triomphe de la légitimité sur le principe des nationalités. Peu après la fin du Congrès de Vienne, les Empereurs d'Autriche et de Russie, et le roi de Prusse conclurent le 26 septembre 1815 le traité qui organisa la *Sainte Alliance* par lequel « les trois monarques demeureront unis par les liens d'une fraternité véritable et indissoluble... et se prêteront en toute occasion et en tout lieu assistance, aide et concours ». Le traité était ouvert à tous : la plupart des États européens y adhérèrent, à l'exception du Royaume-Uni.

Si la Sainte Alliance n'eut qu'une influence secondaire, en revanche, l'œuvre du Congrès de Vienne fut beaucoup plus durable et, malgré ses imperfections, elle assure à l'Europe près d'un demi-siècle de paix.

LE RÉVEIL DES PEUPLES BALKANIQUES

L'exemple donné par les Serbes et l'autonomie de fait qu'ils étaient parvenus à obtenir par leur lutte eurent un immense retentissement dans tous les Balkans. Bulgares, Grecs, Serbes, Roumains, Albanais même, tous supportaient de plus en plus difficilement la domination d'un Empire Ottoman qui donnait des signes de faiblesse de plus en plus évidents. Le Sultan Selim III n'avait-il pas été obligé d'abdiquer en 1808 à la suite d'une révolte des Janissaires et son successeur Mahmoud III (1808-1839) n'avait-il pas été obligé, pour établir son autorité, de faire massacrer ces mêmes Janissaires, ce qui, du même coup, le privait d'une force militaire non négligeable ? De plus, les peuples chrétiens des Balkans se savaient maintenant plus ou moins soutenus de l'extérieur. La Russie, en effet, à plusieurs reprises depuis le xviiie siècle, avait montré tout l'intérêt qu'elle portait aux communautés orthodoxes des Balkans. Depuis 1812, elle exerçait un protectorat de fait sur les Roumains de Moldavie et de Valachie et, même si elle avait abandonné les Serbes à leur sort en

1812-1813, elle n'en suivait pas moins avec la plus grande attention l'évolution de la situation en Serbie. En outre, de nombreux réfugiés serbes et bulgares s'étaient établis en Bessarabie devenue russe. L'Autriche, de son côté, n'était pas indifférente à ce qui se passait dans les Balkans; sur son territoire vivaient en effet des populations roumaines et serbes qui entretenaient des contacts avec leurs frères de race sous domination ottomane. Un projet de partage des Balkans entre l'Autriche et la Russie avait même été envisagé en 1781 entre Joseph II et Catherine II mais était demeuré sans suite. De toute façon, tant pour l'Autriche que pour la Russie, les Balkans représentaient une région d'intérêt certain.

Cet intérêt augmenta considérablement, et toute l'Europe se sentit concernée lorsqu'en 1821 éclata le soulèvement de la Grèce contre le joug ottoman. La révolte fut préparée par les nombreuses Sociétés patriotiques qui s'étaient formées en Grèce dans les premières années du XIXe siècle et qui avaient des ramifications dans toute l'Europe. Un personnage y joua un rôle prépondérant, Alexandre Ypsilanti, ancien officier dans l'armée russe et qui, bien que grec, avait été l'aide de camp du Tsar Alexandre. Ypsilanti s'était même assuré le concours de certains féodaux, dont le Pacha de Jannina, Ali Pacha Telepeleni, d'origine albanaise. La Russie, comme il fallait s'y attendre, prit le parti des insurgés grecs, mais le gouvernement de Londres, considérant qu'il valait mieux que ce fussent les Turcs que les Russes pour contrôler les Détroits, tenta de trouver un compromis avec le Sultan. Toutefois, la proclamation de l'indépendance de la Grèce à Épidaure en janvier 1822, les massacres de Chios au cours desquels plusieurs milliers de Grecs furent massacrés par les Turcs, suscitèrent une telle émotion en Europe occidentale que les Puissances se décidèrent à intervenir de concert. L'Empire ottoman dut céder et reconnaître l'indépendance de la Grèce.

Le soulèvement de la Grèce fut bénéfique pour les autres peuples des Balkans. En Serbie, Miloch Obrénovitch, débarrassé de son rival Karageorge qu'il avait fait assassiner en 1817 à son retour d'Autriche, préféra négocier avec les Turcs plutôt que de reprendre le combat. Cela lui permit de recevoir du Sultan en 1820 le titre de

« *Prince des Serbes et Pachalik de Belgrade* ». Lors de la révolte des Grecs, la Serbie ne bougea pas, mais néanmoins, elle tira profit de l'intervention des Puissances, et en particulier de la Russie. La convention d'Akerman du 7 octobre 1826 confirmée par la paix d'Antrinople du 14 septembre 1829 et complétée par un décret du sultan en date du 29 août 1830, fit de la Serbie une Principauté autonome sous un prince héréditaire – en l'occurrence, Miloch Obrénovitch – assisté d'une assemblée de notables, la *Skouptchina*, et qui régnait sur une population d'environ 660 000 âmes. Dans cet embryon d'État serbe, une armée de recrutement local devait assurer l'ordre au nom du Sultan. Les Turcs toutefois conservaient le droit de tenir garnison dans les places fortes mais ne pouvaient pas s'établir ailleurs en territoire serbe. Peu après, en 1832, la Serbie obtint pour son Église la pleine indépendance : désormais, le Métropolite et les évêques seraient élus au sein du clergé serbe et non plus désignés par le patriarche de Constantinople. Le Prince Miloch (1817-1839) gouverna la Serbie d'une façon autoritaire, en s'appuyant sur les paysans ; en 1831, il abolit le système féodal. Il eut contre lui l'élite intellectuelle du pays qui soutenait la famille rivale des Karageorgevitch. En 1838, Miloch dut se retirer au profit de ses fils Milan (1838-1839) et Michel (1839-1842) ; ce dernier fut chassé du trône par Alexandre Karageorgevitch (1842-1859). Mais la *Skouptchina* ne devait pas tarder à rappeler Miloch qui régna encore un an et auquel succéda de nouveau son fils Michel (1860-1868). Tout au long de leur règne, les Obrénovitch tout autant que les Karageorgévitch, ne furent pas indifférents à l'idée d'une éventuelle union de tous les Slaves du Sud que commençaient à caresser les milieux intellectuels serbes et croates. Les souverains serbes entretinrent généralement d'excellents rapports avec le Monténégro voisin dont les souverains Pierre Ier (1784-1830) et Pierre II (1830-1851) étaient ouvertement soutenus par le Tsar de Russie Nicolas I.

Le réveil des Serbes de Serbie ne fut pas seulement politique, il fut aussi intellectuel. L'enseignement fit de sensibles progrès. En 1835, il n'y avait en Serbie que 60 écoles primaires et aucune école secondaire ; en 1859, le nombre des écoles primaires atteignait 352, dont 15 réservées aux filles, auquel il fallait ajouter le lycée de Belgrade ouvert en 1855. Toutefois les Serbes de Serbie étaient nettement en retard dans ce domaine par rapport à leurs frères qui vivaient dans la monarchie autrichienne.

La révolte des Grecs profita aussi aux Roumains. Déjà, en 1820, la Société Secrète de l'*Hétairie* avec Tudor Vladimirescu avait tenté d'organiser un soulèvement contre le gouvernement des Phanariotes. Puis, lorsque les Grecs se soulevèrent, les Turcs enlevèrent aux Phanariotes le Gouvernement des Principautés roumaines – du fait même qu'ils étaient Grecs – et nommèrent « Prince » ou *Hospodar* de Valachie et de Moldavie, deux boyards roumains, Grégoire Ghica (1822-1828) et Ioan Sturdza (1822-1828). Lorsque les Russes intervinrent aux côtés des Puissances en faveur des Grecs, leurs armées occupèrent la Valachie et la Moldavie, et à partir de 1828, ce fut le général russe Kissilev, ouvert aux idées modernes, qui administra les Principautés. Kissilev destitua les deux hospodars, convoqua une assemblée de notables qui approuva le *Règlement organique* de 1831. Ce règlement maintenait les privilèges des boyards et leur domination sur les paysans, confiait à l'Assemblée des Boyards de chaque Principauté le soin d'élire le Prince et de voter les lois. En fait, en 1834, les armées russes évacuèrent le pays, et le Tsar et le Sultan se mirent d'accord pour choisir eux-mêmes les Hospodars. Ainsi furent désignés pour la Moldavie Michel Sturdza (1834-1849) et pour la Valachie, Alexandre Ghica (1834-1842) puis Georges Bibescu (1843-1848).

Les vingt années qui vont de l'arrivée au pouvoir de Kissilev jusqu'à la révolution de 1848 correspondent à une véritable résurrection du monde roumain. Les intellectuels et les étudiants roumains, de plus en plus nombreux à fréquenter les universités françaises, ramenèrent à leur retour les idées libérales qui régnaient alors dans les milieux intellectuels français. Ils réclamèrent la libération des paysans, la liberté de la presse. Peu à peu, ils se firent défenseurs de l'idée d'une Roumanie unitaire rassemblant tous les Roumains en une seule Patrie.

Chez les Bulgares, l'éveil du sentiment national fut plus tardif. La prise de conscience du fait national trouva son origine dans une renaissance culturelle venue des monastères. Le précurseur en fut le moine Païsi, auteur d'une *Histoire du peuple, des Tsars et des Saints Bulgares.* Ses disciples, notamment l'évêque Sofroni, furent à l'origine de la codification et de l'élaboration d'une langue littéraire bulgare. Ainsi, grâce à leur action, le premier livre en bulgare littéraire fut imprimé à Bucarest. C'est d'ailleurs en dehors du territoire bulgare que se développa le renouveau culturel. De nombreux Bulgares résidaient à Bucarest, à Salonique, à Constantinople, et même à Paris. Mais en Bulgarie même, l'élite intellectuelle, peu nombreuse, était nettement séparée et isolée du peuple par une véritable barrière culturelle. Cette situation explique en grande partie que les Bulgares furent beaucoup plus lents que leurs voisins à s'éveiller au mouvement national. Là encore, la prise de conscience du fait national vint des Bulgares de l'extérieur. Le premier Comité révolutionnaire bulgare fut fondé à Bucarest par un exilé Georges Rakowski (1818-1868). En fait, ce fut seulement dans le dernier tiers du xixe siècle que les Bulgares se lancèrent à la conquête de leur indépendance.

LE DESTIN TRAGIQUE DE LA POLOGNE

Le Congrès de Vienne avait enteriné la disparition de l'État polonais sous les coups des ambitions conjuguées et rivales de ses voisins. Chacune des trois parties de la Pologne divisée a mené sa propre existence, mais les frontières qui les séparaient n'étaient imperméables ni aux hommes ni aux idées.

La situation dans les territoires polonais annexés par la Prusse se présentait sous un aspect un peu particulier dans la mesure où les populations étaient très mélangées. Les campagnes de Posnanie étaient en majorité polonaise, tandis que les villes comme Posnan (Posen) Bydgoszcz (Bromberg), Gdansk (Danzig) étaient de population et de culture allemandes. Jusqu'en 1848, les relations entre l'État prussien et ses sujets de langue polonaise furent correctes. L'aristocratie polonaise « collabora » avec l'aristocratie allemande. Le Prince Antoine Radziwill, marié à une princesse Hohenzollern, se vit confier l'administration des provinces polonaises avec le titre de Lieutenant-Gouverneur. Une réforme agraire donna en 1823 à la plupart des tenanciers polonais la propriété des terres qu'ils cultivaient moyennant le paiement d'une redevance modérée. Sur le plan culturel, l'État finança les écoles de villages tenues par le clergé où l'on enseignait le polonais.

La situation en Pologne autrichienne était sensiblement la même. Mais ici, la diversité ethnique reposait sur la coexistence de deux populations slaves, une population polonaise catholique et une population ruthène orthodoxe ou uniate. Cette opposition ethnique se doublait d'une opposition sociale. L'aristocratie, la population urbaine, le clergé, étaient polonais, tandis que la majorité des paysans étaient ruthènes. L'aristocratie et le clergé polonais s'accommodèrent assez bien de la tutelle de l'Autriche, d'autant plus que l'Autriche laissa à ses provinces polonaises une large autonomie. L'Université de Cracovie fut pour tous les Polonais un lieu où il était possible de maintenir et de diffuser la culture nationale.

Rien de comparable avec ce qui se passait dans le *Royaume du Congrès*. Au début, sans doute, le Tsar Alexandre Ier – le roi de ce Royaume – sembla témoigner d'une certaine bienveillance à l'égard de la Pologne ; il entretenait d'ailleurs d'excellentes relations avec un certain nombre de magnats éclairés comme le Prince Adam Czartoryski. Conformément au *Statut constitutionnel de 1815*, le pays fut administré par des Polonais mais le rôle de la Diète fut de plus en plus réduit. La préoccupation essentielle du Tsar et de ses représentants en Pologne était que l'ordre fut maintenu. Avec le comte Lubecki, qui dirigea le pays jusqu'en 1821, la Pologne connut un certain développement économique. Lubecki créa la première banque polonaise, assainit les finances publiques et stabilisa la monnaie. Le pays connut alors une certaine prospérité qui se traduisit par une augmentation de la production agricole et par la création des premières manufactures cotonnières à Lodz. Les progrès économiques étaient loin de faire oublier aux libéraux et aux patriotes polonais que le Royaume du Congrès, incomplet sur le plan territorial puisqu'il lui manquait la Lituanie et les Provinces orientales, n'était en fait qu'une dépendance de l'Empire russe. L'Université de Varsovie, fondée en 1818 par le comte Stanislas Potocki, Grand Maître de la Franc-Maçonnerie et disciple des Lumières, fut secouée à plusieurs reprises par l'agitation patriotique des étudiants, ce qui entraîna à plusieurs reprises sa fermeture. L'armée polonaise, surveillée de très près par les autorités russes, était, elle aussi, un des foyers les plus actifs du patriotisme. Au début des années vingt, les rapports entre le Tsar et ses sujets polonais commencèrent à se tendre. Lorsque la Diète, à plusieurs reprises, dénonça les abus de l'administration, le Tsar la tança vertement, puis en 1825 lui interdit de publier le compte-rendu de ses délibérations. Le résultat en fut que les opposants constituèrent des Sociétés secrètes où se retrouvèrent côte à côte étudiants, bourgeois, journalistes, avocats, militaires, nobles libéraux et où l'on échafaudait des projets pour l'avenir. Ces Sociétés secrètes furent constamment traquées par la Police et leurs membres, une fois découverts, condamnés à de lourdes peines de prison.

L'abdication d'Alexandre Ier en décembre 1825 se traduisit en Russie par un interrègne de deux semaines. En effet, le Prince Constantin, vice-roi de Pologne et fils aîné du souverain, aurait dû succéder à son père mais il refusa la couronne. Ce fut finalement son cadet, qui monta sur le trône sous le nom de Nicolas Ier (1825-1855). L'interrègne fut mis à profit par certains opposants libéraux, officiers russes pour la plupart, pour tenter de s'emparer du pouvoir à Saint-Pétersbourg, mais le complot des *Décabristes* échoua. Nicolas Ier réprima durement la rébellion, puis se rendit en Pologne pour s'y faire couronner Roi et prêter serment à la Constitution. En fait, Nicolas Ier pratiqua en Pologne la même politique absolutiste qu'il menait en Russie. La Diète polonaise ne fut plus convoquée et comme les Polonais impliqués dans le complot des Décabristes avaient été acquittés par les tribunaux polonais, la magistrature fut épurée et l'inamovibilité des juges, garantie pourtant par la Constitution de 1815 fut supprimée. Et lorsqu'en 1830, Nicolas Ier se décida à convoquer la Diète, les élections donnèrent une majorité aux opposants. La classe politique polonaise, élue par la noblesse et la bourgeoisie, était partagée en deux tendances. Les *Blancs*, attentistes, espéraient du

Tsar quelques réformes, et cherchaient à éviter toute action qui pourrait déboucher sur une insurrection. Les *Rouges* au contraire, admirateurs de la Révolution Française, vouaient un culte particulier à Kosciuszko, le héros de l'insurrection de 1794.

Le succès des révolutions parisienne et bruxelloise de juillet-août 1830 provoqua une vive agitation parmi les étudiants de Varsovie. Lorsque l'on apprit que le Tsar voulait envoyer des troupes polonaises contre la Belgique révoltée, au nom des principes de la Sainte-Alliance, deux jeunes officiers, Wysocki et Zaliwski, préparèrent à l'École des Cadets de Varsovie un complot visant à assassiner le vice-Roi Constantin et à déclencher pour le 20 novembre un soulèvement général contre l'occupant russe. En fait, le complot fut déjoué et le Vice-Roi put quitter à temps la capitale polonaise; quant à la population civile, elle ne bougea pas. *Le Parti Blanc* pour éviter l'affrontement forma un *Conseil d'Administration* et confia le commandement des troupes polonaises au général Chlopicki. Celui-ci pria le Vice-Roi de rentrer à Varsovie. Devant son refus, le Conseil d'Administration se transforma en *Gouvernement Provisoire*. Le général Chlopicki prit le titre de Dictateur – comme l'avait fait Kosciuszko en 1794 – et demanda au Tsar le retrait des troupes russes de Pologne, une amnistie générale, la convocation de la Diète et le retour à la Pologne de tous les anciens territoires anciennement polonais et administrés directement par les Russes. La réponse du Tsar fut négative : par un manifeste daté du 27 décembre 1830, Nicolas Ier exigea une soumission totale. Les modérés du *Parti Blanc*, inquiets de l'évolution des événements quittèrent le gouvernement provisoire. En janvier 1831, le général Chlopicki abandonna la dictature pour se consacrer uniquement à l'organisation de l'armée polonaise, tandis qu'à Varsovie, les *Rouges* prenaient la direction du gouvernement, s'appuyant sur les étudiants, la petite bourgeoisie, les loges maçonniques. Le gouvernement polonais tenta d'intéresser la France à la cause polonaise. Une mission diplomatique fut envoyée à Paris pour y négocier la reconnaissance de l'indépendance de la Pologne. Le résultat le plus concret de cette mission fut la formation à Paris d'un *Comité Central Polonais* où entrèrent les généraux Lafayette et Lamarque ainsi que le ministre libéral Odilon Barrot, mais le gouvernement de Louis-Philippe, encore mal assuré de son autorité, refusa de s'engager. Cependant, à titre privé, de nombreux officiers français partirent pour la Pologne, et des fonds ainsi que des armes furent collectés. L'Angleterre sollicitée également par le gouvernement polonais ne bougea pas non plus. En revanche, la Prusse, inquiète de l'agitation en Pologne russe, ferma ses frontières et donna son soutien au Tsar. Dès lors, réduits à leurs propres forces, les Polonais étaient condamnés. Certes, en ce printemps 1831, les Polonais étaient pleins d'espoir. La Diète venait de proclamer l'indépendance de la Pologne, et son union indissoluble avec la Lituanie, ainsi que la déchéance de la dynastie des Romanov. Certes, l'armée polonaise remporta quelques succès avec les généraux Chlopicki et Skrzynecki lors des batailles de Waver (19 et 21 février) et de Grochow (25 février) mais elle ne pouvait tenir devant le maréchal Paskievitch et les 120 000 hommes qu'il conduisait. Dès la fin juillet 1831, Varsovie se trouva quasiment encerclée, d'autant plus que la Prusse avait laissé transiter de nouveaux renforts russes à travers son territoire. Les éléments les plus radicaux de l'insurrection polonaise avec le général Krukowiecki tentèrent de poursuivre la lutte. Mais le 7 septembre, après un long bombardement d'artillerie, Varsovie dut capituler. La Diète se sépara : de nombreux Polonais gagnèrent la Galicie autrichienne et de là émigrèrent vers la France. Paris devient le lieu de refuge pour de nombreux intellectuels, comme Adam Mickiewicz et Frédéric Chopin qui se retrouvèrent au sein des Sociétés secrètes républicaines.

Une dure répression s'abattit sur le pays. Le maréchal Paskievitch fut nommé Gouverneur de Pologne et exerça cette fonction durant tout le règne de Nicolas Iᵉʳ. Une importante garnison russe fut établie à Varsovie, où une citadelle fut construite à la fois pour la recevoir et pour surveiller la capitale. Les chefs de l'insurrection qui tombèrent aux mains des Russes furent tous pendus ; des milliers de Polonais furent déportés en Sibérie. Les biens de 286 émigrés condamnés à mort par contumace furent confisqués et distribués à des généraux ou à des hauts fonctionnaires russes. La Constitution de 1815 fut abolie et remplacée par le *Statut organique* du 26 février 1832. La Diète et l'armée polonaise furent supprimées. Cependant, en principe du moins, la législation et l'administration demeuraient polonaises, mais peu à peu, ce furent des fonctionnaires russes qui remplacèrent les autorités locales polonaises.

Le régime russe s'appliqua à briser les cadres de la Nation polonaise. L'Université de Varsovie fut fermée ainsi que la plupart des établissements d'enseignement secondaire. Il fut interdit aux Polonais d'aller étudier à Cracovie. L'Église catholique fut étroitement contrôlée par l'administration russe. Dans les provinces orientales, l'Église uniate jugée pro-polonaise fut rattachée à l'Église orthodoxe. On remarquera que le régime soviétique a adopté en 1945 dans les territoires enlevés à la Pologne la même politique à l'égard de l'Église Uniate. Avec le temps, loin de s'apaiser, la répression s'amplifia d'autant plus que çà et là des complots contre les occupants étaient sans cesse découverts. En 1840, le code pénal russe remplaça le code polonais, puis en 1844, la Pologne fut divisée en 10 gouvernements dirigés chacun par un général russe.

Les Polonais de Prusse et d'Autriche furent indirectement victimes de l'échec de la Révolution de 1830-1831. En effet, les gouvernements de Berlin et de Vienne s'inquiétèrent de la contagion des idées libérales venues de Varsovie et durcirent leur attitude à l'égard de leurs sujets polonais. Des réfugiés polonais installés en Posnanie tentèrent, sous la conduite de l'écrivain Edouard Dombowski, de préparer une nouvelle insurrection à partir de la République libre de Cracovie. Dans la nuit du 21 au 22 février 1846, Cracovie se souleva. Pour affaiblir cette révolte des Polonais, les autorités autrichiennes de Galicie suscitèrent contre eux une révolte des paysans ruthènes : puis elles rétablirent l'ordre avec modération, à la différence de ce qui s'était passé en Pologne russe. Seule, la République de Cracovie perdit son « indépendance » et fut rattachée à la Galicie. Toutefois, les provinces polonaises de Prusse et d'Autriche continuèrent à faire figure de régions privilégiées aux yeux des Polonais de Russie.

L'ÉVEIL DES NATIONALITÉS
DANS LA MONARCHIE AUTRICHIENNE

Dans la monarchie des Habsbourg, pendant les règnes de François II (1792-1835) et de Ferdinand (1835-1848), la direction des affaires fut entre les mains du chancelier Metternich. Pour l'intelligentsia occidentale, l'État autrichien passait pour un État anachronique et réactionnaire, mais en réalité, le système mis au point par Metternich assura tant bien que mal une *Pax austriaca* aux différentes nations qui composaient l'Empire. Ce système s'appuyait essentiellement sur les liens de fidélité qui unissaient les peuples à la dynastie, sur une bureaucratie nombreuse et efficace et sur les cadres traditionnels des Sociétés d'Ancien Régime, l'aristocratie et l'Église catholique. Pouvait-il s'accommoder avec la montée des nationalités ?

A partir de 1815 en effet, le réveil des nationalités, ébauché timidement depuis l'extrême fin du xviiiᵉ siècle avec la redécouverte des langues et des cultures nationales, s'amplifia et très vite la renaissance culturelle déboucha sur le débat politique. Le réveil des nationalités fut favorisé par l'essor démographique des différents peuples, dû principalement au maintien d'une natalité élevée tandis que la mortalité reculait. Au même moment, les effets de la Première Révolution industrielle amenèrent un développement sensible des classes urbaines, bourgeoises et prolétariat, davantage ouvertes aux idées nouvelles et plus promptes à remettre en question les institutions en place. Néanmoins, ce furent les intellectuels et les éléments libéraux des classes dirigeantes qui conduisirent les divers mouvements nationaux.

Le mouvement national chez les Slaves de l'Empire

A l'intérieur de la monarchie autrichienne, le poids des populations slaves était considérable. Toutes nationalités confondues, les Slaves représentaient environ 40 % de la population de l'Empire.

Chez les Slaves du Nord, ce furent les intellectuels,

tchèques de Bohême qui jouèrent le rôle le plus important dans le réveil national. Grâce aux travaux de l'Abbé Dobrowski, les écrivains tchèques disposaient maintenant d'une langue littéraire, épurée et structurée, dont ils vont désormais faire un large usage en lieu et place de l'allemand pour rédiger leurs œuvres. Les recherches dans le domaine de la linguistique comparée des langues slaves se poursuivirent avec Joseph Jungmann (1773-1847), recteur de l'Université de Prague depuis 1839, auteur d'un *Dictionnaire Tchèque-Allemand* et d'une *Histoire de la Littérature tchèque.* Le réveil national tchèque se manifesta aussi dans la première moitié du XIXe siècle par la redécouverte du passé tchèque. Dans cet esprit, il faut souligner la création en 1818 du *Musée National* de Prague, dont la direction publia régulièrement un *Bulletin* rédigé en tchèque. On assista à cette époque à un développement des sciences historiques, illustrées notamment par Frantisek Palacky (1798-1876). Dans son *Histoire de la Nation tchèque* en 10 volumes, Palacky voulut enseigner à ses compatriotes leur passé souvent glorieux, en même temps qu'il y insistait – parfois en les exagérant – sur les oppositions séculaires entre Tchèques et Allemands. Une presse politique en langue tchèque apparut à cette époque, en particulier avec la *Gazette officielle de Prague* publiée à partir de 1846, par Havlicek qui y revendiquait le respect des droits historiques et du particularisme de la Bohême. Toutefois, à cette époque du moins, le mouvement national tchèque ne visait pas à détruire la monarchie habsbourgeoise. Palacky le montra clairement dans sa célèbre déclaration de 1848. Comme beaucoup de ses compatriotes, il aspirait à une adaptation des structures dans un cadre fédéral plutôt qu'à un changement radical.

A la même époque, on assista à une lente prise de conscience du fait national chez les intellectuels slovaques. Les Slovaques, peu nombreux et isolés dans les massifs carpatiques de Hongrie septentrionale et nord-occidentale, n'avaient guère fait parler d'eux. La révolution démographique qui les toucha au début du XIXe siècle augmenta sensiblement le poids des Slovaques en Hongrie, d'autant plus qu'ils étaient particulièrement prolifiques. La zone d'habitat slovaque s'étendit en direction des plaines danubiennes : des Slovaques vinrent en nombre toujours plus grand s'établir dans les villes, notamment à Pozsony (Presbourg) et là, les plus instruits d'entre eux furent associés aux courants de pensée qui régnaient alors. Le réveil slovaque se présenta sous deux aspects. Certains intellectuels, conscients du particularisme slovaque par rapport aux voisins tchèques et face aux Hongrois, cherchèrent à se doter d'une langue littéraire : ce fut le cas de Louis Stur (1815-1856) qui fit adopter le dialecte de Slovaquie centrale comme langue écrite. D'autres au contraire, comme Paul Safarik (1795-1861) optèrent pour l'action commune avec les Tchèques. Safarik exerça même les fonctions de bibliothécaire de l'Université de Prague. Il faut remarquer cependant que Safarik était protestant et que de ce fait, il se sentait beaucoup plus près des Tchèques que de ses compatriotes slovaques, catholiques dans leur très grande majorité.

Chez les Slaves du sud, le renouveau national chercha surtout à atténuer les divisions qui séparaient les Serbes orthodoxes, des Croates et des Slovènes catholiques. Trois écrivains surtout furent à l'origine d'un renouveau culturel et cherchèrent à donner aux Slaves du sud une langue commune. Ce furent le slovène Jernej Kopitar (1780-1844), le serbe Vuk Karadjitch (1787-1864) et le croate Louis Gaj (1809-1872). Tous trois furent les créateurs d'une langue littéraire, le *Serbo-croate*, mais à côté d'elle, les parlers populaires se maintinrent avec force et demeurent encore utilisés aujourd'hui dans les provinces occidentales de la Yougoslavie, et pas seulement dans les campagnes. L. Gaj eut un rôle de premier plan ; fils d'un médecin de Zagreb, il étudia le Droit à Graz et à Vienne, et entretint d'étroites relations avec le poète tchèque Kollar. Dans toutes ses œuvres, et notamment dans son journal, la *Gazette nationale illyrienne*, Gaj se fit l'ardent défenseur de l'*Illyrisme* – une sorte de *Yougoslavisme* avant la lettre – c'est-à-dire de l'union de tous les Slaves du Sud en un seul État dont le souverain ne pouvait être que l'Empereur d'Autriche. Les idées répandues par Gaj trouvèrent une audience d'autant plus grande en Croatie que cette Province bénéficiait à l'intérieur de la Hongrie, à laquelle elle était associée, d'un statut particulier. La

Croatie disposait d'une Diète, et d'un pouvoir exécutif autonome dirigé par le *Ban*. Grâce à l'action de Gaj, le croate devint en 1847 la langue officielle utilisée à la Diète de Zagreb au lieu du latin. Cependant, si les particularismes demeurèrent encore très vivaces au niveau des masses paysannes, l'allemand et l'italien, qui avaient été jusque-là les langues de culture, perdirent peu à peu leur importance au profit du serbo-croate.

LE RENOUVEAU NATIONAL EN HONGRIE

Au début du XIXᵉ siècle, le renouveau national était déjà bien engagé en Hongrie. Il s'amplifia entre 1815 et 1848 avec une extraordinaire production littéraire surtout représentée par des œuvres poétiques. Le romantisme et l'amour de la patrie trouvèrent leur pleine expression dans les œuvres de Michel Csokonai, de François Kölcsey – l'auteur de l'*Hymne National* – de Michel Vörösmarty et surtout d'Alexandre Petöfi (1823-1849). Au même moment, les compositeurs Erkel et Liszt faisaient connaître à toute l'Europe les trésors de la musique populaire hongroise.

Ce renouveau national eut des prolongements politiques. Metternich n'acceptait qu'à contrecœur le statut particulier de la Hongrie, avec sa Constitution et sa Diète. Ainsi de 1812 à 1825, la Diète ne fut jamais réunie et dès qu'elle fut à nouveau convoquée en 1825, les députés réclamèrent le renforcement des garanties constitutionnelles. Une véritable presse politique apparut au début des années quarante, divisée en deux tendances, l'une modérée avec le journal *Peuple de l'Est* du comte Széchényi, l'autre plus radicale avec la *Gazette de Pest* de Louis Kossuth. Ces deux tendances se retrouvaient dans les programmes de réformes présentés à la Diète. Les modérés comme le comte Széchényi et l'avocat Déak voulaient transformer la Hongrie en une monarchie parlementaire de type britannique sans rompre pour autant les liens qui unissaient la Hongrie au reste de l'Empire. Le comte Etienne Széchényi (1791-1860) était conscient de la solidarité des intérêts économiques qui unissaient les divers peuples de l'espace danubien ; il mit l'accent surtout sur la nécessité de moderniser la Hongrie, de la doter d'infrastructures. C'est lui qui en 1829 fut à l'origine de la navigation à vapeur sur le Danube, qui fit jeter en 1842 le « Pont suspendu » sur le Danube afin de mieux unir les villes jumelles de Buda, symbole du passé et Pest, symbole de l'avenir. C'est aussi sous son influence que fut fondée en 1841 la *Banque Commerciale de Pest* qui finança la construction des premières lignes de chemin de fer et la création des premières manufactures. L'autre chef modéré, François Déak (1803-1876) était davantage tourné vers les questions politiques. Pour lui, « la Hongrie est un pays libre, indépendant dans tout son système de législation et d'administration : elle n'est subordonnée à aucun pays. Nous ne voulons pas mettre les intérêts de notre patrie en contradiction avec ceux de l'unité de la monarchie et de la sûreté de son existence ; ... pour nous, la vie constitutionnelle est un trésor qu'il ne nous est pas permis de sacrifier ni à un intérêt étranger, ni aux plus grands avantages militaires. Notre premier devoir est de la conserver, de la fortifier... »

A l'opposé, les réformistes les plus radicaux étaient menés par l'avocat Louis Kossuth (1802-1894), plusieurs fois député à la Diète hongroise dont il fut le chef de l'opposition à la session de 1847-1848, et fondateur de la *Gazette de Pest* dans laquelle il réclamait la pleine indépendance de la Hongrie avec un gouvernement responsable devant la Diète, une armée indépendante, ainsi que la séparation d'avec le reste de l'Empire autrichien. Kossuth cependant, à cette époque du moins, ne remettait pas en question la forme monarchique de l'État, ni même le principe d'une union personnelle avec l'Autriche. Kossuth, qui était pourtant d'ascendance lointaine slovaque, se fit aussi le porte-parole du nationalisme hongrois le plus intransigeant : il l'avait clairement montré à la Diète de 1844 lorsqu'il se fit l'ardent défenseur de la loi qui faisait du hongrois la langue officielle de l'État. Cette loi sur les langues qui fut adoptée en 1844 plaçait le hongrois dans une position privilégiée par rapport aux autres langues parlées dans le pays par près de la moitié de la population, alors qu'auparavant aucune langue nationale n'était privilégiée dans la mesure où c'était le latin qui était la langue officielle. Le réveil national en Hongrie débouchait ainsi sur le *Nationalisme*, ce qui présentait un risque considérable, celui de créer une situation explosive à une époque où les populations non hongroises du royaume, elles aussi, étaient en train de prendre conscience de l'originalité de leur patrimoine culturel, et en particulier de leur langue. En Transylvanie, les Hongrois réclamaient la fin du statut particulier de cette région, mais leur demande provoquait l'irritation des autres nationalités qui y vivaient et qui, elles aussi, cherchaient à s'affirmer, les Allemands avec la création d'une *Société saxonne* par le Pasteur Roth en 1840, et les Roumains qui, depuis 1838, disposaient d'un journal la *Gazette de Transylvanie*.

Ainsi, dans l'Empire d'Autriche, le réveil national qui toucha tous les peuples, débouchait sur une situation susceptible de créer des troubles dont l'issue pouvait être la désagrégation d'un système patiemment élaboré au cours des siècles. L'Empire d'Autriche, dans les années quarante, se trouvait ainsi à la croisée des chemins. Devait-on laisser se poursuivre, sans réagir, l'évolution en cours et risquer un affrontement entre les diverses nationalités, ou bien au contraire devait-on comme l'avait toujours pensé Metternich, maintenir à tout prix la monarchie telle qu'elle était, afin d'assurer la paix dans l'espace danubien?

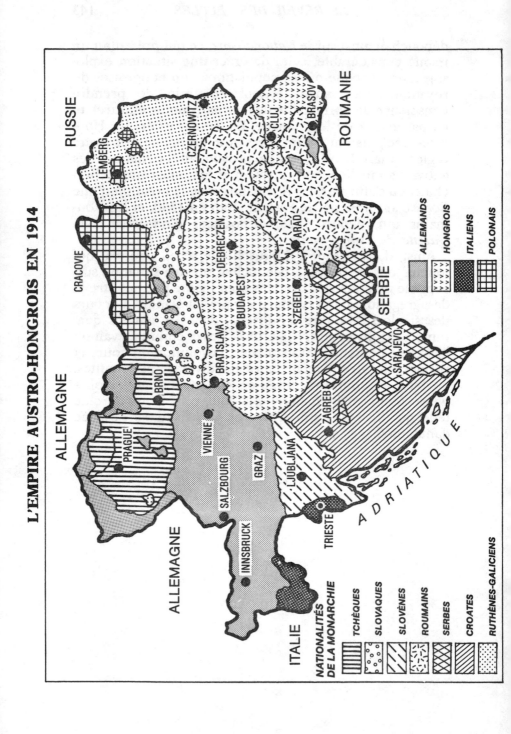

L'EMPIRE AUSTRO-HONGROIS EN 1914

ALLEMANDS
HONGROIS
ITALIENS
POLONAIS

NATIONALITÉS
DE LA MONARCHIE

TCHÈQUES
SLOVAQUES
SLOVÈNES
ROUMAINS
SERBES
CROATES
RUTHÈNES-GALICIENS

RUSSIE
ROUMANIE
SERBIE
ADRIATIQUE
ALLEMAGNE
ALLEMAGNE
ITALIE

LEMBERG
CZERNOWITZ
CRACOVIE
CLUJ
BRASOV
ARAD
DEBRECZEN
SZEGED
BUDAPEST
BRNO
BRATISLAVA
PRAGUE
VIENNE
SALZBOURG
GRAZ
LJUBLJANA
ZAGREB
SARAJEVO
TRIESTE
INNSBRUCK

VIII

1848 - LE PRINTEMPS DES PEUPLES : SUCCÈS ET ÉCHEC DES RÉVOLUTIONS

La révolution parisienne de février 1848 qui aboutit à l'abdication de Louis-Philippe et à la proclamation de la République eut un retentissement considérable dans toute l'Europe et se traduisit partout – sauf en Grande-Bretagne et en Russie – par des troubles révolutionnaires dont l'ampleur fut plus ou moins grande selon les pays.

L'explosion révolutionnaire du printemps 1848, le *Printemps des Peuples* comme on l'a souvent appelé, fut le résultat de la conjonction de plusieurs facteurs. Depuis 1845-1846, l'Europe se trouvait dans une période de difficultés économiques et de tensions sociales dues à la succession de mauvaises récoltes ce qui frappa le monde des campagnes, à une diminution des revenus tirés de la terre ce qui entraîna une diminution de la consommation de produits artisanaux et manufacturés, et à un arrêt des investissements, ce qui provoqua de sérieuses difficultés pour l'industrie naissante. Dans les campagnes, ce fut la misère ; dans les villes, ce fut la hausse des prix et le chômage. Ces difficultés économiques et les troubles sociaux qu'elles entraînèrent débouchèrent sur un vaste débat politique. Les luttes politiques se firent plus dures, les nationalismes s'exaspérèrent, mais pas partout, et surtout pas partout avec la même force.

LE CALME APPARENT DE LA POLOGNE

Les différentes fractions de l'ancienne Pologne ne furent pas affectées de la même façon par le climat général d'agitation. Les Polonais de Prusse participèrent comme tous les autres sujets de Frédéric-Guillaume IV aux manifestations en faveur de la liberté. Au début, les libéraux obtinrent satisfaction. Le roi de Prusse promit une Constitution, et annonça en avril 1848 aux délégués polonais que la Posnanie disposerait d'un statut particulier. Les députés polonais élus à l'Assemblée Constituante tentèrent d'obtenir que les promesses faites fussent tenues. Ce fut en vain, car l'échec du mouvement révolutionnaire à Berlin et la reprise en mains du pays par l'armée en décembre 1848 mit fin aux espoirs des libéraux. La Constitution qui fut finalement promulguée le 31 janvier 1850 par le Prince-Régent Guillaume fit de la Prusse un État unitaire. Pour les Polonais, ce fut une cruelle déception ; ils se trouvèrent ainsi privés de leur personnalité politique originale et intégrés à l'État prussien.

Les Polonais d'Autriche, de leur côté, demeurèrent à l'écart des troubles qui affectèrent l'Empire. Toutefois, un *Conseil National Polonais* fut organisé à Léopol par l'avocat Smolka, qui se borna à proclamer l'abolition de la corvée dans les domaines seigneuriaux, mesure que le gouvernement autrichien avait pris de son côté au même moment afin de couper court à toute agitation. Pour contrecarrer l'action polonaise, les autorités autrichiennes favorisèrent la création d'un *Conseil National Ruthène*. Dans l'ensemble, il faut bien constater que dans les territoires polonais devenus autrichiens, le calme le plus complet régna. Seuls, certains officiers polonais de la révolution de 1830-1831, Bem, Dombrowski, Wysocki, réfugiés en Galicie, manifestèrent leur sympathie pour les peuples révoltés. La Galicie demeura loyale cependant, et pour la récompenser de sa fidélité, l'Empereur François-Joseph en 1849 nomma gouverneur de la province un aristocrate polonais, le Prince Goluchowski.

La Pologne sous contrôle russe demeura apparamment très calme en 1848, en raison de l'étroite surveillance dont elle était l'objet de la part de ses occupants. Ce fut même le gouverneur russe de la Pologne, le maréchal Paskievitch, qui fut chargé par le Tsar Nicolas I de venir rétablir l'ordre en 1849 dans la Hongrie révoltée contre François Joseph. Néanmoins, au plus profond de leur cœur, les Polonais se sentaient proches de tous ceux qui luttaient pour leur liberté.

L'AGITATION DANS L'EMPIRE OTTOMAN

Dans l'Empire Ottoman, l'année 1848 fut relativement calme. Ni les Serbes, ni les Bulgares ne participèrent aux troubles que connurent la plupart des pays européens. Seuls les Roumains de Moldavie et de Valachie manifestèrent en faveur de la liberté. Les intellectuels, étudiants et professeurs, une partie de la noblesse, s'enthousiasmèrent pour les idées venues de Paris. En Moldavie, un Comité révolutionnaire fut formé à Jassy dès le 27 mars 1848 : il réclama au hospodar Stourdza le respect du *Règlement organique* de 1831, l'abolition de la censure et la formation d'une Garde Nationale. Les Russes, qui tenaient en garnison quelques troupes, brisèrent le mouvement en accord avec les autorités turques. Les membres du Comité Révolutionnaire furent arrêtés, et tout rentra vite dans l'ordre, car les campagnes n'avaient guère bougé. En revanche, en Valachie, le mouvement révolutionnaire fut plus important. Comme en Moldavie, les libéraux réclamèrent un certain nombre de réformes, mais en plus ils demandèrent l'union des deux Principautés. Le hospodar de Valachie, Georges Bibesco y semblait assez favorable ; quelques années avant, en 1846, il avait déjà supprimé la frontière douanière qui séparait sa Principauté de la Moldavie. Mais en même temps, Bibesco s'opposait fermement à toute mesure qui pourrait restreindre son autorité. L'agitation commencée en avril s'amplifia, et le 11 juin 1848, la population de Bucarest se souleva. Bibesco dut céder et accorder une Constitution. Les droits seigneuriaux et le servage furent abolis, les Juifs reçurent l'égalité des droits et une Garde Nationale fut constituée ; elle arbora aussitôt le drapeau tricolore bleu-jaune-rouge qui est encore aujourd'hui le drapeau

de la République roumaine. Bibesco, ayant accordé ce
que demandaient les libéraux, abdiqua et un gouvernement provisoire fut formé sous la présidence du Métropolite de Bucarest avec les principaux chefs de l'insurrection, entre autres M. Balcescu et D. Bratianu. Mais très
vite, des divisions apparurent entre les modérés et les
radicaux qui voulaient former une République réunissant
tous les Roumains, y compris ceux établis en Transylvanie qui, depuis avril 1848, étaient en effervescence et
réclamaient au gouvernement hongrois leur autonomie.
Craignant l'extension des troubles, Russes et Turcs se
mirent d'accord pour mettre fin à la révolution valaque.
En septembre, les Russes renforcèrent leur dispositif
militaire en Moldavie et occupèrent même une partie de
la Valachie, tandis que les Turcs installaient une garnison
à Bucarest. Puis, en mai 1849, par la convention de Balta-
liman, les deux puissances s'entendirent pour désigner
deux nouveaux hospadars pour 7 ans et rétablir l'ordre
dans le pays. De nombreux proscrits se réfugièrent à
l'étranger, principalement à Paris, où ils s'efforcèrent
d'intéresser le gouvernement français à la cause roumaine. Napoléon III ne devait pas rester longtemps sourd
à leur appel.

LES RÉVOLUTIONS DANS L'EMPIRE DES HABSBOURG

Le caractère autoritaire du régime que personnifiait
Metternich et la montée de plus en plus sensible du sentiment national chez les diverses nationalités de l'Empire
créaient déjà les conditions pour une explosion éventuelle. Les nouvelles de Paris, qui avaient déjà suscité une
agitation révolutionnaire en Allemagne du Sud, produisirent un effet analogue dans les principales villes de
l'Empire.

La première vague révolutionnaire

C'est à Prague que l'annonce du succès de la Révolution parisienne trouva le premier écho. Le 11 mars 1848,
les libéraux de Bohême, Allemands et Tchèques confondus, organisèrent une réunion publique sur la place Ven-

ceslas. A la suite de cette réunion fut formé un Comité, dit *Comité de Saint Venceslas*, qui élabora un programme de revendications à présenter au gouvernement de Vienne (liberté de la presse, égalité de toutes les nationalités et de toutes les langues, réunion régulière de la Diète). La pétition envoyée à Vienne y parvint au beau milieu de l'agitation révolutionnaire. En effet, dès le 13 mars, les libéraux et les étudiants viennois avaient manifesté bruyamment dans les rues aux cris de « A bas Metternich! ». Devant l'ampleur des troubles, l'Empereur Ferdinand et son entourage, – *la camarilla* –, invitèrent le vieux chancelier à se démettre. Le 14 mars, Metternich démissionnait et partait aussitôt pour l'exil. Le 15 mars, l'Empereur cédait à toutes les revendications; il annonçait l'abolition de la censure, la formation d'une garde civique pour assurer l'ordre à la place de l'armée, et surtout la convocation d'une Assemblée Constituante.

Le mouvement fit tache d'huile. La Lombardie et la Vénétie, principales possessions des Habsbourg en Italie du Nord, se soulevèrent entre le 17 et le 22 mars et chassèrent les garnisons autrichiennes. Le gouvernement de Vienne dut envoyer des renforts car la révolution italienne menaçait au plus haut point les intérêts vitaux de l'Autriche. En effet, il ne s'agissait pas seulement d'une révolution libérale; il s'y ajoutait un vaste mouvement national visant à chasser les Autrichiens et à réaliser l'unité de l'Italie.

De Prague et de Vienne, les troubles s'étendirent à la Hongrie. Au moment où la révolution parisienne triomphait, la Diète hongroise tenait session à Pozsony. Le 3 mars, au nom de l'opposition libérale, Kossuth y avait déjà réclamé un ministère hongrois responsable, l'élargissement du droit de vote, l'abolition des privilèges politiques de la Transylvanie et de la Croatie, ainsi que le transfert du siège de la Diète de Pozsony à Pest, au cœur du pays. Le 5 mars, la foule avait envahi la salle des séances et avait contraint les députés à voter une Adresse pour l'Empereur dans laquelle étaient reprises les revendications de Kossuth. A cet effet, une délégation fut envoyée auprès du *Roi* Ferdinand, et non à l'Empereur; cette délégation arriva à Vienne le jour du départ de Metternich. L'Empereur-Roi promit de donner satisfaction aux Hongrois. Mais en attendant, les députés de la Diète procédèrent de leur propre autorité à toute une série de réformes connues sous le nom de *lois organiques de 1848* : les privilèges furent abolis de même que le régime seigneurial, l'égalité entre tous les citoyens fut proclamée, la liberté de la presse établie. A Pest cependant, où les esprits étaient de plus en plus échauffés par les événements qui se déroulaient, les étudiants, plus radicaux que les notables qui siégeaient à la Diète, manifestèrent à leur tour le 15 mars, alors que le principe des réformes était déjà acquis! A l'appel du poète Petöfi et du romancier Jókai, ils se rassemblèrent devant le Musée National et publièrent une déclaration en 12 points où étaient exposées leurs revendications, puis ils s'en allèrent libérer les détenus politiques.

Par crainte d'une extension des troubles, le roi Ferdinand céda le 7 avril et accepta toutes les revendications des Hongrois. Il nomma son frère l'archiduc Étienne comme *Palatin* (vice-roi), lequel reçut la prestation de serment du premier gouvernement hongrois responsable. Ce gouvernement était présidé par un magnat libéral, le comte Louis Batthyányi et comprenait des représentants de toutes les tendances, des modérés comme Déak et Széchényi, des radicaux comme Kossuth et Szemere. Le 11 avril, Ferdinand vint en personne en tant que Roi de Hongrie prêter serment à la Constitution hongroise puis il prononça la clôture des travaux de la session parlementaire. Ce fut la dernière fois que la Diète siégea à Pozsony. Désormais, Pest devenait le centre politique du pays.

La Révolution paraissait avoir triomphé et le régime de Metternich semblait définitivement détruit. Le libéralisme s'affirmait comme l'idéologie de tous les nouveaux gouvernements. En réalité, la situation était loin d'être claire. D'abord, le pouvoir impérial, bien que dépourvu momentanément de la force armée envoyée en Italie, disposait encore d'atouts puissants. En effet, les troubles n'avaient affecté que les villes; les campagnes, c'est-à-dire la grande majorité de la population, n'avaient pas bougé, et l'abolition du régime seigneurial avait suffi pour calmer les esprits les plus échauffés. D'autre part, les libéraux qui s'étaient partout emparés du pouvoir étaient divisés entre modérés favorables à une entente loyale avec la Couronne, et radicaux désireux de changer totalement les structures politiques et sociales de l'Empire.

Aux revendications en faveur de plus de liberté s'ajoutèrent aussitôt des revendications plus ou moins séparatistes de la plupart des nationalités. Or, les revendications des multiples nationalités qui composaient l'Empire apparurent très vite comme contradictoires et débouchèrent sur de violentes luttes internes. Beaucoup d'intellectuels allemands d'Autriche aspiraient à intégrer l'Autriche à cette grande Allemagne Confédérale dont il était question depuis 1815 et ils envoyèrent au Parlement de Francfort des députés qui agirent dans cette direction. Mais les libéraux tchèques, qui ne se considéraient pas comme des Allemands mais comme des Slaves, affirmaient avec Palacky le caractère particulier de la Bohême. Les radicaux hongrois avec Kossuth aspiraient, eux, à faire de la Hongrie un État national indépendant mais par là-même, ils se heurtaient aux aspirations des peuples non-hongrois qui vivaient à l'intérieur des frontières de la Hongrie. Très vite, en effet, plus ou moins encouragés par les milieux conservateurs de la Cour, les diverses nationalités de Hongrie commencèrent à s'agiter. Ce furent d'abord les Croates qui se montrèrent inquiets du caractère national, voire nationaliste, de la Révolution hongroise. Dès le 25 mars, la Diète de Zagreb désigna comme *Ban*, l'un des chefs du mouvement illyrien, le colonel Jellachich. L'idée d'indépendance commença à faire son chemin en Croatie. Le 5 juin, les députés croates, inquiets de la politique du gouvernement de Pest, franchirent le pas et proclamèrent l'indépendance de la Croatie, et comme le gouvernement hongrois refusait de reconnaître cette indépendance, Jellachich déclara la guerre à la Hongrie le 16 août.

Les Croates ne furent pas les seuls à causer des soucis au gouvernement hongrois. Le 10 mai 1848, un certain nombre de notables slovaques, écrivains, instituteurs, prêtres, réunis à Liptó-Szent Miklós (Liptovsky Sv. Mikulas) votèrent une motion réclamant l'autonomie pour les régions de Hongrie où vivaient des Slovaques. Au même moment, les représentants des Serbes de Hongrie réunis à Karlovici le 13 mai, présentèrent des revendications analogues et envoyèrent copie de leurs doléances à Vienne et à Zagreb. Les Roumains de Transylvanie, eux aussi, étaient en pleine effervescence : à l'appel du clergé uniate, ils organisèrent un grand rassemblement à Balazs-falva (Blaj) et votèrent une motion pour obtenir un statut particulier. Certains n'étaient pas sans rester indifférents à l'idée de rassembler les Roumains des deux versants des Carpates au sein d'un même État. Toutes ces revendications des nationaltiés provoquèrent un durcissement de l'attitude du gouvernement hongrois. Pour celui-ci, le comportement des nationalités était d'autant plus scandaleux que ces nationalités – sauf les Slovaques – étaient venues d'elles-mêmes en Hongrie pour s'y réfugier et y avaient été fraternellement accueillies. Leur ingratitude était jugée incompréhensible, et les amis de Kossuth attribuèrent leur comportement aux intrigues de la Cour.

NATIONALISME ALLEMAND ET TCHÈQUE EN BOHÊME-MORAVIE

« Je ne suis pas Allemand, ou du moins je n'ai pas conscience de l'être... Je suis Tchèque, d'origine slave, et le peu que je vaux est tout entier au service de ma Nation. Cette Nation est sans doute petite, mais elle constitue depuis ses origines une individualité historique. Ses princes sont entrés dans le concert des princes allemands, mais le peuple lui-même ne s'est jamais considéré comme allemand... D'ailleurs vous voulez affaiblir à jamais, rendre impossible l'existence de l'Autriche comme État indépendant. Or, le maintien de l'intégrité de l'Autriche, le développement de l'Autriche sont d'une haute importance non seulement pour mon peuple, mais pour l'Europe entière, pour l'humanité, et la civilisation elle-même... »

Réponse de Frantisek Palacky à une invitation
du Vorparlement de Francfort (mai 1848)

« Ce serait un crime contre tous les droits de l'humanité si en Bohême, en Moravie et en Silésie on allait sacrifier une civilisation reposant sur une culture allemande à un nouvel essai d'organisation politique... Réjouissons-nous

donc de la victoire qui a permis la répression de l'insurrection tchèque de Prague et recherchons les moyens de rendre cette victoire durable!... »

Discours du député allemand de Moravie Karl Giskra au Parlement de Francfort (1ᵉʳ juillet 1848)

L'attitude du gouvernement impérial face à l'agitation des nationalités fut hésitante. Devait-il condamner ces troubles – ou au contraire, les encourager afin de créer des difficultés à ce gouvernement hongrois indépendant que l'on avait accepté seulement du bout des lèvres. En fait, les hésitations du gouvernement impérial vis-à-vis de la question des nationalités en Hongrie étaient dues principalement au fait qu'il y avait des problèmes plus urgents à régler. D'abord l'Italie, où les partisans de l'Unité conduits par le Roi Charles-Albert de Piémont avaient remporté quelques succès en mai 1848 mais où finalement l'armée impériale, commandée par le maréchal Radetzky, remporta un net succès à Custozza le 25 juillet. Ensuite, la Bohême où, très vite, l'unité du mouvement libéral victorieux céda la place à l'affrontement entre nationalistes allemands et patriotes tchèques. Les tendances panslavistes des intellectuels tchèques inquiétaient vivement les Allemands de Bohême qui, de leur côté, aspiraient à l'intégration de cette province dans une Grande Allemagne unifiée. Les sentiments anti-allemands des libéraux tchèques s'exprimèrent ouvertement lors de la réunion du Congrès de tous les Slaves de l'Empire, le 2 juin 1848, dont l'objectif était « d'affermir l'esprit de solidarité de tous les Slaves d'Autriche, de protester contre l'incorporation dans le nouvel Empire allemand de pays dont les habitants n'étaient pas allemands » – allusion à l'idée de Grande Allemagne à laquelle étaient favorables les nationalistes allemands de Bohême et d'Autriche – » de s'allier pour agir en commun dans l'intérêt national et politique, de rechercher à quelles conditions on pourra organiser l'Autriche en un État fédératif, d'envoyer aux souverains une adresse dans laquelle seraient exposés les besoins et les désirs des Slaves ». Le Congrès provoqua l'exaspération des Allemands de Bohême. L'armée impériale en profita pour intervenir afin de mettre tout le monde d'accord. Le général Windischgraetz, après avoir bombardé Prague, s'empara de la ville le 15 juin et procéda à la dissolution du Congrès. En dehors de Prague, les autres villes de Bohême et les campagnes n'avaient pas bougé. Fin juin, la Bohême dans sa totalité se trouvait ainsi replacée sous l'autorité du pouvoir.

Les succès des armées impériales en Italie et en Bohême redonnèrent confiance au gouvernement. La Cour en profita pour donner son apui aux Croates qui venaient de déclarer la guerre à la Hongrie. Les troupes croates auxquelles s'étaient joints des volontaires serbes venus du Sud de la Hongrie, franchirent le Drave et pénétrèrent en territoire hongrois. Les Hongrois ne disposaient pas d'armée nationale. Les contingents hongrois de l'Armée Impériale étaient dispersés dans les diverses garnisons aux quatre coins de l'Empire. A l'appel de Kossuth, la plupart des soldats hongrois vinrent se mettre au service du gouvernement national. Le nouveau Parlement Hongrois qui avait été élu en juillet 1848 et qui venait de proclamer « la patrie en danger » décida la levée d'une *Garde Nationale* (Honvéd) de 200 000 hommes. Les premiers succès croates et l'appui quasi-officiel donné par le gouvernement impérial à l'action de Jellachich, amenèrent une grave crise en Hongrie. Le Palatin Étienne, désavoué par l'Empereur, démissionna le 9 septembre ; sa démission fut suivie le surlendemain par celle du gouvernement Batthyányi. L'Empereur crut que le moment était venu d'écraser la rebellion hongroise ; il envoya à Pest comme « *Commissaire impérial plénipotentiaire* » le général Lemberg avec pour mission de rétablir l'ordre en Hongrie. La nomination de Lemberg, l'avance menaçante des Croates, galvanisèrent le patriotisme des députés hongrois. Le 22 septembre, Kossuth fut nommé Président du *Comité de Défense*. La situation s'aggravait d'heure en heure. Les Croates venaient d'atteindre Veszprém, à une soixantaine de kilomètres de la capitale. Cette nouvelle exaspéra la foule. Des émeutes éclatèrent à Pest, et le 29 septembre, la foule en furie assassina le général Lemberg. Le même jour, les Honvéds arrêtaient les Croates à Pákozd. La patrie était sauvée, mais les éléments modérés du Parlement, inquiets des violences commises par les extrêmistes que Kossuth contrôlait de moins en moins, commencèrent à prendre leurs distances. A partir d'octobre 1848, la rupture est désormais consommée entre les modérés et les radicaux hongrois, et surtout entre la Révolution hongroise et la Cour Impériale.

Kossuth et la Guerre d'Indépendance (1848-1849)

A partir d'octobre 1848, Kossuth est devenu le véritable maître du pays. Ses armées commandées par des généraux issus de l'armée impériale comme Arthur Görgey et Georges Klapka, auxquels se sont joints des officiers polonais comme le général Bem, repoussèrent d'abord les Croates vers l'ouest, en direction de la frontière autrichienne. Le comte Latour, ministre de la Guerre du gouvernement impérial, voulut faire marcher contre les Hongrois des régiments d'origine italienne en garnison à Vienne. Ceux-ci refusèrent de partir, et le 6 octobre, les ouvriers et les étudiants viennois, favorables aux Hongrois, manifestèrent, édifièrent des barricades dans le centre de la ville. Au cours de cette deuxième révolution viennoise, le ministre Latour fut assassiné. La Cour quitta alors Vienne et se réfugia en Bohême à Olomouc.

Les Honvéds tentèrent d'aider les révolutionnaires viennois mais ils furent repoussés à Schwechat le 30 octobre par l'armée impériale qui assiégeait la capitale autrichienne. Finalement, le 1er novembre, Vienne, après un intense bombardement d'artillerie, fut prise d'assaut. L'Assemblée Constituante fut dissoute et la plupart des réformes de mars 1848 furent abolies.

Peu après, le vieil Empereur Ferdinand, malade, renonçait au trône. Le 2 décembre 1848, son neveu, François-Joseph lui succéda : il n'avait que 18 ans. Conseillé par les milieux conservateurs de la Cour, il fit clairement savoir qu'il entendait rétablir l'ordre dans ses États mais conscient des problèmes qui se posaient, il faisait savoir à ses peuples que « fermement résolu à conserver sans tache l'éclat de la couronne, mais prêt à partager nos droits avec les représentants de nos peuples, nous espérons, avec l'aide de Dieu, arriver à réunir, en un grand corps d'État, tous les pays et toutes les races de la Monarchie ».

L'avènement de François-Joseph radicalisa les positions des révolutionnaires hongrois. Kossuth fut savoir aussitôt que la Hongrie ne reconnaîtrait pas le nouveau souverain comme *Roi de Hongrie* tant qu'il n'aurait pas prêté serment à la Constitution. De son côté, le gouvernement impérial répondit à cette demande par une offensive militaire généralisée contre la Hongrie. Le 18 décembre 1848, les Impériaux s'emparaient de Pozsony, puis le 4 janvier 1849 de Buda et de Pest. Le gouvernement de Kossuth et ce qui restait du Parlement hongrois – les députés modérés l'avaient déserté – se réfugièrent à Debrecen. Profitant de la situation, les Roumains de Transylvanie, les Serbes du Banat et de Voïvodine se soulevèrent et se livrèrent à des violences et à des massacres sur les populations hongroises. La situation de Kossuth semblait bien compromise en ce début de l'année 1849. Les Honvéds la rétablirent rapidement.

Avec 10 000 hommes, le général Bem rétablissait l'ordre en Transylvanie, tandis que les généraux Damjanich et Perczel écrasaient l'insurrection serbe. De son côté, le général Görgey reprenait Pest le 24 avril et la forteresse de Buda le 21 mai. Une nouvelle fois, les armées impériales semblaient battues. Kossuth, alors à l'apogée de sa puissance, voulut compléter sa victoire militaire par une victoire politique. Le 14 avril 1849 à Debrecen, à l'initiative du député radical Madarász, le Parlement – en fait à peine le quart de ses membres – proclama l'indépendance de la Hongrie et la déchéance des Habsbourg. Dans les jours qui suivirent, toute une série de réformes politiques et sociales furent votées dans l'enthousiasme.

La décision du Parlement hongrois incita l'Empereur François-Joseph à suivre les conseils de son entourage qui le pressait d'accepter les propositions d'aide faites par le Tsar de Russie. Dès juin 1848 en effet, Nicolas I avait offert ses services à l'Autriche pour venir à bout des diverses révolutions; son offre avait alors été poliment déclinée. Mais au début de l'été 1849, la situation était différente et l'action de Kossuth risquait d'entraîner la sécession de la Hongrie. Dès lors, l'intervention russe fut acceptée. En juillet, l'armée russe commandée par le maréchal Paskievich, le vainqueur de la révolution polonaise de 1830-1831, envahit la Hongrie par le nord et par l'est, tandis que l'armée autrichienne du maréchal Haynau attaquait par l'ouest. Kossuth en conflit ouvert avec le général Görgey, se trouva de plus en plus isolé. Il tenta en faisant voter une loi libérale sur les nationalités de rallier les populations allogènes, mais il était trop tard; celles-ci attendaient pour se prononcer l'issue de la guerre. A la bataille de Segesvár, où périt le poète Petöfi le 31 juillet, les Honvéds furent battus, puis le 9 août à, Temesvár, Kossuth, abandonné de tous, préféra se retirer; il se réfugia en Turquie en abandonnant le pouvoir au général Görgey. Le 13 août 1849, à Vilagos, l'armée hongroise capitula, mais certaines places fortes résistèrent encore quelque temps. Arad jusqu'au 17 août. La dernière à capituler fut Komárom dont le défenseur, le général Klapka, se rendit dans des conditions honorables le 25 septembre 1849.

La Hongrie fut soumise alors à un régime d'occupation militaire avec application de la loi martiale. Le maréchal Haynau, qui avait durement réprimé la révolution italienne et qui à ce titre avait été surnommé la *hyène de Brescia*, organisa des tribunaux militaires pour châtier ceux qui avaient participé à l'insurrection. Le 6 octobre 1849, le Prince Batthyányi, le chef du premier gouvernement hongrois indépendant, fut fusillé à Pest, tandis que le même jour, à Arad, 13 généraux hongrois, les *martyrs d'Arad* étaient exécutés. Seul, le général Görgey fut épargné, et s'en tira avec une condamnation à une lourde peine d'emprisonnement. Il est vrai que Görgey s'était toujours efforcé de calmer les éléments les plus radicaux du gouvernement. Au total, il y eut une centaine d'exécutions, et des milliers de condamnations à des peines de forteresse plus ou moins longues. La répression d'ailleurs s'abattit avec la même intensité sur les Hongrois que sur les peuples allogènes qui les avaient combattus.

La révolution hongroise qui avait commencé dans la joie en mars 1848 s'achevait dans le sang en août 1849. Elle fut la plus longue de toutes celles qui ébranlèrent l'Europe en ce milieu du XIXe siècle. Son échec fut provoqué essentiellement par le fait que ses chefs, malgré leurs idées libérales, n'avaient pas su trouver une solution au problème des nationalités. Animés par un patriotisme romantique, aveuglés par leur enthousiasme à créer un État hongrois à la fois national et indépendant, ils avaient provoqué une vive réaction des allogènes de Hongrie, qui, eux aussi, étaient en train de prendre conscience de leur identité nationale. En voulant détruire les structures traditionnelles, on avait mis le feu aux poudres en Europe Centrale et déclenché l'affrontement entre les différentes nationalités.

Dans l'immédiat, les révolutions de 1848 avaient partout échoué. L'œuvre du Congrès de Vienne malgré l'éloignement définitif de Metternich, paraissait intacte. Il restait de 1848 des réformes importantes. Le régime seigneurial était définitivement aboli et l'égalité des droits de tous les sujets proclamée. Mais le problème des rapports entre les différentes nations, qui n'avait jamais suscité de grosses difficultés dans l'Empire des Habsbourg, se trouvait désormais posé.

IX

A LA RECHERCHE
DE NOUVELLES STRUCTURES

En dépit de leur échec et du triomphe apparent de la réaction, les Révolutions de 1848-1849 ont profondément marqué les peuples de l'Europe de l'Est, même ceux qui n'ont été qu'indirectement touchés. Partout, les gouvernements ont pris conscience de l'importance du *mouvement des nationalités*, les uns pour le déplorer, voire s'y opposer, les autres pour l'encourager, voire l'utiliser à des fins expansionnistes. Le mouvement des nationalités devenait dès lors un élément important de la politique extérieure des grandes Puissances.

Les puissances et la question d'Orient

A partir de 1850, la présence en Europe orientale d'un Empire ottoman affaibli, – les diplomates de l'époque parlaient à son propos de « l'homme malade de l'Europe » – devient une des occupations majeures des chancelleries européennes. Le réveil des peuples balkaniques qui avait déjà abouti à l'indépendance de la Grèce et à l'autonomie de la Serbie, fit désormais l'objet d'une attention soutenue de la part des Grandes Puissances. Devait-on démembrer l'Empire ottoman comme le suggérait en janvier 1853 l'ambassadeur russe à Constantinople à son collègue britannique, ou bien fallait-il veiller à son maintien ? Sur la réponse à donner à ces questions, les Grandes Puissances étaient en total désaccord. Certes, tout le monde était conscient de l'existence dans l'Empire ottoman de nations chrétiennes opprimées, qui, toutes, aspiraient à se libérer de la tutelle turque, mais tous les gouvernements avaient en vue également la défense de leurs propres intérêts.

La Russie s'était toujours montrée favorable à un démembrement de l'Empire ottoman : le Tsar se sentait solidaire des chrétiens orthodoxes des Balkans, qui, pour la plupart, étaient des Slaves. Son objectif lointain était de faire sauter le « verrou » turc qui, avec Constantinople, fermait les Détroits et empêchait tout accès direct à la Méditerranée. Napoléon III, pour des raisons de politique intérieure, se montra, dès le début de son règne, bien disposé à l'égard des communautés chrétiennes de l'Empire Ottoman et, au nom du *principe des nationalités* dont il fit l'une des bases de sa politique étrangère, il se montra favorable à l'émancipation des peuples balkaniques, mais seulement en complet accord avec les Anglais. L'autre base, en effet, de la politique extérieure du Second Empire, reposait sur l'entente avec le Royaume-Uni. Or, le gouvernement britannique souhaitait le maintien de l'intégrité territoriale de l'Empire ottoman afin de faire obstacle à la pénétration russe en Méditerranée orientale. L'Empire d'Autriche enfin, qui considérait les Balkans comme son débouché naturel, semblait plutôt opter en faveur du maintien du *statu quo*. Dans les Balkans, en effet, vivaient des frères de race de ses sujets serbes et roumains qui pourraient les attirer dans les nouveaux États qui ne manqueraient pas de se constituer sur les ruines de l'Empire ottoman.

La première crise internationale sérieuse liée à la question d'Orient éclata en 1853 et déboucha sur ce qu'il est convenu d'appeler la *Guerre de Crimée*. L'origine du conflit se situe à Jérusalem et se rattache au problème de la garde des Lieux Saints. Les religieux de rite latin, français pour la plupart, avaient progressivement étendu leur influence à Jérusalem aux dépens des moines orthodoxes. Le gouvernement russe favorable aux orthodoxes estimant que le clergé orthodoxe avait été injustement évincé, décida d'intervenir auprès du Sultan de Turquie dont dépendait la Palestine. En février 1853, le Tsar Nicolas Ier envoya à Constantinople une mission conduite par le Prince Menchikov afin d'obtenir du Sultan le droit d'assurer la protection des chrétiens orthodoxes de l'Empire Ottoman. Le Sultan, se sachant soutenu par les Anglais, refusa d'accéder à cette demande; ce refus entraîna en mai le départ de la mission Menchikov et la rupture entre la Russie et l'Empire ottoman. Les Russes ripostèrent en envoyant des troupes en Moldavie et en Valachie. Quelques mois plus tard, en novembre 1853, le Sultan déclara la guerre à la Russie; la France et le Royaume-Uni se joignirent à lui en mars 1854. Quant à l'Autriche, elle demeura neutre mais plutôt favorable aux Alliés. La Guerre de Crimée dura près de deux ans et se termina par la défaite de la Russie. Le Traité de Paris du 30 mars 1856 s'efforça de concilier le principe du maintien de l'intégrité territoriale de l'Empire ottoman, et les intérêts des nations balkaniques défendus par la France. La grande victime du Traité fut la Russie en raison de la neutralisation de la Mer Noire. En revanche, l'indépendance et l'intégrité de l'Empire Ottoman chères aux Anglais étaient solennellement réaffirmées et placées sous la garantie des Puissances. Pour les peuples des Balkans, le Traité s'avérait très positif. L'autonomie de la Serbie s'y voyait confirmée, et ce statut était étendu à la Moldavie et à la Valachie « avec une administration indépendante et nationale », sous la garantie des Puissances et sans préjudice de la suzeraineté du Sultan. Napoléon III aurait voulu faire davantage pour la Moldavie et la Valachie : il proposa d'unir les deux principautés en un État roumain unitaire. Mais le Sultan, le gouvernement britannique, et surtout le gouvernement autrichien s'y montrèrent hostiles. Un compromis fut finalement trouvé : la Moldavie et la Valachie formeraient désormais les *Principautés-Unies* avec une même législation et une même Cour de Justice, tout en demeurant deux États distincts ayant chacun leur *Hospodar* élu à vie. Une autre décision fut prise à la Conférence de la paix; ce fut l'internationalisation du Danube.

NAPOLÉON III ET LA QUESTION D'ORIENT
APRÈS LE CONGRÈS DE PARIS

« Le gouvernement de l'Empire a toujours été inspiré par une double pensée dans les affaires d'Orient; s'il a entendu, dans un intérêt de politique à la fois française et européenne, assurer l'indépendance et le maintien de l'Empire Ottoman, une de ses non moins constantes préoccupations a été de voir s'améliorer le sort des populations chrétiennes qui relèvent de la souveraineté et de la suzeraineté du Sultan. Il regarde comme un des résultats les plus heureux de sa politique et des efforts de ses armées, d'avoir contribué à relever les conditions de ces nombreuses populations en leur faisant obtenir l'égalité des droits et les avantages de la liberté religieuse... »

Note officielle du gouvernement français
publiée au Moniteur du 5 février 1857

Napoléon III, au cours des années suivantes, continua en sous-main sa politique en faveur de l'unité roumaine. Les consuls français à Bucarest et à Jassy, Blondel et Place, conseillèrent aux Assemblées de Moldavie et de Valachie, pour tourner les dispositions du Traité de 1856, d'élire le même Hospodar. Le 24 janvier 1859, les Assemblées de Moldavie et de la Valachie élirent ainsi Alexandre Ion Couza, qui prit aussitôt le titre de Prince de Roumanie. L'Europe accepta cette situation et le Sultan lui-même reconnut le fait accompli deux ans plus tard : l'État roumain était né. Une première crise intérieure provoqua quelques tensions dans le nouvel État. En effet, dans la nuit du 10 au 11 février 1866, une conspiration militaire fomentée par les Boyards conservateurs força le Prince Couza à se retirer. On lui reprochait d'exercer une véritable dictature. En fait, le véritable motif du complot, c'était que le Prince faisait une politique sociale avancée en faveur des milieux populaires. Couza, en effet, avait procédé à des réformes importantes : sécularisation des biens des monastères en 1863, suppression de la corvée et remise aux paysans de la pleine propriété sur leurs terres, mesure qui touchait 400 000 familles, abaissement du cens électoral et création d'un enseignement primaire gratuit et obligatoire. De telles mesures risquaient d'affaiblir la puissance politique économique des grands propriétaires. On comprend mieux ainsi les raisons de la chute de Couza.

Napoléon III favorisa l'accession au trône du Prince Charles de Hohenzollern-Sigmaringen, cousin par son père du roi de Prusse Guillaume I, et par sa mère, de Napoléon III lui-même. En mai 1866, le Prince Charles fit son entrée à Bucarest et grâce à l'action efficace de l'ambassadeur de France à Constantinople, fut reconnu dès octobre par le Sultan comme Prince héréditaire de Roumanie. Ses descendants régnèrent en Roumanie jusqu'en 1947.

Les illusions polonaises

La Pologne russe était demeurée calme au moment des révolutions de 1848, non pas que le sentiment national y ait disparu, clergé et l'aristocratie s'en faisaient les porte-parole –, mais parce que, après l'échec du soulèvement de 1830-1831, le pays était soumis au régime d'occupation militaire qui rendait vaine toute tentative d'action. La mort du tsar Nicolas I en 1855, qui symbolisait l'absolutisme le plus intransigeant, fut accueillie avec soulagement par les Polonais, d'autant plus que le nouveau Tsar, son fils, Alexandre II, passait pour relativement ouvert aux idées libérales. Certes, recevant en 1856 les députés de la noblesse polonaise, le nouveau Tsar leur avait rappelé qu'il entendait continuer la politique de son père et qu'il n'était pas question pour lui de rétablir la Constitution de 1815. Mais au même moment, le Tsar nomma comme Vice-Roi de Pologne, le Prince Gortchakov, beaucoup moins autoritaire que son prédécesseur Paskiévitch. Dès son arrivée à Varsovie, le nouveau Vice-Roi publia un décret d'amnistie et restitua aux bénéficiaires les biens qui leur avaient été confisqués. Le climat de relative liberté qui commença à s'instaurer en Pologne favorisa la renaissance d'une certaine forme de vie politique. La *Société Agronomique* fondée dès 1855 par le comte Zamoyski, et qui groupait plusieurs milliers de propriétaires fonciers, nobles pour la plupart, devint vite le point de ralliement de l'opposition libérale et nationale qui aspirait à faire une Pologne indépendante unie à la Russie par la seule communauté du souverain. Mais face à ces libéraux relativement modérés qui formaient le *Parti Blanc*, les opposants les plus radicaux, ceux du *Parti Rouge*, issus de la petite noblesse, du monde étudiant et du petit peuple de Varsovie, réclamèrent l'indépendance totale du pays dans le cadre de ses frontières historiques.

Les succès du mouvement unitaire italien de 1859-1860 furent accueillis avec enthousiasme par les patriotes polonais. Ceux-ci constataient avec joie que Napoléon III avait soutenu les Italiens dans la lutte pour leur indépendance ; ils étaient persuadés que l'Empereur des Français agirait de même à l'égard des Polonais, d'autant plus que son Ministre des Affaires Étrangères n'était autre que le comte Walewski, le fils de Marie Walewska et de Napoléon Ier. Les Polonais savaient aussi que Napoléon III était un chaud partisan du *principe des nationalités* ; il venait encore de le prouver en soutenant les Roumains de Moldavie et de Valachie dans leur combat pour l'indépendance.

Les Polonais semblaient confiants dans l'avenir. Le Tsar ne venait-il pas en 1858 d'abolir le servage dans les domaines de la Couronne et ne s'apprêtait-il pas à étendre cette mesure à l'ensemble des terres russes ? Le moment n'était-il donc pas venu pour eux de forcer le destin ? Les premières manifestations en Pologne eurent lieu à l'occasion de l'anniversaire des principaux événements de la Révolution de 1830-1831. Elles débutèrent le 29 novembre 1860, anniversaire du soulèvement de Varsovie en 1830, puis reprirent les 25 et 27 février 1861. Cette fois-ci, les troupes russes réagirent brutalement et tirèrent dans la foule : il y eut des morts. La Société Agronomique, soucieuse d'éviter une nouvelle Révolution, crut bon de présenter au Vice-Roi une pétition réclamant une libéralisation du régime. Le vice-Roi répondit par la dissolution de la Société et par l'exil du comte Zamoyski. Alexandre II sembla hésiter sur la politique à suivre en Pologne, et il changea plusieurs fois de vice-roi. Qu'allaient faire les Polonais ? Très vite, Rouges et Blancs reprirent leurs affrontements. Le chef libéral Wielopolski s'efforça de chercher un accord avec le Tsar, mais il fut aussitôt accusé de trahison par les Rouges. Pour éviter de nouveaux troubles, Wielopolski conseilla aux autorités d'appeler sous les drapeaux les jeunes gens de Varsovie, mais personne ne répondit à l'ordre de mobilisation. Au contraire, la situation se tendit brusquement. Le 22 janvier 1863, le *Comité Central Révolutionnaire* dirigé par les chefs du Parti Rouge lança un appel à l'insurrection générale; un Comité semblable fut constitué à Wilno qui proclama, le 31 mars, la Lithuanie partie intégrante de la Pologne. A la fin du mois d'avril, toute la Pologne, y compris les provinces directement administrées par la Russie, se trouvait en état d'insurrection et le Comité Central devenu Gouvernement Provisoire fit appel aux Puissances Étrangères. Napoléon III, à qui le gouvernement polonais avait délégué le général Mieroslawski, écrivit personnellement au Tsar pour lui demander le rétablissement de la Constitution de 1815 et la nomination de son frère le grand-duc Constantin comme viceroi. La réponse du Tsar fut négative. Le gouvernement britannique intervint dans le même sens et n'obtînt pas davantage de résultat. Quant à l'Autriche, favorable aux insurgés, elle hésita à s'engager. En revanche, le Prusse donna son appui total au Tsar et Bismarck fit fermer la frontière polono-prussienne afin que les insurgés polonais ne puissent trouver refuge en territoire prussien.

Des troupes polonaises, recrutées à la hâte dans la fièvre de l'insurrection, conduites par des chefs comme les généraux Wysocki et Poradovski, s'efforcèrent de paralyser les mouvements des troupes russes. Mais la lutte était inégale. En mai 1863, le général Mouraviev put réoccuper la Lithuanie qui fut aussitôt soumise à un régime d'exception : le russe y devint langue officielle, et le clergé catholique fut en grande partie déporté en Sibérie. En Biélorussie, où des troubles avaient eu lieu, la répression frappa durement l'Église uniate, qui fut rattachée à l'Église orthodoxe. En Pologne, l'armée du général Berg encercla Varsovie, qui dut capituler. Les membres du gouvernement provisoire furent arrêtés, condamnés à mort par une Cour martiale et pendus en août 1864. Plusieurs dizaines de milliers d'insurgés furent déportés en Sibérie et leurs biens confisqués. Toutes les institutions

propres à la Pologne qui subsitaient encore furent supprimées et le russe devint la langue obligatoire de l'administration et de l'Université. La noblesse polonaise, qui avait
soutenu l'insurrection, fut frappée dans ses biens. Afin
d'opposer les paysans aux nobles, le gouvernement russe
décida en mars 1864 que les paysans des domaines de la
Couronne, de l'Église et des nobles seraient désormais
pleinement propriétaires de leurs tenures et que les redevances et corvées étaient abolies. Cette mesure favorable
aux paysans ne les rallia pas pour autant à la cause des
occupants russes. L'Église catholique enfin, qui avait toujours été la gardienne des traditions nationales, connut
elle aussi les rigueurs de la répression. Les évêques furent
tous sans exception arrêtés et déportés en Sibérie, si bien
que, encore en 1870, tous les sièges épiscopaux se trouvaient vacants. La plupart des couvents furent fermés dès
1864, et les biens de l'Église sécularisés l'année suivante.

La Pologne avait payé durement sa volonté d'émancipation. Toutefois, en dépit de tout l'appareil répressif, les
Polonais résistèrent passivement à la politique de russification qu'on leur imposait, notamment au niveau de
l'école et de l'administration locale. Le temps des insur-
rections romantiques était désormais révolu.

De l'Autriche à l'Autriche-Hongrie (1850-1867)

L'échec des Révolutions de 1848-1849 en Autriche, la
répression qui suivit, n'avaient en aucune façon réglé les
problèmes de la réorganisation de l'Empire en fonction
de la double montée des aspirations libérales et des mouvements nationaux. L'Empereur François-Joseph, comme
il l'avait laissé entendre dans la proclamation qu'il
adressa à ses peuples à l'occasion de son avènement,
chercha à trouver une solution raisonnable à tous ces
problèmes sans pour autant affaiblir les prérogatives de la
Couronne, ni nuire aux intérêts supérieurs de l'Empire.

Dans les premières années qui suivirent la Révolution,
François-Joseph sembla écouter les conseils de son
entourage conservateur, en particulier de sa mère l'archiduchesse Sophie. Le pouvoir fut d'abord confié au général Prince Schwarzenberg, puis après la mort de celui-ci
en 1852, à Alexandre Bach, qui fut le véritable Premier

Ministre jusqu'en 1859. Ces dix années furent caractérisées par le retour à un régime autoritaire dans la tradition de Metternich. Le gouvernement reprit l'ancienne tradition habsbourgeoise d'alliance avec l'Église Catholique, qui avait été remise en cause à l'époque de Joseph II. Le Concordat signé en 1855 avec Pie IX donna à l'Église catholique une position privilégiée dans l'État ; l'Église se vit notamment confier le soin d'assurer l'enseignement de la jeunesse. De plus, le gouvernement Bach reprit à son compte la politique de germanisation des peuples de l'Empire que Joseph II avait autrefois tenté. Les différentes provinces de l'Empire furent largement pourvues en fonctionnaires germanophones qui imposèrent l'allemand dans les écoles et dans l'administration. Dans l'esprit des dirigeants, le moyen le plus efficace de faire coexister toutes ces nationalités était de leur imposer une langue commune. Mais en même temps, pour se concilier la paysannerie, Bach maintint les acquis sociaux de la Révolution : le régime seigneurial, les droits féodaux, les corvées, furent définitivement abolis et l'égalité civile de tous les sujets réaffirmée.

Les déboires de la politique autrichienne en Italie en 1859, la résistance passive pratiquée par les non-allemands de l'Empire, en particulier par les Hongrois, amenèrent François-Joseph à prendre personnellement en main la direction des affaires publiques afin de réorganiser la Monarchie sur des principes nouveaux. En mars 1860, l'Empereur réunit un *Grand Conseil d'Empire* formé de membres élus et de notables désignés par lui. Deux courants politiques d'égale importance y siégeaient, un courant *unitaire* favorable à la transformation de l'Empire en un État libéral doté d'une Constitution avec un gouvernement central responsable devant le Parlement, et un courant *fédéraliste* préconisant la restauration des anciens États historiques, chacun étant doté d'un gouvernement national à compétence élargie : c'était la position des délégués croates, hongrois et tchèques.

François-Joseph, soucieux de concilier l'unité de l'Empire avec la diversité de ses populations, publia le 20 octobre 1860 un *Diplôme* d'inspiration fédéraliste. Dans chacun des pays de l'Empire, un Diète élue détiendrait l'essentiel du pouvoir législatif, et désignerait les membres du Conseil d'Empire ou *Reichsrat* chargé de s'occuper des affaires communes à toutes les provinces de la Monarchie. Toutes les nationalités étaient placées sur un pied d'égalité et tous les citoyens étaient admissibles à tous les emplois. En outre, dans chacun des États de l'Empire, la langue locale serait la langue officielle. La publication du Diplôme fut suivie partout de l'élection des députés aux diverses Diètes nationales. Quelques mois plus tard, le 26 février 1861, François-Joseph compléta le Diplôme par une *Patente* d'inspiration plus centralisatrice. Les Diètes locales subsistaient certes, mais une partie de leurs attributions étaient transférées au *Conseil d'Empire*. Ce Conseil devenait un véritable Parlement devant lequel les ministres étaient responsables; il se composait de deux Assemblées, la *Chambre des Seigneurs* nommée par le souverain, la *Chambre des Députés* formée de 340 députés élus par les Diètes.

Les Hongrois, qui avaient été les plus engagés en 1848-1849, se montrèrent très mécontents de la *Patente* de février 1861 alors qu'ils avaient salué avec espoir le Diplôme d'octobre 1860. A la session de la Diète de mai 1861, François Déak, devenu le chef de l'opposition depuis que Kossuth s'était exilé, réclama le retour à la stricte application de la Constitution. Les députés hongrois refusèrent de siéger au Conseil d'Empire, ce qui amena la dissolution de la Diète. En Bohême, la situation n'était guère meilleure, mais les députés tchèques acceptèrent cependant de siéger au Conseil d'Empire où ils réclamèrent de véritables réformes.

La situation demeura bloquée pendant 4 ans. En 1865 cependant, François-Joseph reprit contact avec l'opposition hongroise, et à l'ouverture de la Diète, il annonça qu'il fallait rétablir l'ancienne Constitution tout en sauvegardant les intérêts de l'Empire. Déak, appuyé par un proscrit de 1848, amnistié et rentré au pays, le comte Jules Andrassy, se déclara prêt à négocier. Les échecs de l'Autriche en Allemagne avec la défaite de Sadowa le 3 juillet 1866, et l'action personnelle de l'Impératrice Élisabeth favorable aux Hongrois, permirent la conclusion d'un accord entre l'Empereur et ses sujets hongrois.

Cet accord signé le 18 février 1867 est connu sous le nom de *compromis austro-hongrois*. Le Compromis *(Aus-*

gleich) se compose en réalité de deux documents : l'un est le *Statut Constitutionnel* qui concerne l'Autriche et ses dépendances, l'autre est le *Pacte constitutionnel* passé entre François-Joseph et la Nation hongroise. Les possessions des Habsbourg formeront désormais une *Double Monarchie* formée de l'*Empire d'Autriche* ou *Cisleithanie* (Autriche, Bohême, Moravie, Slovénie, Carniole, Istrie, Galicie), et du *Royaume de Hongrie* ou *Transleithanie* (Hongrie proprement dite, Transylvanie, Croatie-Slavonie et Fiume). Chacun de ces deux États devait avoir ses propres institutions, sa propre administration, ses propres lois mais les deux parties de la Double Monarchie étaient unies sous le sceptre d'un monarque commun, François-Joseph, Empereur à Vienne et Roi à Budapest. Le couronnement de François-Joseph comme *Roi apostolique de Hongrie* le 8 juin 1867 concrétisa aux yeux des Hongrois la réconciliation du pays avec la dynastie.

En Autriche, le pouvoir législatif fut confié à un *Conseil d'Empire* ou *Reichsrat*, formé de deux Chambres, la *Chambre des Seigneurs* composée de membres de droit (Princes du sang, prélats), de 53 membres héréditaires, et de 100 membres nommés à vie par l'Empereur et la *Chambre des Députés* élue pour 6 ans par un système de représentation des différents corps sociaux : sur les 353 députés, 85 représentaient la grande propriété, 137 les villes et le commerce, 131 les communes rurales. Ce système avantageait la représentation des Allemands et des Polonais. Le gouvernement, cependant, n'était pas responsable devant ces assemblées.

En Hongrie, la Diète comprenait également deux Assemblées, la *Chambre Haute* dont la composition rappelait celle de la Chambre des Seigneurs d'Autriche, et la *Chambre Basse* formée de 447 députés (337 pour la Hongrie proprement dite, 75 pour la Transylvanie, 34 pour la Croatie-Slavonie et 1 pour Fiume) élus selon un système censitaire. A la différence de ce qui se passait à Vienne, ici en Hongrie, le gouvernement était responsable devant les Assemblées.

Pour « les intérêts communs de la Hongrie avec les autres pays de Sa Majesté », trois ministères communs furent créés. (Affaires Étrangères, Guerre, Finances) dont les titulaires étaient responsables devant deux *Déléga-*

tions formées chacune de 60 députés élus par les Parlements de Vienne et de Budapest. Les dépenses liées aux affaires communes furent réparties sur la base d'un compromis financier qui laissait à la Hongrie 30 % des charges et le reste à l'Autriche. L'*Armée Impériale et Royale* était commune aux deux parties de l'Empire, avec l'allemand comme langue de commandement. Toutefois, l'Autriche, comme la Hongrie, disposèrent chacune d'une armée territoriale (*Landsturm* en Autriche, *Honvéd* en Hongrie) de recrutement local avec commandement en langue nationale. Le compromis austro-hongrois fut complété en novembre 1868 par un compromis hungaro-croate négocié entre le gouvernement de Budapest et la Diète de Zagreb. La Croatie-Slavonie formerait désormais un royaume autonome au sein de la Grande-Hongrie, avec son administration particulière, sa Diète, le gouvernement de Budapest étant représenté par le *Ban*.

La réorganisation de la monarchie habsbourgeoise aboutissait à confier la gestion de l'Empire aux deux groupes nationaux les plus nombreux, les Allemands en Autriche, les Hongrois en Hongrie. Les autres nationalités allaient-elles se satisfaire de ce compromis qui, tout en leur garantissant l'égalité des droits, le libre usage de leur langue, la liberté religieuse, les écartaient des responsabilités du pouvoir si elles refusaient le cadre juridique tracé en 1867? La question se trouvait désormais posée.

X

L'EXPÉRIENCE AUSTRO-HONGROISE
(1867-1918)

L'Autriche-Hongrie vue par les contemporains

Le compromis de 1867 était-il capable d'assurer aux diverses nationalités de la monarchie habsbourgeoise leur épanouissement et la réalisation des aspirations qu'elles avaient si brutalement exprimées en 1848-1849 ? La question s'est posée dès la mise en application de l'accord de 1867 et elle a fait l'objet d'interminables controverses tant à l'intérieur de la Double Monarchie qu'à l'extérieur.

A l'intérieur de l'Empire, certains pensaient que le Compromis de 1867 n'était que la première étape d'un processus qui aboutirait à un système véritablement fédéral, le Dualisme devant logiquement évoluer vers un Trialisme, voire un Quadrialisme. D'autres, au contraire, notamment en Hongrie chez les nostalgiques de Kossuth, estimaient que le Compromis n'était qu'un pis-aller, mais qu'à plus ou moins long terme on devrait parvenir à l'indépendance totale. En fait, ces points de vue correspondaient davantage à l'opinion de la classe politique ou des milieux intellectuels, qu'à celle des populations qui, dans leur grande majorité, habituées qu'elles étaient à vivre ensemble, demeuraient fidèles peut-être davantage à la personne du souverain qui incarnait l'État qu'au système constitutionnel en place.

A l'extérieur, les attitudes étaient différentes. Les nationalistes allemands se montrèrent dès le début hostiles au Dualisme et *a fortiori* à toute évolution vers un système fédéral dans la mesure où un tel système affaiblirait la position des Allemands au sein de l'Empire. Les milieux pangermanistes d'Allemagne qui bénéficiaient d'appuis dans une partie de la classe politique germano-autrichienne, envisageaient plutôt une intégration de l'Empire des Habsbourg – avec ou sans les territoires hongrois – dans le cadre d'une vaste *Mittel-Europa* dirigée par Berlin. Parallèlement, les dirigeants russes, conscients de l'importance numérique des populations slaves dans la Monarchie austro-hongroise, n'étaient pas sans négliger l'intérêt qu'il y aurait pour la Russie à détacher les Slaves de l'Autriche-Hongrie et à les attirer vers les jeunes États slaves des Balkans clients de la Russie. Au pangermanisme de l'Ouest correspondait le panslavisme de l'Est.

En France, si les milieux officiels manifestaient une stricte neutralité à l'égard de l'Autriche-Hongrie, certains universitaires comme Ernest Denis et Ernest Lavisse, des hommes politiques de gauche comme Gambetta et Clemenceau, les milieux anticléricaux dans leur ensemble, les loges maçonniques, voyaient dans la monarchie des Habsbourg un État conservateur et clérical et dénonçaient l'oppression réelle ou supposée dont étaient victimes les populations slaves et roumaines. L'alliance franco-russe de 1892 renforça ce courant anti-austro-hongrois et le gouvernement français, par goût et par nécessité, – l'appui militaire de la Russie en cas d'un nouveau conflit franco-allemand – se mit en devoir d'épouser les thèses de Saint-Pétersbourg à propos de l'Autriche-Hongrie et des Balkans. Au nom de l'amitié franco-russe, on oubliait, ou on feignait d'oublier, que, dans l'Europe des années 1900, les nationalités les plus opprimées en Europe de l'Est se trouvaient précisément en Russie, où les Polonais, les Baltes, les Ukrainiens, et les peuples du Caucase, subissaient une politique de russification intensive.

Les historiens français de l'entre-deux-guerres portèrent sur la défunte Autriche-Hongrie des jugements sévères. Les manuels d'histoire de l'Enseignement secondaire et supérieur donnèrent systématiquement une image simpliste et caricaturale de la Monarchie des Habsbourg. Symbolique à ce sujet est la mise en exergue d'une prétendue « citation » du chancelier d'Autriche Beust à propos du partage des peuples de l'Empire en 1867 : « gardez vos hordes », aurait dit Beust au président du

Conseil hongrois Andrássy, « nous garderons les nôtres ».
Aucun des auteurs des manuels qui reproduisaient cette
phrase n'a donné la moindre référence quant à l'origine
de cette citation. Il est vrai que ces auteurs ne sont même
pas d'accord entre eux : pour les uns l'interlocuteur de
Beust était Andrássy, pour d'autres c'était Déak, le négo-
ciateur hongrois du Compromis. Ce qui est grave, c'est
qu'encore aujourd'hui, cette citation est reprise par les
auteurs de certains manuels scolaires. Pourtant, les historiens français contemporains les plus compétents sur
l'histoire de l'Europe Centrale sont beaucoup plus nuan-
cés. Pour V.L. Tapié (*Monarchies et Peuples du Danube*,
p. 349), « l'ensemble présentait des conditions raisonnables et supportables, qui ne pouvaient demeurer
immuables cependant, à la mesure des progrès effectués
par la conscience nationale dans chaque nationalité... Les
mariages et les migrations à l'intérieur de la monarchie
avaient souvent pour conséquence le passage d'une nationalité à l'autre bien que l'usage d'une langue demeurait
toujours le signe essentiel de l'appartenance à une nationalité, il n'était pas absolument déterminant. Les publi-
cistes et les observateurs étrangers admettaient difficilement ces nuances que révélait une expérience directe de
la vie en Autriche-Hongrie... » Et pour J. Droz (*L'Europe
Centrale*, p. 227) évoquant l'attitude des diverses nationalités au cours de la Première Guerre mondiale, « à la
grande stupéfaction d'un certain nombre de personnalités politiques, un patriotisme authentiquement autrichien
se manifesta dans toutes les couches de la population et
dans toutes les nations de l'Empire : les Slaves firent leur
devoir militaire comme les Allemands et les Magyars ».

La réalité ethnique de l'Autriche-Hongrie

C'est la partie autrichienne de l'Empire, la Cisleithanie
qui offrait à l'observateur la plus grande variété sur le plan
des populations, et aussi le plus grand enchevêtrement des
nationalités. Cette situation s'expliquait en grande partie
par l'origine diverse des acquisitions territoriales des Habsbourg au cours des siècles, et aussi par les migrations intérieures des populations à travers tout le territoire.
Certaines provinces étaient exclusivement peuplées

d'Allemands : le Voralberg, la province de Salzbourg, les duchés de Haute et Basse-Autriche. D'autres provinces étaient à très large majorité allemande comme le Tyrol où les germanophones s'étendaient largement au-delà de l'actuelle frontière austro-italienne jusqu'au sud de la ville de Bozen (Bolzano). La Carinthie et la Styrie, bien qu'à population allemande majoritaire, comptaient une importante minorité slovène (20 % de la population en Carinthie, 29 % en Styrie). La capitale Vienne, était certes une ville à large majorité allemande, mais en raison de sa fonction de centre directeur de l'Empire et de l'attraction qu'elle pouvait exercer, toutes les nationalités y étaient représentées. Sur les quelques deux millions d'habitants que comptait Vienne au recensement de 1910, on dénombrait près de 15 % de Slaves, dont près de 200 000 Tchèques et plus de 100 000 Polonais, sans compter les quelques 200 000 Juifs venus de l'Empire russe et de Roumanie, tous pays dans lesquels régnait un antisémitisme virulent. Au sud des populations germanophones commençait le domaine des Italiens et des Slaves du Sud : Italiens seuls dans le Trentin (119 000), Slovènes (154 000) et Italiens (90 000) dans la province de Gorizia; Croates (168 000), Italiens (147 000) et Slovènes (55 000) en Istrie. Quant à la Dalmatie, rattachée à l'Autriche en 1815 après avoir fait partie successivement de la République de Venise puis de l'Empire français, elle était peuplée de 501 000 Serbo-Croates face à 16 000 Italiens, présents surtout dans les villes. D'une façon générale, dans les provinces méridionales de la Cisleithanie, les Italiens dominaient les villes, les Slaves les campagnes, mais l'exode rural favorisait la slavisation progressive des centres urbains.

Dans les pays de la Couronne de Saint-Venceslas, les populations allemandes étaient groupées en blocs compacts dans toutes les zones montagneuses de la périphérie où ils étaient majoritaires tant dans les campagnes que dans les villes (Karlsbad, Marienbad, Reichenberg, Znajm, Budweiss). En revanche, leur nombre avait très sensiblement reculé dans les villes de Bohême – Moravie où, au milieu du XIXe siècle, ils étaient majoritaires. A Prague, encore en 1855, les Allemands constituaient 40 % de la population, en 1910, ils n'étaient plus que 7 %. A Brno, capitale de la Moravie, l'évolution numérique de la population germanophone avait été analogue. Dans tout l'intérieur de la cuvette de Bohême-Moravie, dans les villes comme dans les campagnes, les Tchèques étaient largement majoritaires. Enfin, dans la Silésie de Teschen, les populations étaient très mélangées : Polonais, Tchèques et Allemands se partageaient le territoire.

La Galicie avait un peuplement polonais majoritaire surtout dans la partie occidentale, à côté d'une importante minorité ruthène surtout à l'est ; les Juifs y étaient partout présents surtout en milieu urbain, notamment à Lemberg (Lwow). Quant à la Bucovine, les populations, là encore, étaient très mélangées : 300 000 Ruthènes, 273 000 Roumains, 168 000 Allemands, de nombreux Juifs, sans compter des groupes très minoritaires de Polonais, d'Allemands et de Hongrois.

Sur le plan religieux, la Cisleithanie présentait une beaucoup plus grande homogénéité. Plus des 4/5 des habitants étaient catholiques romains, ce qui n'était pas le moindre facteur de cohésion. Derrière les Catholiques Romains venaient les Catholiques Uniates, les Orthodoxes, et les Protestants. Quant aux Juifs, ils représentaient près de 5 % de la population totale ; ils étaient particulièrement nombreux à Vienne et dans toutes les grandes villes, ainsi qu'en Galicie et en Bucovine.

En Transleithanie c'est-à-dire dans les pays de la Couronne de Saint-Étienne, la répartition des nationalités était beaucoup plus harmonieuse. Les Magyars, 54 % de la population si l'on exclut la Croatie-Slavonie qui bénéficiait d'un statut particulier, étaient présents partout en masses plus ou moins compactes, seuls ou mélangés à d'autres nationalités. Les Magyars l'emportaient largement dans les plaines de part et d'autre du Danube et de la Tisza, largement au-delà des frontières actuelles de la Hongrie. Budapest, avec ses 880 000 habitants en 1910, était une ville magyare à 80 %, avec une importante population allemande (97 000) et slovaque. Toutes les grandes villes de Hongrie étaient à large majorité magyare, sauf Pozsony (Presbourg) où les Allemands (38 % de la population) l'emportaient de peu sur les Magyars (35 %).

Les Allemands, au nombre d'environ 2 millions, étaient présents dans toutes les villes du pays en proportion plus ou moins élevée, mais en milieu urbain, ils avaient tendance à se magyariser par assimilation, si bien que le pourcentage des germanophones dans la population totale eut tendance à reculer : 13,6 % en 1880, 10,4 % en 1910. De plus, des îlots compacts d'Allemands étaient installés en diverses régions du pays : à l'extrême ouest, dans l'actuel Burgenland autrichien, en Transdanubie, dans le Banat, dans les régions minières des Carpates septentrionales, et dans le sud-est de la Transylvanie.

Les Roumains, au nombre de près de 3 millions, représentaient un peu plus de la moitié de la population de la Transylvanie et du Banat; ils vivaient principalement dans les campagnes et dans les bourgs, mais peu à peu, par le fait de l'exode rural, ils allaient s'installer dans les villes de Transylvanie où ils formaient des minorités plus ou moins importantes, de même que leur zone d'habitat avait tendance à s'étendre vers l'ouest en direction de la Grande Plaine hongroise.

Les Slovaques, deux millions en 1910, vivaient principalement dans les montagnes du nord-ouest de la Hongrie, mais depuis le XIXᵉ siècle, en raison de la pression démographique, ils s'établirent peu à peu dans les vallées en direction du Danube. Les Ruthènes, de leur côté, occupaient les zones rurales des Carpates septentrionales; comme les Slovaques, ils eurent tendance, au cours de la deuxième moitié du XIXᵉ siècle à descendre vers les plaines de la Tisza. En outre, dans les districts à majorité ruthène, de nombreux Juifs en provenance de Russie se sont installés dans les villes aux côtés des Magyars avec lesquels ils eurent tendance à s'assimiler. Enfin, au sud de la Hongrie, les Serbes installés dans la plaine de Voïvodine depuis la fin du XVIIᵉ siècle formaient là des îlots compacts au milieu des populations magyares et allemandes.

En Croatie-Slavonie, le peuplement était plus homogène qu'en Hongrie proprement dite. Les Croates y étaient partout majoritaires sauf dans la partie orientale de la plaine de confluence de la Drave et de la Save où les Serbes, réfugiés là au XVIIIᵉ siècle, l'emportaient. Quant au port de Fiume, que les Croates appelaient Rijeka et dont ils revendiquaient la possession, son territoire constituait un *corpus separatum* de la Hongrie : la population, croate à l'origine, avait depuis le milieu du XIXᵉ siècle, reçu de nombreux apports italiens en provenance d'Istrie et de Trieste, si bien qu'au recensement de 1910, Fiume abritait 24 000 Italiens en face de 13 000 Croates et quelques 600 Magyars.

Sur le plan religieux, l'ensemble des Pays de la Couronne de Saint-Étienne, Croatie-Slavonie incluse, présentait une assez grande diversité. Avec 52,1 % de la population, les Catholiques romains étaient majoritaires suivis par les Protestants, luthériens et calvinistes, par les Orthodoxes et les Uniates. Les Juifs, en raison d'une immigration accélérée en provenance de Russie tout au long du xixe siècle, représentaient 5 % de la population en 1910; ils étaient nombreux à Budapest – que certains pamphlétaires antisémites appelaient parfois *Judapest* –, dans toutes les villes, et dans les campagnes de Ruthénie et du Nord-Ouest de la Transylvanie.

L'annexion en 1908 de la Bosnie-Herzégovine ajouta à la population de l'Empire un surcroît de Slaves : 96 % des 1 800 000 habitants de cette province étaient des serbo-croates, les 4 % restants se partageant entre Allemands et Hongrois, en majorité des fonctionnaires et leur famille. Au point de vue religieux, la Bosnie-Herzégovine comportait une faible majorité d'orthodoxes (51 %) avec une importante minorité musulmane (30 %) et catholique (15 %).

Le fonctionnement du système

Le compromis de 1867 avait divisé la monarchie habsbourgeoise en deux États distincts dotés chacun d'une souveraineté très étendue sur son territoire. En dépit des diversités linguistiques et religieuses, la Double Monarchie formait un ensemble cohérent qui, malgré ses imperfections fonctionna assez bien pendant un demi-siècle. La cohésion du système reposait en premier lieu sur la personne du souverain. Nul ne peut nier en effet que François-Joseph, Empereur à Vienne et Roi à Budapest, avait su, malgré les événements de 1848-1849 et la répression qui les suivirent, susciter un sentiment de loyalisme dynastique qui demeura intact jusqu'à sa mort le 21 novembre 1916. Son long règne, ses malheurs personnels – la mort tragique de son fils l'archiduc Rodolphe en 1889 et de sa femme l'Impératrice Élisabeth en 1898 – lui valurent le respect et même l'affection de ses peuples. Le loyalisme à l'égard de la dynastie était loin d'être une simple formule de rhétorique.

LES NATIONALITÉS EN AUTRICHE-HONGRIE
(recensement en 1910)

I. – EMPIRE D'AUTRICHE (Cisleithanie) : 28 572 000 h.

Allemands	9 950 000	35,6 %
Tchèques	6 436 000	23,0 %
Polonais	4 968 000	17,8 %
Ukrainiens	3 519 000	12,6 %
Slovènes	1 259 000	4,5 %
Serbo-Croates	783 000	2,8 %
Italiens	768 000	2,7 %
Roumains	272 000	1,0 %
Magyars	11 000	

dont Pays de la Couronne de Saint Venceslas
Bohême – Moravie – Silésie)

Tchèques	6 291 000	62,9 %
Allemands	3 511 000	35,1 %
Polonais	200 000	2,0 %

II. – ROYAUME DE HONGRIE (Transleithanie) : 20 886 000 h.

Magyars	9 945 000	48,1 %
Roumains	2 949 000	14,1 %
Allemands	2 037 000	9,8 %
Slovaques	1 968 000	9,4 %
Croates	1 833 000	8,8 %
Serbes	1 106 000	5,3 %
Ruthènes	473 000	2,3 %
Polonais	27 000	
Italiens	24 000	

dont Royaume de Croatie-Slavonie

Croates	1 600 000	71,0 %
Serbes	650 000	29,0 %

III. – PRINCIPAUTÉ DE BOSNIE-HERZÉGOVINE annexée en 1908 :
1 923 000 h. à 96 % Serbo-Croates.

LES PRINCIPAUX GROUPES NATIONAUX
EN AUTRICHE-HONGRIE

Slaves	44,7 %	dont Slaves du nord	34,3 %
		Slaves du sud	10,4 %
Allemands	24,1 %		
Magyars	19,7 %		
Roumains	6,3 %		
autres	5,2 %		

Un autre trait d'union entre les peuples était la religion catholique, qui permettait de rassembler autour de l'Empereur dont les ancêtres avaient été constamment depuis Charles Quint les défenseurs de la Foi romaine, des peuples aussi divers que les Allemands, les Polonais, les Slovaques, les Slovènes et les Croates, ainsi que la majorité des Hongrois et des Tchèques. Avec près de 40 000 prêtres séculiers, et une vingtaine de milliers de religieux et de religieuses, l'Église Catholique constituait un facteur important d'encadrement spirituel des populations, dont l'influence pouvait être mise au service du souverain et de l'État. Mais, en dehors de l'Église catholique, les autres religions chrétiennes, dont les hauts dignitaires siégeaient en tant que tels dans les Assemblées parlementaires, pouvaient, elles aussi, jouer un rôle analogue.

L'armée Impériale et Royale constituait, à bien des égards, un élément supplémentaire dans le sens de l'union entre les différents peuples de l'Empire. L'allemand, utilisé comme langue unique de commandement et qui, à ce titre, devait être compris et parlé par les cadres autant que par la troupe, renforçait la cohésion.

C'était aussi un véritable creuset où se côtoyaient dans la vie de tous les jours des gens venus de toutes les régions de l'Empire.

L'entrée dans le corps des officiers, outre qu'elle était un moyen de promotion sociale (ici, à la différence de ce qui se passait dans l'armée allemande, l'accès aux grades supérieurs n'était pas le monopole de l'aristocratie) accélérait les processus d'assimilation et aboutissait à créer un modèle humain, une sorte d'archétype *d'austro-*

hongrois, qui, sans renier ses origines ethniques propres, se sentait beaucoup plus solidaire de l'ensemble de la Monarchie que d'une région particulière. Ce sentiment naissait avec d'autant plus de facilité que les postes de commandement élevés n'étaient pas réservés aux officiers appartenant aux nationalités dites « dominantes ». Seules, la compétence et l'aptitude aux hautes responsabilités assuraient les promotions. Le gouverneur de Bosnie-Herzegovie en 1914, le général Potiorek, était tchèque d'origine; le dernier Commandant en Chef de la Marine austro-hongroise, l'amiral Horthy, était hongrois; des Polonais comme les généraux Sikorski et Rozwadowski, ou des Croates comme le Feld-Maréchal Boroevic, et même un Roumain comme le général Boeriu exercèrent des Commandements importants au cours de la Première Guerre mondiale, et furent tous décorés de l'Ordre de Marie-Thérèse, la plus haute distinction réservée à des militaires.

L'administration, efficace et intègre, et la bureaucratie nombreuse renforçaient encore la cohésion de l'ensemble. Et là encore, quiconque était compétent et acceptait de s'intégrer au système pouvait faire une brillante carrière dans l'administration. Les ressortissants des différentes nationalités étaient placés sur pied d'égalité. L'État ne demandait pas de renoncer à sa langue et à sa culture nationale; il exigeait seulement du postulant à une charge administrative qu'il connût, outre sa propre langue, la langue de l'État, l'allemand en Cisleithanie, le hongrois en Transleithanie. Les Tchèques utilisèrent à fond ces possibilités et ils occupaient à eux seuls en 1914 le tiers des emplois dans les Ministères Communs, ce qui était bien au-delà de leur importance numérique.

La cohésion de l'Empire était également assurée par la communauté des intérêts qui unissait dans la vie quotidienne comme dans la vie économique les diverses populations. D'abord, il y avait une assez grande mobilité géographique des populations, de région à région, de la campagne vers les villes, ce qui provoquait un inévitable brassage des peuples. Le paysan slovaque qui s'installait à Budapest se magyarisait, tout autant que l'Allemand des Sudètes qui se fixait à Prague se tchèquisait, et ceci sans qu'il y ait pression de la part des autorités. Le changement de nationalité en une ou deux générations était un phénomène fréquent. Ce changement pouvait encore être accéléré par les mariages mixtes, très fréquents. Un exemple concret parmi des milliers d'autres, c'est celui de la famille du compositeur Franz Lehár. La famille était originaire de Moravie et les ancêtres du compositeur parlaient tchèque. Son père, chef d'orchestre militaire, au gré des mutations de la vie de garnison, se fixa en Hongrie et se magyarisa, puis épousa une allemande magyarisée. Le frère du compositeur, Anton, se fixa lui aussi en Hongrie non sans avoir épousé une Viennoise et fit une carrière militaire assez brillante puisqu'il la termina en 1921 avec le grade de général. Quant au compositeur lui-même, il se fixa à Vienne dès le début de sa carrière, où d'ailleurs son frère vint le rejoindre.

La mobilité des populations n'explique pas tout. Les diverses parties de l'Empire et leurs habitants avaient des intérêts économiques communs. La monarchie austro-hongroise en effet constituait un ensemble économique cohérent, formé de régions aux ressources complémentaires tant dans le domaine agricole (céréales des plaines hongroises, élevage des Alpes et des Carpates, betterave à sucre et houblon de Bohême) que dans le domaine industriel (charbon de Bohême et de Transylvanie, fer en Autriche et dans les zones montagneuses du quadrilatère de Bohême, or et argent des carpates, cuivre et bauxite en Croatie et en Hongrie, etc.). Un réseau de voies de communications terrestres et fluviales assez dense assurait des relations aisées entre les diverses parties de l'Empire tandis que les ports de Trieste et de Fiume permettaient le contact avec les pays méditerranéens et l'outre-mer. L'époque de François-Joseph constitua sur le plan économique une période de prospérité certaine pour les différentes régions de l'Empire, et que traduit assez bien l'essor des grandes villes et leur embellissement. Vienne, Budapest, Prague et Zagreb en sont des symboles vivants.

Une dernière remarque s'impose à toute personne de bonne foi. Dans un siècle où les antagonismes nationaux étaient puissants, la Monarchie austro-hongroise était parvenue à faire coexister des nationalités différentes, parce que son organisation était assez souple pour permettre à toutes d'avoir leur place au soleil. L'Autriche-Hongrie n'a jamais été un État raciste. A côté des Allemands et des Hongrois qui constituaient les deux piliers de l'Empire, les autres nationalités ont joui de libertés beaucoup plus grandes que leurs frères de race qui vivaient hors des frontières de l'Empire; il y avait moins d'analphabètes chez les Roumains et les Serbes de Hongrie que chez leurs compatriotes de Roumanie et de Serbie. Toutes les nationalités ont bénéficié de la protection de la loi; elles avaient pleine et entière liberté de conscience et de culte. En Cisleithanie, l'essentiel des problèmes d'administration et de justice se réglait au niveau des Diètes provinciales où l'on délibérait dans les langues locales. Chaque nationalité y disposait d'un système d'enseignement complet : les Tchèques avaient leur université à Prague, les Polonais avaient les leurs à Cracovie et à Lemberg, où venaient étudier les étudiants polonais de Russie. En Transleithanie, l'État entretenait des écoles primaires et secondaires où l'on enseignait dans les langues locales et les différentes Églises avaient toute latitude pour ouvrir des écoles, et elles ne s'en privaient pas, d'autant plus qu'elles recevaient pour cela des subventions de l'État. La seule condition, c'était que, dans toutes les écoles de Hongrie, les non-Hongrois reçoivent trois heures de cours de hongrois par semaine. En revanche, à la différence de ce qui se passait en Cisleithanie, l'enseignement supérieur se faisait partout en hongrois, ou en allemand. Seuls, les Croates disposaient à Zagreb d'une Université nationale. Dans l'ensemble la Transleithanie était en matière d'enseignement moins libérale que la Cisleithanie, surtout lorsque le Parti de l'Indépendance, très nationaliste et héritier de la pensée de Kossuth, dirigea le pays de 1906 à 1910.

Les luttes politiques

Les deux parties de l'Empire connurent de 1867 à 1914 une vie politique agitée. Toutes deux disposaient d'un système représentatif avec deux Assemblées, l'une représentant l'aristocratie, l'Église et les notables, l'autre élue à un suffrage censitaire.

La Cisleithanie

En Cisleithanie, en dehors des questions de politique générale, le problème qui domina la vie politique fut celui des relations entre les différentes nationalités. Chacune des provinces disposait d'une Diète locale qui envoyait des députés au Reichsrat de Vienne. Ce n'est qu'après la réforme électorale de 1873 que les députés du Reichsrat furent directement élus par les électeurs. Au début du Dualisme, les dirigeants de la Cisleithanie songèrent à une évolution de l'Empire vers le Trialisme. Le Président du Conseil autrichien, le conservateur Hohenwart, après des négociations secrètes avec les représentants de la Diète de Bohême, prépara avec l'accord de François-Joseph, un projet de réforme qui aurait donné à la Bohême un statut analogue à celui de la Hongrie. C'était ce qu'avait toujours souhaité Palacky, chef du Parti National tchèque à la Diète de Bohême. On envisagea même le couronnement à Prague de François-Joseph comme Roi de Bohême. Mais lorsqu'en octobre 1871, le projet fut rendu public, il se heurta à l'opposition conjuguée des Allemands de Bohême, qui craignaient de se trouver minoritaires dans le royaume, des Slovènes et des Ruthènes, qui réclamèrent aussitôt un statut analogue, et des dirigeants hongrois, dont le président du Conseil Andrássy, inquiet des répercussions d'un tel projet sur les nationalités de Hongrie. François-Joseph renonça au projet et Hohenwart se retira le 30 octobre 1871. Les milieux politiques tchèques se montrèrent très déçus et cela provoqua une scission au sein du Parti National. Les *Vieux Tchèques* groupés autour de Rieger, gendre de Palacky, demeurèrent favorables à la recherche d'une entente avec Vienne et collaborèrent avec le gouvernement Taaffe (1879-1893) ce qui permit à la Bohême d'obtenir des avantages substantiels : la loi sur les langues de 1880 fit du tchèque la langue officielle mais dans les régions à majorité allemande, l'administration fut tenue d'être bilingue, et en 1882, Prague se vit doter d'une Université de langue tchèque à côté de la vieille Université de langue allemande. Les *Jeunes Tchèques*, à l'inverse, se retranchaient dans une opposition surtout verbale, et ils triomphèrent aux élections de 1891. Les partis traditionnels qui formaient le *pays légal* étaient quelque peu à l'écart du *pays réel*. Ce dernier put enfin s'exprimer avec l'introduction progressive du suffrage universel en Autriche par les lois de 1896 et de 1906. De nombreux Partis politiques apparurent alors. Si les Catholiques-Nationaux et les Chrétiens-Sociaux furent loyalistes et les Agrariens attentistes, les Socialistes-Nationaux en revanche et les *Réalistes* favorables à un rapprochement avec les Slovaques et les autres peuples slaves, dominés par la personnalité d'un Professeur de l'Université de Prague, Thomas Masaryk, firent de l'opposition systématique sans pour autant rejeter les avantages du système. Quant aux Partis historiques, les Vieux Tchèques en déclin et les Jeunes Tchèques sous la conduite de Charles Kramarj, ils bénéficient encore d'une large audience dans la bourgeoisie d'affaires, car ils étaient à la fois favorables à l'autonomie de la Bohême et à l'ordre conservateur. Le Parti social-démocrate de Bohême, porte-parole d'une classe ouvrière de plus en plus nombreuse, fut longtemps une branche de la Social-Démocratie autrichienne. En 1897, les diverses branches constituèrent, chacune dans leur pays, un Parti autonome. Aux élections de 1911, les sociaux-démocrates tchèques obtinrent 37 % des voix en Bohême-Moravie, suivant de très près les Jeunes Tchèques de Kramarj. En dépit du loyalisme de la population, surtout dans les campagnes, les revendications en faveur de l'autonomie de la Bohême se firent de plus en plus pressantes et s'exprimaient parfois violemment lors des réunions de l'association sportive des *Sokols*.

En face de ce nationalisme tchèque, les Allemands de Bohême qui redoutaient une éventuelle domination de la majorité tchèque, cherchèrent par tous les moyens à s'opposer aux réformes. Là encore, les rivalités entre les nationalités qui se traduisaient souvent par des rixes entre étudiants ne facilitaient pas la tâche du gouvernement central désireux à tout prix d'éviter les affrontements. Néanmoins, avec ou sans l'accord des Partis tchèques, avec ou sans le Parlement, le gouvernement chercha à assurer concrètement aux deux populations de la Bohême l'égalité des droits. Lorsqu'en 1897, le gouvernement parvint à faire voter une loi obligeant les fonctionnaires servant en Bohême d'être bilingues, les Allemands firent de l'obstruction systématique. Cette mesure favorisait les Tchèques, car beaucoup de Tchèques connaissaient l'allemand, alors que peu d'Allemands savaient le tchèque. Finalement, on se borna à exiger des fonctionnaires qu'ils connussent les langues parlées là où ils exerçaient.

Les Polonais de Galicie posèrent beaucoup moins de problèmes. Bénéficiant d'une large autonomie administrative et culturelle, ils appréciaient un régime qui leur assurait l'égalité des droits et qu'enviaient leurs compatriotes de Prusse et de Russie. Les députés polonais du Reichsrat faisaient toujours partie de la majorité qui soutenait le gouvernement. Il est vrai que des Polonais furent souvent amenés à occuper des fonctions importantes. Deux d'entre eux, le comte Potocki en 1870-1871, et le comte Badeni de 1895 à 1897 furent Présidents du Conseil d'Autriche. Dans le cabinet Badeni, il y eut encore deux autres ministres polonais. Au même moment, c'était encore un Polonais, le comte Goluchowski junior qui exerça de 1895 à 1906 les fonctions de ministre commun des Affaires étrangères. Au début de 1900 cependant, à côté des formations politiques polonaises traditionnelles, conservatrices ou populistes, apparurent de nouvelles forces sous l'influence d'idées venues de la Pologne russe. C'est à ce moment-là que se constituèrent le Parti socialiste polonais de Joseph Pilsudski et le Parti National-démocrate, qui avaient l'un et l'autre des homologues en Pologne russe et en Pologne prussienne.

Le sort privilégié des Polonais dans le système austro-hongrois suscita l'envie des populations ukrainiennes de Galicie et de Bucovine, dont les milieux intellectuels se mirent à réclamer des avantages identiques, notamment dans le domaine culturel. En 1902, de violentes manifestations eurent lieu à Lemberg en faveur de la création d'une Université ruthène. L'opposition ruthène déboucha parfois sur des actions plus violentes. C'est ainsi qu'en 1908, le gouverneur polonais de Galicie fut assassiné par un étudiant ruthène. Toutefois, dans l'ensemble, les masses paysannes ne furent guère sensibles à ces actions extrémistes.

Chez les Slaves du Sud, la plupart des chefs politiques slovènes et dalmates souhaitaient une évolution dans le

cadre de l'Empire. Pour des raisons culturelles et religieuses, ils se sentaient peu attirés par les Serbes orthodoxes. Ce qu'ils redoutaient le plus, c'était la pénétration
italienne dans les villes slovènes et dans la région côtière.

Ainsi, dans leur ensemble, la plupart des nationalités de
la partie autrichienne de la Double Monarchie ne
voyaient leur avenir que dans le cadre habsbourgeois. Les
plus hostiles étaient paradoxalement certains éléments
allemands qui tournaient leurs regards vers une Grande
Allemagne dirigée de Berlin.

LA TRANSLEITHANIE

La Hongrie avait une ancienne tradition de régime parlementaire, ce qui se traduisait au Parlement par des
débats souvent animés. Mais comme le régime électoral
demeurait censitaire, le Parlement ne reflétait qu'une
partie des aspirations et des sentiments du pays réel. Malgré l'abaissement du cens électoral de 1913, un tiers seulement de la population masculine majeure jouissait du
droit de vote. La classe politique était partagée entre deux
tendances principales : le *Parti libéral* dominé par les personnalités du comte Coloman Tisza, chef du gouvernement de 1875 à 1890 et de son fils Étienne, chef du gouvernement de 1902 à 1905 et de 1910 à 1917, tous les
deux disciples de François Déak et fermement attachés au
Dualisme; et le *Parti de l'Indépendance* animé par François Kossuth, le fils du Révolutionnaire de 1848-1849,
auquel se sont joints les dissidents du Parti libéral comme
les comtes Apponyi et Károlyi, tous favorables à l'indépendance totale de la Hongrie mais sans changement
dynastique. Le Parti de l'Indépendance dirigea le pays de
1906 à 1910 et sa politique ultra-nationaliste provoqua
une vive opposition des nationalités allogènes et un
conflit avec la Couronne à propos de l'armée. A côté de
ces deux Partis historiques qui rappellent par certains
aspects les *Vieux* et les *Jeunes Tchèques* de Bohême, de
nouvelles formations politiques ont fait leur apparition à
la fin du xixe siècle avec le *Parti Chrétien Populaire* du
comte Zichy, hostile aux lois laïques votées en 1892-1893,
le *Parti des Propriétaires terriens* défenseurs des intérêts

du monde agricole, et le *Parti Social-démocrate* défenseur du monde ouvrier. Mais ces nouveaux partis ne furent que très faiblement représentés au Parlement en raison du refus des Partis historiques d'introduire le suffrage universel.

La politique de l'État hongrois à l'égard des nationalités allogènes fut étroitement liée à la politique intérieure hongroise. D'une façon générale, le Parti libéral se montra plus ouvert que le Parti de l'Indépendance sur la question des nationalités. Aussitôt après la mise en place du Dualisme, Déak négocia avec les délégués de la Diète Croate le compromis hungaro-croate de 1868 : celui-ci assurait aux Croates une large autonomie avec leur propre Diète à Zagreb. La même année, Déak fit voter par le Parlement hongrois la *loi des Nationalités* qui, tout en maintenant le hongrois comme langue officielle de l'État, proclamait l'égalité de tous les habitants du royaume et donnait à tous la possibilité d'accéder à tous les emplois : la loi prévoyait aussi que « les communes, les Églises et les associations fixent elles-mêmes la langue de leur administration » et que « dans les assemblées de communes, villes et départements, chacun peut employer sa langue maternelle ».

Utilisant les dispositions libérales de cette loi, des Roumains de Transylvanie, à l'initiative du clergé uniate et de quelques instituteurs, fondèrent en 1881 un *Parti National Roumain* qui réclama l'autonomie de la Transylvanie et une administration roumaine dans les territoires peuplés de Roumains. Les chefs de ce Parti présentèrent en 1892 un Mémorandum à François-Joseph, non pas en tant que Roi de Hongrie mais en tant qu'Empereur d'Autriche. Le Gouvernement hongrois intenta un procès aux auteurs du mémorandum non pas pour les revendications qu'ils y avaient exposés, mais parce qu'en adressant ce document à l'Empereur d'Autriche, ils semblaient nier l'appartenance à la Hongrie des départements transylvains. Le procès des auteurs du Mémorandum en 1894 suscita une vive émotion à l'étranger. Georges Clemenceau et Ernest Lavisse prirent position en faveur des accusés et s'indignèrent des peines de prison qui leur furent infligées. L'année suivante, les condamnés bénéficièrent d'une amnistie totale mais le Parti National Roumain demeura interdit jusqu'en 1905. Aux élections de 1905, 14 députés roumains furent élus avec à leur tête l'avocat Jules Maniu qui, par la suite, devait jouer un rôle important dans la vie politique de la Roumanie de l'entre-deux guerres.

Chez les Slovaques, une certaine agitation politique apparut dans les toutes premières années du xxᵉ siècle, fomentée par les milieux intellectuels et par certains éléments du bas clergé. Un Parti populiste fut alors créé par un prêtre, l'abbé André Hlinka, qui inscrivit à son programme l'autonomie culturelle et administrative des régions de peuplement slovaque. Hlinka et ses amis organisèrent des manifestations contre les lois scolaires du ministre Apponyi qui augmentaient la place de l'enseignement du hongrois dans les écoles allogènes. Ces manifestations dégénérèrent en émeutes en octobre 1907 et la troupe dut intervenir dans la petite ville de Csernova. Une autre tendance se fit jour autour de Milan Hodza et son journal *Hlas* (La voix) favorable à un rapprochement avec Prague. Les intellectuels slovaques d'origine protestante y étaient favorables car ils redoutaient le cléricalisme trop voyant des partisans de l'abbé Hlinka. Cependant, les contestataires slovaques étaient relativement minoritaires et l'abbé Hlinka fut même désavoué par ses supérieurs. L'idéal pour beaucoup de Slovaques, c'était de s'intégrer à la *société* hongroise et de s'assimiler : ce fut le cas du Père Jean Csernoch, qui, à la veille de la Première guerre, exerçait les fonctions d'archevêque d'Esztergom et de Prince-Primat de Hongrie. Le cardinal Csernoch n'omettait jamais de rappeler à ses interlocuteurs qu'il était slovaque et que cela ne l'avait pas empêché de devenir le chef de l'Église catholique hongroise. C'est lui qui couronna en décembre 1916, le dernier roi de Hongrie.

Chez les Croates, en dépit de l'autonomie que leur assurait le Compromis de 1868, la conscience nationale était très développée dans les milieux politiques et intellectuels. Dès 1873, l'agitation en faveur de l'union de tous les Slaves du sud à l'intérieur de l'Empire reprit et s'amplifia surtout à l'époque du Ban Khuen-Hédervary (1883-1893) qui multiplia les maladresses à l'égard des nationalistes croates. Les personnalités les plus marquantes de ce nouvel *Illyrisme* furent l'évêque Joseph Strossmayer et l'historien Frano Ratzki; mais à côté d'eux, d'autres mouvements nationalistes apparurent avec le *Parti du Droit* d'Eugène Kvaternik. Tous étaient d'accord pour faire de la Croatie un État souverain, mais intégré à la Monarchie habsbourgeoise. Mais cet État croate, devait-il s'unir aux Slovènes – ce qui ne posait aucun problème en raison de l'identité religieuse – et aux Serbes – ce qu ne faisait pas l'unanimité –? Toutefois, en 1905, au Congrès de Fiume, les partisans du *Yougoslavisme* l'emportèrent; ils comptaient sur le Prince héritier, l'archiduc François-Ferdinand, pour réaliser un jour leurs aspirations. C'était vers Vienne qu'ils tournaient leurs regards et non vers Belgrade.

Les perspectives d'avenir de la monarchie austro-hongroise à la veille de la Première Guerre mondiale

En 1914, personne en Autriche-Hongrie ne songeait sérieusement à détruire l'Empire de l'intérieur. Les « contestataires » cherchaient surtout à transformer le système. Ils se rendaient compte en effet des avantages qu'offrait à tous ses habitants cet ensemble cohérent et viable qu'était l'Empire des Habsbourg. Personne ne remettait en question la dynastie représentée par la forte personnalité du vieil empereur François-Joseph, même si certains intellectuels tchèques comme T. Masaryk et E. Benès auraient plus volontiers opté pour un système présidentiel à l'américaine. Les peuples, dans leur grande majorité, faisait preuve d'un véritable attachement à la famille impériale et royale.

Ce à quoi aspiraient les chefs politiques des nationalités les plus conscientes, c'était le *fédéralisme* et l'évolution du Dualisme vers le Trialisme et le Quadrialisme. Mais, ils se heurtaient à ceux qui bénéficiaient des avantages des situations acquises. Les socialistes eux-mêmes étaient assez proches de ces conceptions et ils comptaient bien sur le Prince héritier pour les faire entrer en application. Pour l'un des leurs, Karl Renner, qui sera beaucoup plus tard Président de la République autrichienne, « les nations existantes sont forcées de mener une existence commune », et pour lui, l'Empire transformé constituait encore la meilleure structure.

Toutes une série de projets en vue de réformer l'Empire furent élaborés dans les dernières années de l'avant-guerre. En 1906, un Roumain de Transylvanie, Aurel Popovici, publia un ouvrage intitulé « *Les États-Unis de Grande Autriche* » dans lequel il préconisait la division de l'Empire en autant de provinces autonomes qu'il y avait de nationalités. L'archiduc François-Ferdinand ne cachait pas son désir de transformer l'Empire lorsqu'il succèderait à son oncle. Dans une première étape, l'archiduc envisageait de rétablir le Royaume de Bohême, puis de rassembler les Slaves du sud en un État illyrien. Au Palais du Belvédère, sa résidence viennoise, le Prince héritier recevait de nombreuses personnalités représentant les diverses nationalités, entre autres Charles Kramarj le chef des *Jeunes Tchèques*, le Slovaque Milan Hodza, les Roumains Jules Maniu et Aurel Popovici, le Croate Frank, mais aussi des personnalités des Partis autrichiens et hongrois de tendance sociale-chrétienne. Le Prince cherchait à resserrer les liens idéologiques ou spirituels qui pouvaient unir les divers peuples. Le christianisme social pouvait être selon lui un facteur de rapprochement entre les peuples, tout comme pour Karl Renner, le socialisme pouvait en être un autre. Pour ce dernier, un socialisme *à l'autrichienne*, *l'austro-marxisme*, pouvait régler la question des nationalités sur la base de la conscience de classe. Pour François-Ferdinand comme pour les socialistes, il fallait chercher à exalter ce qui rapprochait les divers peuples, et non à insister sur ce qui les séparait. François-Ferdinand était surtout hostile aux nationalistes allemands et à ceux qui, en Hongrie, notamment au sein du *Parti de l'Indépendance*, faisaient preuve d'un nationalisme excessif. Son idéal, c'était d'assurer à tous les peuples de l'Empire un épanouissement culturel dans une société plus juste organisée selon les principes du christianisme social et dans le cadre d'un État décentralisé. Pour réaliser ces objectifs, François-Ferdinand optait pour une politique de paix, ce qui provoquait parfois des heurts avec le Chef de l'État-Major Conrad von Hötzendorff, mais il savait que sans une longue période de paix, on ne pourrait pas transformer – et sauver – l'Empire sur lequel pesaient les convoitises conjuguées de l'Allemagne, et de la Russie par Serbie interposée. On comprend mieux ainsi pourquoi il était devenu en 1914 l'homme qu'il fallait abattre.

1876 : Europe centrale et balkanique

ALLEMAGNE

AUTRICHE-HONGRIE

RUSSIE

SUISSE

ITALIE

Adriatique

BOSNIE

M.

Mer Noire

ROUMÈLIE

Alb.

Turquie d'Europe

TURQUIE

GRÈCE

Égée

≡≡≡ SERBIE(1817)

⦀ NICH (SERBIE)

▨ MACÉDOINE

■ THRACE

▥ MOLDO-VALACHIE

▦ DOBROUDJA

░ BULGARIE

XI

LE RÉVEIL DE LA NATION POLONAISE
(1870-1914)

Après les deux échecs subis par ceux qui, en 1830-1831 et en 1863, tentèrent de rétablir l'indépendance du pays en se soulevant contre les Russes, la Pologne fut soumise à un régime d'exception accompagné d'une politique d'intense russification. Pendant la dernière partie du règne d'Alexandre II et sous Alexandre III (1881-1894), l'action des mouvements patriotiques fut paralysée. La plupart des chefs de l'insurrection de 1863 avaient été exécutés, les participants exilés en Sibérie. L'Église catholique, elle-même, avait été privée de ses chefs. Même lorsque la situation se détendit quelque peu au début du règne d'Alexandre III, l'Église polonaise demeura entravée dans son fonctionnement par les innombrables tracasseries administratives qui accompagnaient l'inscription dans les séminaires des candidats à la prêtrise. Quant au clergé régulier, il se trouvait dans une situation encore plus précaire, puisque la plupart des monastères avaient été fermés en 1864.

En dépit de la fermeture des collèges et des écoles de langue polonaise, et malgré les interdictions, la langue nationale demeura vivante et son enseignement clandestin permit aux jeunes générations de maintenir leur identité nationale. Au début des années 80, la génération révolutionnaire romantique fut relayée par une nouvelle génération d'opposants issus des classes nouvelles nées de la révolution industrielle, classe ouvrière et bourgeoise, dont les aspirations et surtout les moyens pour les réaliser différaient de ceux de leurs aînés. La Pologne russe, en effet, s'est industrialisée à partir de 1870, et la population urbaine a augmenté. Au recensement de 1897, Varsovie comptait déjà 594 000 habitants. Certes, l'aristocratie demeurait encore très influente dans les campagnes mais en ville, surtout à Varsovie et à Lodz, les classes nouvelles étaient en train de prendre une place de plus en plus importante dans le mouvement national. Les idées de Karl Marx pénétrèrent assez tôt en Pologne russe. Au début des années 90, deux groupes socialistes clandestins existaient déjà en Pologne : le *Parti social-démocrate de Pologne et de Lithuanie* dont les personnalités les plus marquantes furent Rosa Luxembourg puis Félix Dzerjinski [1] et le *Bund* (Ligue générale des Travailleurs), organisation juive apparue à Lodz et intégrée au Parti Social-démocrate russe dont elle constituait l'élément prépondérant. Les groupes socialistes étaient essentiellement tournés vers la lutte révolutionnaire contre le régime tsariste et contre le système économique et social, et se désintéressaient de la lutte pour l'indépendance polonaise. Certains militants, soucieux de la défense des intérêts nationaux, tinrent à Paris en 1892 un Congrès d'où sortit un nouveau mouvement socialiste, le *Parti Socialiste Polonais* de S. Limanowski. Ce parti, qui disposait sur place d'un journal clandestin rédigé par un jeune militant, Joseph Pilsudski, recueillit rapidement beaucoup plus d'adhésion, que ses concurrents sociaux-démocrates. Dans la classe ouvrière polonaise, le patriotisme en effet était solidement enraciné. Pilsudski s'installa ensuite en Galicie, où il pouvait plus facilement maintenir le contact avec l'émigration polonaise, et de là, il inonda la Pologne russe de publications socialistes clandestines.

A côté du monde ouvrier, la bourgeoisie polonaise disposa, elle aussi, d'une organisation politique particulière, avec la fondation en 1897 du *Parti National Démocrate*, parti d'opposition modérée dirigée par Jean Poplawski et Romain Dmowski, qui eux aussi, fuyant la repression, durent se réfugier en Galicie.

1. Rosa Luxembourg s'installa ensuite en Allemagne où elle milita au sein du mouvement spartakiste et périt au cours de la répression des émeutes berlinoises le 15 janvier 1919. Quant à Félix Dzerjinski (1877-1926) il demeura en Russie après la Révolution d'Octobre et organisa la Tcheka.

Les événements de 1904-1905 en Russie trouvèrent leur écho en Pologne. Les socialistes des diverses tendances organisèrent des grèves, participèrent à de nombreux attentats contre les fonctionnaires russes. Quant aux Nationaux-Démocrates, ils cherchèrent surtout à profiter de la situation pour obtenir au moins une certaine autonomie pour la Pologne. L'annonce par le Tsar Nicolas II en octobre 1905 de l'octroi d'une Constitution et de l'élection prochaine d'une Assemblée, la *Douma*, fut saluée avec joie par les Polonais. Les élections pour la Ire Douma eurent lieu en avril 1906 : malgré l'abstention préconisée par les socialistes, les Polonais votèrent massivement pour les opposants modérés du Parti National-Démocrate qui remportèrent tous les sièges. Il en fut de même aux élections de 1907 pour la 2e Douma. L'attitude pleine de modération et de bonne volonté qu'adoptèrent les députés polonais ne fut guère payante. L'autonomie leur fut refusée. Mieux, la nouvelle loi électorale pour l'élection de la 3e Douma enleva aux Polonais plus de la moitié des sièges auxquels ils auraient eu droit en fonction de leur poids numérique dans l'Empire russe.

Cependant, grâce à la libéralisation du régime qui suivit la révolution russe de 1905, les Polonais recouvrèrent une partie des libertés perdues après 1830, notamment dans le domaine de l'emploi de la langue polonaise et de l'enseignement. Les Catholiques et les Uniates retrouvèrent pleine et entière liberté de culte. Mais ces concessions n'étaient pas suffisantes pour rallier un peuple qui n'avaient jamais renoncé à recouvrer son indépendance.

Dans les provinces administrées par la Prusse, le sort des populations polonaises connut des hauts des bas. Une première période difficile coïncida avec l'époque du *Kulturkampf* (1871-1879) au cours de laquelle Bismarck tenta de mettre au pas l'Église catholique. Les Catholiques polonais, tout autant que les Catholiques allemands, eurent à subir les tracasseries et les vexations des autorités administratives : les évêques récalcitrants furent éloignés de leur diocèse. Après 1880, Bismarck trouva un compromis avec Rome, ce qui valut aux Polonais une amélioration temporaire de leur situation. Mais à partir de 1886, Bismarck entreprit une politique de germanisation des provinces anciennement polonaises; il créa une

Commission de colonisation pour permettre aux Allemands qui voudraient s'y installer d'acquérir des terres avec l'aide de l'État. Les terres, dont les grands propriétaires polonais entendaient se séparer, ne pouvaient être vendues que par l'intermédiaire de cette commission. A l'avènement de Guillaume II, la politique de colonisation fut momentanément ralentie, puis reprit au début du XXᵉ siècle d'une façon plus systématique, ce qui créa de nombreux incidents. Au *Reichstag* de Berlin, la quinzaine de députés polonais, sous la présidence d'Albert Korfanty, ne cessaient de dénoncer cette politique de colonisation allemande en terre polonaise, mais ils demeuraient isolés face à l'unanimité des députés allemands sur ce problème. Ainsi en 1914, les Polonais de Prusse, un peu mieux lotis que leurs compatriotes de Russie, étaient cependant tout autant qu'eux conscients de la nécessité de réaliser un jour l'union de tous les Polonais au sein d'un État indépendant.

C'est cependant la Galicie autrichienne qui demeura à cette époque le foyer le plus actif du combat en faveur de l'indépendance. Joseph Pilsudski, qui s'y était établi, organisa à partir de la Galacie des groupes d'actions clandestins prêts à intervenir à l'intérieur de la Russie le cas échéant. Puis, en 1910, ces groupes furent officialisés sous couvert de « Sociétés de Tir ». Une véritable force armée polonaise se constitua ainsi, encadrée par des officiers polonais servant dans l'armée autrichienne. C'était là que se préparait la lutte décisive pour l'indépendance et les tensions balkaniques de 1912-1913 laissaient prévoir que le moment de l'action était proche. Une *Commission Provisoire de Gouvernement* avec le socialiste Pilsudski, le populiste Vincent Witos et les généraux Sikorski et Haller se tenait prête pour administrer la Pologne libérée au cas où éclaterait une guerre contre la Russie.

XII

LES BALKANS, ENJEU DES RIVALITÉS
ENTRE GRANDES PUISSANCES
(1878-1914)

*Les débuts de la rivalité austro-russe dans les Balkans
(1870-1878)*

Vers 1870, l'espace balkanique demeure encore, pour sa plus grande partie, dominé par l'Empire ottoman. Cependant, depuis le début du xixe siècle, certains peuples chrétiens des Balkans sont parvenus à se libérer et à constituer des États autonomes, voire indépendants. Ce fut le cas des Grecs – mais la Grèce indépendante ne comprend encore que la Péloponnèse, l'Attique et quelques îles des Cyclades –; ce fut aussi le cas des Serbes – mais la Serbie autonome était loin de rassembler l'ensemble du peuple serbe, certains Serbes réfugiés à l'ouest aux xviie-xviiie siècles sont sujets autrichiens ou hongrois, d'autres à l'est sont encore sous la souveraineté des Turcs – et des Monténegrins qui se sont organisés dans le cadre d'un État indépendant de type patriarcal. Ce fut enfin le cas des Roumains qui, à la faveur de la Guerre de Crimée, ont créé une principauté autonome, mais à l'extérieur de laquelle vivent encore nombre d'entre eux, en Transylvanie et en Bucovine. En revanche, les Bulgares, les Albanais, de nombreux Serbes de Macédoine et de Bosnie-Herzégovine sont encore sujets de la Sublime Porte.

Les interventions des Grandes Puissances dans les Balkans à plusieurs reprises au cours de deux premiers tiers du xixe siècle ont donné espoir aux populations encore soumises aux Turcs. Certes, le Royaume-Uni demeure for-

tement opposé à un quelconque démenbrement de
l'Empire Ottoman, surtout si ce démenbrement profitait
aux Russes et leur permettait d'accéder à la Méditerranée
orientale; l'attitude britannique sur cette question est
d'autant plus ferme que depuis 1869, date de l'ouverture
du canal de Suez, la Méditerranée est l'itinéraire le plus
court vers les Indes. La Russie, et dans une moindre
mesure l'Autriche-Hongrie, sont intéressées à tout ce qui
se passe dans les Balkans : l'une et l'autre souhaitent voir
reculer les Turcs, officiellement pour libérer les populations chrétiennes, en réalité et surtout pour des raisons
politiques et économiques. Pour la Russie, les Balkans,
c'est le chemin de la Mer libre; pour la monarchie austro-
hongroise, les Balkans, c'est le prolongement géographique de l'Empire, c'est une région où vivent les
frères de race d'une partie de la population de l'Empire,
et de ce fait toute installation des Russes dans cette
région risquerait de nuire à la cohésion de la Double-
Monarchie, d'autant plus sûrement que des États Slaves
libérés par la Russie constitueraient un pôle d'attraction
pour les Slaves d'Autriche-Hongrie. Pour Vienne, si les
Balkans doivent être libérés, mieux vaut que ce soit par
l'Autriche-Hongrie que par la Russie.

Cette divergence d'intérêt, latente depuis le début du
siècle, s'est progressivement transformée en une rivalité
de plus en plus accentuée à partir du début des années
70. La Russie, à cette époque, semblait surtout s'intéresser au sort des Bulgares. Comme nous l'avons mentionné
plus haut, le réveil des Bulgares fut assez tardif, mais à
partir de 1870, les patriotes bulgares commencèrent à se
montrer plus actifs. La plupart d'entre eux vivaient en
exil en Roumanie et sous la direction de Basile Levski
(1837-1873) et de Ljuben Karavelov (1834-1891), ils se
préparèrent à la révolte. Ils étaient en contact avec les
membres d'un *Comité Central de la Révolution bulgare*
qui s'était constitué clandestinement en territoire bulgare
dès 1869. Leur forme d'action se limitait à la diffusion
d'écrits subversifs, et à l'organisation d'attentats terroristes ou de complots. La participation personnelle de
Levski à l'un d'entre eux lui valut d'être arrêté et exécuté
en février 1873. Le gouvernement russe appuyait les aspirations du peuple bulgare à l'indépendance, à la fois au

moyen du *Comité de Secours aux Slaves* qui avait été créé en 1856 à Saint-Pétersbourg, et par l'action diplomatique de son ambassadeur à Constantinople Ignatiev. Un premier résultat concret avait été obtenu en 1870 : l'Église bulgare obtenait alors son indépendance vis-à-vis du Patriarcat de Constantinople et on créa un Exarchat bulgare indépendant dont la compétence s'étendait à la Bulgarie proprement dite et à la Macédoine. Toutefois, le gouvernement russe, pour des raisons de politique intérieure, hésitait à encourager en Bulgarie l'action terroriste dont il était le premier à subir les effets négatifs en Russie même.

Les autorités austro-hongroises ne s'intéressaient guère à la Bulgarie et ne cherchèrent pas à y entraver l'action de la Russie. En revanche, elles se sentaient concernées par tout ce qui se passait en Bosnie-Herzégovine, dont le territoire jouxtait à la fois la Dalmatie autrichienne, et la Serbie et le Monténégro autonomes. Pour Vienne, la libération éventuelle des habitants de la Bosnie-Herzégovine ne devait pas avoir pour conséquence l'agrandissement du territoire serbe en direction de l'Adriatique, car dans l'esprit des dirigeants austro hongrois, l'accès de la Serbie à l'Adriatique risquait un jour ou l'autre de profiter à la Russie. Au printemps de 1875, l'Empereur François-Joseph effectua une tournée d'inspection en Dalmatie et en Croatie, le long de la Frontière avec l'Empire ottoman. Les populations slaves de Bosnie-Herzégovine interprétèrent ce voyage comme une incitation à se soulever contre les Turcs. Or, à ce moment-là, l'Empire ottoman se trouvait dans une grave crise politique et financière et le Sultan Abd Ul Aziz, (1861-1876) pour régler les intérêts des emprunts contractés à l'étranger, n'hésitait pas à pressurer ses sujets en utilisant les moyens les plus expéditifs. Les exactions des fonctionnaires turcs provoquèrent en juillet 1875 une insurrection dans un village serbe d'Herzégovine. En quelques semaines, les troubles s'étendirent à toute la province ainsi qu'à la Bosnie ; des volontaires venus de Serbie se joignirent aux insurgés. Les Turcs réagirent vigoureusement et massacrèrent des civils. Mais l'insurrection fit tache d'huile. En avril 1876, les comités révolutionnaires bulgares déclenchèrent une révolte générale : les exilés bulgares de Roumanie vinrent prêter main forte à leurs compatriotes, sous la conduite de leur chef Hristo Botev. Les grandes Puissances intervinrent auprès du Sultan, réclamant à la fois le paiement des dettes turques et des réformes en faveur des populations chrétiennes. Cette intervention, qui arrivait au moment où partout éclataient de nouvelles révoltes, provoqua une réaction nationaliste de la part des Turcs : les consuls de France et d'Allemagne à Salonique furent assassinés, des résidents européens molestés.

Sur place, malgré la répression, le mouvement de révolte se généralisait à l'ensemble des Balkans. En juillet 1876, la Serbie et le Monténégro se lancèrent dans le combat. Ces deux pays aspiraient à se partager la Bosnie-Herzégovine, et cherchaient parallèlement à contenir ensemble une éventuelle expansion des Bulgares libérés en direction de l'Ouest. La lutte contre le Turc n'en maintenait pas moins les rivalités ancestrales entre Serbes et Bulgares. Les Serbes furent rapidement défaits par les Turcs, mais les Monténégrins commandés par le général russe Tchernaiev remportèrent des succès.

La dégradation rapide de la situation dans l'Empire ottoman provoqua d'abord une révolution de palais à Constantinople. Déjà en mai 1876, Abd Ul Aziz avait été déposé au profit de son neveu Mourad, mais celui-ci devenu fou fut à son tour détrôné le 30 août 1876 au profit de son frère Abd Ul Hamid II (1876-1909). Devant l'extension des troubles et la dure répression qu'elle provoqua, l'Autriche-Hongrie et la Russie se concertèrent en prévision d'une éventuelle intervention. En juillet 1876, le comte Andrássy avait rencontré en Bohême son homologue russe Gortchakov et les deux diplomates s'étaient mis d'accord sur un projet de partage des Balkans : l'ouest, c'est-à-dire la Bosnie-Herzégovine irait à l'Autriche-Hongrie, l'est, c'est-à-dire la Bulgarie entrerait dans la sphère d'influence de la Russie.

A Constantinople, les représentants des Grandes Puissances n'en poursuivaient pas moins leurs négociations avec le Sultan. Mais, alors que les Britanniques, soucieux de ménager les Turcs, se contentaient de vagues promesses de réformes en faveur des chrétiens, la Russie appuyée par l'Autriche-Hongrie exigeait que des engagements précis soient pris par les Turcs. Les dérobades de la Turquie amenèrent le 24 avril 1877 une déclaration de guerre de la Russie, indignée par les nouveaux massacres perpétrés en Bulgarie par des irréguliers turcs, les *Bachibouzouks*. Les Russes attaquèrent sur deux fronts, dans le Caucase en direction de l'Arménie, et en Bulgarie en direction de Constantinople. L'Arménie et la Bulgarie furent rapidement libérées. Les Turcs sollicitèrent une armistice le 31 janvier 1878, puis signèrent le *Traité de San Stefano* le 3 mars suivant. Ce traité représentait un succès considérable pour la Russie en même temps qu'il assurait la libération de la quasi-totalité des peuples balkaniques. Les États déjà autonomes, la Roumanie, la Serbie et le Monténégro devenaient pleinement indépendants et bénéficiaient d'un léger accroissement de leur territoire. Une grande Bulgarie autonome, sous influence russe, était créée. La Russie obtenait pour elle-même quelques avantages territoriaux en Asie Mineure avec Kars et Batoum ; elle annexait la Bessarabie que lui cédait la Roumanie qui, à titre de dédommagement recevait une partie de la Dobroudja bulgare. Comme prévu, l'Autriche-Hongrie se voyait confier l'administration de la Bosnie-Herzégovine.

Le Royaume-Uni, et dans une moindre mesure, l'Autriche-Hongrie, réagirent vivement à cette main-mise des Russes sur les Balkans. Le Premier anglais, Disraëli, menaça d'intervenir et assura les Turcs de son appui – à titre de remerciement, la Turquie céda plus tard Chypre aux Anglais –. Devant l'émotion suscitée en Grande-Bretagne, Gortchakov accepta le principe de la réunion d'un Congrès européen que proposait Bismarck. Au Congrès de Berlin (13 juin-13 juillet 1878), la Russie fit marche arrière. La Roumanie, la Serbie et le Monténégro restèrent indépendants certes, mais ces deux derniers pays durent renoncer à une partie des acquisitions du Traité de San Stéfano : la Serbie conserva Nich et Pirot, le Monténégro le port d'Antivari. La Grande Bulgarie fut morcelée. Le sud demeura aux mains des Turcs ; la Roumélie fut déclarée province turque mais avec un gouvernement chrétien et une administration autonome ; quand au nord-ouest de la Bulgarie avec Sofia, il devint une Principauté autonome. La Thrace et la Macédoine attribuées à San Stefano à la Grande-Bulgarie, demeurèrent turques. Pour les populations concernées, le Congrès de Berlin apporta la consternation. Pour la Russie, qui conservait néanmoins Kars, Batoum et la Bessarabie, c'étaient un cuisant échec de sa politique dans les Balkans. Les relations entre Saint-Pétersbourg et Vienne s'en ressentirent, d'autant plus que l'Autriche-Hongrie, elle, conservait l'administration de la Bosnie-Herzégovine, ainsi que celle du Sandjak de Novi Pazar, attribué précédemment à la Serbie. De leur côté, ni les Bulgares, ni les Serbes n'étaient satisfaits. Les Serbes, par la présence de l'Autriche-Hongrie en Bosnie-Herzégovine et dans le sandjak de Novi Pazar, se trouvaient séparés du Monténégro et perdaient ainsi tout espoir d'accéder au littoral adriatique. Pour eux, l'Autriche-Hongrie devenait un adversaire potentiel, non moins redoutable que le Turc. Quant aux Bulgares, dont les pertes en vies humaines avaient été considérables, leurs aspirations étaient loin d'avoir été satisfaites.

Une nouvelle fois, les Grandes Puissances avaient réglé en fonction de leurs intérêts propre le sort des peuples balkaniques.

L'évolution intérieure des États balkaniques jusqu'à la crise de 1908

LA ROUMANIE

L'avènement du Prince Charles de Hohenzollern en 1866 marqua le début de la Roumanie indépendante. Une Assemblée Constituante élue par les propriétaires terriens et la bourgeoisie vota en juin 1866 une Constitution qui fit de la Roumanie une monarchie constitutionnelle, avec un ministère responsable devant un Parlement formé de deux Chambres élues, le Sénat de 120 membres, élus par les plus riches, la Chambre des députés élue à un suffrage quasi-universel mais qui surreprésentait les gros contribuables aux dépens des paysans. La vie politique roumaine jusqu'à la Première Guerre mondiale fut dominée par les Boyards et les grands propriétaires, et par le Parti libéral de Jean Bratianu qui défendait les intérêts de la bourgeoisie.

Les questions de politique extérieure jouèrent un grand

rôle au cours de toute la période. Lors de la guerre russo-turque, le Parlement roumain profita des circonstances favorables pour proclamer le 21 mai 1877 l'indépendance totale du pays, ce qui fut confirmé par le Traité de San Stefano et le Congrès de Berlin. L'armée roumaine, d'ailleurs, participa aux côtés des Russes à la guerre de libération de la Bulgarie. Peu après, en 1881, le Prince Charles prit le titre de Roi de Roumanie sous le nom de Carol I. Son long règne (1881-1914) correspond à l'entrée de la Roumanie sur la scène internationale. En raison de ses liens familiaux avec les Hohenzollern d'Allemagne, le roi Carol fut tout naturellement attiré vers les Empires Centraux, et en 1883, à l'insu de la plupart de ses ministres, il conclut un accord secret avec l'Autriche-Hongrie et demeura fidèle à cette alliance, malgré une opinion publique francophile et irrédentiste.

En effet, la majeure partie de la classe politique et l'ensemble de la population fit preuve au cours de cette période d'un nationalisme intransigeant qui se manifesta sous deux formes. D'abord, sous la forme de l'irrédentisme, afin de rassembler en un seul État tous les Roumains. On considérait comme terres irrédentes la Bessarabie cédée aux Russes en 1878, et la Transylvanie, déjà hongroise à l'époque où les ancêtres des Roumains se trouvaient encore en Albanie, mais où des Roumains s'étaient peu à peu installés à partir du XIIIe siècle jusqu'à en former la moitié de la population. Ce sont d'ailleurs les milieux nationalistes de Bucarest qui financèrent l'action du Parti National Roumain en Transylvanie, et qui offraient des bourses aux Roumains de l'extérieur qui voulaient étudier à Bucarest. La liaison entre les milieux intellectuels de Roumanie et ceux de Transylvanie était assurée par la Ligue Culturelle fondée en 1890. L'autre forme que prit le nationalisme roumain fut l'antisémitisme. L'antisémitisme était d'ailleurs facilité par la législation : encore en 1888, la Cour de Cassation de Bucarest refusait la nationalité roumaine aux Juifs mêmes nés en Roumanie, ce qui, d'ailleurs, était contraire aux dispositions du Congrès de Berlin qui avait donné l'égalité des droits pour tous les habitants des pays devenus indépendants. La seule possibilité offerte aux Juifs pour sortir de leur sujétion, était de demander leur naturalisation : or de 1880 à 1900, seulement 200 naturalisations furent accordées. En outre, des centaines de pogromes eurent lieu dans le pays au cours de la période avec la complicité bienveillante des autorités. Étrange situation dans un pays qui était considéré par ses thuriféraires français comme le bastion de la civilisation occidentale en Orient! Les Universitaires parisiens, si prompts à se déchaîner contre l'Autriche-Hongrie lors du Procès du Memorandum en 1894 au cours duquel quelques Roumains de Transylvanie furent condamnés à des peines de prison – et amnistiés l'année suivante – demeuraient étrangement silencieux sur la persécution quotidienne dont étaient victimes les Juifs de Roumanie et ils étaient prêts à sacrifier à l'irrédentisme roumain les quelques 100 000 Juifs de Transylvanie. Les nationalités opprimées n'étaient pas toujours celles à propos desquelles on faisait le plus de tapage!

Quant au régime social de la Roumanie, il était particulièrement archaïque. La plus grande partie de la population était constituée par la paysannerie pauvre. En dépit de la réforme agraire de 1864 imparfaitement appliquée, la situation des paysans eut tendance à empirer, car les parcelles disponibles devenaient insuffisantes face à l'augmentation rapide de la population. Les charges pesant sur la terre se firent plus lourdes auxquelles s'ajoutait le poids d'un impôt rendu encore plus pesant à cause de la corruption de l'administration. Deux grandes révoltes paysannes eurent lieu, l'une en mars 1888, l'autre, la plus importante, en février-mars 1907. Cette dernière jacquerie fut très brutalement réprimée par l'armée du général Avarescu. Dans la région de Giurgiu, on n'hésita pas à utiliser l'artillerie pour bombarder les villages révoltés. Dans les dernières années du XIXe siècle, la naissance d'une industrie reposant sur les activités extractives (le pétrole de Ploesti) et sur la transformation des produits de l'agriculture amena en 1893, la création du Parti social-démocrate des Travailleurs de Roumanie qui lutta pour la défense des ouvriers dont les conditions de vie étaient très dures (journées de travail de 14 heures) et pour l'obtention du suffrage universel et égalitaire. La Révolution russe de 1905 et la jacquerie roumaine de 1907 renforcèrent le mouvement socialiste qui se réorganisa en 1910 sous le nom de *Parti social-démocrate* d'inspiration marxiste.

LA SERBIE ET LE MONTÉNÉGRO

Au lendemain du Congrès de Berlin où son indépendance fut reconnue, la Serbie demeure un petit pays d'environ 50 000 km², aux structures archaïques, avec une population d'un peu plus de 2 millions d'habitants. Sans accès à la mer, sans chemin de fer – la ligne Belgrade-Nich ne fut achevée qu'en 1881 et avec des capitaux autrichiens! – la Serbie était constituée d'une immense paysannerie de petits et moyens propriétaires dont les activités principales consistaient en la culture des céréales, l'arboriculture et l'élevage des porcs. Les rares manufactures étaient spécialisées dans la transformation des produits de l'agriculture. La seule ville quelque peu importante, Belgrade, la capitale, ne dépassait par les 30 000 habitants.

Une longue tradition de luttes incessantes contre l'occupant turc a durci le caractère du paysan serbe qui utilisait avec la même ardeur ses rudimentaires outils et ses armes. Celle-ci lui étaient d'autant plus chères que le combat pour la libération des Serbes n'était pas achevé. Des Serbes sont encore sujets de l'Empire ottoman, d'autres sont sujets austro-hongrois, et la Serbie ne s'en désintéresse pas. En outre, en direction de l'est, à côté du Turc, l'ennemi c'était aussi le Bulgare qui, comme le Serbe, aspirait à s'emparer de la Macédoine, clé des passages entre le monde danubien et le monde égéen et sur laquelle Serbes, Bulgares et Grecs avaient des visées.

La Serbie, depuis le début du XIXᵉ siècle, a été presque constamment gouvernée par les Princes de la famille Obrénovitch. Le fils du vieux Miloch, Michel (1859-1868), qui au cours de ses nombreux voyages en Europe occidentale, avait pris conscience du retard de son pays, eut à cœur de le moderniser mais les changements se firent dans le cadre d'un régime autoritaire, ce qui suscita des oppositions. Après son assassinat le 10 juin 1868 par un partisan de la dynastie rivale des Karageorgévitch, le pouvoir revint à son plus proche héritier, son neveu Milan

qui avait reçu une éducation française. Pendant le règne
de Milan (1868-1889), la Serbie se dota d'institutions libérales. La constitution de 1869 fit du pays un État constitutionnel où, en principe, les grandes libertés étaient garanties. Le Prince, qui prit en 1882 le titre de Roi, possédait
le pouvoir exécutif et partageait le pouvoir législatif avec
le Parlement, la *Skouptchina*, formée de 160 députés, 120
élus par la population et le reste nommé par le Prince. La
vie politique était animée par deux Partis, le Parti libéral,
en fait conservateur, favorable à l'alliance avec l'Autriche
et soutenu par les paysans les plus riches pour qui
l'Autriche-Hongrie était le débouché naturel de leurs
excédents agricoles, et le Parti radical, défenseur de la
paysannerie pauvre, et favorable au rapprochement avec
la Russie. Aux élections de septembre 1883, les Radicaux
l'emportèrent mais le Roi n'en continua pas moins à gouverner avec les Conservateurs, ce qui provoqua une grave
insurrection paysanne sévèrement réprimée. Le divorce
du Roi en 1888 créa une nouvelle source de conflit avec
ses sujets, car la Reine Nathalie, d'origine russe, jouissait
d'une grande popularité. Devant la montée du mécontin-
tement, le roi fit adopter en 1888 une nouvelle Constitution d'esprit plus libéral : désormais, la totalité des députés serait élue. Puis, il abdiqua le 6 mars 1889 en faveur
de son fils Alexandre I, âgé de 12 ans. Une régence fut
organisée mais les luttes politiques, souvent sanglantes,
reprirent de plus belle, d'autant plus que les Régents
avaient adopté une politique d'extrême dépendance à
l'égard de l'Autriche-Hongrie. La crise fut momentanément résolue lorsque le 13 avril 1892 le Roi Alexandre fit
savoir qu'il prenait personnellement la direction des
affaires du pays. Les Radicaux, majoritaires au Parlement,
attendaient beaucoup du jeune Roi. Ils furent vite déçus,
car dès 1894, Alexandre abolissait la Constitution de 1888
et revenait à celle plus autoritaire de 1869. Alexandre I
gouverna en fait en monarque absolu, tandis que sa
femme, Draga, divorcée d'un officier serbe, multipliait les
intrigues de toutes sortes. Le renforcement des liens avec
l'Autriche-Hongrie, avec laquelle la Serbie faisait plus de
80 % de ses échanges, suscita un mécontentement grandissant. Dans la nuit du 10 au 11 juin 1903, une conjura-
tion militaire dirigée par le frère de l'ex-mari de la reine

Draga, aboutit au massacre du Roi, de la Reine et de tous les membres de la famille Obrénovitch, ainsi que d'un certain nombre de ministres et dignitaires de la Cour. Quelques jours plus tard, à l'unanimité, le Parlement désignait comme Roi, Pierre Karageorgévitch. Le descendant de Georges Le Noir, le héros du soulèvement de 1804, devenait ainsi Roi sous le nom de Pierre I.

Le nouveau souverain avait passé la plus grande partie de sa vie à l'étranger. Ancien Saint-Cyrien, Pierre I avait combattu en 1870-1871 dans l'armée de Bourbaki et s'était illustré à la bataille de Villersexel. Son avènement marqua pour la politique extérieure de la Serbie un tournant décisif. Avec Pierre I, c'est l'orientation pro-russe qui l'emporte, d'autant plus que le roi confia le pouvoir au chef du parti radical, Nicolas Pachitch, chaud partisan d'une alliance avec la Russie. Le souverain rétablit dès son avènement le régime constitutionnel et les élections amenèrent une solide majorité radicale.

Pierre I se tourna vers la France dont il obtint d'importants crédits qui furent utilisés pour acheter au Creusot des équipements militaires. L'Autriche-Hongrie ayant riposté en 1905 par la fermeture de sa frontière aux produits agricoles serbes, ce fut la France qui les acheta. Avec le coup d'État de Belgrade, la Russie avait effacé son échec du Congrès de Berlin.

Au Monténégro, minuscule État de 9 030 km² et de 236 000 habitants indépendant depuis 1878 l'évolution fut pacifique. Le Prince Nicolas (1860-1918) chercha à moderniser le pays, réorganisa l'administration et mit fin au système patriarcal et tribal qui avait jusque là caractérisé ce pays. Les progrès économiques amenèrent en 1903 la formation d'un embryon de Parti socialiste, sous la direction de Jovan Hajdukovitch. En même temps, les milieux instruits, plus nombreux à cause de la politique d'ouverture du prince, créèrent un Parti libéral favorable à l'union avec la Serbie. En 1905, s'étant proclamé Roi de Monténégro, Nicolas accorda à ses sujets une Constitution mais en réalité il conserva tous les pouvoirs et le Parlement monténégrin n'eut qu'un rôle très effacé. Mais à tous les niveaux, les Monténégrins, dans leur majorité, regardèrent plus en direction de Belgrade que du côté de leur Roi.

Les débuts de la Bulgarie indépendante

Le Congrès de Berlin avait créé une Principauté bulgare autonome de deux millions d'habitants, tributaire de l'Empire Ottoman, et avait fait de la Roumélie orientale peuplée de 800 000 habitants une Province ottomane avec un gouverneur chrétien résidant à Philippopolis (Plovdiv) et désigné d'un commun accord entre les Puissances et le Sultan.

Conformément aux dispositions prises à Berlin, ce furent les Russes qui se virent chargés de jeter les bases de l'administration de la Principauté bulgare. Une Assemblée Constituante fut élue et se réunit à Tirnovo le 22 février 1879. En dépit de l'opposition des conservateurs soutenus par les autorités russes, la majorité libérale de l'Assemblée vota en avril suivant une Constitution qui confiait l'essentiel du pouvoir à une *Assemblée Nationale* (Sobranje) élue au suffrage universel. La fonction de chef de l'État fut confiée à l'unanimité au Prince Alexandre de Battenberg, neveu par alliance du Tsar, officier dans l'armée prussienne. Le Prince s'installa le 31 juillet 1879 à Sofia, élevé au rang de capitale.

Le Prince Alexandre, sachant qu'il bénéficiait de l'appui de la Russie, s'efforça d'établir en Bulgarie un régime de pouvoir personnel. Dès avril 1881, la Constitution fut suspendue. Les Russes crurent qu'avec le Prince Alexandre, qui leur était dévoué, ils pourraient faire de la jeune Bulgarie une principauté vassale. Une cruelle déception les attendait car, jaloux de sa nouvelle autorité, le Prince de Bulgarie eut à cœur de défendre l'indépendance de son pays. En 1884, ce fut la brouille entre le Tsar et son neveu : les conseillers russes furent renvoyés. Pour se concilier la faveur de son peuple qui supportait mal le régime autoritaire qu'on lui avait imposé, le Prince Alexandre s'efforça de donner satisfaction à l'amour-propre national en se faisant le champion de l'unité bulgare. L'Assemblée Nationale et la population roumeliote s'y montraient favorables. Le 18 septembre 1885, les éléments roumeliotes favorables à l'union avec la Bulgarie prirent le pouvoir à Plovdiv sous la conduire de l'écrivain Zacharie Stojanov. Deux jours après, le prince Alexandre faisait une entrée triomphale dans la capitale roumeliote.

Après cinq siècles de domination ottomane, le peuple bulgare retrouvait son unité dans le cadre d'un État de 3 500 000 habitants, indépendant en fait. La Bulgarie unifiée demeurait cependant fragile. La Turquie n'avait pas reconnu ce coup de force, et la Serbie, inquiète de la présence à ses frontières d'un État puissant, prit les devant en attaquant. L'armée serbe fut battue sans difficulté le 5 novembre 1885 à Slivnitza, et la médiation de l'Autriche évita à la Serbie une catastrophe encore plus grande. Une Conférence internationale tenue à Constantinople reconnut de *facto* l'union des deux Principautés bulgares. Ce succès personnel du Prince Alexandre, le « héros de Slivnitza » ne fut guère apprécié du Tsar. Un régiment encadré d'officiers russophiles s'empara du Palais princier et contraignit Alexandre à abdiquer, le 9 août 1886. Le peuple bulgare réagit et le Président de l'Assemblée Nationale, Stéphane Stamboulov, rappela le souverain à qui les Bulgares devaient leur unification. Le Prince Alexandre revint donc dans sa capitale, mais le gouvernement russe exigea son abdication.

Stamboulov, maître du pouvoir et fort du soutien populaire, se fit le porte-parole du nationalisme bulgare exacerbé par les ingérences russes. Les éléments russophiles de l'armée furent épurés, et les élections qui furent organisées à la fin de 1886 donnèrent une large majorité aux nationalistes hostiles à la Russie. Il s'agissait maintenant pour Stamboulov de trouver un Prince qui pourrait régner maintenant sur la Bulgarie. Il était inconcevable en effet dans l'Europe de la fin du XIXᵉ siècle qu'un État devenu indépendant devienne une République. Après de longues négociations avec les Puissances, le choix se porta sur le Prince Ferdinand de Saxe-Cobourg qui fut appelé au trône le 7 juillet 1887 par un vote massif de l'Assemblée bulgare. Le nouveau Prince servait jusqu'alors comme officier dans l'armée austro-hongroise; il appartenait à une famille qui avait donné à la Belgique son premier Roi en la personne de Léopold Iᵉʳ et à l'Angleterre le mari de la Reine Victoria, en la personne du Prince Albert. Par sa mère, le Prince Ferdinand était le petit-fils du Roi Louis-Philippe. Pour tous les observateurs, l'avènement du Prince Ferdinand fut considéré comme un succès de l'Autriche-Hongrie et de l'Allemagne, et surtout comme un second échec de la Russie en Bulgarie. Le gouvernement russe, d'ailleurs pendant longtemps, refusa de reconnaître le nouveau Prince de Bulgarie. La Russie sortit aigrie de toute cette affaire; elle avait contribué à l'émancipation de la Bulgarie dans l'espoir d'en faire un État subordonné, mais par deux fois, les Bulgares et les Princes qu'ils s'étaient donnés, refusèrent de substituer à la domination ottomane la tutelle de la Russie.

Pendant les premières années du règne de Ferdinand, ce fut Stamboulov qui exerça la réalité du pouvoir jusqu'à sa démission en mai 1894. L'année suivante, en juillet 1895, il mourait assassiné. A partir de ce moment-là, le Prince Ferdinand exerça lui-même la direction des affaires en s'appuyant sur la coalition des conservateurs et des libéraux stamboulistes. Mais à côté des partis traditionnels, on note l'apparition à la fin du siècle de nouvelles formations politiques : le *Parti social-démocrate*, défenseur du monde ouvrier naissant, fondé clandestinement en 1891 par Dimitri Blagoev (1856-1924) et renforcé plus tard par la création par Georges Dimitrov (1882-1949) du premier syndicat socialiste en 1904, et l'*Union Agrarienne* créée en 1899 avec pour programme la réforme agraire et l'abolition des dettes paysannes. Si les effectifs du Parti social-démocrate demeurèrent longtemps modestes en raison de la faible importance numérique de la classe ouvrière bulgare (25 000 ouvriers en 1914), l'Union Agrarienne, sous la conduite d'Alexandre Strambolijski (1879-1923), fit de rapides progrès dans le monde paysan et parvint à obtenir 20 % des voix aux élections de 1911.

Les luttes politiques ne faisaient pas oublier que la Bulgarie était encore sous la tutelle théorique de l'Empire ottoman. L'autonomie n'était pas l'indépendance, même si elle lui ressemblait étrangement. Cette fausse situation s'acheva le 22 septembre 1908. A la faveur des difficultés intérieures de l'Empire ottoman et de la crise internationale à propos de l'annexion de la Bosnie-Herzégovine par l'Autriche-Hongrie, le Prince Ferdinand proclama à Tirnovo, la capitale historique du pays, l'indépendance du *royaume de Bulgarie* et reprit à son profit le titre de *Tsar des Bulgares* qu'avaient porté autrefois les Asenides.

A l'aube du xxᵉ siècle, Trois États balkaniques sont ainsi devenus maîtres de leur destin. Si le régime politique – la monarchie autoritaire –, et si les structures sociales et économiques – il s'agit de sociétés à dominante paysanne – sont sensiblement identiques, en revanche la politique extérieure sépare et oppose ces États. Les uns sont les protégés de l'Autriche-Hongrie, (la Serbie et la Bulgarie, puis la Bulgarie seule), les autres sont les protégés de la Russie (la Roumanie, le Monténégro et la Bulgarie d'abord, la Roumanie, le Monténégro et la Serbie par la suite). A un moment où les Grandes Puissances européennes sont partagées en deux blocs antagonistes, l'*Entente* et la *Triplice*, il est clair que la reproduction à une échelle réduite de ces divisions en Europe balkanique n'est pas sans présenter de danger; d'autant plus que ces peuples balkaniques avaient entre eux de nombreux contentieux à régler, et la moindre querelle chez eux pouvait dégénérer en conflit.

La poudrière balkanique (1908-1914)

Au début du xxᵉ siècle, la péninsule balkanique, toujours prête à s'enflammer, est devenue un champ clos où s'affrontent les influences antagonistes de l'Autriche-Hongrie et de la Russie par Bulgares et Serbes interposés. Or, l'affaiblissement continu de l'Empire ottoman qui contrôle encore les populations chrétiennes de Macédoine et de Thrace, ainsi que les Albanais, suscite bien des convoitises. Celles-ci vont se manifester violemment au cours des quelques années qui précèdent la Première Guerre mondiale.

LE PROBLÈME MACÉDONIEN

Le Congrès de Berlin avait laissé la Macédoine aux Turcs, à la grande déception des Grecs, des Bulgares et des Serbes. Chacun de ces trois peuples prétendait avoir de bonnes raisons pour revendiquer ce territoire. La Macédoine correspond géographiquement à la vallée du Vardar et aux régions montagneuses qui la ceinturent de toutes parts. Avant la conquête turque, cette région relevait de l'Empire byzantin, mais lui fut souvent disputée par les Bulgares et les Serbes. Au début du xxᵉ siècle, les Macédoniens étaient au nombre d'environ 3 millions, divisés en trois nationalités principales. La façade égéenne avec le port de Salonique avait un peuplement grec majoritaire, et des îlots minoritaires turcs et bulgares. Les Serbes étaient présents partout à l'intérieur du pays, en groupes plus ou moins denses, mais avec une assez forte concentration autour d'Uskub (Skoplje). Mais les Serbes étaient presque partout minoritaires à l'intérieur par rapport à la population bulgare. L'influence bulgare s'était sensiblement renforcée lorsqu'en 1870 fut créée l'Exarchat bulgare indépendant dont la juridiction s'étendait à toute la Macédoine. A côté des 3 nationalités dominantes qui formaient environ les 4/5 de la population, on pouvait remarquer aussi la présence d'une multitude de populations diverses : Albanais, Valaques dans les régions montagneuses, Turcs, Arméniens et Juifs dans les villes. L'émancipation de la Bulgarie en 1885 avait suscité en Macédoine de grands espoirs, à un moment où les milieux intellectuels locaux prenaient de plus en plus conscience du fait macédonien. L'influence bulgare se renforça quand fut constituée à Salonique en 1893 l'ORIM (Organisation Révolutionnaire Intérieure Macédonienne), qui organisa çà et là des maquis en même temps qu'elle multipliait les attentats contre les représentants du pouvoir ottoman. Au début du siècle, tout l'intérieur se trouvait en état d'insurrection larvée. Le 2 août 1903, l'ORIM déclencha un puissant mouvement connu sous le nom d'*insurrection de la Saint Élie* qui embrasa toute la Macédoine et s'étendit à la Thrace. Les Turcs réagirent brutalement et des milliers de Macédoniens allèrent se réfugier en Bulgarie. Les Grandes Puissances étaient divisées sur la question macédonienne. Le Royaume-Uni aurait souhaité de grandes réformes en Macédoine. L'Autriche-Hongrie et la Russie, qui tentaient à ce moment-là de renouer, s'entendirent à Mürzsteg pour ne pas intervenir et demander au Sultan quelques réformes. La neutralité du gouvernement bulgare dans cette affaire provoqua des dissensions au sein de l'ORIM qui se fractionna sur une base ethnique. Certains révolutionnaires macédoniens se tournèrent vers Belgrade et fondèrent en 1910 à Skoplje un groupe socialiste macédo-nien favorable à une Fédération Balkanique dans laquelle une République Macédonienne indépendante devrait avoir une place. Les autres demeurèrent fidèles à la Bulgarie. De ce fait, la question macédonienne devenait un sujet supplémentaire d'affrontement entre la Serbie et la Bulgarie.

LA CRISE BOSNIAQUE DE 1908

Depuis 1878, l'Autriche-Hongrie administrait au nom du Sultan la Bosnie-Herzégovine ainsi que la Sandjak de Novi Pazar; elle y avait installé une administration mi-civile, mi-militaire, efficace et compétente, y avait fait construire des routes et des voies ferrées, mais n'avait rien changé aux structures sociales héritées de l'époque ottomane. Afin de mieux assurer son autorité, l'adminis-tration austro-hongroise s'appuya sur les éléments catho-liques et musulmans de la population, tandis que les orthodoxes manifestaient leur sympathie pour la Serbie.

Au début de 1908, voulant montrer qu'elle entendait bien continuer à demeurer en Bosnie-Herzégovine, l'Autriche-Hongrie avait conclu avec le Sultan un accord de concession pour la construction d'un chemin de fer unissant la Bosnie à la Macédoine. L'annonce de ce pro-jet suscita une méfiance accrue de la part des Russes et de leurs alliés serbes, qui envisagèrent alors conjointe-ment avec la France une intervention en faveur des Macé-doniens. Ces événements provoquèrent dans l'Empire Ottoman une réaction nationaliste. Les *Jeunes Turcs*, hos-tiles à toutes les concessions faites aux Grandes Puis-sances, se soulevèrent en juillet 1908 et imposèrent au Sultan Abd-Ul-Hamid une Constitution libérale. La Révo-lution jeune turque déclencha en Macédoine, en Serbie, en Bulgarie et en Grèce, une vague d'espoir car elle affai-blissait l'Empire Ottoman.

Pour éviter que la Serbie ne profite de la situation pour remettre en question le statut de la Bosnie-Herzégovine, le gouvernement austro-hongrois décida le 5 octobre 1908 l'annexion pure et simple de cette province, mais laissa aux Turcs Novi Pazar. La Serbie protesta vivement contre l'annexion, mais comme la Russie, dont l'armée était en pleine réorganisation depuis la guerre russo-nippone, ne pouvait pas intervenir militairement, elle dut reconnaître la situation nouvelle. Néanmoins, la rancœur des Serbes à l'égard de l'Autriche-Hongrie était immense. Elle n'allait pas tarder à se manifester en Bosnie-Herzégovine même, avec la multiplication des Sociétés Secrètes proserbes financées et soutenues par certains millieux militaires serbes, et par une intense propagande antiautrichienne sur place comme à l'étranger.

LES GUERRES BALKANIQUES EN 1912-1913

La Révolution turque de 1908 avait incontestablement affaibli l'Empire ottoman. Les troubles se multiplièrent à travers tout l'Empire. Le Sultan, qui avait tenté en 1909 de reprendre le pouvoir absolu, fut déposé au profit de son frère Mohammed V (1909-1918). Les Jeunes Turcs, maîtres de l'État, se mirent en devoir de rétablir l'ordre partout, et de façon très brutale, au nom de l'unité de l'Empire. En dépit des garanties constitutionnelles qui assuraient en principe l'égalité de toutes les races, les non-Turcs furent soumis à l'arbitraire du nouveau pouvoir. Arméniens, Grecs, Macédoniens, Bulgares de Thrace en furent les principales victimes.

Les Albanais, qui avaient toujours été de loyaux sujets du Sultan, avaient appuyé le mouvement jeune-turc en 1908. Depuis la fin du XIXᵉ siècle, le peuple albanais commençait à son tour à prendre conscience de son particularisme. Une *Ligue pour la défense du peuple albanais* avait été formée et manifestait son activité par la création de nombreuses écoles et d'une presse en langue albanaise. En 1908, les Albanais avaient espéré obtenir un statut d'autonomie et ils formèrent une organisation politique avec Ismail Qemal Beg, qui avait été en liaison étroite avec le mouvement jeune turc. Mais le nationalisme jeune-turc admit mal les aspirations albanaises. Dès 1909-1910, des soulèvements antiturcs éclatèrent en Albanie tandis qu'au Parlement de Constantinople, Ismaïl Qemal Beg et les 25 députés albanais se faisaient les porte-paroles du mouvement autonomiste.

Aux difficultés avec les Albanais s'ajoutait pour le gouvernement turc un conflit armé avec l'Italie à propos de la Tripolitaine (1911-1912). Les Turcs durent céder à l'Italie la Cyrénaïque et la Tripolitaine, Rhodes et les îles du Dodécanèse. L'Empire ottoman paraissait alors à tel point affaibli que les États balkaniques décidèrent d'agir pour libérer la Macédoine. La Russie, qui n'avait jamais perdu de vue ses intérêts dans les Balkans, conseilla aux Serbes et aux Bulgares de faire cause commune contre les Turcs. Une alliance fut conclue entre eux en février 1912 : la Grèce s'y joignit en mai et le Monténégro en octobre. De la sorte, on eut une *Ligue balkanique* des peuples chrétiens destinée à chasser les Turcs d'Europe orientale. Chacun des cosignataires de l'alliance devait fournir un contingent militaire pour la lutte commune : 300 000 hommes pour la Bulgarie, 150 000 hommes pour la Serbie, 120 000 hommes pour la Grèce. La Bulgarie qui devait fournir le plus fort contingent, espérait bien en être largement récompensée.

Dès l'été 1912, les Turcs se rendirent compte de ce qui se tramait et renforcèrent leur dispositif militaire. Le 8 octobre, le Monténégro ouvrit les hostilités en déclarant la guerre à l'Empire Ottoman. La *Première Guerre balkanique* commençait. Dans les jours qui suivirent, la Turquie riposta en déclarant la guerre à la Bulgarie et à la Serbie, mais pas à la Grèce, ce qui n'empêcha pas ce pays de respecter ses engagements vis-à-vis de ses alliés. La coalition balkanique remporta tout de suite des succès. Le 24 octobre, l'armée serbe sous le commandement du général Putnik et du Prince héritier Alexandre battait les Turcs à Kumanovo, puis entrait quelques jours plus tard à Skoplje et à Monastir après avoir été rejointe par les troupes monténégrines. Les Grecs, eux, de leur côté, libéraient la Thessalie et l'Épire, puis mettaient le siège devant Jannina. Quant aux Bulgares, le même jour où les Serbes triomphaient à Kumanovo, ils battaient les Turcs à Kirk-Kilissé, puis à Lulé Burgas, et de là marchaient sur Constantinople, non sans avoir en cours de route mis le siège devant Andrinople dont ils s'emparèrent finalement le 23 mars 1913.

Au cours de leur avance, les Grecs et les Serbes avaient pénétré en territoire albanais. Ismaïl Qemal Beg, qui redoutait les ambitions des pays de la Ligue balkanique, décida de porter la question albanaise devant l'opinion internationale. Il convoqua à Vlora (Valona) les représentants de tout le pays albanais, musulmans, orthodoxes et catholiques confondus, à une Assemblée. Le 28 novembre 1912, cette Assemblée se déclare constituante et proclame l'indépendance du pays, Ismaïl Qemal Beg forma aussitôt un gouvernement provisoire, puis se rendit à Londres auprès de la *Conférence des Ambassadeurs* des Grandes Puissances qui était réunie afin d'examiner la situation créée par la guerre dans les Balkans.

A cette Conférence des Ambassadeurs, l'Autriche-Hongrie et l'Italie, favorables à la création d'un État albanais indépendant s'opposèrent à la Russie et à la France qui défendaient les ambitions serbes et grecques sur ce pays. Après de longues négociations, la Conférence de Londres déboucha le 30 mai 1913, sur des *Préliminaires* qui devaient servir de base à la paix future dans les Balkans. La Turquie ne conserverait en Europe que Constantinople et ses environs immédiats ; une Albanie indépendante et neutre, sous la garantie des Grandes Puissances, était créée, avec un Prince qui, lui aussi, serait choisi par ces mêmes Grandes Puissances. Quant à la Macédoine, Bulgares, Grecs et Serbes devaient s'entendre pour se la partager.

Très vite, le partage de la Macédoine donna lieu à des contestations entre les alliés de 1912. Les Bulgares avaient espéré obtenir la plus grande partie de cette province, mais ils virent les Grecs et les Serbes s'entendre pour la leur refuser. Aussi, le 23 juin 1913, les Bulgares lancèrent une offensive contre leurs anciens alliés. L'initiative du Tsar Ferdinand se solda par un échec d'autant plus que, outre les Serbes et les Grecs, il eut contre lui les Roumains et même les Turcs qui cherchèrent ainsi à limiter leurs pertes.

Cette *Deuxième Guerre balkanique* s'acheva par la paix de Bucarest du 10 août 1913. La Turquie y récupérait Andrinople et une partie de la Thrace orientale, c'est-à-dire le territoire de ce qu'il est convenu d'appeler aujourd'hui la *Turquie d'Europe*. La Roumanie recevait le petit morceau de Dobroudja que la Bulgarie ne lui avait pas cédé en 1878 : il s'agissait d'une région à majorité bulgare, ce qui allait maintenir entre les deux pays une raison supplémentaire de tension. La Grèce reçut le littoral macédonien avec Salonique et la Chalcidique, ainsi que l'île de Crête et plusieurs îles de l'Égée centrale. La Serbie obtenait la plus grande partie de la Macédoine occidentale et centrale avec les villes de Skoplje, Ohrid et Bitola, incorporant ainsi dans son territoire des populations bulgares et albanaises; elle recevait également un morceau du Sandjak de Novi Pazar, le reste allant au Monténégro. La Serbie étendait maintenant son autorité sur un territoire de 90 000 km² avec une population de plus de 4 millions et demi d'habitants. Le Monténégro, avec la partie du Sandjak de Novi Pazar qu'il obtînt, eut ainsi une frontière commune avec la Serbie. Les Bulgares obtinrent des avantages mineurs sur leur frontière occidentale, mais en revanche au sud, ils atteignirent désormais la Mer Égée par l'annexion d'une partie de la Thrace avec le port de Dedeagatch.

Les guerres balkaniques laissèrent de profondes traces chez les anciens alliés de 1912. D'abord sur le plan démographique, les pertent furent nombreuses, 156 000 Bulgares, 71 000 Serbes, 68 000 Grecs et une dizaine de milliers de Monténégrins : tel fut le bilan humain de cette guerre fratricide. Ensuite, le partage des territoires enlevés aux Turcs provoqua des rancœurs, surtout du côté des Bulgares qui s'estimèrent mal payés de leur intervention et qui se trouvèrent après leur défaite totalement isolés au milieu de voisins hostiles. Enfin, sur le plan international, les progrès de la Serbie, dont le territoire jouxtait désormais celui du Monténégro, inquiétèrent vivement l'Autriche-Hongrie, d'autant plus que la propagande antiautrichienne menée par la presse serbe se faisait chaque jour plus agressive et que les Sociétés Secrètes, telles la *Main Noire* dirigée par des officiers serbes de haut rang, se faisaient de plus en plus actives.

L'Autriche-Hongrie ne pouvait plus compter dans cette partie de l'Europe que sur la Bulgarie et sur l'Albanie, tandis que l'Allemagne, son alliée depuis 1872, cherchait de plus en plus à intégrer l'Empire Ottoman dans son système d'alliance. La question albanaise faillit provoquer un conflit entre l'Autriche-Hongrie et la Serbie en septembre 1913, car la Serbie refusait d'évacuer le territoire albanais. Finalement, les Serbes cédèrent à la pression internationale, et en décembre 1913 les Grandes Puissances, se mirent d'accord pour fixer les frontières définitives de l'Albanie. L'Albanie indépendante, avec un territoire de

28 000 km² et une population de 800 000 habitants, se vit
attribuer pour souverain le Prince Allemand Guillaume de
Wied. Pour les Puissances Centrales, c'était là un succès.
L'État albanais, par sa présence, bloquait l'accès direct de
la Serbie – c'est-à-dire aussi de la Russie – à la Mer Adriatique. Mais les Albanais n'étaient pas pour autant satisfaits
de leurs frontières car 400 000 de leurs compatriotes
avaient été incorporés à la Serbie au Traité de Bucarest.

Les guerres balkaniques, tout en ayant marqué un net
recul de la domination ottomane en Europe orientale, ce
qui était le vœu général des populations chrétiennes des
Balkans, avaient en revanche exacerbé les nationalismes et
les rivalités entre peuples voisins, frères de races, voire de
religion, mais jaloux de leurs particularismes, et d'autant
plus virulents que les uns et les autres se savaient soutenus
par les Grandes Puissances. En fait, les peuples balkaniques
ne se rendaient même pas compte qu'ils n'étaient plus les
maîtres de leur propre destin mais que c'était à Saint-
Pétersbourg, à Vienne, à Londres ou à Paris que les décisions les concernant étaient prises.

XIII

ÉPILOGUE :
LA PREMIÈRE GUERRE MONDIALE

Au début de l'année 1914, les causes de tension étaient multiples en Europe. A l'ouest, l'antagonisme franco-allemand exaspéré depuis la guerre de 1870-1871 était plus que jamais susceptible de déboucher sur un conflit au moindre incident ; cela avait failli se produire en 1911 lors de la crise d'Agadir et personne n'excluait l'éventualité d'une guerre prochaine, même si les élections françaises d'avril 1914 avaient rassuré. A l'est, l'impérialisme russe en direction des Balkans et de Constantinople se heurtait de front depuis 1908 aux intérêts de l'Autriche-Hongrie, inquiète des effets éventuels que pouvait avoir la propagande anti-autrichienne menée depuis Belgrade sur ses propres sujets slaves.

L'annexion de la Bosnie-Herzégovine par l'Autriche-Hongrie en 1908 et les guerres balkaniques de 1912-1913 avaient fait de l'Europe orientale une véritable poudrière et avaient exacerbé les rivalités et les antagonismes entre les peuples des Balkans désormais libérés de la domination ottomane. Cette situation s'avérait d'autant plus dangereuse pour la paix que les protagonistes des guerres balkaniques se trouvaient intégrés aux deux systèmes d'alliance qui regroupaient les Grandes Puissances. La Serbie et le Monténégro se savaient soutenus par la Russie, surtout depuis l'arrivée sur le trône serbe de Pierre Karageorgévitch. Or, la Russie, depuis 1892, était alliée à la France par des accords de coopération militaire et avait, depuis 1906, normalisé ses relations avec le Royaume-Uni lui-même réconcilié avec la France depuis l'*Entente Cordiale* de 1905. La Serbie était ainsi en droit de penser que la Russie, la France et même éventuellement le Royaume-Uni – c'est-à-dire les Puissances de l'Entente – seraient à ses côtés en cas de conflit avec l'Autriche-Hongrie. De l'autre côté, la Bulgarie, profondément choquée par ses échecs lors de la 2ᵉ Guerre balkanique, cherchait l'appui de l'Autriche-Hongrie, inquiète des visées expansionnistes de la Serbie et de son allié russe. Or, depuis 1872, l'Autriche-Hongrie était étroitement liée à l'Empire Allemand, et dans une moindre mesure à l'Italie, dans le cadre du traité d'alliance connu sous le nom de *Triplice*. La Roumanie, elle, se trouvait dans une situation un peu particulière. Le peuple roumain et la plupart des hommes politiques, surtout ceux du Parti libéral, étaient francophiles et irrédentistes : ils aspiraient à la création d'une *Grande Roumanie* par l'annexion de la Transylvanie hongroise et de la Bucovine autrichienne. En revanche, le Roi Carol était personnellement partisan de l'orientation pro-allemande et avait conclu à l'insu de la plupart de ses ministres un traité d'alliance avec les Puissances Centrales.

Pendant l'année qui s'écoula entre la Paix de Bucarest qui mit fin à la 2ᵉ Guerre balkanique et le déclenchement de la Première Guerre mondiale, les relations austro-serbes se dégradèrent à un rythme très rapide. Les sociétés serbes nationalistes, en rapports plus ou moins étroits avec l'ambassade russe à Belgrade et avec l'État-Major serbe, redoublaient d'activité dans leur propagande anti-autrichienne, ouvertement dans les colonnes de la presse de Serbie, clandestinement en Bosnie-Herzégovine. Elles bénéficiaient de l'appui à peine dissimulé du chef du gouvernement serbe Pachitch. Parmi ces groupes clandestins, le plus important fut sans conteste la Société de la *Main Noire* dirigée par le Colonel Dimitrievitch, de l'État-Major royal serbe et important responsable des Services Secrets. Dimitrievitch entretenait des rapports étroits avec des groupes de jeunes terroristes pro-serbes qui agissaient en Bosnie-Herzégovine.

Ce fut à l'initiative de la *Main Noire* que des étudiants bosniaques décidèrent d'organiser un attentat en Bosnie-Herzégovine à l'occasion des grandes manœuvres de l'armée austro-hongroise qui devaient s'y dérouler en juin 1914, en présence du Prince héritier, l'archiduc François-Ferdinand. Les terroristes, équipés d'armes en provenance des arsenaux serbes, profitèrent de la visite de l'archiduc et de sa femme à Sarajevo pour agir. Le 28 juin 1914, l'archiduc François-Ferdinand et l'archiduchesse Sophie tombèrent ainsi sous les balles de l'étudiant Gavrilo Prinzip et de ses complices. En assassinant François-Ferdinand, les meurtriers et ceux qui les avaient recrutés visaient certes le Prince héritier d'Autriche-Hongrie, mais surtout un homme qui ne cachait pas sa volonté de faire une politique favorable aux Slaves de l'Empire afin de les rallier à Vienne et de les détourner de Belgrade. A ce titre, François-Ferdinand représentait un danger pour la Serbie et la Russie, car le ralliement des Slaves aux Habsbourg aurait définitivement mis fin aux espoirs de la Russie de créer dans les Balkans et le long de l'Adriatique une zone où aurait pu s'exercer leur hégémonie.

L'attentat de Sarajevo déclencha une très grave crise internationale qui déboucha sur la guerre. A Vienne, le chef de l'État-Major, le maréchal Conrad von Hötzendorff, fort de l'appui de ses homologues allemands, préconisa dès les premiers jours une intervention militaire afin de régler une fois pour toutes « son compte » à la Serbie dans le cadre d'une action localisée et rapide. L'Empereur François-Joseph et le Président du Conseil hongrois Étienne Tisza redoutaient qu'une telle action ne provoquât une vive réaction de la Russie, ce qui risquerait alors de provoquer une guerre européenne. En effet, dès le début, la Russie avait assuré de son appui total le gouvernement serbe, tandis que dans la deuxième quinzaine de juillet, le Président de la République française Raymond Poincaré, accompagné de la plupart de ses ministres, vint réactiver l'alliance franco-russe à l'occasion d'une visite officielle à Saint-Pétersbourg. Après de longs débats au Conseil de la Couronne, au cours desquels Étienne Tisza s'efforça de jouer un rôle modérateur, l'Autriche-Hongrie adressa à Belgrade le 23 juillet 1914 un ultimatum qui devait être accepté dans sa totalité dans un délai de 48 heures. Le 25 juillet, le gouvernement serbe ayant rejeté le point de l'ultimatum qui exigeait la participation de policiers autrichiens à l'enquête en territoire serbe sur le crime, l'Autriche-Hongrie rompit aussitôt ses relations diplomatiques avec la Serbie. La Serbie décida immédiatement la mobilisation générale tandis que l'Autriche-Hongrie procédait à une mobilisation partielle de ses troupes. En dépit des propositions anglaises de médiation, forte de l'appui sans réserve donné par le gouvernement allemand, l'Autriche-Hongrie le 28 juillet 1914, un mois jour pour jour après l'attentat de Sarajevo, déclara la guerre à la Serbie, faisant savoir à toutes les Puissances qu'il ne s'agissait que d'un conflit localisé qui ne concernait qu'elle et la Serbie. Le gouvernement russe, qui ne pouvait pas laisser écraser la Serbie sans perdre sa crédibilité aux yeux de la France, mobilisa à son tour. Dès lors, chaque État agit comme s'il voulait tester l'efficacité de ses alliances. Le gouvernement allemand, partisan lui aussi de la guerre localisée, demanda par ultimatum à la Russie de cesser ses préparatifs de guerre et à la France de proclamer sa neutralité. La réponse négative de Saint-Pétersbourg et de Paris aboutit le 3 août à la guerre quasi générale ; le Royaume-Uni ne s'engagea que le 4 août après que les armées allemandes eussent violé la neutralité de la Belgique. Plus tard, le 1er novembre, l'Empire ottoman, inquiet des prétentions russes sur les Détroits, rallia le camp des Puissances Centrales et combattit aux côtés de l'Allemagne et de l'Autriche-Hongrie. Le jeu des alliances avait ainsi transformé le conflit austro-serbe en une guerre européenne. Les peuples de l'Europe de l'Est, dont les rivalités et les antagonistes avaient été à l'origine du conflit, se trouvaient désormais engagés dans une lutte entre les Grandes Puissances, dont ils étaient devenus l'enjeu.

Il n'est pas question ici d'étudier la Première Guerre mondiale en tant que telle ; mais on ne doit pas négliger l'importance qu'elle a eu pour le destin des peuples de l'Europe Centrale et orientale. Les peuples de cette partie de l'Europe se trouvèrent partagés entre les deux camps opposés, mais les clivages ne furent pas toujours très clairs. Du côté des Puissances Centrales, les populations d'Autriche-Hongrie combattirent avec une énergie et une loyauté qui ne se démentirent pas jusqu'à l'été 1918, mais de ce fait, les Serbes et tous les Slaves du Sud d'Autriche-Hongrie combattirent contre les Serbes de Serbie, leurs frères, sans que cela ne posât apparemment de problème aux uns comme aux autres. De même, les Roumains de Transylvanie, sujets hongrois, combattirent à partir de l'été 1916 contre les Roumains de Roumanie lorsque ceux-ci se rangèrent aux côtés de l'Entente. Plus étrange encore fut la situation des Polonais; ceux qui étaient sujets allemands ou austro-hongrois se trouvèrent en face de leurs frères qui avaient été incorporés dans l'armée russe. D'une façon générale dans un camp comme dans l'autre, les peuples demeurèrent fidèles au drapeau sous lequel ils combattaient. Pour gagner les Polonais à la cause russe, le Grand-Duc Nicolas, Commandant en chef des armées russes, leur lança le 9 septembre 1914 un appel où il leur promettait au nom du Tsar la reconstitution de la Pologne dans le cadre d'un État polonais autonome « sous le sceptre de l'Empereur de Russie ». Mais au même moment, l'Autriche-Hongrie organisait avec les contingents polonais de son armée une *Légion* destinée à libérer la Pologne du joug russe! Et effectivement après la campagne victorieuse de l'été 1915, les autorités allemandes et austro-hongroises laissèrent se développer sous leur protection un embryon d'État polonais.

Dans l'autre camp, celui de l'Entente, ce fut surtout la Serbie qui supporta l'effort de la guerre le plus lourd. En dépit de quelques succès au début de la guerre, les armées serbes se trouvèrent en fâcheuse posture lorsque le 14 octobre 1915, les Bulgares se rangèrent aux côtés des Puissances Centrales et envahirent – ou libérèrent – la Macédoine. Les restes de l'armée serbe durent se réfugier avec le gouvernement et le Roi Pierre, d'abord en Albanie, où ils furent mal accueillis, puis, talonnés par les armées austro-hongroises qui avaient occupé l'ensemble du territoire serbe et s'apprêtaient à en faire autant avec l'Albanie, ils passèrent dans l'île de Corfou. L'Albanie, en principe neutre, se trouva ainsi, malgré elle, mêlée au conflit. Après avoir été pillée par les restes de l'armée serbe, elle connut l'occupation austro-hongroise. Il faut dire aussi qu'au même moment, les pays de l'Entente l'avaient déjà pour ainsi dire sacrifiée, puisque le Traité de Londres d'avril 1915 qui avait scellé l'entrée en guerre de l'Italie aux côtés de l'Entente avait prévu que l'Italie obtiendrait d'importantes bases en Albanie et que la Serbie s'en verrait attribuer d'autres!

Apparemment, jusqu'au début de l'année 1918, le sort de la guerre sembla évoluer favorablement pour les Puissances Centrales. La Roumanie, que son nouveau roi Ferdinand avait fait entrer dans la guerre aux côtés des Alliés en août 1916, fut battue après 6 semaines de combat et son territoire presque totalement occupé par les troupes allemandes, austro-hongroises et bulgares. Après bien des hésitations, le gouvernement roumain se résigna à sortir de la guerre et à signer avec les Puissances Centrales le traité de Bucarest du 16 mars 1918. L'armée serbe, réfugiée à Corfou, était réduite à l'impuissance, tandis que le Monténégro avait renoncé à combattre dès 1916. Une Pologne sous protectorat austro-allemand semblait devoir se constituer avec les territoires conquis sur la Russie. Or, en mars 1917, la révolution russe éclate; l'armée russe est emportée par la tourmente. La volonté de paix à tout prix manifestée par Lénine et les Bolcheviks au pouvoir depuis la *Révolution d'Octobre* déboucha sur la paix séparée signée par la Russie soviétique le 3 mars 1918 à Brest-Litovsk. Les Russes y renoncèrent à toutes leurs possessions occidentales c'est-à-dire à la Finlande, qui s'est proclamée indépendante dès décembre 1917, aux provinces baltes d'Estonie, de Lettonie et de Lituanie, à la Pologne, mais aussi à l'Ukraine et à une partie importante de la Biélo-Russie.

A première vue, les Puissances Centrales semblaient en position de force en ce début de l'année 1918. Une nouvelle géographie politique de l'Europe Centrale et orientale était en train de se dessiner avec la reconstitution envisagée d'une *Grande Pologne* plus ou moins associée à l'Autriche-Hongrie, avec une *Grande Bulgarie* maîtresse des Balkans et une Autriche-Hongrie supervisant un État serbe sous sa tutelle. Beaucoup de ceux qui, en Autriche-Hongrie, avaient souhaité l'union de tous les Slaves du Sud au sein d'un Empire rénové, plaçaient maintenant leurs espoirs dans le jeune Empereur Charles qui, en novembre 1916, avait succédé à François-Joseph. Tout laissait à penser que le jeune souverain reprendrait à son compte la politique envisagée autrefois par François-Ferdinand. Au début de 1917, le Club des Députés Slaves du Sud de l'Empire réuni à Vienne avait présenté à l'Empereur une demande visant à unir tous les Slaves du

Sud dans un État illyrien, partie intégrante de l'Empire. Beaucoup attendaient du nouvel Empereur de profonds changements. N'avait-il pas demandé la démission du Président du Conseil hongrois Tisza parce que justement il s'opposait aux réformes? et ne venait-il pas de grâcier un certain nombre de nationalistes tchèques condamnés à mort pour trahison, notamment Kramarj, le chef du Parti Jeune Tchèque.

Un vent d'espoir semblait alors souffler dans l'Empire au grand désespoir des pangermanistes. Une *pax austriaca* pouvait être alors raisonnablement envisagée. En réalité, l'issue de la guerre était loin d'être certaine. Les Puissances de l'Entente, malgré la défection de l'allié russe, disposaient encore de sérieux atouts. L'entrée en guerre des États-Unis en avril 1917, la présence à Salonique d'un corps expéditionnaire français sans cesse renforcé par l'arrivée de nouvelles forces, l'entrée en guerre de la Grèce aux côtés de l'Entente survenant après celle de l'Italie et de la Roumanie, l'absence de succès décisif des Puissances Centrales sur le front occidental, montraient à qui voulait bien le voir que rien n'était joué. En Roumanie et en Serbie occupées par les armées austro-hongroises et allemandes, les populations locales espéraient leur libération et comptaient sur un succès de l'Entente sur le front occidental pour rétablir une situation plus que compromise. En Autriche-Hongrie même, si les milieux dirigeants autrichiens et hongrois semblaient sûrs de la victoire et pensaient déjà à la réorganisation future de l'Europe centrale et orientale, et même si la plupart des chefs politiques des diverses nationalités leur emboîtaient le pas, d'autres en revanche, moins nombreux, misaient sur une victoire de l'Entente et s'efforçaient de préserver l'avenir au cas où leur hypothèse s'avérerait exacte. En Hongrie, si la majorité de la classe politique soutenait le gouvernement, un certain nombre de politiciens membre du Parti de l'Indépendance groupés autour du comte Michel Károlyi, un aristocrate libéral, ne cachaient pas leurs sentiments francophiles, au risque de passer pour des traîtres. A plus forte raison, certains chefs politiques tchèques ou slaves du Sud cherchaient à nouer des contacts avec l'Entente de façon à échapper au sort commun au cas où les Puissances Centrales seraient vaincues. C'est ainsi que des Croates et des Serbes qui avaient quitté l'Empire au début de la Guerre avaient formé à Londres dès avril 1915 un *Comité Yousgoslave* qui entra en rapport avec le gouvernement serbe quand celui-ci s'installa à Corfou. Ces contacts aboutirent le 7 juillet 1917 à la *déclaration de Corfou* à laquelle souscrivirent le chef du gouvernement serbe Pachitch et des délégués du Comité de Londres, le croate Ante Trumbitch et le dalmate Frane Supilo. Ce document prévoyait qu'en cas de victoire de l'Entente, les Croates, les Slovènes s'uniraient aux Serbes pour former un État yougoslave sous la dynastie des Karageorgévitch. Des délégués monténégrins adhérèrent à cet accord en dépit de l'opposition du roi Nicolas. Mais l'action du Comité de Londres n'était qu'un acte isolé. La majorité des Slaves du Sud de l'Empire n'envisageaient pas d'autre issue que leur maintien dans le cadre habsbourgeois rénové. Plus importante encore fut l'action des émigrés tchèques. Certes, dans les premières années de la guerre, la Bohême avait paru calme et les soldats tchèques dans leur majorité avaient combattu loyalement même si chez eux les désertions et les capitulations avaient été un peu supérieures à celles des autres unités. Mais, dès novembre 1914, l'un des chefs de l'opposition tchèque, le professeur Masaryk avait quitté Prague, puis par l'Italie, avait gagné la France puis l'Angleterre. Il fut rejoint par son disciple et ami Édouard Benès et à leur initiative fut constitué en France dès 1916 un Conseil National Tchèque qui réussit à rallier à sa cause un jeune officier d'origine slovaque, installé en France, Milan Stefanik. L'idée d'un État tchécoslovaque commença dès lors à faire son chemin. C'est en grande partie à cause de l'action des émigrés tchèques de Paris et de Londres que les offres de paix séparée faites par l'Empereur Charles au gouvernement français en mars-avril 1917, furent repoussées par les pays de l'Entente. L'Italie de son côté était fermement opposée à toute paix avec l'Autriche-Hongrie qui ne lui donnerait pas les territoires qui lui avaient été promis au traité de Londres en 1915. Les émigrés tchèques réussirent à la faire admettre par les Alliés, en particulier par Aristide Briand et Lloyd George, si bien qu'au début de l'année 1918, le démembrement de l'Autriche-Hongrie fut inscrit au nombre des buts de guerre de l'Entente. Ces émigrés s'avérèrent comme de précieux auxiliaires de l'Entente car, en raison des contacts réguliers qu'ils maintenaient avec certaines de leurs relations bien placées dans l'administration austro-hongroise, ils faisaient parvenir aux Alliés des renseignements de premier ordre. Les chefs politiques polonais en vinrent peu à peu à pratiquer une politique identique. Sur place, ils collaboraient avec les Puissances Centrales afin d'obtenir d'elles, au cas où elles gagneraient la guerre, la création d'un État polonais. Mais à l'extérieur, les Polonais de l'émigration jouaient la carte des Alliés afin d'obtenir d'eux les mêmes avantages en cas de victoire de l'Entente.

Les chefs de nationalités non encore pleinement indépendantes pratiquèrent ainsi pendant toute la durée de la guerre une politique de double jeu. Ceux qui demeuraient sur place manifestaient leur loyalisme à l'égard de la Double Monarchie de façon que leur loyalisme soit récompensé si les Puissances Centrales gagnaient la guerre. Ceux qui, en revanche, avaient émigré et choisi le camp de l'Entente, s'efforçaient de convaincre les Alliés qu'ils étaient de cœur avec eux et que leurs peuples n'avaient rien de commun avec l'Autriche-Hongrie. De la sorte, ils se plaçaient en position favorable pour obtenir l'indépendance de leur nation en cas de victoire des Alliés. Quant à la masse des populations, associées aux destinées de l'Empire, elles demeurèrent loyales à son égard. Si, au début de 1918, l'enthousiasme avait disparu et si les premiers signes sérieux de mécontentement commençaient à apparaître, c'était dû davantage à la lassitude provoquée par la durée inhabituelle d'une guerre éprouvante et aux difficultés de la vie de tous les jours, qu'à une volonté de renverser le régime.

L'année 1918 marqua pour les peuples de l'Europe centrale et orientale un tournant décisif de leur histoire. Les pays de l'Entente dont l'espoir renaissait rapidement au fur et à mesure qu'arrivaient les troupes américaines, se rallièrent aux projets élaborés par les émigrés tchèques et yougoslaves en vue de démembrer l'Empire austro-hongrois. Ils se firent aussi les ardents défenseurs de la reconstitution d'une Pologne indépendante avec d'autant

plus de facilité qu'ils n'avaient plus à ménager sur ce
point l'allié russe, désormais sorti de la guerre. A l'initiative de la France et de l'Italie se tint à Rome en avril 1918
le *Congrès des Nationalités opprimées* qui se termina par
le vote d'une motion en faveur du démembrement de
l'Autriche-Hongrie et de l'émancipation des nationalités
slaves, roumaines et italiennes. Le sort des peuples de
l'Europe de l'Est ne dépendait plus maintenant que de
l'issue de la guerre. Si les Puissances Centrales l'emportaient – et jusqu'en juillet 1918 c'était encore possible –,
l'Autriche-Hongrie dominerait l'Europe danubienne et
balkanique et les nationalités de l'Empire bénéficieraient
d'un statut d'autonomie interne dans le cadre d'un
Empire rénové dans le sens du fédéralisme comme le
souhaitait l'Empereur Charles; quant à la Pologne, elle
recouvrerait son indépendance, ou du moins une très
large autonomie avec un roi Habsbourg. Si au contraire
les Puissances de l'Entente gagnaient la guerre,
l'Autriche-Hongrie serait démembrée en autant d'États
qu'il y avait de nationalités avec toutefois le regroupement des Slaves du Sud en un grand État sur lequel
régnerait la dynastie serbe, et l'union des Tchèques et des
Slovaques au sein d'une Tchécoslovaquie. Quant à la
Pologne, elle formerait, elle aussi un État indépendant,
État tampon entre l'Allemagne et la Russie soviétique.
   Les succès des Alliés sur le front occidental après
l'échec des offensives de Ludendorff et le début de la
contre-offensive du Maréchal Foch à partir du 8 août
1918 et de celle lancée à partir de Salonique par l'*Armée
d'Orient* du général Franchet d'Esperey retournèrent
rapidement la situation. En quelques semaines l'espoir
changea de camp. Le 29 septembre, les Bulgares dépo-
sèrent les premiers les armes, suivis de près par les Turcs,
ce qui permit à l'armée d'Orient d'occuper la Bulgarie et
les Détroits et de libérer la Serbie et la Roumanie d'où
elle put menacer directement le territoire austro-
hongrois. Au même moment, l'offfensive des troupes italiennes conduites par le Maréchal Diaz aboutit à la
conclusion d'un armistice avec l'Autriche-Hongrie le
4 novembre 1918, précédant d'une semaine l'armistice
avec l'Allemagne.
   A l'automne de l'année 1918, la victoire des Puissances

de l'Entente semblait devoir être la victoire des peuples sur les monarques. La victoire de l'Entente pouvait être considérée aussi comme celle du principe des nationalités sur le principe de légitimité. Trois grands Empires, celui des Habsbourg, celui des Hohenzollern, celui des Romanov, s'étaient effondrés dans la tourmente.

Les peuples qui avaient vécu en leur sein ou sous leur influence et qui maintenant allaient devenir maîtres de leur destin, allaient-ils être en mesure d'assumer pleinement ce lourd héritage et d'établir entre eux des relations de bon voisinage, en oubliant ce qui pouvait les avoir divisés et en songeant à construire un avenir de paix et de fraternité dans cette partie de l'Europe? Ou bien au contraire, les antagonismes nationaux et les rivalités de toutes sortes allaient-elles prendre le dessus?

L'Europe
de 1920

LE TEMPS
DES AFFRONTEMENTS

XIV

LES CHANGEMENTS POLITIQUES
EN EUROPE CENTRALE ET ORIENTALE
AU LENDEMAIN DE
LA PREMIÈRE GUERRE MONDIALE

La défaite des Puissances Centrales (Allemagne et Autriche-Hongrie) et de leurs alliés (Bulgarie et Empire ottoman) provoqua la chute des gouvernements et des régimes qui avaient dirigé ces États au cours de la guerre, en même temps que les chefs des nationalités tout d'un coup émancipés par la défaite de leurs Puissances tutélaires utilisèrent à fond ces circonstances favorables pour créer autant d'États indépendants. Partout, on assista à de profonds changements politiques au milieu d'un climat d'agitation révolutionnaire et d'activité fébrile, chacun voulant avoir en mains les meilleurs atouts afin d'être en position de force lorsque le moment sera venu de discuter de la paix future. Mais, chez les peuples vaincus, l'agitation déboucha sur la révolution.

LA PREMIÈRE VAGUE RÉVOLUTIONNAIRE
DANS LES PAYS VAINCUS

Dès le début de l'automne 1918, lorsque fut déclenchée sur tous les fronts la grande offensive des Alliés, il ne fit désormais de doute pour personne que la guerre était définitivement perdue pour les Puissances centrales.

LA RÉVOLUTION BULGARE

Le premier pays touché par la défaite fut la Bulgarie. Dès le 18 septembre 1918, les troupes de l'Armée d'Orient sous le commandement du général Franchet d'Esperey, avaient percé les lignes bulgares et en avaient profité pour libérer les territoires serbes que les Bulgares avaient occupés à la fin de l'année 1915. Pour éviter l'encerclement, les troupes bulgares se replièrent en direction du territoire national. La nouvelle de ce repli provoqua de l'agitation dans tout le pays. Dès le 23 septembre, un certain nombre de régiments se mutinèrent et cette mutinerie gagna la plupart des unités. Les mutins s'emparèrent de la ville de Radomir, où ils bloquèrent le Quartier-Général de l'armée. Le gouvernement de Sofia dépêcha immédiatement une délégation auprès du commandement de l'armée d'Orient à Salonique afin d'obtenir le plus rapidement possible la conclusion d'un accord d'armistice; parallèlement, il envoya auprès des mutins de Radomir les deux chefs agrariens Stambolijski et Daskalov pour tenter de calmer les soldats. Stambolijski jouissait d'une assez grande popularité, car il avait été arrêté à la fin de 1915 en raison de son hostilité à la guerre; il paraissait ainsi le seul homme capable de faire cesser la rebellion. Stambolijski accepta volontiers cette mission, car il redoutait que la révolution n'affaiblisse encore plus la Bulgarie et qu'ainsi elle se trouve totalement à la merci des Alliés. Stambolijski s'efforça donc de ramener au calme les mutins, mais Daskalov, perméable aux idées bolchevistes qui avaient lentement pénétré en Bulgarie depuis la Révolution d'Octobre, profita des circonstances pour se joindre aux mutins, prendre la tête d'une *République de Radomir* et tenter de marcher sur la capitale. La folle équipée de Daskalov ne dura que quelques jours; elle fut arrêtée aux portes de Sofia par des troupes demeurées loyales. Au même moment, la conclusion de l'armistice le 28 septembre provoqua un certain soulagement dans la population civile soumise aux privations sévères qu'entraînaient les livraisons de denrées alimentaires aux forces armées allemandes du Maréchal Mackensen stationnées en Macédoine et en Roumanie.

L'armistice prévoyait le retrait de la totalité des forces bulgares à l'intérieur des frontières de 1913, l'occupation d'une partie du pays et le droit de passage pour les forces armées de l'Entente. Sur le conseil pressant des Alliés, le Tsar Ferdinand se retira le 3 octobre 1918 et abdiqua en faveur de son fils Boris III (1918-1943).

La défaite, les difficultés économiques de toutes natures, la hausse des prix, la raréfaction des denrées alimentaires, créèrent chez les civils un climat favorable à l'agitation révolutionnaire. Mais tandis que les Agrariens de Stambolijski et les Partis bourgeois aspiraient principalement à une démocratisation du pays et à une réforme agraire, les éléments les plus avancés prirent des positions beaucoup plus radicales. Le Parti socialiste bulgare adopta les thèses bolchéviques et s'empressa d'envoyer des délégués à la Conférence de Moscou d'où sortit en mars 1919 la IIIe Internationale.

Prudent, le roi Boris laissa gouverner les Agrariens afin d'éviter le pire. Stambolijski devint chef du gouvernement. Le problème essentiel pour le gouvernement était d'assurer un minimum d'ordre afin de faire face aux difficultés qu'allait devoir entraîner immanquablement la signature du traité de paix.

LA RÉVOLUTION EN AUTRICHE-HONGRIE

La nouvelle de la capitulation de la Bulgarie eut un retentissement considérable en Autriche-Hongrie, tant au niveau des dirigeants qu'à celui des peuples. Dès le 1er octobre, le nouveau chef du gouvernement autrichien, le baron Hussarek annonça pour calmer les nationalités de Cisleithanie une restructuration interne de l'Autriche sur la base du fédéralisme afin d'assurer aux différentes nationalités une autonomie administrative et politique. Parallèlement, le ministre des Affaires Étrangères de la Double Monarchie, le baron Burian adressa une note diplomatique au Président Wilson afin d'obtenir de lui l'ouverture de négociations de paix sur la base de ses *Quatorze Points*. Tandis que les Alliés faisaient traîner en longueur l'envoi de leur réponse, ne voulant manifestement pas dissocier le problème austro-hongrois du problème allemand, l'Empereur Charles, dans un *Manifeste* en date du 16 octobre, annonça à ses sujets que « l'Empire deviendra un État fédéral où chaque groupe ethnique sur son territoire formera sa propre communauté politique... ». Il y lançait également un appel à tous les peuples pour qu'ils apportent leur aide à la réalisation de cette grande œuvre par l'intermédiaire des Conseils Nationaux qui, constitués des députés mandatés par chaque Nation, représenteront l'intérêt de leurs peuples... ». Les mesures annoncées dans le Manifeste impérial ne touchaient sans doute que la Cisleithanie, mais elles garantissaient aux Tchèques, aux Polonais, aux Slovènes et autres Slaves du sud la réalisation d'une grande partie, sinon de toutes leurs aspirations. L'Empereur espérait en outre que le gouvernement de Budapest aurait la sagesse d'accorder à ses propres nationalités les mêmes droits.

Hélas, le *Manifeste* de l'Empereur arrivait trop tard. L'Empereur et son ancien chef de cabinet, le comte Polzer-Hoditz l'avaient préparé dès le début de 1917, mais les milieux politiques autrichiens avaient tout fait pour en retarder la publication. Maintenant, c'était trop tard. Les chefs des différents groupes nationaux, qui voyaient arriver la défaite et les conséquences qu'elles entraînaient inévitablement pour ceux qui continueraient à être associés à l'Empire, refusèrent leur adhésion et optèrent pour l'indépendance telle qu'elle avait été réclamée avec insistance depuis 1916 par ceux d'entre eux qui avaient formé auprès des Alliés des Conseils Nationaux en exil.

En Bohême, les députés tchèques organisés en un Conseil National se rallièrent à l'idée de la Tchécoslovaquie indépendante réclamée depuis 1916 par Masaryk et Benès. Réunis le 19 octobre 1918, ils déclarèrent en réponse au Manifeste Impérial que la seule solution était l'indépendance totale. La veille, à Washington, Masaryk avait proclamé l'indépendance de la Tchécoslovaquie, alliée désormais à part entière à l'Entente. La Bohême était ainsi perdue pour les Habsbourg. Une délégation du Conseil National, munie de passeports officiels délivrés par les autorités autrichiennes – ce qui au passage montrait le libéralisme dont on avait toujours fait preuve en Autriche-Hongrie – quitta Prague pour Genève afin d'y prendre contact avec Benès et les représentants de l'émigration. Le 28 octobre, à Prague, la foule descendit dans les rues et la République y fut proclamée dans l'enthousiasme, sans aucune réaction des autorités officielles qui disposaient pourtant de moyens suffisamment puissants pour rétablir l'ordre. Au contraire, l'administration impériale transmit ses pouvoirs d'une façon quasi-officielle aux autorités provisoires, et le 30 octobre, une délégation tchèque conduite par M. Tusar se rendit à Vienne pour procéder aux diverses formalités de l'indépendance.

L'exemple donné par Prague fut contagieux. En Bucovine, le jour même, un Conseil National proclama le rattachement de cette province à la Roumanie. Le 29 octobre, la Diète de Zagreb proclama la rupture des liens qui unissait la Croatie à la Hongrie et à l'Autriche, et se ralliait, non sans réticences d'ailleurs, à l'éventualité d'une participation à « l'État commun souverain et national des Slovènes, Croates et Serbes ». Le 31 octobre, la Diète slovène réunie à Ljubljana faisait de même. Quant au Conseil National polonais, il prenait en main l'administration de la Galicie sans pour autant dans l'immédiat rompre totalement avec l'Autriche.

La situation en Transleithanie se présentait d'une façon quelque peu différente. En Hongrie, la nouvelle de la capitulation bulgare avait provoqué le 16 octobre une vive discussion au Parlement. Un député du parti de l'Indépendance, Martin Lovaszy, s'y était proclamé publiquement « ami de l'Entente » et avait réclamé la paix immédiate. Un certain nombre de personnalités de l'opposition bourgeoise et du Parti de l'Indépendance auxquelles se joignirent bientôt des Socialistes, formèrent le 25 octobre un Conseil National à l'initiative du comte Michel Károlyi, afin de préparer l'indépendance de la Hongrie. Toutefois, il faut bien reconnaître qu'au niveau du Parlement, l'influence du Károlyi à ce moment-là du moins était des plus réduites. Quant au peuple hongrois, à l'exception de la population ouvrière de Budapest, sensible à la propagande pacifiste et socialiste, il paraissait dans la majorité fidèle au pouvoir. C'est d'ailleurs sur la fidélité des Hongrois que comptaient l'Empereur Charles et son épouse lorsqu'ils décidèrent de se rendre en Hongrie. Le couple impérial et royal séjourna en Hongrie du

22 au 27 octobre et eut l'impression qu'au niveau du peuple, rien n'était perdu. Le souverain tenta même de s'entendre avec Michel Károlyi, mais les membres du Conseil National souhaitaient un changement radical de politique et exigeaient l'indépendance totale de la Hongrie, c'est-à-dire la rupture de l'union avec l'Autriche. Mais paradoxalement, le Conseil National demeurait totalement sourd aux revendications des nationalités non-hongroises du royaume. L'opinion hongroise se montrait vivement inquiète des tendances sécessionnistes qui se faisaient jour au sein des diverses nationalités. L'annonce de la décision de la Diète croate de rompre avec la Hongrie jointe aux mauvaises nouvelles qui arrivaient du front, provoqua une très vive émotion que sut habilement exploiter le Conseil National. Sur le front en effet, le 24 octobre, les Italiens avaient lancé une grande offensive dans les Dolomites; les troupes austro-hongroises commandées par le général hongrois Kövess et le général croate Boerevic résistèrent bien jusqu'au 26, puis ce jour-là, des unités hongroises refusèrent de monter en ligne et demandèrent à être ramenées en Hongrie pour défendre le pays menacé à l'est par l'armée d'Orient. Quelques jours plus tard, l'effondrement du front amena l'ouverture des pourparlers d'armistice.

Ces nouvelles amenèrent des troubles à Budapest. Le 28 octobre, des manifestations eurent lieu dans la capitale hongroise et la gendarmerie tira sur la foule qui se dirigeait vers le siège du gouvernement. Les troubles redoublèrent d'intensité. Des grèves eurent lieu dans les usines et les ateliers et l'on vit se constituer çà et là des *conseils* d'ouvriers sur le modèle des soviets russes en 1917. Finalement, dans la soirée du 30 octobre, la foule à laquelle s'était jointe des soldats mutinés, s'empara des bâtiments officiels; le Commandant de la place se résigna à remettre alors le pouvoir au Conseil National. Le lendemain, Michel Károlyi se voyait remettre une double investiture. D'une part, un coup de téléphone impérial depuis Vienne lui confiait les fonctions de Président du Conseil hongrois, mais d'autre part, sur la place du Parlement, la foule lui confiait par acclamation la totalité du pouvoir. Le jour même, le comte Étienne Tisza, qui en juillet 1914 avait tout fait pour s'opposer à la guerre, était assassiné par des soldats mutinés qui l'accusaient d'avoir provoqué la guerre!

Les Hongrois qui applaudissaient Károlyi et qui espéraient de lui le maintien de la Grande Hongrie, se faisaient bien des illusions. Partout, en effet, les chefs des nationalité allogènes se prononçaient pour l'indépendance. Ils savaient que les conditions de paix seraient dures pour les vaincus et que l'intérêt leur commandait de jouer la carte des vainqueurs. Les Slovaques, réunis le 30 octobre à Turóc-Szent-Márton, proclamèrent leur indépendance et leur volonté de s'associer aux Tchèques dans le cadre d'un État fédéral. Le lendemain, les chefs du Parti National Roumain formaient à Arad un Conseil National qui réclama aussitôt l'autodétermination du peuple roumain et le rattachement de la Transylvanie à la Roumanie, ce qui ne les empêchait pas de négocier en même temps avec un délégué du gouvernement de Budapest, Oscar Jászi. Partout, dans les communes de Transylvanie à majorité roumaine, les Roumains s'emparaient de l'administration locale. En Voïvodine, les Serbes adoptèrent la même attitude au début de novembre après que la région eut été occupée par les troupes serbes. Une assemblée locale, où plus de la moitié des habitants n'étaient pas représentés, proclama le 25 novembre à Ujvidék le rattachement de cette province au Royaume des Serbes, Croates et Slovènes.

Ainsi comme en Cisleithanie, les nationalités de Transleithanie rejetaient les anciennes structures. L'Empire des Habsbourg craquait de partout. Chacune de ses composantes ethniques avait choisi la voie de l'indépendance et de la rupture d'une communauté plusieurs fois centenaire. Deux points fixes demeuraient cependant : l'armée et l'Empereur. Dans les tous premiers jours de novembre, l'armée se retira de la scène à son tour. En signant l'armistice du 4 novembre et en donnant l'ordre de cesser les combats avant même l'heure prévue pour son entrée en vigueur, les chefs militaires prirent ainsi acte de la fin de l'Empire. Restait l'Empereur. Le 11 novembre, dans un message remis aux délégués de l'Assemblée d'Autriche allemande qui depuis le début du mois avait pris en main le destin des provinces germanophones, l'Empereur Charles fit connaître son intention de renoncer « à toute participation dans les affaires de l'État », puis se retira au château d'Eckartsau. Le lendemain, la République d'Autriche allemande était proclamée à Vienne. Au même moment, en Hongrie, Michel Károlyi, à la tête d'un cabinet formé de socialistes, de radicaux et de représentants du Parti de l'Indépendance, réclamait à cor et à cri l'abdication du souverain. Le 13 novembre, une délégation du Parlement hongrois conduite par la Prince-Primat, le cardinal Csernoch, se rendit à Eckartsau. Le souverain remit aux délégués hongrois un document analogue à celui qu'il avait remis deux jours plus tôt aux représentants du Parlement autrichien en tant qu'Empereur d'Autriche.

Désormais, l'Autriche allemande et la Hongrie de Károlyi devaient, seules, assumer la charge de liquider le passé. Les nationalités qui s'en étaient détachées triomphaient. L'ère des nationalités, voire des nationalismes, commençait désormais.

LA SITUATION CHEZ LES VAINQUEURS

La défaite des Puissances Centrales et la dislocation de l'Empire austro-hongrois eurent des conséquences apparemment bénéfiques pour les peuples et les États qui l'avaient combattu ou qui s'en étaient séparés à temps.

LE TRIOMPHE DES PETITES NATIONS : LA SERBIE ET LA ROUMANIE

La Serbie qui avait supporté l'effort de la guerre dès la fin de juillet 1914 et qui avait subi des pertes humaines et matérielles considérables, sortait grandie de l'épreuve. Les forces armées austro-hongroises, allemandes et bulgares venaient d'évacuer son territoire. L'armée serbe et les contingents alliés de l'armée d'Orient les en avaient chassées dans la deuxième moitié d'octobre. Mieux, les Serbes avaient reçu du Haut-commandement allié le droit d'occuper non seulement les territoires de la Croatie et de la Slavonie dont certains des représentants avaient manifesté leur désir d'union à la Serbie, mais

aussi la Voïvodine et certains départements du sud de la
Hongrie avec la ville de Pécs.

A Belgrade, la politique panserbe de Pachitch avait
triomphé. La petite Serbie de 1914 avait ainsi rassemblé
autour d'elle et sous l'autorité de son souverain,
l'ensemble des Slaves du Sud. Même le Monténégro qui,
dès 1914, avait combattu aux côtés de la Serbie, décida de
s'unir à elle à la suite d'un vote en ce sens de son Assemblée Nationale le 13 novembre. Le vieux roi Pierre Iᵉʳ de
Serbie, malade depuis le début de la guerre, confia à son
fils le Prince-Régent Alexandre la direction d'un État qui
portait désormais le titre de *royaume des Serbes Croates
et Slovènes* avant de devenir en 1931 le *royaume de Yougoslavie*. En fait, l'union des Slaves du Sud ainsi réalisée
reposait sur une équivoque. Les représentants croates et
slovènes qui avaient accepté l'idée de s'unir aux Serbes,
avaient envisagé cette union sur une base égalitaire dans
le cadre d'une Fédération. On le vit clairement quand il
s'agit d'organiser le nouvel État. Une Assemblée provisoire fut réunie à Belgrade, le 1ᵉʳ mars 1919 ; elle fut
composée des députés serbes élus en 1912 au Parlement
de Belgrade, en majorité radicaux et favorables à la création d'un État unitaire et centralisé, auxquels on adjoignit
des représentants croates et slovènes, non élus, mais
cooptés par les divers Conseils Nationaux. Aucun représentant des minorités nationales ne fut invité à siéger.
Même si l'on exclut ces minorités nationales allemandes,
hongroises et albanaises – au total près de 2 millions de
personnes –, le nouvel État dont les frontières ne seront
définitivement fixées que par les Traités de Saint-
Germain-en-Laye et de Trianon, rassemblait en son sein
des nationalités diverses : à côté des 6 millions de Serbes
orhodoxes vivaient désormais plus de 4 millions de
Croates et 1 million et demi de Slovènes, tous catholiques
et de tradition occidentale. Très rapidement, la coexistence entre ces peuples voisins par la langue mais différents par la religion, par les traditions et par le niveau
de développement culturel et économique, allait s'avérer
particulièrement difficile.

Quant à la Roumanie, en dépit de la paix séparée
qu'elle avait été contrainte de signer en mars 1918 avec
les Puissances Centrales, elle avait repris la lutte aux

côtés des Pays de l'Entente lors de l'offensive de l'Armée d'Orient. De ce fait, la Roumanie figura au nombre des puissances victorieuses et ses dirigeants entendirent bien en tirer le maximum d'avantages. En Bessarabie russe, en Bucovine autrichienne et en Transylvanie hongroise, les Conseils Nationaux roumains firent savoir clairement leur désir de se rattacher à la Roumanie. A Gyulafehérvár, le 1er décembre 1918, l'Assemblée du Parti National Roumain proclama le rattachement de la Transylvanie à la Grande Roumanie, anticipant ainsi de quelques jours la décision des Alliés qui autorisait l'armée roumaine à occuper la plus grande partie de la Transylvanie. Cependant, il fallut attendre la décision finale de la Conférence de la paix pour que les frontières soient définitivement établies.

LA NAISSANCE DE L'ÉTAT TCHÉCOSLOVAQUE

A Prague, le Conseil National qui était devenu maître de l'ancien royaume de Bohême le 28 octobre, avait aussitôt proclamé la République. Le vieux chef de l'opposition Kramarj, rentré de Genève où il avait rencontré Benès, forma dès le 31 octobre un gouvernement provisoire dans lequel Benès se vit confier le portefeuille des Affaires Étrangères et à ce titre il se fixa à Paris pour participer aux travaux de la Conférence de la Paix.

Le 14 novembre, une Assemblée Nationale Provisoire se réunit à Prague. Elle était composée de 201 députés tchèques et de 69 députés slovaques recrutés par cooptation. En fait, seuls les députés tchèques étaient représentatifs, car ils avaient été désignés en fonction des forces respectives des différents Partis qui formaient la représentation tchèque au Reichsrat élu en 1911. Quant aux 69 députés slovaques, ils avaient été désignés d'une façon tout à fait arbitraire de façon à favoriser le courant unitaire aux dépens des autonomistes. L'Assemblée Nationale provisoire, dans laquelle ne siégeait aucun représentant des minorités nationales, – celles-ci constituant pourtant près de 40 % de la population – prononça lors de sa première séance la déchéance des Habsbourg et désigna le professeur Thomas Masaryk, qui était encore à ce moment-là aux États-Unis, comme Président de la République. Puis, elle s'attaqua à la discussion d'un projet de Constitution qui fut finalement adopté le 29 février 1920.

LA RENAISSANCE DIFFICILE DE LA POLOGNE

Tout le monde depuis longtemps était d'accord, à l'étranger comme en Pologne même, sur la nécessité de reconstituer un État polonais pleinement indépendant. La déclaration de Wilson en son *Treizième Point* prévoyait déjà la création d'un État polonais indépendant avec un accès à la mer. Dès le début de la guerre, les Polonais d'Autriche-Hongrie avaient constitué des unités militaires, combattant sous le drapeau polonais, les *Légions*, formées de volontaires, encadrées par des officiers polonais et placées sous le commandement de Joseph Pilsudski, et des généraux Haller et Sikorski. Les chefs de Légions avaient lancé aux Polonais de Russie un appel à l'insurrection. En fait, les députés polonais à la Douma russe avaient dès le 8 août 1914 adopté une attitude loyaliste à l'égard de la Russie. Mais après les succès de la grande offensive austro-allemande de l'été 1915, le problème polonais se présenta sous un jour nouveau, car pratiquement tout le territoire de la Pologne russe se trouva libéré. Les Légions polonaises libérèrent Lublin tandis que les Allemands faisaient leur entrée à Varsovie dès le 5 août 1915. Les Polonais crurent alors sincèrement que les Puissances Centrales allaient leur rendre leur indépendance. En fait, les Empires Centraux hésitaient à se prononcer, ce qui provoqua la démission de Joseph Pilsudski déçu. Ce n'est que l'année suivante, le 5 novembre 1916, que les gouvernements allemands et austro-hongrois annoncèrent dans un Manifeste leur intention de former avec les territoires polonais de Russie un royaume de Pologne indépendant. Les Légions polonaises furent aussitôt mises à la disposition d'un Conseil d'État provisoire dont Pilsudski était membre, chargé des questions militaires. La révolution russe de 1917 modifia quelque peu l'attitude des Polonais. Tant que l'Empire des Tsars existait, il était pour la majorité des Polonais le danger et l'ennemi, et alors, les Puissances Centrales constituaient leur seul espoir. Mais maintenant que la Russie était en pleine révolution, elle n'était plus une menace pour les Polonais, alors qu'au contraire l'Allemagne qui ne cachait pas ses ambitions impérialistes vers l'est de l'Europe et qui entendait conserver les territoires polonais qu'elle tenait depuis la fin du xviiie siècle, risquait à plus ou moins long terme de représenter un nouveau danger. Dès lors, les autorités polonaises provisoires manifestèrent une certaine résistance aux exigences des occupants allemands. Lorsque le gouverneur de Varsovie von Beseler voulut faire encadrer les Légions polonaises par des officiers allemands, la plupart des officiers polonais, Pilsudski en tête, démissionnèrent; ils furent aussitôt internés.

En Russie, les Polonais de la Douma demeurés sur place, qui ne comptaient guère sur les Puissances Centrales pas plus qu'ils n'attendaient quelque chose de bon du gouvernement provisoire russe, avaient préféré prendre contact avec des Alliés. Un Conseil National polonais en exil fut même constitué à Paris sous la présidence du National-Démocrate Dmowski, avec l'appui des Polonais d'Amérique que le pianiste Ignace Paderewski s'efforçait de mobiliser en faveur de la défense de la cause nationale. Devant le danger qui aurait pu constituer le ralliement des Polonais à la cause des Alliés, les Puissances Centrales firent preuve de plus de compréhension à l'égard des Polonais. Un Conseil de Régence fut créé sous la présidence de l'archevêque de Varsovie, le cardinal Kakowski, assisté de notables conservateurs issus de l'aristocratie. La compétence de l'administration polonaise était des plus limitées : toutes les questions importantes relevaient des autorités allemandes d'occupation. Quant aux Polonais de Prusse et de Galice représentés aux Parlements de Berlin et de Vienne, ils ne cachaient pas leur désir de participer à la construction d'une Pologne indépendante. Mais leurs possibilités d'action demeuraient limitées. Lorsque la défaite des Puissances Centrales apparut comme inéluctable, les Polonais décidèrent d'agir. Le 7 octobre 1918, le Conseil de Régence proclama l'indépendance du pays, forma un gouvernement d'Union Nationale constitué de Socialistes et de

Nationaux-Démocrates, qui chargea le Conseil National de Paris de défendre les intérêts polonais auprès des Alliés.

L'effondrement des Puissances Centrales accéléra le processus de mise en place d'un État polonais indépendant. En Galicie, les Polonais s'emparèrent de toute l'administration, et le socialiste Daszynski se proclama à Lublin le 7 novembre chef d'un gouvernement provisoire de la République de Pologne et nomma ministre de la guerre Joseph Pilsudski, encore interné par les Allemands dans la forteresse de Magdebourg. Quelques jours plus tard, à Varsovie, le Conseil de Régence confia le commandement de l'ensemble des forces armées polonaises à Pilsudski qui venait d'être libéré. Pilsudski nommé général pour la circonstance, se trouvait ainsi le chef suprême d'une armée composée d'éléments disparates qui, au cours de la guerre, avaient servi sous des uniformes différents et dans des camps opposés. En même temps, il fut désigné comme Chef de l'État muni des pleins pouvoirs à la fois par le Conseil de Régence et par le gouvernement de Lublin.

La tâche de Pilsudski était loin d'être aisée. La Pologne n'existait encore que sur le papier; elle n'avait ni frontières fixes, ni monnaie unique, ni lois communes; elle se trouvait menacée à l'ouest par les *Corps Francs* allemands qui cherchaient à conserver au Reich ses provinces orientales, et à l'est par la Russie soviétique qui n'avait pas renoncé totalement à ce qu'elle avait perdu au traité de Brest-Litovsk. Pilsudski eut à cœur tout d'abord de jeter les bases d'une administration, et surtout d'une Armée Nationale avec ce qui restait des Légions polonaises et avec l'armée que le général Haller avait constituée en France. Puis, il fit organiser dès le 28 novembre des élections au suffrage universel pour une Assemblée Constituante. Désireux de se consacrer uniquement à ses tâches militaires, Pilsudski le 16 janvier 1919, confia à Paderewski revenu des États-Unis la direction d'un cabinet d'Union Nationale et chargea Roman Dmowski de représenter la Pologne à la Conférence de la Paix.

Quelques jours plus tard, l'Assemblée se réunit et vota une Constitution provisoire en même temps qu'elle maintint Pilsudski dans ses fonctions de Chef de l'État et de

Commandant des forces armées. Après 130 années d'effacement, l'État polonais renaissait à l'issue d'une longue guerre au cours de laquelle son territoire avait souvent servi de champ de bataille et qui se terminait par la défaite et la ruine des trois copartageants en 1772.

LA DIFFICILE LUTTE DES ALBANAIS POUR LEUR LIBERTÉ

A la veille de la Première Guerre mondiale, l'Albanie venait d'obtenir son indépendance et le 7 mars 1914, le souverain que l'Europe venait de lui donner, le prince allemand Guillaume de Wied avait débarqué sur le sol albanais. Quelques mois plus tard, ce fut la guerre et le Prince qui, dès son arrivée, s'était trouvé aux prises avec une révolte de paysans musulmans hostiles à la présence d'un souverain chrétien, ne tarda pas à quitter le pays dès le 3 septembre. Le jeune État albanais, neutre pourtant, ne tarda pas à devenir l'objet des convoitises de ses voisins grecs, italiens et serbes. Après les défaites serbes de l'hiver 1915-1916, le territoire albanais se trouva occupé au sud par les Italiens, maîtres de Vlora et par les Français, maîtres de Korça, tandis qu'au nord et au centre, le pays était tenu par les armées austro-hongroises. Aussitôt après la conclusion de l'armistice bulgare, les troupes françaises, italiennes et serbes prirent la place laissée libre par le départ des Austro-Hongrois. Les diverses occupations avaient laissé de profondes blessures, et bien que non-belligérants, les Albanais perdirent plus de 70 000 tués au cours de la guerre, tandis que leur pays fut dévasté. A la fin de la guerre, un Congrès National se tînt à Durrës, en zone italienne, d'où sortit un gouvernement provisoire présidé par Turhan Pacha, soutenu par les émigrés albanais installés aux États-Unis. Turhan Pacha prit aussitôt le chemin de Paris pour y plaider la cause de l'Albanie, que le traité de Londres en avril 1915 avait déjà partagée entre l'Italie et la Serbie. Les Italiens se montraient en Albanie les plus entreprenants dans la mesure où ils entendaient faire de ce pays une sorte de protectorat. L'attitude italienne provoqua une vive réaction patriotique; des troubles anti-italiens eurent lieu en novembre 1919 à Valona. Le 21 janvier 1920, une assem-

blée de notables prononça la déchéance du gouvernement de Durrës jugé trop inféodé à l'Italie et réaffirma la
volonté d'indépendance du peuple albanais. Un conseil
de Régence fut formé avec des représentants des différentes communautés religieuses et se fixa à Tirana.
Mais le pays devait encore rester occupé jusqu'à la fin de
l'année 1920. Ce n'est que le 27 décembre 1920 avec son
admission à la Société des Nations que l'Albanie redevint
enfin un État indépendant et souverain dans le cadre de
ses frontières de 1913.

LES TENTATIVES DE BOLCHEVISATION
EN EUROPE CENTRO-ORIENTALE

Depuis la Révolution d'octobre 1917, la Russie était
dirigée par un Conseil des Commissaires du Peuple présidé par Lénine. Les nouveaux dirigeants de la Russie
soviétique ne cachaient pas leur volonté d'étendre l'expérience qu'ils étaient en train de réaliser à d'autres pays :
c'était notamment la position de Trotski. Les événements
révolutionnaires en Russie s'étaient déroulés souvent
sous les yeux et parfois même avec la participation de prisonniers de guerre ressortissants des Empires Centraux
ou de leurs alliés, et qui, une fois libérés par la paix de
Brest-Litovsk, ont regagné pour la plupart leur pays d'origine. Certains d'entre eux, vivement impressionnés par
ce qu'ils avaient vu en Russie en octobre 1917, se sont
faits d'ardents propagandistes des idées bolcheviques.
Dès la fin de la guerre, dans tous les partis socialistes
européens, s'est posé le problème de l'attitude à prendre
face à la révolution bolchevique : devait-on rester fidèle à
la tradition réformiste et parlementaire, ou bien au
contraire, devait-on, comme en Russie, faire la Révolution et instaurer la *dictature du prolétariat*? Les partisans
du modèle bolchevique se réunirent à Moscou dès le 2
mars 1919 sous la présidence de Lénine et jetèrent les
bases de la IIIᵉ Internationale. Les socialistes des pays ruinés par la guerre et par la défaite furent ceux qui se montrèrent les plus réceptifs aux idées bolcheviques et tentèrent de trouver dans la révolution communiste une
solution aux problèmes qui étaient posés.

La République hongroise des Conseils et son échec (mars-août 1919)

La Hongrie fut le premier État d'Europe de l'Est où fut tentée avec une certaine durée l'expérience bolchevique. La révolution bourgeoise du 31 octobre 1918 avait placé à la tête du pays le comte Michel Károlyi soutenu par une coalition de bourgeois libéraux, de nationalistes héritiers de la pensée de Kossuth et de socialistes.

Très vite, le gouvernement Károlyi se heurta à des difficultés multiples. La situation économique du pays était catastrophique et empirait tous les jours : hausse rapide des prix, effondrement de la monnaie, afflux de fonctionnaires et de simples particuliers chassés des territoires occupés par les pays voisins. Tout cela ne facilitait pas la tâche de la nouvelle équipe dirigeante. Les tensions sociales favorisèrent l'action des extrémistes groupés autour de Béla Kun, journaliste socialiste, prisonnier de guerre en Russie, libéré par la révolution de février et demeuré sur place jusqu'en avril 1918 non sans avoir participé activement à l'action des bolcheviques. Béla Kun sut rallier à ses idées une grande partie des socialistes déçus par l'impuissance du gouvernement Károlyi, et avec eux il organisa dès le 24 novembre 1918 le *Parti Communiste Hongrois*. En janvier 1919, voulant expérimenter ce qui avait si bien réussi à Pétrograd, Béla Kun tenta de soulever la garnison de Budapest et de prendre le pouvoir. La tentative échoua et il fut arrêté. Mais les difficultés accrues rencontrées par Károlyi lui permirent vite d'effacer cet échec. En effet, l'avance des troupes tchèques et roumaines, désireuses d'occuper immédiatement les territoires promis par l'Entente, ruinèrent bien vite la bonne image de marque que s'était donnée Károlyi. On avait cru que par les bonnes relations qu'il prétendait entretenir avec les dirigeants français, permettraient de sauver le pays. En fait, devant l'affaiblissement du pouvoir en Hongrie, l'Entente ne faisait qu'augmenter ses exigences. Le 20 mars 1919, un ultimatum fut remis au président Károlyi par le lieutenant-colonel Vyx, représentant de l'Entente à Budapest : les Hongrois devaient, d'après cet ultimatum, évacuer de nouveaux territoires en dépit de la convention d'armistice. Dépité, Károlyi décida de se retirer et le 21 mars il remit le pouvoir « aux mains du prolétariat hongrois ». Chantage à l'égard des Alliés, ou geste de désespoir d'un patriote déçu? Quoi qu'il en soit, Béla Kun et ses amis devenaient ainsi maîtres du pays.

La République hongroise des Conseils était née. Un conseil des Commissaires du peuple formé de communistes et de socialistes de gauche avec Eugène Landler, Mathias Rákosi, Tibor Szamuelly, Joseph Pogány, fut constitué sous la présidence de Béla Kun. En politique intérieure, la République des Conseils décréta une réforme agraire radicale, la nationalisation des banques et de l'industrie, la séparation de l'Église et de l'État. Les adversaires du régime furent systématiquement traqués par la Tcheka hongroise constituée par les *Gars de Lénine* qui procédèrent à plusieurs centaines d'exécutions sommaires. Leurs principales victimes furent des notables, des prêtres, des paysans hostiles aux réquisitions forcées. Soucieux de défendre la Révolution contre ses ennemis extérieurs et de protéger le territoire national contre l'invasion étrangère, Béla Kun fit appel aux sentiments patriotiques du peuple. Avec l'aide d'officiers de l'ancienne armée impériale et royale placés sous le commandement du général Aurel Stromfeld, Béla Kun forma une *Armée Rouge* qui réussit à repousser les Tchèques et à reprendre un certain nombre de localités qu'ils avaient occupés et appuya une éphémère *République slovaque des Conseils* qui tint quelques semaines la région de Presov. Ce furent les Roumains qui portèrent les coups les plus décisifs à l'expérience communiste en Hongrie. Soutenus en sous-main par Clemenceau, et en dépit des accords d'armistice, les troupes roumaines envahirent ce qui restait de Hongrie et se livrèrent à un pillage systématique. En même temps, dans le sud du pays, à Szeged occupé par les troupes françaises, un gouvernement contre-révolutionnaire s'était constitué dès juin 1919 et avait rassemblé plusieurs milliers d'anciens militaires dans une *Armée Nationale* dont le commandement fut confié à l'amiral Horthy, ancien commandant de la flotte austro-hongroise. La marche des Roumains vers Budapest provoqua le départ de Béla Kun et de la plupart de ses partisans le 1er août 1919 après 133 jours de pouvoir bolchevique. Deux jours plus tard, les Roumains occupaient la capitale hongroise où un gouvernement contre-révolutionnaire fut formé, en liaison avec le gouvernement de Szeged. Mais la situation de la Hongrie était catastrophique. L'économie était ruinée; le pays connaissait une grave pénurie de vivres et de combustibles en raison du blocus économique pratiqué par les pays voisins. En outre, le territoire national fut partagé *de facto* en deux zones : les Roumains contrôlaient l'est et le centre du pays y compris Budapest, l'armée nationale de Horthy en tenait le sud et l'ouest, sans compter les régions de l'extrême sud occupées par les forces françaises et serbes. A la suite des fermes protestations de l'Entente, les Roumains évacuèrent Budapest et le reste du pays au début de novembre, ce qui permit aux troupes de l'amiral Horthy de faire leur entrée dans la capitale le 16 novembre. La contre-révolution avait triomphé, mais le pays était exsangue et ruiné.

L'échec du bolchevisme bulgare

En Bulgarie, les troubles qui avaient suivi l'armistice avaient été canalisés par l'habileté du roi Boris III qui avait confié le pouvoir au chef agrarien Stambolijski. Mais le nouveau chef du gouvernement se heurta à des difficultés économiques accrues qui ne facilitèrent pas sa tâche. La hausse des prix, le chômage, la désorientation de la population avaient créé un climat propice à l'agitation révolutionnaire. La plupart des socialistes bulgares choisirent dès mars 1919 l'adhésion à la IIIe Internationale et lors du congrès qu'ils tinrent du 25 au 27 mai, ils transformèrent le Parti en un Parti communiste bulgare dont le Secrétariat général fut confié à Basile Kolarov. Le mouvement communiste bénéficia de l'appui total des syndicats dirigés par Georges Dimitrov. Lors des premières élections d'après-guerre, en août 1919, les communistes réussirent à obtenir 45 sièges avec 20 % des suffrages. Après l'échec de la République des Conseils en Hongrie, la IIIe Internationale s'efforça d'appuyer de toutes ses forces le Parti communiste bulgare pour faire de la Bulgarie le relais de Moscou dans les Balkans. A l'automne 1919, les Communistes déclenchèrent à travers tout le pays une vague d'agitation sociale qui fut marquée par des grèves dans les transports publics et dans l'industrie. Stambolijski, fort de l'appui du roi et d'une importante représentation parlementaire agrarienne, décida de rappeler des réservistes pour parer à toute éventualité. Des volontaires paysans furent chargés d'assurer l'ordre et de faire obstacle à une éventuelle grève générale. L'agitation communiste cessa momentanément. Ici, comme en Hongrie, la tentative de bolchevisation avait échoué.

La guerre russo-polonaise

La Pologne à peine ressuscitée se trouva confrontée avec la Russie soviétique à propos de l'établissement de leur frontière commune. Ici cependant, le problème du danger bolchevique se posait en d'autres termes qu'en Bulgarie et en Hongrie. D'abord, la Pologne avait une frontière commune avec la Russie soviétique; et de plus, le tracé de cette frontière était encore très imprécis au début de l'année 1919 d'autant plus qu'en Pologne, beaucoup de gens souhaitaient le retour aux frontières historiques de la Grande Pologne du xviiie siècle. En cela d'ailleurs, les intérêts polonais se heurtaient à ceux des jeunes États baltes nés sur les ruines de l'ancienne Russie. Mais justement, au fur et à mesure que les troupes allemandes évacuaient les territoires russes et baltes qu'ils avaient occupés en 1915-1916, l'Armée Rouge prenait leur place, attaquant à la fois les armées des jeunes Républiques baltes et les Polonais. D'avril à août 1919, le général Pilsudski contre-attaqua vigoureusement, reprit aux Soviétiques Brest-Litovsk, Grodno Wilno ainsi que la plus grande partie de la Biélo-Russie. Les Alliés étaient partagés sur la question des frontières orientales de la Pologne. Les Anglais optaient pour la *ligne Curzon* proposée par un diplomate britannique, ligne qui correspondait en gros à l'ancienne limite orientale du royaume du Congrès, et Lloyd George dès janvier 1920 conseilla vivement aux Polonais de s'entendre avec Moscou. La France, au contraire, par crainte de l'expansion du bolchevisme en Europe orientale, se montrait plus ouverte à l'égard de la position polonaise mais n'en conseillait pas moins aux dirigeants de Varsovie d'agir avec prudence.

Les victoires de l'Armée Rouge dans la guerre civile russe et la reconquête de l'Ukraine furent considérées en Pologne comme une menace directe pour le pays. Trotski ne cachait pas son hostilité au nouveau régime polonais et la présence au sein du Conseil des Commissaires du Peuple du révolutionnaire polonais Dzerjinski n'était pas faite pour rassurer Varsovie. Le général Pilsudski, pour contre-carrer les projets russes, décida de donner son appui au leader ukrainien Simon Petliura qui s'était réfugié en Pologne après la victoire de l'Armée Rouge. Le 25 avril 1920, les troupes polonaises attaquèrent en Ukraine puis le 6 mai s'emparèrent de Kiev. La réaction de l'Armée Rouge fut foudroyante. Le 30 mai, les Soviétiques déclenchèrent une vaste offensive et en quelques jours, ils réoccupèrent tout le terrain conquis par Pilsudski depuis 1919. La Galicie elle-même se trouva directement menacée.

Devant la gravité de la situation, Lloyd George proposa le 10 juillet 1920 aux deux parties en présence la conclusion d'un accord sur la base de la *ligne Curzon*. Les Russes rejetèrent l'idée d'une médiation britannique tandis qu'à Varsovie, un cabinet d'union nationale dirigée par l'agrarien Witos demanda aux Russes un armistice. La Pologne, en effet se trouvait géographiquement isolée de ses alliés occidentaux : seule, la Hongrie qui venait de connaître l'expérience bolchevique, se montra disposée à l'aider. Une mission militaire française conduite par le général Weygand arriva en Pologne le 26 juillet. Pourtant, malgré la résistance acharnée des combattants polonais, les Soviétiques poursuivaient leurs avance. Au début d'août, ils campaient sur la rive droite de la Vistule, face à Varsovie. Pilsudski était décidé à résister. Le 14 août, il lança une contre-offensive qui permit aux Polonais d'opérer un redressement spectaculaire. Ce « *miracle de la Vistule* » se traduisit par une débâcle de l'Armée Rouge qui abandonna plus de 50 000 prisonniers. Les Rouges reculèrent de plus de 400 km en quelques jours et évacuèrent la Pologne. Le gouvernement polonais maintenant en position de force accepta de traiter. Les négociations ouvertes le 18 septembre débouchèrent sur les préliminaires de paix du 12 octobre, confirmés par le Traité de Riga du 12 mars 1921. La Pologne historique était presque reconstituée, mais la Lithuanie, comme les autres États baltes, n'en faisait pas partie.

Ainsi, au moment où se déroulaient les pourparlers de paix à Paris, une certaine stabilisation s'ébauchait peu à peu en Europe centro-orientale; elle reposait sur l'existence d'États nationaux. Les uns, considérés comme vaincus, ont réussi cependant à trouver un certain équilibre après avoir failli être emportés, dans la tourmente bolchevique; c'est le cas de l'Autriche, de la Bulgarie et de la Hongrie. Les autres, au contraire, alliés de l'Entente dès le début comme la Serbie et la Roumanie, ou qui sont venus les rejoindre à temps comme la Pologne et la Tchécoslovaquie, étaient aux côtés des puissances victorieuses et entendaient bien tirer profit de cette situation lors de l'élaboration des traités.

XV

LE NOUVEAU STATUT
DE L'EUROPE DE L'EST

Tandis que sur place les peuples de l'Europe de l'Est
tentaient de s'organiser tant bien que mal sur la base
d'États nationaux en gestation parfois difficile, les représentants des pays victorieux étaient réunis à Paris depuis
le 18 janvier 1919 et travaillaient à la préparation des traités de paix. Ni l'Allemagne, ni l'Autriche, ni la Hongrie, ni
la Bulgarie, ni l'Empire Ottoman ne furent invités à négocier ces traités ; mais en revanche, les nouveaux États nés
de la désagrégation des Empires Centraux et de la Russie,
la Pologne, la Finlande, les républiques baltes, la Tchécoslovaquie, ainsi que les petits États d'Europe orientale
qui avaient combattu aux côtés de l'Entente, la Serbie et
la Roumanie, furent représentés. Et les représentants de
ces nouveaux États ne furent pas les moins actifs. Ce fut
le cas en particulier des délégués de la Tchécoslovaquie,
Édouard Benès et son adjoint Stéphane Osuky.

L'ÉLABORATION DES TRAITÉS

Au début de la guerre, les dirigeants de l'Entente
n'avaient rien prévu de précis en ce qui concernait les
modifications territoriales à réaliser en Europe danubienne et orientale en cas d'issue victorieuse de la guerre.
Personne ne songeait sérieusement à détruire l'Empire
austro-hongrois que beaucoup de diplomates, en France
comme en Grande-Bretagne, considéraient comme un
élément de stabilité au cœur de l'Europe ; tout au plus

envisageait-on quelques modifications de frontière de façon à donner à la Serbie un accès au littoral adriatique. De même, personne n'avait d'idées très précises quant au sort de la Pologne; certains pensaient cependant à regrouper les Polonais de Prusse et ceux de Galicie au sein d'une Pologne agrandie et autonome à l'intérieur de l'Empire russe comme l'avait envisagé le Tsar dès août 1914 et comme il en fut encore question lors d'une conférence interalliée tenue en décembre 1916. En revanche, pour ce qui était de l'avenir de l'Empire Ottoman, la Russie avait des idées bien arrêtées et ne cachait pas ses intentions d'occuper Constantinople, et le gouvernement britannique n'en paraissait pas autrement offusqué.

Au fur et à mesure qu'évoluait le conflit, les contours de la paix future se précisèrent quelque peu. Le traité de Londres du 26 avril 1915 conclu entre la France, le Royaume-Uni, la Russie et l'Italie, qui devenait ainsi co-belligérante, avait prévu la cession à l'Italie du Trentin et du Tirol méridional, de Trieste et de l'Istrie ainsi que d'une partie du littoral dalmate avec quelques îles; en outre, l'Italie se voyait promettre une zone d'influence en Albanie et en Asie Mineure. Apparemment ce traité était loin de correspondre au principe des nationalités que les milieux politiques français et anglais invoquaient constamment pour justifier leur traditionnel appui aux nationalités « opprimées » d'Autriche-Hongrie. Le traité de Londres livrait en effet aux appétits italiens beaucoup plus de non-Italiens (Allemands du Tirol méridional, Slovènes d'Istrie, Serbes et Croates de Dalmatie, Albanais) qu'il ne libérait d'Italiens. L'année suivante, les préparatifs diplomatiques de l'entrée en guerre de la Roumanie aboutirent au traité d'alliance du 17 août 1916 selon lequel, en cas de victoire, la Roumanie pourrait annexer la Transylvanie et le Banat de Temesvár, la question de la Bucovine autrichienne étant laissée de côté en raison de l'opposition de la Russie.

A côté des préparatifs officiels de la paix future, une action en sous-main, persuasive, insinuante et efficace, fut menée auprès des dirigeants français et britanniques par les émigrés tchèques qui avaient quitté l'Autriche-Hongrie dès le début de la guerre, tels Thomas Masaryk et Édouard Benès. La même action fut menée avec la même efficacité par les diplomates serbes en poste à Paris et par les milieux de l'émigration serbe et croate. Tous cherchèrent à faire partager par l'Entente leurs vues sur la nécessité de détruire l'Autriche-Hongrie et de la remplacer par des États nationaux. Ces idées commencèrent peu à peu à retenir l'attention d'un certain nombre d'hommes politiques et de diplomates sensibles à la francophilie apparente ou réelle dont faisaient preuve tous ces émigrés. Dès 1916, Benès avait publié à Paris une brochure intitulée *Détruisez l'Autriche-Hongrie!* dont le titre indiquait clairement quels étaient les objectifs de son auteur. Les idées de Benès étaient largement partagées par nombre d'universitaires français bien en vue comme les historiens Ernest Denis, Ernest Lavisse et Louis Eisenman – ce dernier mobilisé au service *Information* du ministère de la Guerre –, le géographe Emmanuel de Martonne, les philosophes Émile Dürkheim et Célestin Bouglé; elles étaient également bien reçues de journalistes influents comme André Tardieu et Charles Loiseau du *Temps*, Jules Sauerwein du *Matin*, Paul Louis du *Petit Parisien*, d'hommes politiques de gauche ou du centre-gauche comme Albert Thomas, Franklin-Bouillon, et de groupes de pression influents comme la *Ligue des Droits de l'Homme* et les Loges maçonniques. Le cercle des amis parisiens de Masaryk et de Benès s'était considérablement renforcé lors des contacts pris avec le monde des diplomates qui fréquentait le salon des parents de Mme Louise Weiss. C'est là que Benès trouva des gens qui l'introduisirent auprès des diplomates influents du Quai d'Orsay, Philippe Berthelot, Jules Laroche et Pierre de Margerie, c'est-à-dire ceux-là mêmes, qui, entre autres tâches, préparaient l'élaboration de la paix future. Si Benès agissait surtout à Paris, Masaryk, lui, s'appliquait à retourner en sa faveur la Politique des Anglo-Saxons. Il multiplia les contacts auprès des journalistes anglais, en particulier avec le rédacteur en chef du *Times* Henry Wickham-Steed, auprès d'universitaires connus comme le professeur Seton-Watson, et avec leur soutien il lança le 19 octobre 1916 la revue *New Europe* « terrain de ralliement pour tous ceux qui voient dans la reconstruction de l'Europe, basée sur les nationalités, les droits des minorités et les tangibles réalités géographiques et économiques, la seule garantie contre une prochaine répétition des horreurs de la guerre ». Au même moment, Masaryk multipliait les interventions auprès des nombreuses et influentes associations d'émigrés tchèques, slovaques, ruthènes des États-Unis.

Ce travail d'action en profondeur sur les milieux influents commença à porter ses fruits. L'idée du démembrement de l'Autriche-Hongrie quitta le domaine des hypothèses d'école pour devenir un des buts de guerre de l'Entente. Lorsque le président Wilson invita dans sa note du 20 décembre 1916 les Alliés à préciser leurs buts de guerre, Philippe Berthelot, l'ami de Benès, qui rédigea la réponse française en date du 10 janvier 1917, y plaça un paragraphe concernant la libération des peuples soumis à l'Autriche-Hongrie, et la restauration d'un État polonais dont le statut futur n'était pas précisé de façon à ne pas déplaire à l'allié russe. Mais en 1917, la défection de la Russie à cause des deux Révolutions de février et d'octobre, et l'armistice conclu par le gouvernement bolchevique, permirent aux Alliés d'avoir toute liberté d'action sur la question polonaise. Dès le printemps 1917, la France et le Royaume-Uni commencèrent à prendre contact avec les Polonais installés en Europe occidentale et aux États-Unis, et les invitèrent à s'engager dans les armées alliées. L'entrée en guerre des États-Unis en avril 1917 en tant que *puissance associée* amena en revanche la nécessité de nouvelles discussions sur les conditions de la paix future. Le point de vue américain fut précisé dans le Message en *Quatorze Points* adressé par Wilson au Sénat des États-Unis le 8 janvier 1918. Les Points X, XI et XIII recommandaient « un développement autonome » pour les peuples d'Autriche-Hongrie, la reconstitution d'un État serbe avec un accès à la mer, l'établissement de nouvelles relations entre les États balkaniques, et la création d'une Pologne indépendante formée de territoires indiscutablement polonais avec pour celle-ci un accès à la mer. Les conditions américaines pour une paix future étaient quelque peu en retrait par rapport aux vues françaises, britanniques et italiennes. Cependant, pas plus que les offres de paix séparée de l'Empereur d'Autriche-Hongrie faites de mars à mai 1917 et que la note du Pape Benoit XV en date du 9 août 1917, le Message de Wilson n'inquiéta les partisans du démembrement de l'Empire des Habsbourg qui se savaient forts de l'appui des Alliés européens, même si Londres se montrait parfois réticent à leur égard. On le vit d'ailleurs nettement lors du Congrès des nationalités opprimées qui se tînt à Rome du 8 au 10 avril 1918 sous l'égide des gouvernements français et italiens. Le Pacte de Rome conclu à cette occasion réaffirmait les droits des nationalités à leur indépendance politique et économique, et l'incompatibilité de ce droit avec le maintien de la monarchie des Habsbourg. C'est justement à ce moment-là, en avril-mai 1918, que les Alliés optèrent définitivement pour la politique préconisée par les partisans de la destruction de l'Empire austro-hongrois et reconnurent comme gouvernement officiel le Comité National tchécoslovaque de Paris; le 5 juin, ils reconnurent également par avance l'indépendance de la Pologne.

Lorsque s'ouvrit la Conférence de la Paix, il ne restait plus aux Grandes Puissances qu'à entériner les créations d'États nationaux qui s'étaient faites sur place dans les derniers jours de la guerre et tenir les promesses faites dans les traités d'alliance ou aux divers Comités d'émigrés. Si les grandes lignes du contenu des traités de paix furent tracées au cours des délibérations du Conseil des Quatre (France, Italie, Royaume-Uni et États-Unis), les problèmes particuliers à chaque État et le détail des nouvelles frontières furent traités en commissions spécialisées. Une fois les traités prêts, les pays vaincus furent invités à les signer. C'est ainsi que furent signés successivement les traités de Versailles avec l'Allemagne le 28 juin 1919, de Saint-Germain-en-Laye avec l'Autriche le 10 septembre 1919, de Neuilly avec la Bulgarie le 27 novembre de la même année et celui de Trianon avec la Hongrie le 4 juin 1920.

LES TRAITÉS

Une nouvelle fois, il faut insister sur le fait que ces traités conclus entre les « Puissances alliées et associées » d'une part, et les pays vaincus d'autre part, furent des traités imposés, et non pas négociés. La conséquence la plus immédiate en fut qu'ils furent *subis* par les États qui se virent contraints de les signer, mais jamais *acceptés*. Dès même leur signature, ils pesèrent lourds pour l'évolution des rapports entre les ex-vainqueurs et les ex-vaincus.

LE SORT DES ÉTATS VAINCUS

Les frontières orientales de l'Allemagne

Si à l'ouest l'Allemagne dut renoncer à l'Alsace-Lorraine au profit de la France, à quelques districts frontaliers au profit de la Belgique et au nord du Sleswig au profit du Danemark – et encore dans ce dernier cas à la suite d'un plébiscite –, c'est du côté de l'est que les pertes allemandes furent les plus sensibles. Le traité de Versailles devait établir le tracé de la frontière entre l'Allemagne et le nouvel État polonais en tenant compte à la fois de la nécessité d'accorder à la Pologne un accès à la Baltique et du vœu supposé des populations. L'Allemagne dut abandonner à la Pologne la province de Posnanie en majorité de population polonaise surtout dans les campagnes, ainsi qu'un morceau de la Prusse occidentale avec la ville de Thorn, en majorité polonaise, territoire qui devait constituer un *corridor* d'une largeur de 40 à 100 km permettant aux Polonais d'accéder au littoral. Mais comme la côte sur laquelle débouchait ce corridor ne disposait d'aucun équipement portuaire, la Conférence de la Paix décida de faire de la ville de Danzig et de ses environs immédiats une *Ville libre* sous le contrôle de la Société des Nations; il était en outre précisé que les Polonais devraient avoir librement accès au port. De la sorte, les populations allemandes largement majoritaires à Danzig et dans ses environs se trouvèrent détachées politiquement du Reich sans pour autant être rattachées à la Pologne. Mais il est évident que la séparation ainsi créée par le corridor entre la Prusse orientale et le reste du territoire allemand représentait une énorme potentialité d'incidents et de conflits. Les Polonais auraient voulu également obtenir le sud de la Prusse orientale avec la ville d'Allenstein : le plébiscite prévu par le traité donna une très large majorité en faveur de l'Allemagne. En revanche, à l'extrême est de la Prusse orientale, l'Allemagne dut renoncer au territoire de Memel peuplé de Lituaniens dans les campagnes et d'Allemands en ville. Le territoire de Memel fut d'abord administré par une Commission Internationale sous les auspices de la Société des Nations, mais en 1923, les Lituaniens s'en emparèrent par la force et la Société des Nations s'inclina devant le fait accompli. Le dernier territoire qui donna lieu à contestation fut la Haute-Silésie, riche en minerais ferreux et non-ferreux, revendiquée à la fois par la Pologne et par l'Allemagne. Le plébiscite prévu par le traité se déroula le 20 mars 1921 dans un climat d'agitation extrême. L'Allemagne l'emporta avec 70 % des voix, mais les Polonais contestèrent les résultats, sous prétexte que près de 200 000 électeurs nés en Haute-Silésie mais établis dans d'autres régions depuis, avaient pris part au vote. Le 2 mai, l'ancien député polonais au Reichstag Korfanty déclencha un soulèvement des Polonais de Haute-Silésie auquel répondirent les Allemands en créant des Corps-Francs armés. Finalement, la Société des Nations procéda à un partage du territoire dont les 2/3 revinrent à l'Allemagne, le reste avec la ville de Kattowitz (Katovice) allant à la Pologne. Au total, l'Allemagne avait perdu au profit de la Lituanie et de la Pologne près de 4 millions de personnes si l'on y inclue la population de la *Ville Libre*.

L'Autriche et la Hongrie

Héritière de la Cisleithanie, la République autrichienne fut réduite à un territoire de 83 000 km² peuplé de 6 500 000 habitants. L'Autriche nouvelle avait dû renoncer aux anciennes acquisitions de la Maison de Habsbourg (Bohême-Moravie, Bucovine, Galicie, Slovénie, Carniole, etc.). Ces régions étaient selon les cas de peuplement slave, roumain ou italien, mais près de 4 millions de germanophones y vivaient également en groupes plus ou moins compacts. L'Autriche dut abandonner à l'Italie la partie méridionale du Tirol au sud du col du Brenner, région à large majorité allemande mais promise à l'Italie par le traité de Londres essentiellement pour des raisons stratégiques et en dépit du vœu des populations. La Carinthie ayant été revendiquée par le royaume des Serbes, Croates et Slovènes, un plébiscite y fut organisé le 10 octobre 1920 : la région de Klagenfurt se prononça à une large majorité en faveur de l'Autriche mais le résultat de ces élections fut constamment contesté par les Yougoslaves, et même encore aujourd'hui... En revanche, le traité de Saint-Germain attribua à l'Autriche les confins occidentaux de la Hongrie, son ancienne partenaire au sein de la Double Monarchie. Ce territoire qui a formé sous l'autorité autrichienne la province du Burgenland avait une population allemande à 80 %, les 20 % restant étant partagés à peu près également entre Hongrois et Croates. A la Conférence de la Paix, les délégués tchécoslovaques avaient souhaité que ce territoire soit partagé entre la Tchécoslovaquie et la Yougoslavie afin d'établir une continuité territoriale entre ces deux États slaves, mais les Alliés s'y montrèrent peu favorables. Finalement, le traité attribua le territoire à l'Autriche, de façon à créer une pomme de discorde entre les deux anciens alliés. Mais les Hongrois se montrèrent peu disposés à céder à leurs voisins la région de Sopron à majorité hongroise; ils organisèrent des groupes armées qui empêchèrent les autorités autrichiennes de s'y installer. L'Italie proposa sa médiation et un plébiscite fut organisé les 14 et 15 décembre 1921 à Sopron et dans ses environs. Les électeurs se prononcèrent pour la Hongrie à une majorité des 2/3. La région de Sopron demeura donc hongroise mais le reste du Burgenland avec la ville d'Eisenstadt (Kismarton) alla à l'Autriche.

Quant à la Hongrie, elle fut particulièrement malmenée par le traité de Trianon qui lui enleva les 2/3 de son territoire millénaire. Le pays fut réduit à une superficie de 93 000 km² avec une population de 8 500 000 habitants, magyare à plus de 90 %. La Hongrie devenait ainsi un État national à population homogène; seules, deux minorités nationales avaient une certaine importance, les Allemands au nombre de 400 000 et loin derrière les Slovaques au nombre d'une centaine de milliers. Mais plus de 3 millions de Hongrois se trouvaient incorporés malgré eux aux États voisins.

Ainsi, les deux piliers de l'ancienne Autriche-Hongrie furent très durement frappés par les traités au profit des États voisins qualifiés désormais d'*États successeurs*. C'est à leurs dépens que furent créés ou renforcés ces États successeurs. Mais en plaçant sous leur autorité 4 millions d'Allemands et 3 millions de Hongrois localisés souvent le long des nouvelles frontières de leur ancienne patrie, on remplaçait le problème des nationalités par celui des minorités nationales.

La Bulgarie

La Bulgarie perdit au traité de Neuilly les maigres avantages territoriaux qu'elle avait obtenus à la suite des Guerres balkaniques. Elle se trouvait à l'issue de la guerre avec un territoire de 103 000 km² peuplé de près de 5 500 000 habitants, tous Bulgares. La Bulgarie dut céder aux Serbes les districts macédoniens qu'elle détenait encore, mais la perte la plus douloureuse fut celle du littoral égéen qui fut attribué à la Grèce. La Bulgarie perdait ainsi son seul accès à la mer libre : l'ancien port bulgare de Dédéagatch devint grec sous le nom d'Alexandropolis. Dans tous ces territoires cédés, la population était en majorité bulgare tout comme l'était aussi celle de la Dobroudja cédée précédemment à la Roumanie et conservée par elle. Ici aussi, la paix que l'on avait imposée aux vaincus était loin d'être fondée sur le principe du droit des peuples à disposer d'eux-mêmes.

LES BÉNÉFICIAIRES DES TRAITÉS

La Pologne ressuscitée

Si les traités de Versailles et de Saint-Germain fixèrent rapidement les frontières occidentales et méridionales de la Pologne, il fallut attendre mars 1921 pour que la frontière polono-soviétique soit définitivement fixée. La Pologne ressuscitée couvrait en 1921 un territoire de 387 000 km², moins étendu que l'ancienne Pologne des Jagellon, puisque la Lituanie n'en faisait pas partie, mais plus vaste que la Pologne d'aujourd'hui. Avec une population de 27 millions d'habitants, l'État polonais était le pays le plus peuplé de l'Europe centro-orientale. Son territoire était constitué de la Posnanie, de la zone du *corridor*, de la Haute-Silésie enlevées à l'Allemagne, de la Galicie sous administration autrichienne depuis la fin du xviiie siècle, de l'ancien royaume du Congrès administré par la Russie depuis 1815 grossi de quelques districts enlevés à l'URSS en 1921. Dans ce nouvel État, les Polonais représentaient environs 65 % de la population totale; à côté d'eux vivaient des Ruthènes (17,8 %), des Juifs, (7,5 %), des Allemands (4,1 %), des Biélo-Russes (3,4 %), des Lituaniens, des Russes, des Tchèques en proportions infimes. Inversement près de 200 000 Polonais, d'après les sources polonaises, vivaient encore à l'intérieur des nouvelles frontières de l'Allemagne et plus de 100 000 en Tchécoslovaquie dans la région de Teschen que les Tchèques avaient occupé au moment où les Polonais étaient aux prises avec l'Armée Rouge, ce qui maintint pendant toute la période de l'entre-deux-guerres un climat de méfiance voir d'hostilité entre Prague et Varsovie.

Population de la Pologne en 1930

Polonais	20 000 000	65,5 %
Juifs	2 300 000	7,5 %
en majorité polonais		
Ruthènes/Ukrainiens	5 400 000	17,8 %
Allemands	1 250 000	4,1 %
Biélorusses	1 000 000	3,4 %
Divers	550 000	1,7 %
(Lituaniens, Russes, etc.)		

d'après R. Portal, *Les Slaves*

La Tchécoslovaquie

A la différence de la Pologne qui avait constitué pendant 7 siècles un État homogène et dont la restauration de 1918 mettait fin au long déni de justice qu'avait constitué 130 ans de domination étrangère, la Tchécoslovaquie était une création tout à fait artificielle. Son territoire fut formé par la juxtaposition de trois régions distinctes. Le royaume de Bohême et la principauté de Moravie sur lesquels régnèrent les Habsbourg depuis 1526 avec une population formée aux 2/3 de Tchèques et le reste d'Allemands en constituait la partie occidentale : les populations allemandes étaient surtout concentrées dans les régions périphériques le long des frontières avec l'Allemagne et avec l'Autriche. En dépit du vœu des populations allemandes qui tentèrent de faire sécession en 1919, Benès invoqua à la conférence de la Paix l'unité historique de la Bohême pour justifier l'incorporation à la Tchécoslovaquie de cette importante population allemande. La seconde composante de l'État tchécoslovaque était la Slovaquie dont le territoire avait fait partie du royaume de Hongrie depuis le début du xe siècle, époque à laquelle les ancêtres slaves des Slovaques avaient fait leur soumission aux conquérants hongrois. Benès réclama le territoire beaucoup plus étendu que le domaine géographique occupé par les Slovaques, non pas cette fois pour des raisons historiques – car les Slovaques n'avaient jamais fait partie du royaume de Bohême – mais pour des raisons à la fois économiques – il fallait que le nouvel État accède au Danube – et stratégiques – le maréchal Foch estimait que le Danube était une frontière facilement défendable. La thèse de Benès appuyée par Foch triompha et la ville de Pozsony fut incorporée à la Tchécoslovaquie malgré sa population en majorité germano-hongroise ainsi que toute la rive gauche du Danube peuplée exclusivement de Hongrois. Enfin, la Tchécoslovaquie se fit attribuer la Ruthénie carpatique anciennement hongroise et cela depuis 895-896, et dont la population en majorité ruthène était venue s'installer là à partir du xiiie siècle. Le traité de Trianon avait bien prévu l'octroi d'un statut d'autonomie à cette région mais rien ne fut fait avant 1938...

DEUX ÉTATS MULTINATIONAUX
DANS L'EUROPE DANUBIENNE DE L'ENTRE-DEUX-GUERRES

La Tchécoslovaquie : 140 397 km²
13 613 000 habitants au 15 février
1921

a) Les nationalités

Nationalités dominantes :	Tchèques	6 661 000	48,9 %
	Slovaques	2 100 000	15,4 %
Minorités nationales :	Allemands	3 124 000	22,9 %
	Hongrois	745 000	5,5 %
	Ruthènes	462 000	3,4 %
	Polonais	76 000	0,6 %
	divers	445 000	3,3 %

b) Les religions (1930)

Catholiques romains	10 800 000
Luthériens/Calvinistes	800 000
Eglise tchécoslovaque	800 000
Unité des Frères	300 000
Juifs	250 000
Athées	1 750 000

La Yougoslavie : 248 665 km²
11 245 000 habitants au 31 janvier 1921

a) Les nationalités

Nationalités dominantes :	Serbes	5 365 000	47,7 %
	Croates	2 834 000	25,2 %
	Slovènes	1 024 000	9,1 %
Minorités nationales :	Allemands	513 000	4,7 %
	Hongrois	472 000	4,0 %
	Albanais	441 000	3,7 %
	Bulgares	274 000	2,7 %
	Turcs	236 000	2,3 %
	Roumains	72 000	0,6 %
	Italiens	14 000	

b) Les religions (1931)

Orthodoxes	48 %
Catholiques romains	37 %
Musulmans	11 %
Divers	4 %

La Tchécoslovaquie devenait aini un État multi-national, de 140 400 km² avec une population de près de 14 millions d'habitants dont près de 40 % n'étaient ni Tchèques ni Slovaques.

La Grande-Roumanie

Les traités de Saint-Germain et de Trianon furent très avantageux aussi pour la Roumanie dont le terri-toire passa de 130 000 km² en 1913 à 295 000 km² en 1920, et la population de 7 à plus de 15 millions et demi. Les territoires suivants furent incorporés à l'ancien *Regat* : la Bessarabie enlevée à la Russie, la Bucovine issue de l'ancienne Cisleithanie, et surtout la Transylvanie et la plus grande partie du Banat déta-chées de la Hongrie. L'établissement du tracé de la nouvelle frontière hungaro-roumaine donna lieu à de vives discussions dans lesquelles les motifs écono-miques ou stratégiques eurent plus de poids que les données ethniques. Une bande de territoire profonde de quelques 20 km fut attribuée à la Roumanie en dépit de sa population hongroise largement majoritaire afin que l'État roumain puisse disposer d'une voie fer-rée jugée importante sur le plan stratégique. De la sorte, les villes hongroises de Szatmár-Németi, de Nagyvárad et d'Arad devinrent roumaines ainsi que leurs environs immédiats : un déplacement de la fron-tière de 20 km vers l'est aurait évité une telle situa-tion. Le partage du Banat revendiqué à la fois par les Roumains et par les Serbes donna lieu à toutes sortes de marchandages entre les Alliés, d'autant plus étranges que dans ce territoire, le total des popula-tions serbes et roumaines était nettement inférieur à celui des Allemands et des Hongrois majoritaires. A l'ancien *Regat* de population roumaine homogène à l'exception de la minorité bulgare de Dobroudja suc-cédait une Grande Roumanie dans laquelle les popula-tions allogènes formaient plus du tiers de la popula-tion.

POPULATION DE LA ROUMANIE
AU RECENSEMENT DE DÉCEMBRE 1930

Population totale : 18 057 000 habitants

a) *Nationalités*

Roumains	12 981 000	71,9 %
Hongrois	1 425 000	7,8 %
Allemands	745 000	4,0 %
Juifs	728 000	3,9 %
Ruthènes	582 000	3,2 %
Russes	409 000	2,2 %
Bulgares	366 000	2,1 %
Tsiganes	262 000	1,4 %
Turcs	154 000	0,8 %

Total Roumains : 71,9 %
Minorités nationales : 28,1 %

b) *Religions*

Orthodoxes	73 %
Catholiques uniates	7,6 %
Catholiques romains	7,5 %
Luthériens/Calvinistes	6,9 %
Juifs	4,0 %
Musulmans	1,0 %

Le royaume des Serbes, Croates et Slovènes

L'ancien royaume de Serbie lui aussi tira de substantiels avantages des traités de paix. Sous le nom de royaume des Serbes, Croates et Slovènes, puis sous celui de Yougoslavie à partir de 1931, il forma un vaste État de 248 000 km² avec une population de 12 millions d'habitants, formée en majorité de Slaves du sud, mais avec des minorités nationales représentant près de 15 % de la population totale. La Yougoslavie était formée ainsi de l'ancien territoire serbe agrandi aux dépens de la Bulgarie, du Monténégro, de l'ancienne Voïvodine hongroise, auquel s'ajoutèrent la Slovénie et la Dalmatie ex-autrichiennes, la Croatie-Slavonie autrefois unie à la Hongrie, et l'ancienne Bosnie-Herzégovine

Quand on dresse le bilan de l'œuvre de reconstruction politique et territoriale qui suivit la Première Guerre mondiale en Europe centrale et orientale, on est amené à faire les constatations suivantes :

D'abord, ce ne sont pas les peuples qui ont décidé de leur propre destin. C'est à Paris, à Londres, à Rome que leur sort a été réglé par les Grandes Puissances en fonction de leurs intérêts politiques et économiques avec la complicité de certains de leurs chefs politiques. Certains pays ont été avantagés largement parce que leurs représentants ont su flatter les Grandes Puissances et leur ont laissé miroiter des avantages économiques ou la conclusion d'alliances militaires, même si ces pays n'ont joué qu'un rôle dérisoire aux côtés de l'Entente pendant la guerre. Les vaincus, eux, furent durement malmenés et paradoxalement, ce fut l'Allemagne qui s'en tira le mieux.

Ensuite, il faut bien constater que le principe du droit des peuples à disposer d'eux-mêmes qui avait servi à légitimer aux yeux des populations la guerre que menait l'Entente, fut appliqué d'une façon singulièrement arbitraire. Les nouvelles frontières politiques n'ont coïncidé qu'exceptionnellement avec les frontières ethniques, et souvent une population homogène par sa langue a été coupée en deux par le tracé arbitraire d'une frontière. Et de toute façon, sauf cas extrêmement limités, les populations ne furent jamais consultées. Il est vrai que les rares plébiscites qui furent organisés donnèrent des résultats peu favorables aux États bénéficiaires des traités, ce qui les incita à s'opposer à toute nouvelle demande de plébiscite. La conséquence de cette politique, c'est que dès le lendemain de la signature des traités, les États qui en furent les victimes s'efforcèrent d'en obtenir la révision et de rechercher les appuis extérieurs nécessaires, tandis que parallèlement, les États bénéficiaires des mêmes traités se montrèrent prêts à tout sacrifier pour conserver les avantages acquis. En outre, la présence à l'intérieur des États favorisés par les traités d'importantes minorités nationales bien décidées à se libérer un jour de la tutelle de leurs nouveaux maîtres pouvait constituer une source future de difficultés pour ces nouveaux États.

Enfin, rien n'était prévu pour réaliser un minimum d'entente et de coopération économique entre des États qui avaient longtemps formé un ensemble économique cohérent.

XVI

LUTTES POLITIQUES
ET CONFLITS INTERNES
(1919-1939)

Les États de l'Europe centro-orientale nés ou rénovés après la Première Guerre mondiale présentent de sensibles différences quant aux structures politiques à l'intérieur desquelles ils ont évolué. De telles différences dues aux diversités des traditions nationales et des mentalités autant qu'au choix des équipes dirigeantes, ne doivent pas faire oublier l'existence de certaines constantes que l'on peut observer dans la plupart sinon dans tous ces États.

LES CONSTANTES DE LA VIE POLITIQUE

L'évolution des pays de l'Europe de l'Est a été conditionnée dès le départ par le voisinage de l'Union Soviétique. La Révolution d'Octobre 1917 a exercé une influence incontestable sur leur vie politique. A deux reprises, le bolchevisme a constitué une menace ressentie comme telle par tous les États, une première fois lorsque de mars à août 1919 la Hongrie est devenue une République soviétique essayant même d'entraîner dans son sillage la Slovaquie, une seconde fois au cours de l'été 1920 lorsque l'Armée Rouge s'est avancée jusqu'au cœur de la Pologne. Ces deux événements ont fortement marqué les orientations politiques ultérieures des divers États. Partout, sauf en Tchécoslovaquie, les Partis communistes furent très vite interdits et passèrent dans la clandestinité tandis que la plupart de leurs dirigeants, quand ils n'avaient pas été arrêtés, prenaient le chemin de l'exil, le plus souvent en URSS. Certains comme le bulgare Dimitrov ou le Hongrois Rákosi y attendirent patiemment que la situation se retourne en leur faveur ; d'autres, moins heureux, comme Béla Kun, l'organisateur de la République hongroise des Conseils, y périrent au cours des purges staliniennes. Partout aussi, sauf en Tchécoslovaquie, les Partis socialistes demeurés fidèles à la Deuxième Internationale furent soit tolérés mais soumis à une étroite surveillance policière, soit purement et simplement interdits. Quant à l'action syndicale, – là encore la Tchécoslovaquie constitue l'exception –, elle fut strictement contrôlée par l'État, sinon totalement entravée. Il est vrai que, à l'exception de la Tchécoslovaquie, le degré d'industrialisation relativement faible de ces pays n'était pas en mesure de susciter un mouvement syndical puissant.

Partout, qu'il s'agisse de monarchies ou de républiques, les gouvernements des États de l'Europe centro-orientale exercèrent le pouvoir d'une façon autoritaire. Et même en Tchécoslovaquie, qui passait pour une démocratie exemplaire, le Président de la République y disposait de pouvoirs considérables qui faisaient de lui le rouage essentiel de l'État. Enfin, il faut souligner que partout, à l'exception de la Hongrie et de la Tchécoslovaquie, les chefs d'État n'ont jamais hésité à recourir au coup de force pour faire appliquer leurs conceptions personnelles du pouvoir.

La présence au sein de la plupart de ces pays de populations d'origine et de traditions différentes amena de la part des dirigeants une constante volonté d'unification. La centralisation fut la règle en Pologne, en Roumanie et surtout en Tchécoslovaquie et en Yougoslavie, et ses abus provoquèrent des contestations et des remises en cause qui favorisèrent les tendances centrifuges et séparatistes souvent encouragées de l'extérieur.

La crise économique qui frappa durement tous ces pays au début des années trente et l'influence des idéologies fascistes ou fascisantes amenèrent partout l'apparition de mouvements extrémistes inspirés des modèles italien ou allemand. Ces groupes politiques s'efforcèrent de déstabiliser les régimes en place en s'appuyant sur les mécontents, sur les forces nationalistes et antisémites et bénéficièrent à l'extérieur, du côté de Rome ou de Berlin, d'appuis financiers. Ces groupements furent de précieux auxiliaires pour les visées expansionnistes de Hitler.

LES DIVERSITÉS NATIONALES

En dépit de ces quelques caractères communs à l'ensemble des pays de l'Est, il convient d'insister sur les différences sensibles qui permettent de les sérier.

UN SUCCÉDANÉ DE DÉMOCRATIE « A L'OCCIDENTALE » : LA TCHÉCOSLOVAQUIE

La Tchécoslovaquie a pu constituer aux yeux de beaucoup un cas exceptionnel dans cette partie de l'Europe. Ce fut en effet le seul pays qui fut gouverné, du moins en apparence, selon les normes des démocraties occidentales. Dès la proclamation de l'indépendance de la Tchécoslovaquie, l'Assemblée Constituante provisoire rédigea un projet de constitution qui fut adopté le 29 février 1920. D'après cette Constitution, le pouvoir législatif appartenait à une Assemblée Nationale composée de deux Chambres, la Chambre des Députés et le Sénat, toutes deux élues au suffrage universel, direct, secret et obligatoire. Les membres du Parlement votaient le budget et les lois, contrôlaient l'action du gouvernement qui était responsable devant eux; ils élisaient également le Président de la République. Celui-ci, chef du pouvoir exécutif, élu pour 7 ans par les membres de l'Assemblée Nationale, disposait de pouvoirs étendus, notamment du droit de veto et du droit de dissolution des Chambres. C'était lui qui désignait le Président du Conseil ainsi que les Ministres; il était aussi le chef des armées et c'est lui qui nommait les fonctionnaires. Le professeur Thomas Masaryk, qui avait été l'artisan le plus actif de la création de l'État tchécoslovaque, fut élu premier Président de la République le 27 mai 1920, il fut réélu en 1927 et en 1934 mais se retira pour raison de santé en décembre 1935. Son plus proche collaborateur, Édouard Benès, lui succéda à la Présidence jusqu'à sa démission le 5 octobre 1938 en signe de protestation contre les accords de Munich. La forte personnalité de ces deux hommes d'État donna à la fonction présidentielle un prestige et une autorité beaucoup plus forts que ne le prévoyait la Constitution.

La vie politique fut caractérisée en premier lieu par la

multiplicité des Partis nationaux tchécoslovaques, sans parler des formations politiques représentant les différentes minorités nationales. Au total, plus de 20 partis se partageaient les suffrages des électeurs. Les gouvernements furent constamment des cabinets de coalition dont la formation nécessitait d'âpres discussions entre les chefs des divers groupes parlementaires. Les Partis nationaux étaient eux-mêmes fort divisés. A droite, les Nationaux-Démocrates représentaient les milieux financiers et industriels tandis que les Agrariens étaient les porte-parole de l'ensemble du monde des campagnes depuis les grands propriétaires fonciers jusqu'aux petits exploitants, et que les Populistes représentaient l'électorat catholique. Au centre, les Socialistes-Nationaux de Benès avaient tendance à s'identifier à l'État et furent toujours le pivot autour duquel s'échafaudaient les coalitions gouvernementales. Enfin, à gauche, les Sociaux-Démocrates et les Communistes recrutaient leurs électeurs dans les milieux ouvriers de Bohême et de Moravie. A côté de ces Partis nationaux, les représentants des autonomistes slovaques de l'abbé Hlinka et de Mgr Tiso, les divers Partis allemands, hongrois et ruthènes pouvaient occasionnellement contribuer à faire ou à défaire un gouvernement, selon qu'ils s'abstenaient ou votaient avec l'opposition lors d'un débat essentiel.

Après la forte poussée de la gauche et de l'extrême gauche lors des élections de 1920 en raison des difficultés économiques ou monétaires dues à la guerre, le pouvoir fut presque constamment exercé par des coalitions à dominante centriste allant des Sociaux-Démocrates aux Nationaux-Démocrates. Ces coalitions furent dirigées notamment par le socialiste Tusar (1920-1922), l'agrarien Svehla (1922-1929) et l'agrarien slovaque Hodza (1935-1938). Les communistes adoptèrent pendant longtemps une attitude d'opposition systématique à l'égard de l'État tchécoslovaque. Jusqu'en 1935, ils dénoncèrent la politique oppressive pratiquée par le gouvernement de Prague à l'égard des minorités nationales, et inscrivirent à leur programme le droit pour celles-ci à l'autodétermination. A partir de 1935, l'attitude des communistes se modifia radicalement et en 1938, leur secrétaire général, Klément Gottwald se fit le défenseur de la République face aux menées sécessionnistes des minorités nationales. Mais au moment même où les communistes s'intégraient à la vie nationale, un mouvement d'inspiration fasciste parvenait à détacher des Partis traditionnels un certain nombre de mécontents issus des classes moyennes et des milieux ruraux. Victimes de la crise économique, ils constituèrent un *Rassemblement National*, mais dont l'audience demeura limitée jusqu'en 1938.

Le problème qui compromit la vie politique de la Première République tchécoslovaque fut celui des rapports entre les deux nationalités dominantes de l'État.

Face aux 7 100 000 Tchèques dénombrés lors du recensement du 1ᵉʳ décembre 1930 vivaient 2 600 000 Slovaques. L'union de ces deux peuples voulue pendant la guerre par la plupart des politiciens tchèques avec le concours des chefs de la colonie slovaque d'Amérique aurait dû, dans l'esprit des Slovaques qui s'y étaient montrés favorables, aboutir à la formation d'un État fédéral dans lequel Tchèques et Slovaques auraient eu les mêmes droits et les mêmes devoirs. C'est ce qui avait été prévu d'ailleurs dans l'accord signé à Pittsburgh le 30 mai 1918 entre Masaryk et les représentants des Slovaques d'Amérique du Nord : selon cet accord, la Slovaquie aurait dû disposer de sa propre administration et d'une Diète législative. Dès la fin de la guerre, en dépit de la résolution de l'Assemblée slovaque de Turóc Szt. Márton, l'État tchécoslovaque fut formé sur une base unitaire et centralisatrice. Le 1ᵉʳ janvier 1919, les soldats de la nouvelle armée « tchécoslovaque » et leurs supplétifs venus des groupes Sokols occupèrent l'ancienne Pozsony devenue Bratislava ainsi que les campagnes slovaques. Le pays slovaque fut traité en pays conquis, et les « libérateurs » se comportèrent davantage en « conquérants » qu'en frères. Ils s'attaquèrent systématiquement non seulement à tout ce qui pouvait rappeler l'ancien régime hongrois, y compris les œuvres d'art, mais aussi aux croyances religieuses des Slovaques. Des centaines de calvaires furent brisés, des statues d'église mutilées. L'anti-cléricalisme du nouveau régime, qui n'hésitait pas à revendiquer le patronage de Jean Hus, heurta profondément le peuple slovaque, fortement attaché à sa foi catholique. Les catholiques en furent d'autant plus choqués qu'ils voyaient leurs compatriotes protestants faire cause commune avec les iconoclastes de Prague. Le pays slovaque fut placé dès le début sous l'autorité de fonctionnaires tchèques, et les Slovaques qui avaient pensé pouvoir occuper les places laissées vacantes par l'expulsion des anciens fonctionnaires hongrois furent profondément déçus.

Mémorandum des autonomistes slovaques
remis à la Conférence de la Paix
(septembre 1919)

« ... *Au lieu d'obtenir l'autonomie slovaque, nous sommes tombés sous l'hégémonie tchèque... Nous sommes venus à Paris afin de réclamer ce qui nous a été solennellement promis... La Slovaquie est devenue une colonie de la Bohême et elle est traitée comme telle. Nous sommes exploités par les Tchèques... Ils veulent nous arracher notre âme slovaque. Dans nos écoles, on emploie comme professeurs de slovaque des Tchèques qui ne possèdent pas cette langue... Une autre chose irrite les Slovaques contre les Tchèques, c'est l'intolérance religieuse. L'hérésie de Jean Hus jusqu'ici inconnue en Slovaquie est violemment propagée par les Tchèques... Les soldats, les Sokols et les employés tchèques se sont moqués de la piété du peuple slovaque. Beaucoup de statues de saints ont été mutilées et plusieurs églises profanées... Les Tchèques veulent disposer de nous, sans nous, et contre nous. Il n'y a pas de Nation tchécoslovaque, il y a une Nation tchèque et une Nation slovaque. Nous ne sommes pas des Tchécoslovaques, nous sommes des Slovaques et nous voulons le rester... Pour démontrer à la Conférence de la Paix que tout ce que nous venons de dire est pure vérité, nous osons demander pour la Slovaquie un plébiscite qui proclamera les vrais sentiments de la nation slovaque. Mais ce plébiscite ne peut avoir lieu que sous la protection de l'Entente.* »

Dr Frantisek Jehlica, député
Mgr Andrej Hlinka, chef du Parti autonomiste
cité par F. d'Orcival, *Le Danube était noir*

Dès le début, le clergé local qui, sous le régime hongrois, avait toujours été à la pointe du combat pour la défense des droits de ses ouailles, reprit le combat.

L'abbé Hlinka qui, en 1907, avait été l'un des chefs du mouvement de résistance contre le centralisme hongrois, se rendit à Paris pour tenter de défendre les droits de ses compatriotes devant la Conférence de la Paix. Il ne put que déposer un long mémorandum dans lequel il exposait les griefs des Slovaques contre les autorités de l'État tchécoslovaque. L'influence des dirigeants de Prague était d'un tel poids à Paris que l'abbé Hlinka fut expulsé au bout de deux semaines, après que les Pères du Saint-Esprit chez qui il s'était installé, lui eussent fait comprendre que sa présence était peu souhaitable. Les agents de Benès étaient présents dans tous les milieux. De retour au pays, l'abbé Hlinka organisa le mouvement autonomiste en un Parti populiste slovaque qui inscrivit à son programme l'autonomie de la Slovaquie; les Populistes bénéficièrent de l'appui de l'Église catholique slovaque à défaut de celui du clergé de Bohême, des milieux conservateurs et paysans auxquels s'opposait en pays slovaque la minorité protestante favorable à l'union étroite avec les Tchèques. Aux élections de 1925, en dépit de la pression électorale très forte, les Populistes obtinrent 34 % des voix, et maintinrent pratiquement leurs voix jusqu'en 1938, date à laquelle ils remportèrent une victoire éclatante. Les Populistes obtinrent toujours davantage de voix des élections que l'ensemble des Partis favorables à l'union avec les Tchèques. Si l'on ajoute aux voix obtenues par les partisans de Hlinka à celles des Partis hongrois et allemands de Slovaquie, et à celle des communistes slovaques également hostiles à la centralisation, on s'aperçoit que les partisans d'une Slovaquie autonome étaient largement majoritaires. Le désir d'autonomie des Slovaques n'était pas, comme cherchait à le montrer le gouvernement de Prague, le fait de quelques « cléricaux obscurantistes », mais le désir de tout un peuple. Pour les autorités tchécoslovaques, la question slovaque était d'une importance capitale, car si l'on donnait aux Slovaques l'autonomie qu'ils revendiquaient et la possibilité de s'exprimer librement sur leur avenir, c'en était fait de la Tchécoslovaquie. Le président Masaryk n'était pas le dernier à s'en rendre compte, puisque, dans une interview au *Berliner Tagblatt* du 26 juillet 1930, il n'hésitait pas à déclarer : « Nous ne pouvons pas donner d'autonomie aux Slovaques, car ils se sépareront de nous et s'uniront à la Hongrie. » Cette phrase était révélatrice de la mentalité des hommes d'État tchécoslovaques et la curieuse conception qu'ils avaient du droit des peuples à disposer d'eux-mêmes. Masaryk admettait implicitement que les Slovaques préféraient l'ancienne « oppression hongroise » aux « libérateurs » tchèques. Pour les dirigeants de Prague, il n'y avait que deux attitudes possibles à adopter. Ou bien on acceptait la sécession de la Slovaquie, ou bien on maintenait *par la force* les Slovaques dans l'État. C'est pour cette solution que le gouvernement de Prague opta dès le début ; il s'y accrocha en dépit des risques qu'elle comportait. Dès lors, les Slovaques jugés peu sûrs, furent systématiquement écartés des postes importants qui furent confiés presque toujours à des Tchèques. Encore en 1938, quand on examine la répartition des postes de responsabilité, on se rend bien compte que l'égalité entre Tchèques et Slovaques n'est qu'un mythe. Sur 140 officiers généraux, il n'y avait qu'un seul Slovaque, et sur l'ensemble des officiers subalternes, il n'y avait que 420 Slovaques sur un total de 13 000 officiers ! Au ministère des Affaires Étrangères, il n'y avait que 33 Slovaques face à 1 246 Tchèques. Et pour l'ensemble des administrations centrales de l'État tchécoslovaque, on trouvait seulement 130 Slovaques sur un total de 8 000 fonctionnaires. La situation était identique en Slovaquie même où par exemple dans les chemins de fer, les cadres étaient à 90 % tchèques, mais les employés subalternes étaient à 70 % slovaques. En outre, pour mieux encadrer les « frères » slovaques, – les *frères inférieurs* –, les autorités de Prague établirent en Slovaquie entre 1921 et 1925 plus de 170 000 « colons » tchèques qui furent les véritables bénéficiaires de la réforme agraire. Il y aurait là matière à penser pour ceux qui avaient contribué à la création de l'État tchécoslovaque, mais Prague avait tellement fait preuve de générosité à l'égard de journalistes influents dans la presse française et anglo-saxonne que ceux-ci avaient dès le départ été les thuriféraires de la *démocratie* tchécoslovaque. Et pourtant, la Slovaquie n'en demeurait pas moins une *colonie* de l'État tchécoslovaque exploitée par et au profit exclusif des Tchèques. Face au nationalisme tchèque déchaîné, le nationalisme slovaque, déçu et amer, pouvait constituer un facteur important de déstabilisation en Europe danubienne. Les événements de 1938-1939 en seront la preuve manifeste, d'autant plus que les Slovaques n'étaient pas les seuls à subir les effets de la centralisation : Allemands, Hongrois, Ruthènes, Polonais la subissaient aussi mais eux, ils n'étaient pas les *frères* des Tchèques. Ils n'étaient que de vulgaires minorités nationales dont nous parlerons plus loin.

Ainsi, comme nous venons de le voir, la Tchécoslovaquie pouvait effectivement prêter à illusion. Sa constitution était démocratique, elle disposait d'un régime parlementaire reposant en principe sur le suffrage universel. Mais ces institutions libérales ne profitaient qu'à une partie de la population, et même si une loi libérale était adoptée, son application était à la merci de fonctionnaires tchèques, agents zélés, et parfois trop zélés, de l'État centralisateur, dont ils n'avaient aucune réprimande à redouter.

LA POLOGNE : DE LA DÉMOCRATIE PARLEMENTAIRE A LA DICTATURE MILITAIRE

La renaissance de l'État polonais s'était produite dans des conditions particulièrement délicates. Le nouvel État ne disposa jusqu'en 1921 que de frontières incertaines, notamment du côté de la Russie soviétique. De plus, la réunion au sein d'un État unique de provinces qui avaient, pendant plus d'un siècle, vécu séparées dans le cadre d'Empires aux structures radicalement différentes, n'avait pas été sans poser de sérieux problèmes aux fondateurs de la Pologne nouvelle.

Cependant, après les élections à l'Assemblée constituante, le nouvel État se dota d'une Constitution provisoire qui confia le pouvoir à un Président de la République, en l'occurrence le général Joseph Pilsudski. Dès le début, à cause de la guerre contre la Russie qui se prolongea jusqu'à l'armistice du 12 octobre 1920, le Chef de l'État, qui exerçait en même temps les fonctions de Commandant en Chef des forces armées, se trouva disposer de pouvoirs considérables. Face au prestige du vainqueur de la Vistule, le gouvernement civil et l'assemblée pouvaient faire piètre figure. Tandis que Pilsudski menait à la victoire les armées polonaises, les députés de l'Assemblée Constituante travaillèrent à l'élaboration d'une Constitution définitive. Après de longues discussions entre la droite menée par le Populiste Witos, favorable à un régime parlementaire par crainte du pouvoir incarné par la personne de Pilsudski, et la gauche qui souhaitait un régime présidentiel, l'Assemblée vota enfin le 17 mars 1921 la Constitution définitive de l'État polonais. Cette Constitution instaurait un régime parlementaire bicamériste, avec une Diète élue pour 5 ans au suffrage universel par les citoyens, hommes et femmes âgés de 21 ans et plus, et un Sénat élu par l'ensemble des citoyens âgés de 30 ans et plus. Pour les deux assemblées, le suffrage était direct, secret, et la représentation proportionnelle était la règle. A la tête du pouvoir exécutif, la Constitution avait prévu un Président de la République, désigné pour 7 ans par les membres des deux Chambres réunis en Assemblée Nationale, qui disposait sensiblement des mêmes pouvoirs que ceux attribués par la Constitution de 1875 au Président français. Comme lui, le Président polonais disposait d'un droit de dissolution avec l'accord des 3/4 des Sénateurs.

Dès novembre 1922, les nouvelles institutions furent mises en place. Le maréchal Pilsudski, trouvant les pouvoirs présidentiels trop limités, refusa de se porter candidat. Après un scrutin difficile, le socialiste Narutowicz fut élu le 9 décembre. Son élection provoqua des remous ; la droite et les nationalistes lui reprochèrent ses ascendances juives et son appartenance à la franc-maçonnerie. Moins de deux semaines après son accession au pouvoir, Narutowicz fut assassiné par un nationaliste. Le général Sikorski, nommé chef du gouvernement, réussit à ramener le calme et fit procéder à de nouvelles élections présidentielles. L'Assemblée Nationale porta à la présidence le 20 décembre 1922 Stanislas Wojciechowski, qui bénéficiait de l'appui de Pilsudski. Les premiers gouvernements de centre-droit qui gérèrent les affaires se heurtèrent à des difficultés nombreuses : chute de la monnaie, agitation sociale, relations difficiles avec une armée mal à l'aise dans ses casernes et qui jouissait d'un prestige considérable. La retraite momentanée du maréchal Pilsudski en mai 1923 sembla régler ce dernier problème. Mais le maréchal était loin de se désintéresser des affaires publiques. Moins de trois ans après son départ, Pilsudski réapparut sur le devant de la scène. A la suite du retour au pouvoir de son vieil adversaire Witos, Pilsudski se décida à agir. Il craignait en effet que le nouveau chef du gouvernement ne procédât à l'élimination de l'armée d'officiers et de généraux qui lui étaient favorables. Le 12 mai 1926, des troupes fidèles à Pilsudski firent marche sur Varsovie; les régiments favorables au gouvernement, sous les ordres du général Rozwadowski, tentèrent de résister. Mais le 14 mai, la sédition triomphait. Tandis que la droite préconisait la résistance à ce coup de force, les socialistes, qui croyaient encore que Pilsudski était l'un des leurs, déclenchèrent en sa faveur la grève générale. Le Président Wojciechowski et le gouvernement démissionnèrent pour mettre fin à cette lutte fratricide qui avait déjà provoqué la mort de plusieurs centaines de civils. Après une période d'intérim, l'Assemblée Nationale se résigna le 1er juin à désigner Pilsudski comme Président de la République. A la surprise générale, Pilsudski refusa et fit élire un de ses amis socialistes, le professeur Ignace Moscicki. Le maréchal se contenta du poste de Ministre de la Guerre et du titre d'Inspecteur Général des Armées. En fait, grâce à l'appui de l'armée, ce fut Pilsudski qui exerça la réalité du pouvoir. La Constitution de 1921 fut modifiée, les pouvoirs présidentiels furent renforcés. Le Président de la République reçut le droit absolu de dissolution et put désormais faire appliquer par décret le budget si les Assemblées ne l'avaient pas adopté au cours de la session parlementaire. Revenu au pouvoir grâce au soutien des socialistes, Pilsudski se dégagea peu à peu de leur emprise. En fait, il établit une véritable dictature appuyée par un *Bloc gouvernemental* dévoué à sa personne, ultra-nationaliste, et foncièrement hostile aux Partis traditionnels. L'opposition formée d'un certain nombre de socialistes qui avaient rompu avec Pilsudski, des Populistes de Witos, des démocrates-chrétiens de Korfanty décida de s'unir. Lors du Congrès qu'elle tînt à Cracovie le 29 juin 1930 « pour la défense de la Loi et de la Liberté du peuple », ses chefs exigèrent le départ de Pilsudski et demandèrent que soit mis fin à la dictature. La réaction du Président fut brutale : les deux Assemblées furent dissoutes et les principaux chefs de l'opposition arrêtés. Quant aux communistes, très peu nombreux en raison de l'identification du communisme à la Russie que faisaient les Polonais, ils demeurèrent comme ils l'avaient fait depuis 1926, dans une semi-clandestinité.

Les élections du 16 novembre 1930, marquées par une très forte pression des autorités donnèrent au *Bloc gouvernemental* la majorité absolue mais un quart des électeurs s'était abstenu. Une nouvelle fois, la Constitution fut amendée dans un sens encore plus autoritaire. Après la mort de Pilsudski le 12 mai 1935, la Pologne resta soumise à un pouvoir autoritaire. A la dictature du Maréchal succéda la dictature des colonels. Le président Mosciki, réélu pour 7 ans en 1933, conservait théoriquement les fonctions de chef de l'État mais c'étaient bien les militaires qui détenaient la réalité du pouvoir, en particulier le colonel Beck, qui fut ministre des Affaires Étrangères de 1932 à 1939, et le général Rydz- Smigly qui succéda à Pilsudski aux fonctions d'Inspecteur Général de l'Armée.

Face au pouvoir exercé par les militaires, les Partis d'opposition, ceux de droite comme ceux de gauche, furent réduits au silence, leurs chefs emprisonnés ou assignés à résidence; il en fut de même pour les chefs des Partis représentant les nombreuses minorités nationales. La plupart des chefs communistes se réfugièrent en URSS et nombre d'entre eux furent éliminés dans le cadre des purges staliniennes, si bien qu'en 1938, Moscou décidait la dissolution du Parti Communiste polonais pour déviationnisme. La seule forme d'expression de l'opposition résidait dans l'abstention lors des élections. Il y eut aussi épisodiquement des troubles surtout en milieu rural; ce fut le cas en juin 1936 avec la révolte paysanne de Myslenice ou en août 1937 avec les grèves d'ouvriers agricoles qui se développèrent dans tout le pays. Cette agitation, doublée çà et là de grèves à Lodz ou à Varsovie, montrait que tout le pays n'était pas à l'unisson avec le régime des colonels. Si le prestige de Pilsudski avait fait en son temps accepter sa dictature, il était loin d'en être de même pour ses successeurs.

UN ROYAUME SANS ROI : LA HONGRIE DE HORTHY

Après l'élimination de la République des Conseils sous les coups conjugués de l'Entente, de l'armée roumaine et des forces nationales, le pouvoir fut d'abord exercé à Budapest à partir de l'été 1919 par un cabinet de coalition dirigé par le Populiste Huszár, de tendance démocrate-chrétienne, sous l'étroite surveillance de l'Armée Nationale de l'amiral Horthy et des groupements paramilitaires qui la suivaient. Le cabinet Huszár fit procéder en janvier 1920 à des élections générales au suffrage universel et secret. Ces élections donnèrent une nette majorité aux Partis modérés et conservateurs, le Parti des Petits propriétaires et le Parti National Chrétien, tous deux fortement opposés aux idées socialo-communistes. Ce qui séparait ces deux partis majoritaires, c'est la question royale. Les Petits-Propriétaires, hostiles aux Habsbourg, voulaient établir une monarchie nationale sur une base élective, tandis que les Nationaux-Chrétiens étaient partisans de la restauration de l'Empereur-Roi Charles, installé en Suisse depuis le printemps 1919. Comme les pays de l'Entente, à la demande de la Tchécoslovaquie, avaient fait savoir qu'ils s'opposaient à toute restauration des Habsbourg dans l'un quelconque des pays danubiens, l'Assemblée Nationale désigna comme Régent de Hongrie l'amiral Horthy le 1ᵉʳ mars 1920.

Dans l'immédiat, le gouvernement hongrois eut à signer dès le 4 juin 1920 le traité de Trianon, ce qui rendit aussitôt au pays sa souveraineté. A l'intérieur, il s'employa à liquider les séquelles des révolutions de 1918-1919 par une répression énergique. Ceux des chefs de la République des Conseils qui n'étaient pas parvenus à se réfugier à l'étranger furent jugés et exécutés, leurs comparses condamnés à de lourdes peines de prison. Le comte Károlyi fut également jugé par coutumace et ses biens furent confisqués. Mais à côté de cette répression officielle et légale, certains groupes nationalistes procédèrent à des exécutions sommaires et se livrèrent à des actes de violences contre tous ceux qui passaient pour avoir soutenu les bolcheviques. Cette *Terreur blanche*, souvent grossie par la propagande étrangère, se prolongea jusqu'à la fin de l'année 1920. Elle prit souvent une allure antisémite ce qui s'expliquait facilement dans la mesure où de nombreux juifs avaient joué un rôle important dans la République des Conseils : c'est ainsi que 32 des 45 commissaires du Peuple, dont Béla Kun lui-même, étaient juifs.

L'élection d'un Régent en la personne de l'amiral Horthy fut considéré par beaucoup comme une solution provisoire, dans l'attente d'une restauration du Roi légitime dès que la situation internationale le permettait. En fait, le Régent, et surtout son entourage de jeunes officiers nationalistes, paraissaient peu favorables au retour du Roi. Ils le montrèrent clairement lorsqu'en avril, puis une seconde fois en octobre 1921, le roi Charles tenta de revenir en Hongrie. L'attitude hostile du Régent et du président du Conseil, le comte Étienne Bethlen, jointe aux menaces d'intervention armée des États de la Petite Entente, firent échouer la restauration. A la demande expresse des Alliés, le Parlement hongrois vota le 6 novembre 1921 la loi dite de *détrônement* qui excluait du trône la famille de Habsbourg et qui rendait à la Nation le droit d'élire son souverain. La Hongrie fut dès lors, et cela jusqu'en octobre 1944, une monarchie constitutionnelle dans laquelle les fonctions de chef de l'État étaient exercées par un Régent. Le pouvoir législatif appartenait comme avant 1918, à un Parlement formé de deux Assemblées, la Chambre haute rétablie en 1926 et qui comprenait des représentants de l'Église, de la noblesse et des grands corps de l'État, et la Chambre des députés élue au suffrage universel, avec vote secret dans les circonscriptions urbaines, mais vote public depuis 1922 dans les campagnes. Cette dernière restriction fut levée pour les élections de 1939. A la différence de la Pologne à l'époque de Pilsudski et des colonels, la Hongrie ne saurait être considérée comme un État totalitaire. La Hongrie de Horthy fut plutôt un État conservateur à tendance autoritaire mais dans lequel l'opposition était admise et tolérée. Si le Parti communiste en raison du rôle qu'il joua à l'époque de la République des Conseils fut interdit et se maintint dans la clandestinité, il y eut en revanche un Parti social-démocrate représenté au Parlement et dont les députés, comme tous leurs collègues, bénéficiaient de l'immunité parlementaire et ne se privaient pas de critiquer l'action du gouvernement. La liberté de la presse comme le droit de réunion étaient garantis par la Constitution, même si certaines entraves pouvaient être apportées localement aux Partis de gauche.

Sous la direction du comte Bethlen, chef du gouvernement d'avril 1921 à août 1931, la vie politique fut essentiellement dominée par la question de la reconstruction morale et économique d'un pays ruiné par une guerre perdue, et amputé des deux tiers de son territoire. La stabilisation de la monnaie en 1926 permit une certaine reprise économique qu'interrompit brutalement la crise mondiale à partir de 1930-1931. Cette crise eut des répercussions sur le plan politique. Elle provoqua d'abord une scission au sein du Parti des Petits propriétaires qui faisait partie de la coalition gouvernementale : l'aile gauche de ce Parti avec Zoltán Tildy et Béla Kovács forma un nouveau groupe, le Parti indépendant des Petits Propriétaires. Ensuite, le Parti gouvernemental, davantage axé à droite, prit des allures plus autoritaires, notamment à l'époque où Gyula Gömbös fut Président du Conseil (1932-1936). Face à la crise d'autre part, les Partis extrémistes se renforcèrent. A gauche, le Parti communiste clandestin organisa des manifestations ouvrières contre le chômage; à l'extrême-droite, les nationalistes mécontents de la politique gouvernementale jugée trop molle se retrouvèrent dans divers mouvements à tendance fascistes, qui se regroupèrent en 1937 en un groupe unique, le Parti des Croix Fléchées sous la direction d'un ancien officier, Ferenc Szalasi, admirateur de l'Allemagne nationale-socialiste et fortement antisémite. La contagion de l'antisémitisme gagna quelque peu le Parti gouvernemental, et le cabinet Darányi (1936-1938) fit voter en avril 1938 une loi sur les Juifs instituant un numerus clausus de 20 % pour certaines professions. Lorsque le cabinet Imrédy, qui lui succéda, voulut abaisser à 6 % le pourcentage des Juifs admis dans les professions libérales, il se heurta à l'opposition de la Chambre Haute : le Prince-Primat, le cardinal Serédi se fit le porte-parole des adversaires du projet qui fut d'ailleurs abandonné par le gouvernement lui-même lorsque l'on révéla que le Président du Conseil lui-même, Imrédy, avait de lointaines origines juives! Aux élections de mai 1939, qui après celles de 1920 furent les seules véritablement libres de toute l'époque de Horthy, le Parti gouvernemental obtint encore 183 des 260 mandats; les Sociaux-démocrates et le Parti Indépendant des Petits propriétaires eurent chacun une quinzaine d'élus, mais l'extrême-Droite parvenait à faire élire une quarantaine de députés, dont 31 Croix-Fléchées. L'arrivée à la tête du gouvernement en février 1939 du comte Paul Teleki, conservateur intègre, soulignait la place originale qu'occupait la Hongrie avec son régime constitutionnel et parlementaire dans cette partie de l'Europe où dominaient partout les dictatures.

LES DICTATURES BALKANIQUES

A la différence de la Hongrie et de la Tchécoslovaquie, voire de la Pologne, les États balkaniques furent caractérisés pendant toute l'époque de l'entre-deux guerres par la présence à leur tête de régimes dictatoriaux qui, par leurs allures et par les méthodes de contraintes utilisées, furent beaucoup plus proches de la tradition ottomane que des démocraties occidentales auxquelles pourtant leurs dirigeants faisaient sans cesse référence. Chacun de ces États constitue en soi un cas d'espèce.

Du tribalisme à la dictature royale : l'Albanie

L'Albanie qui avait recouvré son indépendance en 1920 connut jusqu'à son annexion par l'Italie en avril 1939 une vie politique très mouvementée. Cette situation tenait à la fois à la tardive prise de conscience du fait national par les élites locales, au poids contraignant des structures tribales traditionnelles renforcées par les puissants antagonismes religieux entre Musulmans, Catholiques et Orthodoxes dans un pays où plus de 90 % de la population est analphabète. A cela s'ajoutaient les différentes interventions étrangères, italiennes, grecques et yougoslaves. Aux élections d'avril 1921, les conservateurs du nord dirigés par Shevket Verlazi, hostiles à toute réforme agraire et le Parti populaire représentant la bourgeoisie et les intellectuels du sud conduits par l'évêque Fan Norli délégué des Albanais d'Amérique, se partagèrent les mandats. Mais le personnage le plus en vue était le jeune chef d'une tribu guerrière d'Albanie centrale, Ahmed Zogu, âgé de 25 ans. Dans un pays habitué à la vendetta et aux guerres tribales, le pouvoir réel appartenait traditionnellement à celui qui pouvait disposer des moyens militaires pour imposer son autorité. Et ce fut le cas pour Ahmed Zogu qui s'était illustré à plusieurs reprises par ses coups de main à la tête de ses guerriers. Appuyé par sa tribu, Ahmed Zogu s'empara du pouvoir et se proclama chef du gouvernement le 24 décembre 1922. De nouvelles élections furent organisées l'année suivante et les partisans de Zogu en sortirent vainqueurs. Les adversaires de Zogu, conduits par Fan Norli, n'avaient pas désarmé. En janvier 1924, Zogu fut blessé dans un attentat qui fut le prélude à une insurrection générale ; il dut se réfugier en Yougoslavie en attendant le moment favorable pour revenir. Fan Norli forma le 16 juin 1924 un nouveau gouvernement fermement décidé à entreprendre de profondes réformes de structures dans le cadre d'un État démocratique. Zogu, dans son exil, préparait activement son retour. Six mois après sa chute, avec l'appui de ses anciens guerriers et des rescapés de l'armée Wrangel réfugiés en Yougoslavie, Zogu réapparaissait en Albanie et chassait de Tirana le gouvernement Fan Norli.

POPULATION DE L'ALBANIE

1923   817 000 h
1937   1 038 000 h

Recensement italien de 1942 : 1 107 000 h

dont   Musulmans :   764 000 (68,9 %)
         Orthodoxes :   229 000 (20,7 %)
         Catholiques Romains :   104 000 (10,4 %)

Proclamé Président de la République albanaise le 21 janvier 1925, Ahmed Zogu exerça en fait un pouvoir dictatorial. Pour asseoir son autorité et disposer de bases

financières solides, il rechercha l'appui de l'Italie mussolinienne avec laquelle il conclut en décembre 1926 et en
décembre 1927 des accords qui faisaient de l'Albanie un
véritable protectorat italien. Vassal de l'Italie, Zogu
entendait bien être le premier chez lui. Une Assemblée
Constituante élue dans des conditions plus que douteuses
en août 1928 lui conféra à l'unanimité le 1er septembre le
titre de Roi héréditaire d'Albanie. Le roi Zog Ier se
comporta en véritable potentat oriental mais cela ne
l'empêcha pas de chercher à moderniser son pays au
demeurant fort archaïque. Malgré ses velléités d'indépendance, les difficultés financières l'obligèrent à pratiquer
une politique conforme aux vœux et aux intérêts de l'Italie. Mussolini, inquiet d'un éventuel rapprochement de
l'Albanie avec son voisin yougoslave et avec les démocraties occidentales, mit fin brutalement au règne de Zog en
faisant envahir son pays à l'aube du 7 avril 1939. Trois
jours après, tout le pays était aux mains des Italiens et
Victor-Emmanuel III fut proclamé Roi d'Albanie le 3 juin
par une assemblée de notables anciens adversaires de
Zog. L'indépendance de l'Albanie avait été de courte
durée.

De la dictature verte à la dictature royale : la Bulgarie

Maître de l'État après les éledctions d'août 1919 et de
mars 1920 qui avaient donné à ses partisans 40 % des
voix, Alexandre Stambolijski tenta d'établir, dans le cadre
de la monarchie, une véritable *dictature verte*. Le Roi
Boris III, qui depuis le début de son règne avait joué un
rôle des plus discrets, laissa gouverner Stambolijski. Le
président du Conseil s'efforça surtout de donner satisfaction aux paysans qui représentaient les 3/4 de la population du pays. Par la réforme agraire de 1922, il limita la
propriété privée à 30 hectares, abolit les dettes paysannes. Mais en même temps, il exigea des paysans une
soumission totale et les contraignit à un Service du Travail obligatoire destiné à fournir une main-d'œuvre bon
marché, sinon gratuite, pour la réalisation de grands travaux d'intérêt général. Stambolijski peu à peu donna
l'impression de se rapprocher des Communistes qu'il

avait pourtant durement combattus dans les premiers temps de son gouvernement. A la conférence de Gênes en 1922, un rapprochement politique entre l'URSS et la Bulgarie fut même amorcé, tandis qu'à l'intérieur, la police procédait à l'internement des Russes Blancs réfugiés là depuis la fin de la Guerre civile. La crainte d'une éventuelle bolchévisation de la Bulgarie amena l'ensemble des Partis bourgeois à faire bloc contre les Agrariens. Les milieux nationalistes groupés autour de la *Ligue des Officiers*, de l'*Entente Nationale* du Professeur Alexandre Tsankov décidèrent de passer à l'action contre le régime de Stambolijski. L'accord passé en avril 1923 avec la Yougoslavie pour lutter contre l'ORIM et les groupes de *Komitadji* qui luttaient pour la libération de la Macédoine, fut dénoncé par les nationalistes comme une trahison à l'égard de la patrie bulgare. La présence de 300 000 réfugiés macédoniens hostiles à tous compromis avec Belgrade fournissait aux milieux nationalistes une force potentielle. Stambolijski tenta de répondre à la montée de l'opposition par la création de *gardes oranges* formés de paysans totalement dévoués à sa cause. Leur intervention lors des élections du printemps 1923 qui se déroulèrent dans un climat inouï de violence, permit aux Agrariens de remporter 216 des 245 sièges.

Les opposants répondirent à ces élections truquées par un coup d'État. Dans la nuit du 8 au 9 juin 1923, la garnison de Sofia s'empara des points-clé de la capitale ; les ministres furent arrêtés. Le roi Boris III, qui n'avait pas été mêlé au complot, chargea Alexandre Tsankov de former un nouveau gouvernement. Quant à Stambolijski, qui se trouvait dans son village natal sous la protection des militants paysans, il fut fait prisonnier par les militaires après une résistance acharnée, et mis à mort le 14 juin dans des conditions d'une exceptionnelle barbarie. Les mœurs de l'époque ottomane n'avaient pas encore disparu... Les communistes qui avait parfois soutenu Stambolijski ne bougèrent pas lors du coup d'État. Puis, en août 1923, leur Comité Central clandestin avec Georges Dimitrov et Basile Kolarov envisagea malgré l'opposition d'une partie de ses membres une insurrection armée, idée à laquelle adhérèrent les Agrariens. Le gouvernement, prévenu de ces préparatifs, riposta en faisant arrêter préventivement des milliers de militants communistes et agrariens. La grève générale de protestation contre ces arrestations n'eut qu'un succès limité, tout comme la révolte de certaines régions rurales des Balkans qui eut lieu entre le 20 et 30 septembre. Les villes ne suivirent pas le mouvement. La répression fut très dure et l'on parla de plusieurs milliers de victimes de la *Terreur blanche* : le Parti communiste fut interdit mais ses chefs avaient déjà pris la fuite à l'étranger.

Le gouvernement Tsankov, d'inspiration conservatrice et nationaliste, organisa en novembre 1923 des élections qui donnèrent à l'*Entente Démocratique* formée des Partis bourgeois et des nationalistes 185 sièges, et à l'opposition de gauche rassemblée au sein d'un *Bloc paysan et ouvrier* 62 sièges. Bien que présente au Parlement, cette opposition n'en était pas moins sous la surveillance constante de la police. Des éléments isolés tentèrent à plusieurs reprises d'agir par la violence pour renverser le nouveau gouvernement. L'action terroriste la plus spectaculaire fut l'explosion le 16 avril 1925 d'une machine infernale dans la cathédrale de Sofia peu avant l'arrivée du Roi. Cet attentat qui fit une centaine de morts et plus de 300 blessés provoqua un durcissement du gouvernement : une répression aveugle fut organisée par des groupes privés fanatisés. Mais l'action terroriste isola aussi les rumeurs d'attentats de la majorité de la population qui aspirait à la paix civile après 10 ans de guerre et de troubles.

Le Roi Boris III, inquiet des excès de la Terreur Blanche, confia en janvier 1926 la direction du gouvernement au macédonien André Liaptchev. Le terrorisme de l'ORIM ne cessa pas pour autant : si les éléments les plus modérés se rallièrent au nouveau gouvernement, les membres de l'ORIM les plus déterminés avec Ivan Mihajlov continuèrent leurs activités terroristes aussi bien à l'intérieur de la Bulgarie qu'en Macédoine yougoslave, en liaison d'ailleurs avec les nationalistes croates. La crise économique fut fatale au gouvernement Liaptchev : aux élections de juin 1931, l'opposition agrarienne et les modérés du Parti démocrate l'emportèrent. Les nouveaux dirigeants Malinov, puis le Démocrate Muchanov établirent un régime plus libéral. La montée du nazisme en Allemagne au début des années trente ranima l'agitation nationaliste en Bulgarie. Le *Mouvement Social Populaire* de Tsankov favorable à l'Allemagne et le groupe *Zveno* animé par un officier républicain le colonel Velchev formé de militaires nationalistes se firent les porte-parole d'un nationalisme militant. Le 19 mai 1934, le groupe *Zveno* s'empara du pouvoir par la force, relégua le Roi dans une fonction purement représentative et une fois de plus, la Bulgarie se retrouva sous la dictature. Les militaires qui avaient pris le pouvoir inaugurèrent une politique extérieure tout à fait inattendue de leur part ; eux qui se présentaient comme des ultra-nationalistes, ils amorcèrent une politique d'entente avec la Yougoslavie et rétablirent les relations diplomatiques avec l'Union Soviétique. Le roi Boris ne les laissa pas longtemps maîtres de l'État. Hostile au colonel Velchev, il le renvoya en janvier 1935 puis le fit traduire en justice pour atteinte à la sûreté de l'État. Le roi gouverna dès lors avec des gouvernements de techniciens dans le cadre d'un régime autoritaire, dont la politique extérieure s'aligna de plus en plus sur celle de l'Allemagne, devenue à la faveur de la crise économique, le premier partenaire commercial de la Bulgarie. Cependant, les nouveaux dirigeants s'efforcèrent de contrebalancer l'influence allemande par la conclusion d'accords avec la Yougoslavie et les autres pays du Pacte balkanique. En 1938, comme les autres États des Balkans, la Bulgarie vivait dans le cadre d'une dictature royale.

De la corruption aux Révolutions de Palais : la Roumanie

La Roumanie de l'entre-deux guerres se caractérise à la fois par les luttes violentes auxquelles se livrèrent les nombreuses formations politiques, et par les querelles à l'intérieur de la famille royale.

L'établissement du suffrage universel en 1919 et l'incorporation au royaume des nouvelles provinces de Bessarabie, de Bucovine, du Banat et de Transylvanie, bouleversèrent radicalement la vie politique du pays en provoquant une singulière floraison de nouveaux Partis politiques. La disparition du Parti conservateur condamné par la politique germanophile qu'il avait conduit autrefois, laissa la place libre à droite au Parti libéral de Ionel Bratianu, défenseur des intérêts de la bourgeoisie, et à la Ligue du Peuple du général Avarescu, souvenue par les anciens combattants, favorable à l'établissement d'un régime autoritaire. Dès 1920 se détachèrent de la Ligue du Peuple plusieurs formations violemment antisémites et ultra-nationalistes comme le Parti National Chrétien d'Alexandre Cuza et la Ligue de Défense Nationale Chrétienne de Corneliu Codreanu. Au milieu de l'échiquier politique se situaient le Parti Paysan-Tsaraniste de Ion Mihalache et l'ancien Parti National Roumain de Transylvanie avec Jules Maniu : ces deux Partis s'unirent plus tard au sein d'un Parti National Paysan. A gauche, le Parti socialiste connut au lendemain de la guerre un regain d'activité en raison du mécontentement populaire provoqué par les difficultés économiques dues à la guerre et par la chute de la monnaie. En mai 1921, une partie importante de ses militants adhérèrent à la IIIe Internationale et formèrent le Parti communiste roumain.

Jusqu'à la mort du roi Ferdinand Ier en 1927, la Roumanie a connu une succession de gouvernements qui brillèrent principalement par l'art avec lequel ils surent organiser des élections qui leur soient favorables et par les violences et pressions de toutes sortes qu'ils exercèrent sur l'opposition. Les élections de novembre 1919, les premières et les seules qui se déroulèrent dans des conditions à peu près normales – encore que les minorités nationales c'est-à-dire plus de 20 % de la population ne purent y prendre part – donnèrent la majorité au Parti paysan de Mihalache et au Parti transylvain de Maniu. Le Transylvain Vajda-Voevod, ancien député au Parlement hongrois, forma un cabinet d'union, mais le Roi le destitua trois mois plus tard en raison de l'agitation paysanne et ouvrière qui se développait dans le pays. Le pouvoir fut alors confié à l'énergique général Avarescu. Celui-ci s'empressa de dissoudre la Chambre des députés et d'organiser de nouvelles élections qui, compte-tenu du soin avec lequel il les prépara, donnèrent à son parti 224 des 369 sièges. Avarescu, en dépit du mauvais souvenir qu'il avait laissé dans les campagnes en raison de sa politique répressive lors des jacqueries de 1907, chercha à résoudre le problème paysan en imposant une réforme agraire. Cette réforme qui frappa davantage les terres des grands propriétaires transylvains, que celle des Boyards des anciennes provinces, calma l'agitation paysanne. Mais le caractère dictatorial du gouvernement Avarescu provoqua la montée du mécontentement. Le Roi appela au pouvoir en janvier 1922 les libéraux avec Ionel Bratianu. Le nouveau gouvernement, utilisant les mêmes procédés que son prédécesseur, provoqua de nouvelles élections qui lui donnèrent une majorité écrasante, 260 sièges pour les libéraux contre une centaine à l'ensemble des autres Partis. Le nouveau Parlement adopta en 1923 une nouvelle Constitution. Le pouvoir exécutif était détenu par le Roi et le gouvernement qu'il désignait et révoquait à sa guise. Le pouvoir législatif était exercé par un Parlement formé de deux assemblée, le Sénat élu avec un scrutin à deux degrés et comportant aussi des membres de droit, et la Chambre des députés élue pour 4 ans au suffrage universel. Le même Parlement adopta une nouvelle loi électorale qui attribuait d'office la moitié des sièges au Parti qui avait obtenu 40 % des voix, le reste étant partagé à la représentation proportionnelle mais avec participation du Parti majoritaire, ce qui aboutissait à donner au minimum les 3/5 des mandats au Parti qui avait obtenu 40 % des voix! Cette loi fut appliquée aux élections de 1927 et elle assura aux libéraux une éclatante victoire, en dépit de l'union des deux Partis paysans au sein d'un Parti National Paysan dirigé par Jules Maniu. En fait, ces élections ne signifiaient pas grand chose; jamais la pression des autorités, les bastonnades effectuées sur les candidats de l'opposition par la gendarmerie, les violences de toutes sortes n'avaient atteint un tel niveau. Ces procédés provoquèrent l'indignation de Maniu et des autres politiciens roumains de Transylvanie qui avaient été habitués dans un passé relativement récent à une administration hongroise honnête et efficace.

La vie politique se compliqua encore après la mort du roi Ferdinand le 20 juillet 1927. Ferdinand I avait succédé en 1914 à son oncle Carol Iᵉʳ le fondateur de la dynastie; il avait joué un rôle déterminant dans l'entrée en guerre de la Roumanie aux côtés des Alliés et par l'intermédiaire de sa femme, la reine Marie, envoyée par lui auprès de Clemenceau pour défendre les intérêts de son pays, il était parvenu à faire prévaloir les intérêts roumains à la Conférence de la Paix. Pendant tout son règne, Ferdinand Iᵉʳ avait exercé une influence décisive sur la vie politique par l'intermédiaire de son conseiller le Prince Barbu Stirbey, très lié au Parti libéral; Stirbey était en effet le beau-frère de Ionel Bratianu. Logiquement, la couronne aurait du revenir au fils du roi défunt, le Prince Carol, né en 1893. Mais la vie privée dissolue de celui-ci et sa liaison tapageuse avec une demi-mondaine juive, Hélène Lupescu, avait amené le roi Ferdinand en janvier 1926 à lui faire renoncer à ses droits à la succession au profit de son fils Michel qu'il avait eu de sa femme légitime la reine Hélène. Comme prévu, le jeune Michel, âgé de 6 ans, fut proclamé roi sous le contrôle d'un Conseil de Régence composé du Prince Nicolas, oncle du jeune Roi, du patriarche orthodoxe Miron Cristea d'origine transylvaine et du président de la Cour de cassation Georges Buzdugan. Les Nationaux-Paysans cherchèrent à profiter de cette situation pour obtenir le départ des libéraux. Les circonstances semblaient favorables : Ionel Bratianu venait de mourir le 24 novembre 1927. Mais sa disparition ne changea rien aux mœurs politiques car son frère lui succéda à la tête du gouvernement. Les brimades à l'égard de l'opposition reprirent de plus belle et le député transylvain Vajda-Vœvod fut exclu du Parlement pour 30 séances en janvier 1928 pour avoir osé protester contre les pratiques du pouvoir et avoir osé comparer le nouveau régime roumain à l'ancien régime hongrois en Transylvanie. Les députés nationaux-paysans décidèrent de boycotter le Parlement, puis au mois de mars 1928, ils organisèrent de puissantes manifestations de protestation dans les rues de la capitale. Parallèlement, l'extrême-droite nationaliste redoubla d'activité et multiplia les violences à l'égard des minorités juives. La rue était devenue le principal terrain d'affrontement entre les diverses factions politiques. Les Régents se résignèrent à se séparer du cabinet libéral et le 10 novembre 1928, Maniu forma un cabinet national-paysan homogène avec une forte participation transylvaine, Vajda-Vœvod à l'Intérieur et Popovici aux Finances. Les élections du 15 décembre

1928 furent un triomphe pour les partisans de Maniu qui, avec 78 % des voix, obtînrent 348 sièges contre 10 seulement aux Libéraux. Maniu ne changea guère les mœurs politiques; il usa des mêmes méthodes que ses adversaires. De plus, il eut à faire à des difficultés monétaires dues à la chute du lei qu'il parvint à stabiliser en février 1929 grâce à des emprunts étrangers. Le pays entra alors dans une grave crise sociale marquée par une recrudescence d'agitation fomentée par le Parti communiste clandestin : des grèves eurent lieu à Bucarest, à Timisoara et dans le bassin houiller de Lupeni. En octobre 1929, la tradition de népotisme reprit quand il fallut désigner un nouveau Régent après la mort de Buzdugan : Maniu fit élire son ami Constantin Sarateanu, beau-frère de Vajda-Vœvod et apparenté à Popovici.

L'objectif réel de Maniu en s'emparant les uns après les autres des principaux leviers de commande était de faire revenir de son exil parisien le Prince Carol, de le faire désigner comme Régent unique et de diriger le pays en son nom. Le 5 juin 1930, Carol arriva en avion en Transylvanie. Le 8 juin, le Parlement le proclama Roi de Roumanie sous le nom de Carol II. Le retour de Carol II, au moment où la crise économique commençait à toucher le pays, n'arrangea rien. Après le retrait de Maniu en octobre à la suite d'un désaccord avec le souverain dont il avait pourtant facilité le retour, on assista à une succession de cabinets dirigés par le diplomate Titulescu, l'historien Iorga, le Transylvain Vajda-Vœvod, aussi incapables les uns que les autres à faire face aux difficultés de l'heure : agitation paysanne due à l'effondrement des prix agricoles et du prix de la terre, mécontentement du monde ouvrier dû à la montée du chômage. La faillite de plusieurs banques en 1931 toucha la bourgeoisie et les classes moyennes qui vinrent grossir les rangs des mécontents. De plus, les dissolutions successives du Parlement en 1931, 1932 et 1934, les violences au cours de la campagne électorale et le truquage des résultats creusèrent encore davantage le fossé qui existait entre le pays légal et le pays réel.

La dégradation des mœurs politiques et les interventions de plus en plus ouvertes du Roi dans la direction des affaires publiques favorisèrent la montée des mouvements extrémistes, en particulier des groupes nationalistes et antisémites, aux dépens des forces politiques traditionnelles. Au début des années trente, la personnalité dominante de l'extrême droite nationaliste fut Corneliu Codreanu. Chef de la *Ligue de Défense Nationale Chrétienne*, il avait déjà organisé en 1923 une violente agitation antisémite dans le pays; impliqué l'année suivante dans une affaire d'assassinat politique, il fut arrêté et torturé en mai 1924 avec un certain nombre de ses partisans. Libéré, il se vengea en assassinant le préfet de Jassy responsable de ses tortures. Arrêté alors une seconde fois, Codreanu fut acquitté par le jury. En 1930, il transforme sa Ligue en une *Légion de l'Archange Gabriel* qui, peu après, intégra à elle d'autres mouvements nationalistes au sein de la *Garde de Fer*. La Garde de Fer fut un mouvement politique d'inspiration ultra-nationaliste et antisémite, disposant de forces paramilitaires, les *Gardistes*, portant un uniforme avec chemise verte et faisant le salut fasciste. Les violences commises par les Gardistes avaient amené la dissolution de la Garde de Fer par le gouvernement Maniu, et cette mesure avait été maintenue par les gouvernements suivants. Cela ne coupa pas les ardeurs des militants qui souvent firent cause commune avec les associations culturelles et politiques des Allemands de Transylvanie, fortement travaillées par la propagande nazie. Au moment des élections de 1934, le gouvernement Duca fit arrêter de nombreux Gardistes et plusieurs d'entre eux périrent sous la torture. A titre de représailles, des Gardistes assassinèrent le 29 décembre 1934 le chef du Gouvernement. Le roi Carol II le remplaça par le libéral Georges Tatarescu qui fit arrêter et juger non seulement les auteurs de l'assassinat de Duca, mais aussi Coderanu. Les assassins furent condamnés à la prison à vie mais Codreanu, faute de preuves, fut acquitté.

Le pays, à partir de 1935, fut secoué par une vague de nationalisme et d'antisémitisme. Dans certaines professions, on procéda à l'exclusion des Juifs. Ainsi, en 1937, les avocats, les médecins et les pharmaciens décidèrent d'exclure de leurs rangs tous leurs collègues juifs. En face, les Partis traditionnels se fractionnèrent en tendances rivales, s'alliant et se brouillant successivement avec la Garde de Fer dont l'étoile montait. Ainsi en 1935, une partie des Nationaux-Paysans avec Vajda-Voevod amorça un rapprochement avec Codreanu, tandis que les autres avec Maniu recherchèrent l'entente avec le gouvernement libéral de Tatarescu. Puis, en 1937, les alliances se renversèrent : Maniu et Codreanu s'entendirent pour les élections de 1937 contre les libéraux réconciliés avec Vajda-Voevod. Les élections ayant donné une Assemblée ingouvernable, le roi Carol II prit personnellement la direction des Affaires, publia en février 1938 une nouvelle Constitution qu'il fit adopter au cours d'un référendum triomphal : 4 289 000 électeurs l'approuvèrent, tandis que seulement 5 483 le rejetèrent.

A partir de 1938, le roi Carol II exerça une dictature de fait. Il s'attaqua d'abord à l'extrême-droite, fit arrêter en mai 1938 Codreanu et des centaines de Gardistes. Quelques mois plus tard, dans la nuit du 29 au 30 novembre, Codreanu et 14 Gardistes emprisonnés furent tués au cours d'une soi-disant tentative d'évasion. Parallèlement, de nombreux militants socialistes et communistes furent internés. Carol II profita des pouvoirs considérables que lui donnait la nouvelle Constitution pour dissoudre tous les Partis politiques auxquels il substitua un parti unique, le *Front de la Renaissance Nationale*. Désormais, il semblait totalement maître de l'État. Cela n'avait pourtant pas mis fin à l'agitation nationaliste qui continua à se développer dans le pays, marquée par de nombreux assassinats politiques. Ici encore, les mœurs balkaniques étaient encore bien présentes.

La dictature grand-serbe

La proclamation de l'union de tous les Slaves du sud dans le cadre d'un royaume des Serbes, Croates et Slovènes le 1er décembre 1918 aboutit très rapidement à l'annexion de fait par la Serbie des autres peuples yougoslaves et de nombreuses minorités nationales qui vivaient à leurs côtés.

Dans le nouvel État, l'élément serbe joua dès le début un rôle dominant et dominateur. Le pouvoir royal était entre les mains de la dynastie serbe des Karageorgévitch, les dirigeants du pays furent les chefs des Partis politiques de l'ancienne Serbie, les cadres de la nouvelle armée furent les cadres de l'ancienne armée serbe. La politique suivie par tous les gouvernements qui se succédèrent à partir de 1918 fut centralisatrice, nationaliste grand-serbe et autoritaire. Il ne pouvait en être autrement puisque, ayant délibérément rejeté le fédéralisme pourtant promis aux Croates et aux Slovènes lorsque pendant la guerre on chercha à les détacher de l'Autriche-Hongrie le nouveau régime devait lutter à la fois contre les tendances fédéralistes des nouvelles provinces, et contre un Parti socialiste ouvrier qui adhéra à la IIIe Internationale et devint en juin 1920 le Parti communiste yougoslave, dont se détacha à la fin de 1920 une petite fraction réformiste.

Le parti radical serbe de Pachtich, au pouvoir depuis l'avènement du roi Pierre en 1903, continua à dominer la scène politique, même après la mort de son chef historique en 1926, avec l'appui des deux autres Partis serbes, le Parti démocrate et le Parti agrarien. Favorisés par la loi électorale, les trois Partis serbes l'emportèrent aux élections de 1920 pour l'Assemblée Constituante. En face d'eux, les forces d'opposition étaient composées du Parti communiste, qui avait obtenu une cinquantaine de sièges, et des formations politiques représentant les nouveaux territoires, l'organisation des Musulmans yougoslaves de Mehmed Spaho, le Parti populaire slovène de Mgr Korosec, et surtout le Parti paysan croate de Stéphane Raditch qui, avec ses 58 députés, refusa de siéger pour protester contre le non-respect des promesses d'État fédéral. Quant aux minorités allemandes et hongroises, elles ne purent pas participer à ces élections.

La majorité pan-serbe adopta le 28 juin 1921 une Constitution d'inspiration centralisatrice et autoritaire ; la Constitution dite de Vidovdan. Le régime ainsi créé était une dictature à peine dissimulée par des institutions parlementaires. La corruption et la pression électorale furent la règle. Le Parti communiste fut le premier interdit dès août 1921 à la suite des grèves qu'il avait organisées l'année précédente. Ce fut le tour en 1924 du Parti paysan croate dont le chef fut un moment arrêté : il est vrai que Raditch avait osé réclamer le droit à l'autodétermination pour le peuple croate. N'avait-il pas eu l'audace de déclarer en plein Parlement, à la grande indignation des députés serbes, mais sous les applaudissements des députés croates et slovènes que « les Croates n'étaient pas des esclaves dans la monarchie des Habsbourg » et que « Les Serbes n'ont pas été leurs libérateurs ». Ces mots malheureux lui valurent d'être emprisonné sous l'inculpation de haute trahison. Quant aux minorités nationales non slaves, elles furent systématiquement écartées des assemblées.

Le Parlement fut un lieu d'affrontement de plus en plus violent entre les Partis serbes et les Partis des autres régions du royaume. Le point de non-retour fut atteint le 20 juin 1928 lorsqu'en pleine séance du Parlement le député monténégrin Pinitsa Ratchich tira plusieurs coups de revolver en direction des députés du Parti paysan croate, tuant sur le coup deux d'entre eux, et blessant grièvement Stéphane Raditch qui mourut quelques jours plus tard. Ces violences n'empêchèrent pas le Parti paysan désormais dirigé par l'ancien secrétaire de Raditch, Vladimir Matchek, de poursuivre le combat pour l'autonomie de la Croatie. Mais la crise ouverte par les événements du 20 juin 1928 aboutit à l'instauration de la dictature royale. Le roi Alexandre (1921-1934) proclama le 6 janvier 1929 la dissolution du Parlement et abolit la Constitution de 1921. Toutes les assemblées locales élues furent remplacées par des Commissions nommées par le pouvoir central ; la liberté individuelle et la liberté de la presse – ou du moins ce qu'il en restait – furent suspendues. Puis par décret, le Roi promulgua en 1931 une nouvelle Constitution encore plus centralisatrice que la précédente. Les anciennes divisions territoriales furent abolies et le pays, qui porte dorénavant le nom de Yougoslavie, fut divisé en 9 banovines dirigées par un Ban nommé par le gouvernement central. Le Parlement fut cantonné dans le rôle d'une Chambre d'enregistrement, les ministres n'ayant de compte à rendre qu'au seul roi. Les Partis politiques ne furent admis que dans la mesure où ils ne se fondaient pas sur des bases régionales. Dès lors, les Partis croate, slovène, macédonien, et ceux représentant les minorités nationales, se trouvèrent dans l'illégalité tout comme le Parti communiste interdit depuis 1921. La plupart des chefs politiques nationaux furent arrêtés tout comme des milliers de militants du Parti communiste clandestin.

La conséquence de la dictature royale fut la radicalisation des mouvements hostiles au nationalisme grand-serbe. Certains nationalistes croates se regroupèrent au sein d'une société secrète, l'*Oustacha*, qui fut dirigée depuis Rome par un avocat en exil, Ante Pavelitch. Les légalistes croates du Parti paysan tentèrent une démarche pour sauver la situation; à la fin de 1932, ils demandèrent au Roi de rétablir les libertés ainsi que l'égalité entre les trois composantes ethniques de la Yougoslavie. Ils ne manquaient pas d'arguments. Tous les postes de direction étaient détenus par les Serbes. Sur les 116 généraux qui servaient en 1932 dans l'armée yougoslave, un seul était croate et la proportion était analogue dans toutes les branches de la haute administration. La réponse du roi fut totalement négative. Mieux, on arrêta les principaux chefs du Parti paysan croate. Dès lors, l'action directe parut à beaucoup comme le seul moyen efficace de faire entendre la voix des croates. Au terrorisme pan-serbe qui avait bénéficié entre 1919 et 1929 de la tolérance sinon de la complicité du pouvoir, succéda à partir de 1933 le terrorisme anti-serbe. Et ce fut justement un terroriste macédonien de l'ORIM recruté par les Oustachis qui, le 9 octobre 1934, abattit à Marseille le roi Alexandre de Yougoslavie ainsi que le ministre français des Affaires Étrangères, Louis Barthou.

L'attentat de Marseille, quelque paradoxal que cela puisse paraître, contribua à débloquer la situation. En raison du jeune âge du roi Pierre II, fils et successeur d'Alexandre, les fonctions de Régent furent exercées par le Prince Paul, cousin du Roi défunt. Le nouveau Président du Conseil, le serbe Milan Stojadinovitch fit libérer Matchek et les autres dirigeants du Parti paysan croate, et s'efforça par des accords avec la Bulgarie et l'Italie d'isoler les extrémistes de l'ORIM et de l'Oustacha. Mais afin de donner partiellement satisfaction aux Croates et aux Slovènes, du moins sur le plan des affaires religieuses, Stojadinovitch conclut en 1935 un Concordat avec le Saint-Siège qui plaçait la religion catholique sur un pied d'égalité avec la religion orthodoxe. Cette concession déchaîna la fureur des orthodoxes serbes qui manifestèrent bruyamment à Belgrade et mirent à sac plusieurs églises catholiques. L'esprit de tolérance n'était pas une

des vertus les plus pratiquées chez les peuples de la Yougoslavie de cette époque. Le successeur de Stojadinovitch, Cvetkovitch chercha à régler le problème croate :
en août 1939 un accord fut conclu avec le Parti paysan
qui déboucha sur la création d'une Banovine autonome
de Croatie et à l'entrée de Matchek dans le gouvernement
yougoslave en tant que vice-président du Conseil. Ces
concessions accordées avec tant de retard et de réticences parurent à beaucoup de Croates avoir été dictées
par opportunisme plutôt que par un désir sincère
d'entente. Elles ne parvinrent pas à enrayer l'action des
extrémistes de l'Oustacha désireux d'obtenir l'indépendance de la Croatie et si nécessaire avec l'appui des Puissances de l'Axe.

Comme la Tchécoslovaquie, la Yougoslavie n'était pas
parvenue à réaliser l'unité morale de ses populations.
Comme elle, elle constituait une création artificielle née
de l'imagination de politiciens isolés des masses. Comme
elle, elle n'allait pas tarder à en subir les conséquences.

XVII

L'IMPOSSIBLE ÉQUILIBRE ÉCONOMIQUE
DE L'ENTRE-DEUX GUERRES

Les bouleversements de la configuration territoriale de l'Europe Centrale et orientale consécutifs aux traités de 1919-1920 ont provoqué l'éclatement des ensembles économiques existants auparavant. La naissance de nouveaux États, jaloux de leur indépendance, a débouché sur la multiplication des frontières politiques, douanières et monétaires, ce qui n'a pas été sans créer des difficultés de tous ordres dans les premières années de l'après-guerre tant pour les États que pour les simples particuliers.

Ce qui apparaît au premier regard au lendemain de la paix, c'est d'abord l'inégal niveau de développement économique des États qui occupent l'espace est-européen. Si la Tchécoslovaquie pouvait être comparée sur le plan économique aux États industrialisés de l'Europe du nord-ouest ou à l'Allemagne en raison de son potentiel industriel et de l'importance relativement faible de son secteur agricole (33 % des actifs dans l'agriculture en 1930), les autres pays de l'Europe centro-orientale en revanche disposaient d'une économie encore fortement axée sur l'agriculture. La population active employée dans le secteur agricole allait de 51 % en Hongrie à plus de 80 % en Albanie, avec toutes les situations intermédiaires. Cependant, il convient de souligner que parmi les États agricoles certains d'entre eux comme la Hongrie et la Pologne disposaient quand même d'un secteur industriel non négligable, ce qui les différenciait nettement de leurs voisins bulgares, roumains, yougoslaves et albanais. Presque partout, d'autre part, au lendemain de

la guerre, la grande propriété avec une main-d'œuvre
nombreuse d'ouvriers agricoles et de journaliers saisonniers coexistait avec un nombre considérable de petites
et de micro-exploitations pas toujours capables d'assurer à leurs propriétaires une existence décente. Seules
faisaient exception la Bulgarie et les territoires de
l'ancienne Serbie, où dominaient la petite et la
moyenne exploitation familiale. Les ressources énergétiques et minérales étaient de même très inégalement
réparties. Le charbon était abondant en Tchécoslovaquie
et en Roumanie, le lignite en Hongrie. Le potentiel hydro-
électrique était surtout présent dans les Carpates de Slovaquie et de Transylvanie ; quant au pétrole, il constituait
la base du potentiel énergétique de la Roumanie. Les
minerais étaient tout autant inégalement répartis : le fer
était surtout présent en Tchécoslovaquie et en Pologne, la
bauxite en Hongrie et en Yougoslavie. Les métaux précieux, or et argent, dont la présence avait autrefois fait la
fortune de la Bohême et de la Hongrie, n'existaient plus
qu'à titre résiduel en Tchécoslovaquie et en Transylvanie.
   Au lendemain de la guerre, tous les États d'Europe centrale et orientale ont cherché à vivre essentiellement de
leurs ressources nationales et à protéger leurs secteurs
faibles par des tarifs douaniers fortement protectionnistes. Une telle politique a abouti très rapidement à la
diminution des échanges entre pays voisins et à une réo-
rientation géographique des courants commerciaux en
fonction souvent des nouvelles orientations politiques, ce
qui a nécessité presque partout un redéploiement radical
des économies nationales. C'est ainsi que la Tchécoslovaquie frappa les produits agricoles en provenance de Hongrie et de Pologne de droits de douane très élevés afin de
protéger artificiellement son agriculture peu productive,
tandis que de leur côté, la Hongrie et la Pologne cherchaient à protéger leur industrie peu concurrentielle par
les mêmes procédés.
   Les nouvelles frontières, notamment celles qui séparaient les États issus du démembrement de l'Autriche-
Hongrie, ont séparé des régions dont l'économie et les
ressources étaient complémentaires. Elles ont parfois
séparé les régions productrices de minerai et d'énergie
des régions industrielles utilisatrices. Le partage de la

Haute-Silésie en 1921 a ainsi laissé à l'Allemagne les mines de charbon et les usines sidérurgiques tandis que la Pologne obtenait les mines de fer et de cuivre.

De telles situations ont presque toujours été habilement utilisées par les Grandes Puissances qui en profitèrent pour investir massivement dans les pays d'Europe centrale et orientale et pour s'assurer par leurs capitaux le contrôle des ressources du sous-sol : capitaux français et anglais en Roumanie, en Tchécoslovaquie et en Yougoslavie, capitaux allemands, autrichiens et anglais en Pologne, capitaux allemands et anglais en Hongrie.

Le tracé des nouvelles frontières a également beaucoup perturbé les courants traditionnels de migrations de main-d'œuvre entre les régions voisines d'activités complémentaires. C'est ainsi que de nombreux montagnards ruthènes et slovaques qui, l'été, traditionnellement, allaient travailler comme saisonniers dans les exploitations agricoles de la Hongrie voisine, perdirent ainsi leur possibilité d'emploi d'appoint. La conséquence en fut la dégradation progressive des conditions économiques et sociales de la Slovaquie orientale et de la Ruthénie carpatique, ce qui entraîna une émigration accrue de leur population vers l'Europe de l'ouest, puisque la Bohême n'était pas susceptible de leur fournir du travail. On pouvait là encore voir les lacunes des traités de paix qui n'avaient rien prévu pour établir une certaine coopération et une certaine coordination économique entre les États.

Les États vainqueurs tout autant que les États vaincus connurent donc dans les premières années de l'après-guerre d'importantes difficultés économiques qui dépassèrent le niveau d'une simple « crise de reconversion ». Le système monétaire fut totalement désorganisé dans cette partie de l'Europe et la dépréciation rapide de la couronne austro-hongroise, du mark allemand et du rouble russe auxquelles étaient liées toutes les autres monnaies pesa d'une façon plus ou moins durable sur l'activité économique des pays. Dans certains d'entre eux comme la Pologne, il y eut en 1919-1920 jusqu'à 3 monnaies différentes en circulation ! De 1919 à 1925, les divers États procédèrent avec plus ou moins de bonheur à une remise en ordre de leur système monétaire. Les unes après les autres, les monnaies furent stabilisées, souvent grâce aux emprunts étrangers obtenus grâce à l'action de la Société des Nations, mais cependant, toutes se trouvaient fort dévaluées par rapport aux monnaies d'avant 1914. Outre les problèmes monétaires, les nouveaux États eurent à faire face à des problèmes d'emploi, en raison de l'afflux de main-d'œuvre provoqué par la démobilisation de centaines et de centaines de milliers d'hommes incorporés dans les armées des divers belligérants. La situation dans ce domaine était plus particulièrement critique dans les pays vaincus auxquels les traités avaient imposé une stricte limitation à leurs effectifs militaires, et qui devaient en outre accueillir des milliers de civils, fonctionnaires ou simples particuliers, expulsés des territoires cédés aux pays victorieux. L'émigration atténua quelque peu ces difficultés, en dépit de la fermeture des États-Unis par les lois des *quota* de 1921 et de 1924. Ce fut principalement vers la France, qui manquait de main-d'œuvre pour sa reconstruction, que se dirigea l'essentiel du courant migratoire : des milliers de Polonais principalement, mais aussi des Slovaques, des Ruthènes, des Hongrois et des Yougoslaves vinrent s'y établir durant les années vingt.

Les gouvernements des États d'Europe centrale et orientale ont cherché tous à s'attaquer au grave problème de la grande propriété. Des réformes agraires systématiques furent réalisées en Tchécoslovaquie dès l'hiver 1918-1919, en Roumanie et dans les nouveaux territoires de la Yougoslavie en 1921. En fait, dans ces trois pays, les réformes agraires visaient surtout à éliminer les grands propriétaires allemands et hongrois. En Tchécoslovaquie, la loi fixa à 250 hectares la taille maxima autorisée pour les propriétés : 1 million d'hectares récupérés par l'État sur les grands propriétaires purent être ainsi redistribués à des petits exploitants ou à des ouvriers agricoles. Mais il faut bien préciser que seuls les grands propriétaires allemands de Bohême et les grands propriétaires hongrois de Slovaquie et de Ruthénie furent touchés par la réforme agraire, car les grands propriétaires d'origine tchèque purent assez rapidement récupérer leurs domaines après une mise sous séquestre qui n'excéda pas deux ans. En Roumanie, la réforme agraire de 1921 fut appliquée dans la même optique nationaliste qu'en Tchécoslovaquie : la loi fixa la taille maxima des propriétés à 500 hectares, mais cette limite fut abaissée à 260 hectares dans les territoires nouvellement acquis de façon à frapper davantage les grands propriétaires hongrois de Transylvanie que les Boyards de Moldavie et de Valachie. Ailleurs, on procéda également à des réformes agraires, mais d'une façon partielle et plus lente : ce fut le cas en Hongrie en 1920 et en 1923, et en Pologne en 1920 et en 1925, mais dans ces deux pays, la grande propriété aristocratique demeura importante et représentait encore en 1930 près du tiers de la surface cultivée.

Chaque État a cherché à développer sa propre industrie, mais les barrières douanières qui les séparaient freinèrent considérablement les échanges entre eux, si bien que la recherche de débouchés extérieurs à l'espace est-européen s'avéra indispensable. En dépit des salaires relativement bas par rapport à ceux de l'Europe occidentale, les prix des produits manufacturés produits en Hongrie, en Pologne, et même en Tchécoslovaquie demeuraient peu concurrentiels. A l'exception de quelques produits spécialisés comme les chaussures Bata, les machines-outils et les gros matériels produits par Skoda en Tchécoslovaquie, ou les lampes Tungsram fabriquées en Hongrie, les exportations des pays de l'Europe centro-orientale étaient principalement constituées par des produits bruts : céréales, viandes et tabac des pays danubiens et balkaniques, minerais de Bulgarie, de Hongrie, de Pologne et de Yougoslavie, pétrole de Roumanie.

Une coopération économique entre les États d'Europe centrale et orientale aurait sans doute pu accélérer la reconstruction de ces régions après la guerre. Mais le nationalisme exacerbé des jeunes États bénéficiaires des traités et la rancœur des États vaincus révisionnistes bloquèrent pendant longtemps les tentatives d'union douanière, même si dès 1920-1921, des courants commerciaux limités purent s'établir entre eux. Ce qui est plus significatif du *chauvinisme* général qui dominait cette époque, c'est que même les États de la Petite Entente unis par des liens politiques et militaires étroits se gardaient bien d'étendre leur coopération au domaine économique.

La crise économique qui, au début des années trente,

s'abattit sur le monde, frappa de plein fouet la fragile reconstruction économique qui, en dépit des obstacles et des difficultés, s'était ébauchée en Europe centrale et orientale. Tous les pays de cette région furent sans exception touchés par la grande dépression. La saturation du marché des produits agricoles provoqua un effondrement général des prix agricoles. En Hongrie, le prix du quintal de blé tomba de 33 à 9 pengö entre 1928 et 1932 ; en Roumanie, il passa à la même époque de 500 à 180 lei. Les cours des matières premières connurent une baisse identique. Dès lors, les exportations de produits agricoles et de matières premières s'avérèrent de plus en plus aléatoires, car les grands exportateurs traditionnels, les USA et le Canada, étaient mieux organisés pour vendre leurs excédents agricoles, tandis que les besoins en matières premières étaient en baisse sensible chez les acheteurs traditionnels en raison du ralentissement de la production industrielle. Partout furent prises des mesures protectionnistes ce qui empêcha quasiment les pays de l'Europe centrale et orientale d'exporter leurs produits traditionnels. Cette situation déboucha sur un déséquilibre général des balances commerciales et des balances des paiements. La faillite de la banque viennoise du Kreditanstalt en mai 1931, suivie de celle de plusieurs banques allemandes liées aux banques d'Europe centrale et orientale, porta un coup très grave aux monnaies.

Dans tous ces pays, le chômage, déjà latent dans les années vingt, mais alors relativement tempéré par l'émigration, s'amplifia d'autant plus que les pays traditionnels d'accueil se fermèrent les unes après les autres à l'immigration de travailleurs étrangers. Le chômage toucha toutes les branches de l'activité économique, aussi bien le prolétariat agricole que le monde ouvrier et le secteur tertiaire. En Pologne, au début de 1933, 780 000 des 1 800 000 ouvriers habituellement employés dans l'industrie se trouvaient en chômage total, tandis que la production industrielle avait chuté de moitié par rapport à 1929. En Hongrie, le tiers des actifs du secteur secondaire était en chômage partiel ou total tandis que la plupart de jeunes diplômés de l'enseignement supérieur se trouvaient dans une situation analogue. Même la Tchécoslovaquie, dont l'économie était plus viable que la plupart des pays voisins, fut touchée : en 1932-1933, on y dénombrait près de un million de chômeurs tandis que les exportations avaient diminué de près de 2/3.

En dépit des réactions autarciques et protectionnistes que la crise suscita partout, certains dirigeants politiques pensèrent que le moment était peut-être venu pour établir un minimum de coopération économique entre les États qui, autrefois, avaient fait partie de la Monarchie austro-hongroise. Sous l'égide de la Société des Nations, le gouvernement français proposa deux plans, dont le plus connu fut le plan Tardieu de mars 1932 qui préconisait le désarmement douanier progressif des pays danubiens, puis la constitution d'un bloc économique comprenant l'Autriche, le Tchécoslovaquie et la Hongrie dans un premier temps, la Yougoslavie et la Roumanie ensuite. Certains économistes d'Europe centrale avaient déjà songé à un tel plan. C'est ainsi que l'économiste hongrois Elemér Hantos avait multiplié les écrits et les conférences en faveur de la création d'une sorte de *marché commun* en Europe danubienne. Toutes ces tentatives furent vouées à l'échec, et cela pour de multiples raisons. D'abord les tensions politiques étaient telles entre les ex-vainqueurs et les ex-vaincus qu'elles rendaient difficiles l'ouverture des pourparlers. L'épineuse question des minorités nationales constituait un des obstacles majeurs au rapprochement entre les adversaires de la veille. Pour la Hongrie, l'amélioration du sort des minorités hongroises dans les pays de la Petite Entente était la condition préalable pour l'ouverture éventuelle de négociations, alors que les États de la Petite Entente n'envisageaient de réviser leur politique à l'égard des minorités qu'après la conclusion de l'accord économique. De plus et surtout, l'Italie et l'Allemagne, qui avaient des ambitions et des intérêts dans ces régions, firent tout pour torpiller le plan Tardieu. Pour l'Allemagne en particulier, qui depuis 1933 avait inauguré une politique d'autarcie quasi totale, l'Europe centro-orientale constituait une zone vitale dans laquelle elle pouvait s'approvisionner en denrées alimentaires et en matières premières et écouler ses produits manufacturés sur la base d'accords de troc. Dès 1933, le gouvernement allemand chercha et parvint rapidement à conclure de tels

accords avec la plupart des pays danubiens et balkaniques, tant et si bien qu'en 1937, l'Allemagne était
devenue le premier partenaire commercial de chacun
des pays de cette partie de l'Europe. C'était là pour elle le
meilleur moyen de les faire entrer dans sa sphère
d'influence en lieu et place de la France et du Royaume-
Uni.

C'est ainsi que l'incapacité des États de l'Europe centrale et orientale à trouver entre eux un *modus vivendi* en
raison de leurs positions ultra-nationalistes facilita grandement les ambitions hégémoniques de l'Allemagne
nationale-socialiste sur cette partie de l'Europe. Une fois
de plus apparaissait dans toute sa réalité le vide laissé par
la disparition de l'Empire austro-hongrois : Hitler n'allait
pas tarder à le combler.

XVIII

L'EUROPE DE L'EST
DANS LES RELATIONS INTERNATIONALES

Au lendemain d'une guerre qui avait abouti à une véritable balkanisation de l'Europe centrale et orientale, il fut évident que ceux qui avaient organisé un tel découpage territorial, – c'est-à-dire les grandes Puissances – n'allaient pas rester indifférents à ce qui pouvait s'y passer.

L'immédiat après-guerre fut d'abord marqué par une pénétration politique et économique des trois Grandes Puissances européennes victorieuses, la France, le Royaume-Uni et l'Italie, qui s'efforcèrent toutes, chacune à sa manière, de tirer profit de l'isolement soviétique et de l'effacement momentané de l'Allemagne. Les pays de l'Europe centro-orientale en effet représentaient pour l'ensemble des Pays de l'Europe occidentale un excellent glacis de protection qui séparait le monde allemand du monde soviétique. Dès la fin de la guerre, les Pays occidentaux avaient redouté un éventuel rapprochement entre Moscou avec les pays vaincus, en particulier avec l'Allemagne. Ils avaient pris conscience de l'éventualité de ce danger au moment des troubles spartakistes en Allemagne au cours de l'hiver 1918-1919 et lors de la tentative de bolchévisation de la Hongrie, à l'époque de Béla Kun; ils n'avaient guère apprécié par la suite les ouvertures que Moscou tentait en direction de la République de Weimar et qui aboutirent finalement aux accords de Rapallo du 16 avril 1922. Pour faire face à une éventuelle alliance entre le nationalisme allemand et le bolchévisme russe, les Alliés avaient envisagé de pratiquer la politique

dite du *cordon sanitaire* qui consistait à séparer l'Allemagne de l'URSS par un bloc d'Etats alliés entre eux et
intégrés au système de défense occidental. Cette politique
fut surtout celle de la France qui chercha à la mettre en
œuvre avec l'approbation plus ou moins enthousiaste des
autres grands Alliés; ce furent d'ailleurs les Britanniques
qui manifestèrent le plus de réticence à cette politique.

Le second intérêt que présentaient les pays de l'Europe
centro-orientale pour les Grandes Puissances occidentales, c'était qu'avec leurs économies traditionnelles plus
ou moins ébranlées par la guerre et ses conséquences,
avec les sources d'énergie et les minerais de toutes sortes
que renfermait leur sous-sol, ils représentaient pour elles
un intérêt économique certain. Le retard économique de
la plupart de ces pays leur offrait un marché d'une exceptionnelle importance pour leurs investissements et pour
leurs produits manufacturés. Cette possibilité de coopération économique fut surtout exploitée par les Britanniques, et à un moindre degré par la France et l'Italie.
Pour la France enfin, dont le prestige était à cette époque
considérable en Europe à cause de la victoire de ses
armées, les pays d'Europe centrale et orientale qu'elle
avait épaulés lors des négociations de paix, pouvaient
constituer une zone d'influence non négligeable pour sa
politique.

L'action des Britanniques fut, de toutes, la plus discrète. Pour Londres, l'idée du *cordon sanitaire* paraissait
assez illusoire, et au nom du réalisme, les Anglais furent
les premiers à reprendre des relations commerciales avec
le nouvel Etat soviétique. En revanche, ils furent loin de
négliger l'intérêt économique que présentait pour eux
tous ces pays. D'importants capitaux britanniques furent
investis en Tchécoslovaquie, en Hongrie et en Roumanie
et dès 1920 à Prague, à Budapest et à Bucarest, les agents
commerciaux britanniques déployaient déjà une activité
fébrile qui aboutit à la conclusion rapide d'accords
commerciaux et financiers, et à la création de chambres
de commerce anglo-tchèque, anglo-hongroise et anglo-
roumaine.

La France ne joua qu'un rôle secondaire sur le plan
économique et financier : ses hommes d'affaires manquaient souvent de dynamisme et ses moyens financiers

étaient relativement modestes. En revanche, elle occupa une des toutes premières places sur le plan politique et militaire. Les dirigeants du Quai d'Orsay, en particulier Philippe Berthelot, eurent à cœur d'appuyer à fond les jeunes Etats qui devaient à la France leur indépendance ou leur agrandissement territorial, et ils n'eurent aucun mal à élaborer avec eux un système d'alliance politico-militaire. Les traités conclus de 1920 à 1925 visaient à établir aux frontières orientales de l'Allemagne un système de sécurité pour la France qui reposait sur l'alliance militaire de la France avec chacun des États amis de l'Europe centrale et orientale. Ce système de sécurité avait un rôle de protection à la fois vis-à-vis de l'Allemagne et vis-à-vis de l'URSS. C'est au nom de cette politique que Paris appuya les Polonais dans leurs guerre de 1919-1920 contre les Soviétiques. L'existence d'une Pologne suffisamment étendue et puissante constituait aux yeux de Paris un double facteur de stabilité en Europe du Nord-Est face aux Allemands et face aux Soviétiques. L'alliance militaire franco-polonaise demeure une des clés de voûte de la politique extérieure française jusqu'à la crise finale d'août-septembre 1939. Cela d'ailleurs n'empêcha pas le Colonel Beck, ministre polonais des Affaires Étrangères de 1932 à 1939, de compléter l'alliance avec la France en qui il avait une confiance limitée, par la signature en 1934 d'un pacte de non-agression avec l'Union Soviétique et avec l'Allemagne nationale-socialiste.

Du côté des Pays danubiens, la politique française sembla marquer des hésitations au tout lendemain de la guerre. Devait-on soutenir dans toutes leurs exigences les jeunes États amis, ou bien au contraire, comme le suggéraient les diplomates de l'ancienne école, jouer la carte d'une Fédération danubienne à direction hongroise, quitte à modifier certaines clauses abusives du Traité de Trianon? La lettre qu'Alexandre Millerand, alors Président de la Conférence de la Paix, avait adressée le 4 mai 1920 à la délégation hongroise venue signer le traité, ne laissait-elle pas la porte ouverte à une éventuelle révision du traité? Au cours de l'année 1920, le nouveau secrétaire général du quai d'Orsay, Maurice Paléologue, ancien ambassadeur de France en Russie et très hostile aux dirigeants soviétiques, sembla opter pour une politique de rapprochement avec la Hongrie qui fut d'ailleurs bien accueillie à Budapest par le gouvernement Teleki. Paléologue n'éprouvait guère de sympathie pour la Tchécoslovaquie qu'il sentait prête à « flirter » avec l'URSS et qui avait toujours refusé de laisser transiter à travers son territoire les convois d'armes françaises au moment où la Pologne avait failli succomber sous les coups de l'armée Rouge. La Tchécoslovaquie fut d'ailleurs le premier pays de l'Est à avoir établi des relations diplomatiques avec la Russie soviétique. Paléologue sembla choisir une orientation pro-hongroise et un accord franco-hongrois fut même conclu en mai-juin 1920. Cet accord prévoyait qu'en échange d'avantages économiques accordés par Budapest à des groupes financiers et industriels français, la France favoriserait la révision de certaines clauses du Traité de Trianon. Cette politique sembla se confirmer au cours de l'été 1920 quand la Hongrie offrit de participer aux côtés de la France à la défense de la Pologne. Mais en septembre 1920, Paléologue fut remplacé au Secrétariat général du quai d'Orsay par Philippe Berthelot, ami personnel de Masaryk et de Benès. Dès lors, l'orientation pro-hongroise qui avait semblé se dessiner, fut abandonnée. Paris revint à une politique de stricte application des traités de 1919-1920, et de coopération et d'entente avec les Etats successeurs de l'Autriche-Hongrie, ce qui n'empêcha pas en 1921 Aristide Briand, alors Président du Conseil, de se montrer perméable à l'idée d'une restauration des Habsbourg en Hongrie, et même éventuellement en Autriche. Philippe Berthelot, maître toutpuissant de la politique extérieure de la France, entrava cette politique qui fut définitivement abandonnée en novembre 1921, et se fit partisan d'une alliance étroite de la France avec ses « clients » danubiens, la Tchécoslovaquie, la Roumanie et la Yougoslavie. Ces trois pays, pour faire obstacle aux tentatives de restauration des Habsbourg qui avaient eu lieu en Hongrie au cours de l'année 1921 et pour lutter contre le révisionnisme hongrois, venaient de conclure entre eux des traités d'alliances militaires qui aboutirent à la formation de la *Petite Entente*. La France choisit donc d'accorder son appui total aux pays de la Petite-Entente. Des accords militaires furent conclus entre la France et chacun de ces trois

pays, et ce furent des généraux français qui furent chargés à Prague, à Bucarest et à Belgrade de réorganiser les
forces armées de la petite Entente. Jusqu'en 1938, la
Petite-Entente demeura le point d'appui essentiel de la
politique française dans les Pays danubiens.

L'Italie ne resta pas inactive dans cette partie de
l'Europe et vit d'un très mauvais œil la tentative de rapprochement franco-hongroise de 1920 tout autant que les
accords conclus par la France avec la Petite-Entente. Le
gouvernement italien qui avait un important contentieux
territorial avec la Yougoslavie à propos de Fiume avait
peu de sympathie pour la Petite Entente. Aussi s'efforça-
t-il d'agir en direction des États voisins et rivaux de la
Yougoslavie. L'Albanie fut l'objet d'un intérêt croissant
de la part de l'Italie. N'ayant pu faire prévaloir ses visées
annexionnistes sur ce pays à la Conférence de la Paix,
l'Italie parvint néanmoins dès novembre 1921 à se faire
reconnaître par les Grandes Puissances une position privilégiée en Albanie : elle fut chargée en effet d'assurer la
défense du pays en cas d'agression de la part de ses voisins grecs et yougoslaves. Avec l'arrivée au pouvoir de
Mussolini, les rapports italo-albanais se firent plus étroits,
surtout lorsque Ahmed Zogu devint chef de l'État : Mussolini fut le premier à le reconnaître comme tel après la
réussite de son coup d'État. En échange, l'Italie obtint des
positions privilégiées en Albanie. La *Banca Nazionale
d'Albania* constituée à Rome en septembre 1925 fut chargée de l'émission de la monnaie albanaise en même
temps qu'était créée avec une forte participation financière italienne la *Société pour le développement économique de l'Albanie*. Cette pénétration économique prépara la main mise de l'Italie sur l'Albanie. Le Pacte de
Tirana conclu le 26 novembre 1926 en fut la première
étape; il fut complété l'année suivante par un nouveau
traité qui confiait à l'Italie la direction et le contrôle des
forces armées albanaises en même temps qu'il resserrait
les « liens d'amitié et de sécurité » entre les deux pays.
Les difficultés économiques, liées à la crise de 1929,
accentuèrent la pression de l'Italie mussolinienne sur
l'Albanie. Et comme Ahmed Zogu devenu Roi sous le
nom de Zog Ier cherchait à se libérer de la tutelle italienne. Mussolini fit envahir le pays le 7 avril 1939 qui fut
incorporé à l'Empire italien.

L'Albanie ne fut pas le seul objet des ambitions italiennes. Comme la France en Europe centrale et orientale s'appuyait sur les États bénéficiaires des traités, l'Italie ébaucha une politique de rapprochement avec les victimes de ces mêmes traités, la Hongrie et la Bulgarie, toutes deux durement frappées par les traités et plus ou moins mises en quarantaine par leurs voisins. Déjà en 1921, l'appui de l'Italie avait permis à la Hongrie d'obtenir l'organisation du plebiscite de Sopron qui avait tourné à l'avantage des Hongrois : Budapest fut très sensible au geste italien. Comme les dirigeants hongrois avaient fait de la révision des traités la pierre angulaire de leur politique extérieure, ils acceptèrent volontiers d'entrer dans le jeu de Mussolini. Dès 1925, un traité commercial fut conclu entre les deux pays, prélude à une entente politique. Le 5 avril 1927, un Pacte d'amitié avec l'Italie fut signé à Rome par le chef du gouvernement hongrois Bethlen. Les Hongrois pensaient sincèrement que l'Italie appuierait leurs demandes de révision du traité du Trianon ; en fait, Mussolini ne cherchait en traitant avec la Hongrie qu'à contre-balancer l'influence française représentée dans cette partie de l'Europe par la Petite-Entente. L'Italie facilita un réarmement clandestin mais très limité de la Hongrie ; elle n'entendait pas cependant remettre en question l'équilibre des forces dans cette région. Pour la Hongrie, l'amitié de l'Italie était précieuse même si l'on se rendait compte qu'elle n'apportait rien de concret. Mussolini chercha à pratiquer une politique analogue en Bulgarie qui, elle aussi, avait un contentieux territorial avec les pays de la Petite-Entente, avec la Roumanie à propos de la Dobroudja, avec la Yougoslavie à propos de la Macédoine, sans parler de la question de la Thrace bulgare devenue grecque. Or, la Yougoslavie et la Grèce étaient en mauvais termes avec l'Italie, ce qui aurait dû faciliter le rapprochement italo-bulgare. En fait, le seul résultat concret de ce rapprochement fut le mariage de la fille du roi d'Italie avec le roi Boris III. Pour le reste, Sofia hésita à s'engager avec l'Italie et préféra la recherche d'un accord avec ses voisins. Les accords conclus en 1937 avec la Yougoslavie et en 1938 avec les Pays du Pacte balkanique permirent à la Bulgarie de recouvrer l'égalité des droits en matière militaire.

La crise mondiale de 1929 et l'arrivée au pouvoir de Hitler le 30 janvier 1933 modifièrent profondément l'équilibre des forces en Europe centro-orientale. L'économie allemande par bien des côtés était déjà présente dans la plupart des pays de cette région. Pour Hitler, cette partie de l'Europe pouvait constituer à la fois un débouché pour les produits manufacturés allemands et une source d'approvisionnement en denrées alimentaires et en matières premières. Dès 1933, de nombreux accords de *clearing* furent conclus entre le gouvernement allemand et ceux des divers États de l'Europe centro-danubienne. Les pays de la Petite-Entente eux-mêmes, en dépit de leurs liens politiques étroits avec la France, ne furent pas les moins sensibles aux avances de Hitler. On ne doit quand même pas oublier que Bènes lui-même fût un des premiers à envoyer ses félicitations à Hitler lors de sa nomination à la chancellerie du Reich. Hitler avait un premier objectif bien précis dans cette partie de l'Europe : y établir l'hégémonie allemande, et d'abord en Autriche au moyen de l'*Anschluss*. Mussolini redoutait cette éventualité dans la mesure où une Allemagne puissante, frontalière de l'Italie lui paraissait beaucoup plus dangereuse qu'une petite Autriche quasiment désarmée, d'autant plus que depuis 1919 l'Italie avait annexé le territoire germanophone du Tirol du Sud. Mussolini chercha à intégrer l'Autriche et la Hongrie en un bloc allié destiné à empêcher l'*Anschluss*. La signature des *Protocoles Romains* le 17 mars 1934 avait essentiellement pour objectif le maintien de l'indépendance de l'Autriche face aux visées expansionnistes de l'Allemagne. Peu après, l'assassinat du chancelier Dollfuss le 25 juillet 1934 et la tentative d'*Anschluss* perpétrée par les nazis autrichiens provoquèrent une certaine prise de conscience du danger allemand. Le ministre français des Affaires Étrangères Louis Barthou s'efforça de réanimer les alliances avec les États de la Petite-Entente et avec la Pologne, il tenta même d'intégrer à son système l'Italie et l'URSS. Mais à la différence de l'Italie, qui souhaitait associer la Hongrie à l'effort commun, Barthou, pour complaire à la Petite-Entente, négligea cette possibilité et facilita ainsi un rapprochement entre Berlin et Budapest. L'assassinat à Marseille en octobre 1934 de Barthou et du roi Alexandre de Yougoslavie venu en France pour concrétiser la volonté de résistance à Hitler eut des conséquences importantes. D'abord la Hongrie accusée injustement d'avoir trempé dans la préparation de l'attentat, alors qu'il ne s'agissait que d'une affaire intérieure yougoslave, se rapprocha un peu plus de l'Allemagne. Ensuite, les nouveaux dirigeants yougoslaves sous la conduite du Prince-Régent Paul germanophile, amorcèrent paradoxalement une politique d'entente avec l'Allemagne; au même moment, la Roumanie pour des raisons essentiellement économiques, adopta une attitude sensiblement identique. Seule des États de la Petite-Entente, la Tchécoslovaquie sembla décidée à barrer la route à l'impérialisme allemand dans l'espace danubien : il est vrai qu'en cas d'*Anschluss*, sa position géographique la mettait directement sous la menace allemande. Quant à l'Italie qui, en 1934, s'était opposée à l'*Anschluss* et semblait vouloir maintenir cette attitude, à partir de 1936 son attitude se modifia car l'appui diplomatique donné par Hitler à Mussolini lors de la conquête de l'Éthiopie et la collaboration des deux États lors de la guerre civile espagnole permirent peu à peu l'établissement d'un *Axe Rome-Berlin*. Dès lors, Hitler put impunément réaliser l'Anschluss en mars 1938, ce qui mettait la Tchécoslovaquie dans une position très délicate, à un moment où Hitler s'apprêtait à déclencher un mouvement de revendications de la part des minorités allemandes de Bohême. Hitler pensait pouvoir compter dans cette affaire sur la Hongrie qui, elle aussi, avait des minorités nationales en Tchécoslovaquie. Mais Budapest, en dépit de ses mauvaises relations avec les États de la Petite-Entente, préférait de beaucoup obtenir la réalisation de ses objectifs révisionnistes par la voix de la négociation avec l'appui diplomatique de l'Italie et éventuellement du Royaume-Uni, que de les réaliser par une action militaire.

En 1938, l'Allemagne et l'Italie étaient devenues les puissances les plus influentes en Europe centro-orientale. La France qui dominait cette région depuis 1920 au moyen des États de la Petite-Entente se trouva peu à peu évincée, à la fois à cause de la crise économique des années trente, mais surtout à cause des faiblesses et des échecs subis à partir de 1935 par sa diplomatie. Le rétablissement du service militaire en Allemagne et la remilitarisation de la Rhénanie en 1936 réalisées sans aucune réaction sérieuse de la part du gouvernement français firent perdre peu à peu à la France toute crédibilité dans les pays de la Petite-Entente et en Pologne. Au même moment, la Petite-Entente, dont les membres se détachèrent de la France les uns après les autres, ne fut plus qu'une alliance formelle d'États qui n'avaient en commun que leur hostilité déclarée à la Hongrie mais qui, face à Hitler, adoptaient des attitudes souvent opposées dictées par des intérêts nationaux divergents. Les égoïsmes particuliers de ses membres l'emportaient largement sur la défense en commun de l'intérêt général. Quant aux États révisionnistes, ils étaient persuadés que la montée des Puissances de l'Axe allaient permettre enfin la réalisation de leurs ambitions territoriales, alors qu'en fait ils n'étaient que des instruments au service des intérêts germano-italiens.

En 1939, l'époque où la naissance d'États nationaux en Europe centrale et orientale avait pu faire naître des espoirs de paix et de prospérité était bien révolue. Les injustices et les rancœurs avaient déjà bien déçu et les nationalismes s'étaient exacerbés. L'heure des réglements de compte allait bientôt sonner.

XIX

UNE SOURCE DE TENSION ENTRE ÉTATS :
LA QUESTION
DES MINORITÉS NATIONALES

Les frontières politiques fixées par les puissances victorieuses furent loin de coïncider, comme nous l'avons déjà signalé à plusieurs reprises, avec les frontières ethniques, si bien que des millions d'hommes et de femmes furent séparés de leur communauté nationale et incorporés *malgré eux* à l'intérieur des États bénéficiaires des traités. Ces populations ainsi détachées de leur patrie d'origine furent désormais qualifiées de *minorités nationales*. On peut définir ainsi une minorité nationale comme un groupe d'individus qui possèdent des caractères ethniques ou religieux distincts de ceux de la majorité de la population de l'État à l'intérieur duquel ils ont été incorporés, et qui s'estiment opprimés par ledit État. L'Europe centro-orientale de l'entre-deux guerres fut par bien des côtés l'*Europe des minorités*.

Les Grandes Puissances (France, Royaume-Uni, Italie et USA) qui présidèrent à l'élaboration des traités, partagées qu'elles étaient entre la nécessité de satisfaire les exigences de leurs petits alliés de l'Europe de l'Est et la volonté de mettre en application les principes wilsoniens du droit des peuples à disposer d'eux-mêmes au nom desquels elles avaient officiellement combattu, ne furent pas sans se rendre compte des dangers que présentait pour la paix l'incorporation dans les nouveaux États de populations nombreuses arrachées à leur patrie d'origine. Tout en affirmant le caractère intangible des traités de paix, les Grandes Puissances imposèrent aux

États bénéficiaires de ces traités la signature d'engagements visant à assurer la protection des droits des
populations allogènes. La signature des *Traités sur la
protection des minorités* fut souvent difficile à obtenir.
Si la Tchécoslovaquie et le royaume des Serbes Croates
et Slovènes acceptèrent sans trop de difficultés de les
signer – quitte à les violer par la suite –, la Pologne et
la Roumanie en revanche ne les signèrent qu'à la suite
des pressions exercées sur elles par les Grandes Puissances. Pour donner à ces traités toute leur valeur, on
les plaça sous la garantie de la Société des Nations au
même titre que les traités de paix, et les signataires de
ces traités de protection des minorités durent s'engager
à les inscrire au nombre de leurs lois constitutionnelles.
Avec de telles garanties, les Grandes Puissances pouvaient penser que les dispositions prévues par ces traités seraient observées.

Ces traités furent rédigés dans des termes sensiblement analogues. A titre d'exemple, voici les principales
dispositions contenues dans le *Traité sur la protection
des minorités* conclu entre la Roumanie et les Principales Puissances alliées et associées le 9 septembre
1919. Par ce traité, la Roumanie s'engageait « à accorder à tous les habitants pleine et entière protection de
leur vie et de leur liberté sans distinction de naissance,
de nationalité, de langage, de race ou de religion » (art.
II). Elle reconnaissait « comme ressortissants roumains,
de plein droit et sans aucune formalité, toute personne
domiciliée, à la date de mise en vigueur du présent
Traité, sur tout territoire faisant partie de la Roumanie,
y compris les territoires à elle transférés ou qui pourraient lui être ultérieurement transférés, à moins qu'à
cette date ladite personne puisse se prévaloir d'une
nationalité autre que la nationalité autrichienne ou hongroise » (art. III). La nationalité roumaine était également reconnue « aux personnes de nationalités autrichienne ou hongroise qui étaient nées sur les territoires
devenus roumains de parents y étant domiciliés, encore
qu'à la date de mise en vigueur du présent traité elles
n'y soient pas elles-mêmes domiciliées » (art. IV). Ces
deux articles donnaient aussi aux personnes visées le
droit d'opter pour une autre nationalité. Dans ce cas,

« les optants devront, dans les douze mois qui suivront, transporter leur domicile dans l'État en faveur duquel elles auront opté. Elles seront libres de conserver les biens immobiliers qu'elles possèdent sur le territoire roumain. Elles pourront emporter les biens meubles de toute nature. Il ne leur sera imposé de ce chef aucun droit de sortie » (art. III). La Roumanie prenait l'engagement de n'édicter « aucune restriction contre le libre usage par tout ressortissant roumain d'une langue quelconque soit dans les relations privées ou de commerce... soit dans les réunions publiques. Nonobstant l'établissement par le gouvernement roumain d'une langue officielle, des facilités raisonnables seront données aux ressortissants roumains de langue autre que le roumain pour l'usage de leur langue soit oralement soit par écrit devant les tribunaux » (Art. VIII). Des dispositions précises furent prévues en matière d'enseignement. Les minorités reçurent le droit « de créer, diriger et contrôler, à leurs frais, des institutions charitables, religieuses ou sociales, des écoles et autres établissements d'éducation avec le droit d'y faire librement usage de leur propre langue et d'y exercer librement leur religion » (art. IX). « Le gouvernement roumain accordera dans les villes et districts où réside une proportion considérable de ressortissants roumains de langue autre que la langue roumaine, des facilités appropriées pour assurer que, dans les écoles primaires, l'instruction soit donnée dans leur propre langue aux enfants de ces ressortissants roumains. Cette stipulation n'empêchera pas le gouvernement roumain de rendre obligatoire l'enseignement de la langue roumaine dans lesdites écoles » (art. X). La Roumanie s'engageait enfin à accorder aux Sicules et aux Saxons de Transylvanie l'autonomie locale pour les questions religieuses et scolaires (art. XI).

Des décisions semblables se trouvaient dans les traités de protection des minorités nationales signés par la Pologne, la Tchécoslovaquie et le royaume des Serbes, Croates et Slovènes. En principe, la garantie de la Société des Nations devait permettre l'observation stricte de ces traités. Pour assurer l'efficacité de cette garantie, le Conseil de la Société des Nations mit au point une procédure précise pour organiser le recours des minorités par voie de pétition. Le Secrétaire Général de la Société des Nations, l'Anglais Sir Eric Drummond chargea le Norvégien Erik Colban de la direction de la *Section des Minorités*. Celui-ci fut assisté dans ses fonctions par le Danois Helmer Rosting et l'Espagnol Pablo de Azcarate. La procédure mise au point était la suivante :

– Décision du Secrétariat Général sur la recevabilité de la pétition qui est ensuite transmise au gouvernement accusé ;

– Communication aux membres du Conseil de la pétition avec les observations du gouvernement intéressé ;

– Examen de la pétition et des observations par trois (ou exceptionnellement cinq) membres du Conseil désignés par le président de la Section des Minorités, afin de permettre aux membres du Conseil de décider s'il y a lieu pour eux de signaler à l'attention du Conseil l'infraction ou le danger d'infraction au traité faisant l'objet de la pétition ;

– Négociations entre la Section des Minorités et le gouvernement intéressé. Si ces négociations aboutissent à un résultat considéré comme satisfaisant, la question est close ; sinon, les membres du Conseil décident d'inscrire l'affaire à leur ordre du jour ;

– Examen de la question par le Conseil, désignation d'un rapporteur, négociation entre ce rapporteur et le gouvernement intéressé et finalement, vote d'une résolution par le Conseil.

Cette procédure passablement longue rendait très aléatoire une quelconque intervention de la Société des Nations au cas où les droits d'une minorité nationale se trouvaient violés par un État, et cela d'autant plus que le gouvernement contre lequel une plainte était adressée, disposait de toute une série de moyens de procédure pour faire traîner les choses en longueur, en demandant par exemple un délai supplémentaire pour faire parvenir ses observations. De plus, ce qui faussait tout le système de protection des minorités, c'est que les États susceptibles de manquer à leurs obligations étaient liés par des traités d'alliance aux Grandes Puissances qui dominaient le Conseil de la Société des

Nations. Ceci était flagrant dans le cas de la France avec ses alliés de la Petite-Entente. Ainsi lors de l'affaire des optants hongrois de Transylvanie dépouillés de leurs biens en dépit de l'article III du Traité sur la protection des minorités, le gouvernement hongrois saisit de cette affaire le Conseil de la Société des Nations le 15 mars 1923. Dans une note du 6 avril suivant adressé à la Direction Politique du Quai d'Orsay, le Service Français de la Société des Nations exposa la position hongroise et signala que la Roumanie comptait sur l'appui de la France. Le chef de la Direction Politique inscrivit au bas de cette note la remarque suivante : « La réclamation des Hongrois est fondée en Droit, mais les Roumains sont nos amis. Mon gouvernement aura donc l'intention de soutenir les Roumains mais en indiquant à M. Titulescu (le délégué roumain à la Société des Nations) qu'il ferait bien de ne pas pousser trop loin la réclamation. »

Au cours de la période 1919-1939, comme le remarquait une historienne hongroise contemporaine, Mme Adam, « les dirigeants des États successeurs, qui s'appuyaient sur le concept d'*État national*, ne tinrent aucun compte des droits garantis aux minorités nationales par les traités de paix. Et bien que cette politique à courte vue n'eût apparemment aucune conséquence pour les intérêts mêmes de la nation dominante – étant donné que le non-respect des dispositions concernant les minorités nationales n'entraînait aucune sanction – elle a eu cependant des suites fâcheuses pour la politique intérieure et extérieure des États nouvellement créés, et d'une façon générale, pour l'histoire de l'ensemble des pays danubiens » *(Revue d'Histoire de la Deuxième Guerre mondiale*, 1974/1).

Ce furent surtout les minorités allemandes en Pologne, en Tchécoslovaquie et en Yougoslavie, les minorités hongroises en Roumanie, en Tchécoslovaquie et en Yougoslavie, les minorités ruthènes en Pologne et en Tchécoslovaquie, qui furent les principales victimes de la politique d'oppression pratiquée à leur égard par les nouveaux États. Mais à côté d'elle, les minorités albanaises et bulgaro-macédoniennes de Yougoslavie eurent un sort semblable. Toutes ces minorités avaient en commun de s'être trouvées en 1918 dans le camp des vaincus. Mais les vaincus ne furent pas les seules victimes. Les Polonais de Tchécoslovaquie, la minorité roumaine de Yougoslavie et la minorité serbe de Roumanie connurent les mêmes problèmes. Le nationalisme régnait alors en maître en Europe centrale et orientale. Jamais auparavant dans cette partie de l'Europe il n'avait atteint un tel niveau d'exacerbation. Que l'on était loin de l'idéal wilsonien!

Il ne saurait être question ici de dresser un catalogue de toutes les mesures discriminatoires qui frappèrent les minorités nationales dans les différents États. Les Archives de la Société des Nations à Genève regorgent de pétitions et de plaintes de toutes sortes, quelques-unes fantaisistes et injustifiées, mais d'autres, de beaucoup les plus nombreuses, parfaitement justifiées et étayées de dossiers accablants pour les États accusés, ce qui ne les empêcha pas d'être traitées avec la même indifférence et la même inefficacité que les premières. On comprend mieux ainsi l'amertume et le désespoir de ces populations détachées arbitrairement de leur patrie et livrées à des États qui leur étaient étrangers.

Ce furent surtout la Roumanie, la Tchécoslovaquie et la Yougoslavie qui se montrèrent les plus oppressives à l'égard des minorités nationales. Les dirigeants de ces pays s'étaient vite rendus compte qu'en leur livrant en si grand nombre des populations allogènes, les Grandes Puissances leur avaient fait un cadeau empoisonné. Ils savaient bien que ces nouveaux sujets demeuraient attachés à leurs anciennes patries. Pouvait-il d'ailleurs en être autrement? Pour les nouveaux États, il fallait donc, en dépit des engagements souscrits, assimiler, voire éliminer ces minorités nationales.

Les méthodes utilisées furent sensiblement les mêmes partout : maintien prolongé de l'état de siège dans les territoires annexés, brutalités physiques et morales là où le groupe minoritaire était d'importance réduite. Lorsque le groupe était plus compact, on avait recours à d'autres procédés. Parfois, on expulsait en bloc toute une population : c'est ce que firent les Grecs à l'égard des Bulgares de la côte septentrionale de la mer Égée. Dès lors, il n'y eut plus de minorité bulgare en Grèce, mais 300 000 Bulgares totalement démunis durent être assimilés et réinstallés dans une Bulgarie ruinée par la guerre. Ailleurs, on se contenta d'expulser arbitrairement les élites (avocats, journalistes, enseignants, personnalités religieuses) de façon à priver la minorité de ses guides naturels. On expulsa aussi tous les fonctionnaires qui avaient servi sous le régime précédent, ce qui permettait de les remplacer par des gens sûrs à défaut d'être toujours compétents et honnêtes ; les Transylvains, d'origine hongroise ou roumaine, s'en rendirent très vite compte. On procéda aussi partout à l'installation de nouveaux venus afin de modifier à l'avantage du nouvel État la composition ethnique d'une localité ou d'une région. En 1927, Édouard Benès expliquait à un journaliste suisse, William Martin, comment il s'y était pris pour modifier la composition ethnique des villes en Tchécoslovaquie : « Le pouvoir dominant a toujours le moyen de modifier le caractère ethnique des villes en y accumulant des troupes, des fonctionnaires, du commerce, des banques... Nous avons fait cette expérience à Brünn (Brno) qui était une ville presque entièrement allemande au moment où nous l'avons prise et dans laquelle la minorité allemande est en train de disparaître. Il en est de même à Kaschau (Kassa, Kosice) qui était une ville magyare et qui est maintenant presque entièrement slovaque... ».

Une politique identique fut pratiquée par les autorités roumaines dès leur entrée en Transylvanie. Un rapport du ministre de France à Bucarest en date du 10 septembre 1920 est éloquent : « Les Hongrois sont tout particulièrement visés dans le plan de roumanisation intensive rapide adopté par le gouvernement de Bucarest. Grâce aux règlements établis par elles, les autorités ont à leur disposition le moyen de se débarrasser de tous ceux dont la place leur paraît bonne à prendre. Le 21 août, 50 familles de Cluj (Kolozsvár) ont été envoyées en Hongrie, le 28 août 75 familles et la semaine dernière, 53 familles... ». Il n'est pas besoin d'insister sur les conditions dans lesquelles avaient lieu ces expulsions ; on se l'imagine aisément. Et l'Attaché militaire français de confirmer les affirmations de son collègue : « ... Même dans les villages roumains (de Transylvanie), on proteste contre les abus... » Quant aux droits politiques des minorités nationales, ils furent systématiquement ignorés dans les premiers temps. En dépit des traités, les minorités nationales de Roumanie et de Yougoslavie furent privées du droit de vote jusqu'en 1926. En Tchécoslovaquie, où les minorités représentaient près de 40 % de la population totale d'après les estimations *officielles*, l'Assemblée qui vota la Constitution jeta les bases de la législation concernant l'usage des langues et décida de la réforme agraire, ne comporta aucun représentant des minorités nationales. Et lorsque les minorités purent enfin participer aux élections, leur représentation parlementaire fut minorée à la suite d'un habile découpage des circonscriptions électorales. A Prague, ville tchèque à 90 %, un député représentait près de 38 000 habitants; à Karlsbad (Karlovy-Vary), ville germanophone à 95 %, il en représentait près de 47 000. En Slovaquie, l'inégalité de traitement était encore plus flagrante : à Érsekujvar (Nové Zamky), ville hongroise à 90 %, le député représentait plus de 53 000 habitants et à Ungvár (Oujgorod) ville hungaro-ruthène, il en représentait plus de 63 000! Les mêmes disproportions se rencontraient en Roumanie et en Yougoslavie. Dans ce dernier pays, dans les rares élections auxquels ont les autorisa à prendre part, les Hongrois eurent droit à 3 députés alors que leur importance numérique aurait dû leur en donner 12!

Pour affaiblir encore davantage les minorités, les États s'efforcèrent de les ruiner par le biais des réformes agraires. En Tchécoslovaquie, les grands propriétaires allemands et hongrois furent seuls touchés par la réforme au seul profit des tchèques. En Ruthénie, sur les 162 000 hectares enlevés à des propriétaires hongrois, seulement 22 000 hectares furent distribués à des paysans ruthènes, le reste allant à des légionnaires tchèques appelés pour *coloniser* la région. En Pologne, seule la grande propriété allemande fut touchée par les lois agraires. En Roumanie, la réforme agraire de 1921 frappa plus durement la Transylvanie que les anciennes Provinces : les boyards roumains purent conserver 500 hectares par famille alors que les propriétaires transylvains ne purent conserver que 260 hectares avec des

indemnités inférieures de moitié! La Société des
Nations saisie du problème dès 1921 ne rendit justice
aux pétitionnaires hongrois qu'en 1927 et encore d'une
façon partielle! En Yougoslavie, ce fut par le biais d'une
fiscalité foncière descriminatoire que les minorités allemandes et hongroises furent dépouillées de leurs propriétés au profit de colons serbes. Les propriétaires
croates furent d'ailleurs traités à la même enseigne que
les Allemands et les Hongrois.

A partir de 1925 cependant, à la suite des conseils de
modération et de prudence donnés par la France, on
assista à une certaine normalisation, mais les membres
des minorités nationales demeurèrent des citoyens de
seconde zone. Les mesures discriminatoires en matière
culturelle et linguistique furent les plus fréquemment
utilisées. La Tchécoslovaquie, qui passa pourtant pour
un État modèle de démocratie, fut l'exemple type de la
politique suivie de 1925 à 1938. Une loi de 1920 y avait
permis l'emploi des langues minoritaires dans l'administration et les tribunaux dans les circonscriptions où une
minorité représentait au moins 20 % de la population.
L'année suivante, une réorganisation administrative
modifiant les limites de circonscriptions réduisit à
néant les dispositions libérales de la loi de 1920. Puis,
un décret de 1926 rappela que « les autorités administratives pourront toujours ordonner l'emploi de la
langue de l'État quand l'intérêt public l'exigera » et
elles ne s'en privèrent pas, si bien que dans les districts
à majorité allemande, hongroise, polonaise et ruthène,
la justice et l'administration n'utilisèrent plus que le
tchèque. Et si l'on ajoute à cela que les recensements
qui servaient de base pour l'application de la loi sur les
langues, étaient faits dans des conditions plus que douteuses, on comprend pourquoi la question des minorités nationales a empoisonné les relations internationales dans cette partie de l'Europe. Les dispositions sur
l'organisation du recensement de 1930 en Tchécoslovaquie donnent une idée sur les méthodes employées. En
Bohême-Moravie, certes, ce fut le chef de famille qui
remplissait le formulaire de recensement, mais en Slovaquie et en Ruthénie, il appartenait à l'agent recenseur
de remplir lui-même le formulaire, ce qui lui laissait la

possibilité de modifier les renseignements qu'on lui
fournissait. Bien sûr, les agents recenseurs avaient été
triés sur le volet et dans le district de Bratislava où
vivaient de nombreux Allemands et Hongrois, il n'y eut
aucun agent recenseur allemand ou hongrois sur un
effectif de 300 agents! La pétition adressée à la Société
des Nations par les représentants des Partis minoritaires
allemands et hongrois ne provoqua, comme il fallait s'y
attendre, aucune réaction des autorités de Genève. Or,
il faut bien reconnaître que c'est encore en Tchécoslovaquie que la situation des minorités était la moins
défavorable. En Roumanie et en Yougoslavie, la politique à l'égard des minorités était beaucoup plus expéditive.

L'arrivée de Hitler au pouvoir et le soutien apporté
par l'Allemagne aux minorités allemandes des pays
d'Europe centrale et orientale amenèrent certains États
à adopter une politique plus libérale à l'égard des minorités nationales. Les Allemands de Transylvanie
obtinrent dès 1935 un Statut privilégié. En revanche, le
Parti allemand des Sudètes dirigé par Konrad Heinlein
ne put obtenir le statut d'autonomie qu'il revendiquait
et se tourna à partir de 1937 vers Berlin en même
temps qu'il prit une nette orientation nationale-socialiste. En 1938, après la main-mise de Hitler sur
l'Autriche, la Roumanie et la Yougoslavie donnèrent
aux diverses minorités nationales des Statuts plus libéraux. Le Statut roumain du 4 août 1938 garantissait
enfin aux populations allogènes l'usage de leurs langues
dans les assemblées communales des localités où elles
étaient majoritaires, et les PTT acceptèrent enfin d'ache-
miner les lettres portant des adresses rédigées en
langue autre que le roumain, et de ne plus réclamer de
surtaxes exorbitantes pour les télégrammes rédigés en
allemand ou en hongrois. En outre, des écoles primaires et secondaires furent réouvertes. Au même
moment, la Tchécoslovaquie fit des ouvertures en direction des représentants des diverses minorités. Mais
après vingt années d'oppression, ces propositions ou ces
dispositions prises à la hâte en raison de la gravité des
menaces qui pesaient sur ces États, étaient-elles cré-
dibles? Les minorités nationales pouvaient-elles avoir

confiance dans les promesses d'hommes qui, comme
Benès ou Titulescu, avaient systématiquement intrigué à
la Société des Nations pour que les pétitions justifiées
des minorités soient rejetées?

En 1938, les concessions que les gouvernements se
préparaient à octroyer ou octroyaient à leurs minorités
nationales, arrivaient bien tardivement; elles n'étaient
plus alors en mesure de faire oublier aux victimes des
traités les mauvais traitements et les injustices qu'elles
avaient subis depuis vingt ans. Les minorités nationales
tout comme les gouvernements de leur patrie d'origine
exigeaient maintenant et de plus en plus violemment la
révision des traités et leur retour au bercail. Et paradoxalement, c'était Hitler qui se posait en champion au
droit des peuples à disposer d'eux-mêmes et c'est vers
lui que les Allemands, les Hongrois, les Slovaques, les
Croates et même les Polonais en 1938 du moins, tournaient leurs regards.

XX

DE MUNICH A YALTA

L'annexion de l'Autriche par Hitler le 15 mars 1938 et
la création de cette *Grande Allemagne* qui avait été le leit-
motiv de tous les nationalistes allemands depuis l'époque
des révolutions de 1848 furent les premières manifestations concrètes de la fragilité de l'édifice construit par les
vainqueurs de la Première Guerre mondiale. L'*Anschluss*
avait permis l'installation de la Wehrmacht au cœur de
l'Europe danubienne. A partir de Vienne, l'influence allemande pouvait se répandre à loisir dans toute cette partie
de l'Europe et préparer les étapes suivantes de la
conquête. L'Allemagne disposait là d'un vaste réseau de
relais constitués en premier lieu par les minorités allemandes présentes partout en nombre plus ou moins élevé
et qui, depuis 1933, avaient été travaillées en profondeur
par la propagande nationale-socialiste ; elle pouvait également s'appuyer sur l'existence à l'intérieur de la plupart
des pays danubiens de mouvements politiques d'inspiration nationale-socialiste plus ou moins avouée (Croix-
Fléchées en Hongrie, Garde de Fer en Roumanie, Rassemblement national en Tchécoslovaquie, etc.), sans
compter les mouvements autonomistes croates et slovaques. L'Allemagne en outre, par le biais, des accords
commerciaux et financiers conclus avec tous les pays de
l'espace danubien et balkanique, pouvait disposer
d'impressionnants moyens de pression sur les gouvernements. Enfin, elle pouvait compter également sur l'attitude bienveillante à la fois des États vaincus qui aspiraient tous d'une façon ou d'une autre à obtenir la

révision des traités de 1919-1920 et sur celle de certains des États bénéficiaires de ces mêmes traités, comme la Roumanie et la Yougoslavie, qui espéraient bien que l'Allemagne empêcherait cette révision. L'Italie, qui avait joué un rôle important dans ces régions entre 1925 et 1935 n'était plus en mesure maintenant d'imposer ses vues dans la mesure où ses forces militaires avaient été affaiblies par la guerre d'Éthiopie et la participation à la guerre civile espagnole, et elle avait besoin pour les reconstituer de l'aide allemande.

LA FIN DE LA TCHÉCOSLOVAQUIE

La Tchécoslovaquie passait à juste titre jusqu'au milieu des années trente pour l'État le plus puissant et le mieux armé du monde danubien, et pour le porte-parole le plus fidèle des intérêts de la France dans cette région. Grâce à ses industries d'armement et grâce à l'assistance militaire généreusement dispensée par la France, elle disposait d'un solide potentiel militaire. Cependant, la présence sur son territoire de minorités nationales qui représentaient près de 40 % de sa population et les tendances séparatistes de plus en plus marquées qui se faisaient jour dans les régions peuplées de Slovaques et de Ruthènes constituaient autant de facteurs de faiblesse latents que les gouvernements successifs avaient su habilement dissimuler par leur politique de centralisation autoritaire.

Le renforcement de la puissance militaire allemande après l'arrivée au pouvoir de Hitler, le durcissement de la politique du Président Benès à l'égard des populations non tchèques, l'affaiblissement progressif de la France à partir de 1936 et surtout la réalisation de l'Anschluss constituèrent autant de menaces pour la sécurité, voire l'indépendance, de l'État tchécoslovaque. Dès le début du printemps 1938, les différentes minorités nationales, à l'initiative du Parti allemand des Sudètes de Konrad Heinlein, décidèrent de faire bloc avec les autonomistes slovaques de Mgr Tiso pour réclamer des concessions au gouvernement de Prague. Peu de temps après l'entrée de la Wehrmacht en Autriche, les députés du Parti allemand des Sudètes – qui avait obtenu 70 % des voix allemandes aux élections de 1935 – réclamèrent l'autonomie interne pour les régions de peuplement germanophone. Une revendication analogue fut formulée le 24 avril 1938 lors du congrès du Parti tenu à Karlsbad (Karlovy-Vary) conformément à un programme mis au moint à l'avance entre Heinlein et les dirigeants allemands. Hitler savait très bien en effet que Benès refuserait de céder; de ce fait, il aurait un excellent prétexte pour intervenir militairement en faveur des Allemands des Sudètes. L'Allemagne comptait bien entraîner à ses côtés la Hongrie dans une éventuelle action militaire contre la Tchécoslovaquie en lui promettant la récupération des territoires perdus au traité de Trianon. Les dirigeants hongrois ne semblaient guère enthousiasmés par la perspective d'une guerre contre la Tchécoslovaquie; ils connaissaient leur infériorité militaire et ils n'avaient pas encore perdu tout espoir de réaliser leurs objectifs révisionnistes par des moyens pacifiques. Même lors de la visite du Régent Horthy et de ses ministres en Allemagne du 21 au 26 août 1938, Hitler ne put rien obtenir d'eux.

Le président Benès, loin de faire des concessions à la minorité allemande comme le lui avaient suggéré la France et le Royaume-Uni, opta pour une politique de force. Prétextant une concentration de troupes allemandes à la frontière, il procéda le 21 mai à un rappel limité de réservistes, mesure qui fut d'ailleurs levée quelques jours plus tard. Paris et Londres tentèrent d'inciter les deux parties à la modération, mais parallèlement, le gouvernement français sondait les intentions des Soviétiques quant à l'aide éventuelle qu'ils pourraient fournir à la Tchécoslovaquie si elle était attaquée par les Allemands. Le chef de la diplomatie soviétique Maxime Litvinov acceptait bien le principe d'une aide à la Tchécoslovaquie à laquelle l'URSS était liée par un traité d'assistance en date du 16 mai 1935, mais à la condition que les troupes soviétiques puissent transiter à travers la Pologne ou la Roumanie. Or ces deux pays, la Pologne surtout, y étaient opposés. Dès lors on ne pouvait sérieusement compter sur une participation militaire de l'URSS, et dans l'éventualité d'une agression allemande contre la Tchécoslovaquie, seule la France était en mesure d'intervenir. Benès qui était tenu au courant de ces tractations assouplit un peu son attitude sur le conseil pressant des Britanniques et dès le 7 septembre 1938, il engagea des pourparlers avec les représentants du Parti allemand des Sudètes. Mais le même jour, de violents incidents éclatèrent entre Allemands et policiers tchèques à Morawska-Ostrava. La situation demeurait tendue, toutefois les négociations ne furent pas interrompues et l'on pouvait espérer qu'un accord serait prochainement trouvé quand brutalement, le 12 septembre à Nuremberg, Hitler prononça un violent discours dans lequel il dénonçait les sévices dont étaient victimes les Allemands des Sudètes; Hitler réclamait pour eux le droit à l'autodétermination. Dans les jours qui suivirent, des troubles éclatèrent en pays sudète. Se sachant soutenu par Hitler, Heinlein réclama pour les Allemands des Sudètes le droit de s'unir au Reich.

Devant la gravité de la situation, le Premier britannique Chamberlain se rendit à Berchtesgaden le 15 septembre pour y rencontrer Hitler. Au cours de ces conversations, on tomba d'accord sur la nécessité de transférer la souveraineté des régions à majorité allemande au Reich. Le cabinet de Londres accepta ce compromis, et Paris s'y rallia à contrecœur. Restait à faire accepter le plan Chamberlain aux dirigeants de Prague. Benès allait-il accepter d'abandonner à la demande de ses alliés des territoires que ces mêmes alliés lui avaient offerts en 1919? En fait, un mémoire franco-britannique lui fut adressé le 21 septembre : si Prague refusait d'appliquer l'accord conclu entre Chamberlain et Hitler, la Tchécoslovaquie ne pourrait en aucun cas compter sur l'aide de ses alliés. Benès se résigna donc à céder d'autant plus que les Soviétiques venaient de lui faire savoir qu'ils ne bougeraient pas : le traité de 1935 n'entraînait une action soviétique que si la France intervenait aussi. Le jour même, le cabinet tchécoslovaque dirigé par Milan Hodza présenta sa démission en signe de protestation; Benès chargea le Commandant des Forces armées, le général Sirovy, de former un cabinet d'Union Nationale. Tout semblait donc en principe arrangé.

Fort de l'accord tchécoslovaque, Chamberlain repartit le 22 septembre en Allemagne. Au cours de l'entrevue qu'il eut avec Hitler à Bad-Godesberg, Chamberlain se vit présenter de nouvelles exigences. Hitler réclamait un accord du même type pour les minorités hongroises et polonaises, et surtout il exigeait que dans les zones de populations mélangées où seraient organisés des plébiscites, les émigrés puissent prendre part au vote... Ces nouvelles demandes provoquèrent une vive émotion qui incita la France et le Royaume-Uni à prendre une attitude plus ferme. La Tchécoslovaquie décida dans la soirée du 23 septembre la mobilisation générale, la France rappela des réservistes et le Royaume-Uni mit sa flotte en état d'alerte. La guerre semblait inévitable surtout après le violent discours prononcé par Hitler le 26 septembre et l'annonce faite par lui à Chamberlain que l'Allemagne mobiliserait à partir du 28. Chamberlain s'efforça de sauver la paix ; le 28 au matin, il suggéra à Hitler et à Mussolini la réunion d'une Conférence internationale. Mussolini reprit cette idée à son compte et elle fut acceptée par tous.

A la Conférence de Munich qui se tint le 29 septembre, Hitler, Mussolini, Chamberlain et Daladier se mirent d'accord sur la cession à l'Allemagne avant le 10 octobre des territoires germanophones des Sudètes. Dans un document annexé à l'accord, la France et le Royaume-Uni s'engageaient à garantir les nouvelles frontières de la Tchécoslovaquie ; l'Allemagne et l'Italie firent de même mais à la condition expresse que la question des minorités hongroises et polonaises soit réglée avant 3 mois dans le cadre de négociations directes entre les parties intéressées. Les accords de Munich furent ainsi imposés à la Tchécoslovaquie par les Grandes Puissances, dont deux étaient ses alliés et avaient contribué à sa création en 1919. Quant aux partenaires de la Tchécoslovaquie au sein de la Petite-Entente, ni la Roumanie ni la Yougoslavie n'avaient esquissé le moindre geste en faveur de leur allié.

Aussitôt après la conclusion des accords, les autorités allemandes accompagnées de la Wehrmacht prirent possession des territoires qui leur avaient été cédés au milieu de l'enthousiasme des populations locales. La Pologne qui, à la veille de la Conférence de Munich, avait dénoncé l'accord qu'elle avait conclu en 1925 avec la Tchécoslovaquie, réclama la cession du territoire de Teschen par un ultimatum adressé à Prague dès le 30 septembre. Puis, le 2 octobre, les troupes polonaises procédèrent à l'occupation de ce territoire de 1 000 km² peuplé de 200 000 habitants à 70 % polonais. A Prague, les accords de Munich provoquèrent le départ de Benès qui démissionna le 5 octobre et partit aussitôt pour Londres. Il fut remplacé à la Présidence de la République par un ancien magistrat effacé et intègre, Emil Hacha, tandis que la direction du gouvernement fut confiée à l'agrarien Beran à la tête d'une coalition de centre-droit, avec le germanophile Chvalkovsky aux Affaires Étrangères. L'opinion tchèque était fort déçue de l'attitude de ses « amis » occidentaux. Après quelques manifestations de protestation demeurées sans lendemain, la colère laissa la place à la résignation. Pour enrayer le processus de désagrégation de l'État tchécoslovaque, le gouvernement de Prague se décida enfin à octroyer le 6 octobre une certaine autonomie aux Slovaques et aux Ruthènes. Il y eut désormais à Bratislava une Diète slovaque qui désigna comme chef du gouvernement local Mgr Tiso, tandis que Mgr Volisin assumait la même fonction auprès des Ruthènes.

Les Hongrois pensèrent que le moment était venu pour présenter leurs demandes de révision des clauses territoriales du traité de Trianon. Comme l'avaient prévu les accords de Munich, des négociations directes s'ouvrirent à Komarno le 9 octobre entre une délégation du gouvernement hongrois et une délégation tchécoslovaque conduite par Mgr Tiso. Elles se soldèrent dès le 13 par un échec. Les deux parties décidèrent d'un commun accord de s'en remettre à l'arbitrage de l'Allemagne et de l'Italie. Le *Premier arbitrage de Vienne* en date du 2 novembre 1938 restitua à la Hongrie un territoire de 12 103 km² peuplé de 1 030 000 habitants dont 830 000 Magyars et seulement 143 000 Slovaques, avec les villes de Kassa (Kosice), Komárom (Komárno), Munkács (Munkatchevo). Les troupes hongroises occupèrent ce territoire entre le 4 et le 11 novembre et furent partout accueillies en libératrices. Les Hongrois avaient espéré obtenir une révision *totale*, mais Hitler, qui voulait ménager les Slovaques, n'était pas décidé à leur accorder davantage. Sur le plan purement ethnique, la nouvelle frontière était presque parfaite puisque seulement 66 000 Hongrois demeuraient sous la souveraineté de la Tchécoslovaquie.

Ainsi au début de novembre 1938, l'État tchécoslovaque existait toujours certes, mais amputé d'une partie importante de son territoire originel. Son système de fortifications se trouvait complètement désorganisé par l'abandon à l'Allemagne de toutes les hauteurs qui constituaient les frontières naturelles du quadrilatère de Bohême. En revanche, la population de l'État était beaucoup plus homogène qu'autrefois. Les minorités subsistantes ne représentaient plus qu'un pourcentage dérisoire de sa population. L'autonomie accordée aux Ruthènes et aux Slovaques semblait avoir mis fin à l'agitation dans ces régions et Hitler venait de déclarer qu'il n'avait plus aucune ambition expansionniste dans cette direction. A partir de novembre 1938, on assista en Tchécoslovaquie à une nouvelle orientation politique. La démocratie tchécoslovaque telle que l'avait autrefois organisée Masaryck – avec les limites que nous avions précédemment soulignées – évolua rapidement vers un système autoritaire. Le Parti communiste fut interdit et l'opposition parlementaire faite des socialistes et des anciens amis de Benès fut peu à peu réduite au silence. En Slovaquie, les autonomistes cherchaient maintenant à obtenir davantage que l'autonomie, et Mgr Tiso ne cachait plus maintenant ses intentions de faire de la Slovaquie un État indépendant et souverain. Les élections qu'il avait organisées en Slovaquie en décembre lui avaient donné une écrasante majorité à la Diète et l'avaient conforté dans ses intentions. Quant à la Ruthénie, elle était l'objet des convoitises conjuguées de la Pologne et de la Hongrie, toutes deux désireuses d'établir entre elles une frontière commune pour faire front à une éventuelle menace allemande.

Une nouvelle fois au début de mars 1939, les tensions à l'intérieur de la Tchécoslovaquie amenèrent l'Allemagne à intervenir. Le prétexte lui en fut fourni par une reprise du conflit entre le gouvernement central et les Slovaques. Prague n'appréciait guère les idées d'indépendance dont Tiso se faisait l'ardent défenseur. Le 10 mars, le président Hacha destitua le gouvernement slovaque que dirigeait Tiso et proclama l'état de siège dans tout le pays. La population de Bratislava répondit à ces mesures par de violentes manifestations fomentées par des agents allemands venus de Vienne. Un ancien chef du Parti catholique, Karol Sidor, forma un gouvernement de transition, mais l'agitation slovaque déborda rapidement les autorités. Les Allemands surent admirablement exploiter cette situation. Le 13 mars, ils envoyèrent auprès de Mgr Tiso deux émissaires qui le persuadèrent que le moment était venu pour la Slovaquie de réaliser son indépendance; ils lui firent savoir que l'Allemagne était prête à soutenir cette indépendance. Le soir même, Mgr Tiso arrivait à Berlin, rencontrait le ministre allemand des Affaires Étrangères Ribbentrop, puis Hitler. On lui conseilla de proclamer au plus vite l'indépendance de la Slovaquie, car selon ses interlocuteurs, la Hongrie n'attendait qu'une occasion pour envahir le pays. Lorsque le lendemain la Diète slovaque se réunit à Bratislava, Karol Sidor, après avoir présenté sa démission, recommanda aux députés de confier le pouvoir à Mgr Tiso et s'écria sous les applaudissements des députés : « Vive la Nation slovaque! Vive la Slovaquie libre! » Aussitôt après, par 57 voix sur 63 votants, l'indépendance de la Slovaquie était proclamée.

L'indépendance de la Slovaquie marqua le début de l'agonie de l'État tchécoslovaque, et cette agonie fut rapide. Sur une suggestion du ministre tchécoslovaque des Affaires Étrangères Chvalkovsky, Hitler convoqua immédiatement à Berlin le Président Hacha, et au cours d'une entrevue dramatique et orageuse qui eut lieu dans la nuit du 14 au 15 mars 1939, Hitler le contraignit à placer sous la protection du Reich ce qui restait de l'État tchécoslovaque, c'est-à-dire la Bohême et la Moravie. Ainsi naquit le *Protectorat allemand de Bohême-Moravie*. Le 15 mars, la Tchécoslovaquie avait cessé d'exister. Les troupes allemandes occupèrent immédiatement le pays et désarmèrent les troupes tchécoslovaques. Au même moment, les troupes hongroises procédaient à l'occupation de la Ruthénie carpatique qui pendant plus de mille ans avait fait partie de leur territoire et établissait ainsi une frontière commune avec la Pologne, l'alliée de toujours de la Hongrie.

L'un des principaux éléments du système mis en place par les pays de l'Entente en 1919 pour défendre leurs intérêts en Europe danubienne s'était écroulé. L'action de l'Allemagne et l'inaction des Alliés occidentaux, tout

autant que les contradictions internes de la Tchécoslovaquie et en particulier son caractère d'État multinational
et sa politique centralisatrice et oppressive à l'égard de
tous ceux qui n'étaient pas Tchèques, étaient les grands
responsables de la disparition de cet État artificiel. Ni la
Roumanie, ni la Yougoslavie ne bougèrent ; toutes deux
firent preuve de la même passivité qu'au moment de
Munich. Mais cette fois, à Londres et à Varsovie, ce fut la
brutale prise de conscience des ambitions de Hitler. On
savait maintenant que l'Allemagne n'en resterait pas là.
La Pologne se trouvait maintenant toute désignée pour
servir à la réalisation des ambitions allemandes vers
l'Europe de l'est. Déjà, dès le 22 mars, l'Allemagne par un
acte unilatéral avait annexé le port de Memel, territoire
officiellement lituanien mais de population allemande.
Encore une fois, quelque paradoxal que cela puisse
paraître, dans le cas de Memel comme dans celui des
Sudètes ou de la Slovaquie, Hitler avait beau jeu de se
présenter face à l'opinion publique comme le véritable
champion du droit des peuples à disposer d'eux-mêmes.
Grâce à lui, les Allemands et les Hongrois de Tchécoslovaquie, les Polonais de Teschen, les Slovaques, les Allemands de Memel ne venaient-ils pas de retrouver la
liberté !

LE QUATRIÈME PARTAGE DE LA POLOGNE

Les relations germano-polonaises qui, jusqu'à l'été
1938, avaient été correctes dans l'ensemble surtout
depuis la conclusion du traité de non-agression de 1934,
commencèrent lentement à se dégrader au lendemain de
Munich. Certes la Pologne avait profité des difficultés de
la Tchécoslovaquie pour reprendre le territoire de Teschen qu'elle convoitait depuis 1919. Mais des sources
latentes de tension existaient avec l'Allemagne. Et
d'abord le problème de Danzig et du *corridor*. La munici-
palité de la *Ville Libre* était depuis 1935 dirigée par les
nazis et elle ne cachait pas son désir de faire retour à
l'Allemagne. A tout moment, le moindre incident dans le
corridor pouvait dégénérer en crise. La présence de plus
de 1 200 000 Allemands en Posnanie et en Haute-Silésie

n'arrangeait pas les choses; encadrés dans des associations culturelles dirigées depuis Berlin, les membres de
la minorité allemande pouvaient à tout moment provoquer une agitation entraînant inévitablement une
répression de la part des autorités polonaises jalouses de
leur autorité. A partir d'octobre 1938, les relations germano-polonaises commencèrent à se dégrader. Dès le
24 octobre, Ribbentrop proposa à l'ambassadeur polonais
à Berlin la conclusion d'un nouvel accord entre les deux
pays. Selon les propositions allemandes, Danzig serait
redevenue allemande et l'Allemagne pourrait construire
une autoroute et une ligne de chemin de fer jouissant de
l'extra-territorialité à travers le *corridor*; en échange de
ces importantes concessions, la Pologne conserverait une
zone franche dans le port de Danzig et pourrait l'utiliser
librement en se servant d'une voie ferrée jouissant elle
aussi de l'extra-territorialité, et de plus la durée du pacte
de non-agression conclu en 1934 serait portée de 10 à
25 ans avec garantie mutuelle des frontières.

Le colonel Beck fit répondre qu'il n'était pas question
de rendre Danzig à l'Allemagne. Toutefois, les contacts ne
furent pas rompus, et encore le 5 janvier 1939, Beck fut
reçu par Hitler à Berchtesgaden, tandis que quelques
jours plus tard, Ribbentrop se rendait à Varsovie pour y
célébrer le 5e anniversaire du traité germano-polonais de
1934. Au niveau des États, rien ne semblait donc avoir
changé dans les relations entre les deux pays, si ce n'est
que la question de Danzig était désormais posée. Mais sur
place, en Pologne, les incidents locaux entre Allemands
et Polonais se faisaient de plus en plus fréquents sans
atteindre toutefois l'ampleur de ceux qui s'étaient produits en pays sudète l'année précédente.

Après la disparition de l'État tchécoslovaque le 15 mars
1939, les relations germano-polonaises entrèrent brutalement dans une phase de tension. Quelques jours après
l'occupation de Prague, le gouvernement allemand
réclama une nouvelle fois la cession de Danzig, et le
27 mars, des unités navales allemandes vinrent faire une
démonstration devant les bouches de la Vistule. Beck
maintint fermement son point de vue et sa résistance fut
bien accueillie par le gouvernement britannique, déçu
par les manquements successifs de Hitler à ses pro-

messes. Le 31 mars, Chamberlain annonça aux
Communes qu'au cas où l'indépendance de la Pologne
serait remise en cause et si le gouvernement polonais
souhaitait résister, il trouverait à ses côtés le Royaume-
Uni. Quelques jours plus tard, Beck se rendit à Londres
en vue de signer un traité d'alliance. Le 13 avril, le gouvernement français adopta la même attitude de fermeté.
La Pologne pensait pouvoir également compter sur un
certain soutien de la part de la Hongrie avec laquelle elle
disposait depuis le 15 mars d'une frontière commune. Or,
au moment où la Pologne recevait les assurances de la
part de ses alliés occidentaux, Hitler avait déjà fait préparer un plan d'attaque contre la Pologne et avait renforcé
ses liens avec l'Italie par la signature le 22 mai d'un traité
d'alliance militaire défensive et offensive connu sous le
nom de *Pacte d'Acier*. Au même moment, les incidents
entre Allemands et Polonais se firent plus nombreux et
plus violents en Haute-Silésie et dans le *corridor*. Des
deux côtés, au niveau des simples particuliers, les sentiments nationaux étaient poussés à l'extrême, tandis qu'au
niveau des autorités polonaises, la rigueur était l'attitude
la plus fréquemment adoptée.

Face à la menace allemande contre la Pologne, la
France et le Royaume-Uni qui avaient choisi délibérément de soutenir la Pologne se tournèrent vers Moscou.
Dès le milieu de 1939, à l'initiative du gouvernement
français, des négociations politiques s'ouvrirent à Moscou, doublés à partir du 11 août de négociations militaires. Les contacts s'avérèrent particulièrement difficiles. Deux obstacles majeurs rendaient très hypothétique
la conclusion d'un accord. D'abord, les Polonais se montraient hostiles au passage des troupes soviétiques à travers leur territoire en cas de guerre contre l'Allemagne ;
ensuite, les Soviétiques présentaient systématiquement
de nouveaux contre-projets et additifs comme s'ils prenaient plaisir à faire traîner en longueur les pourparlers.
En fait, parallèlement aux négociations qu'ils menaient
avec les représentants de la France et du Royaume-Uni,
les Soviétiques discutaient avec l'ambassadeur allemand
von Schulenburg sur l'intérêt qu'il y aurait pour les deux
parties à conclure un accord politique. Les Puissances
Occidentales eurent la brutale révélation du double jeu

soviétique lorsque le 23 août une délégation allemande conduite par Ribbentrop arriva à Moscou pour y signer un pacte de non-agression.

Par ce pacte germano-soviétique conclu pour 10 ans et immédiatement applicable, les deux signataires s'engageaient à ne se livrer à aucun acte d'agression l'un contre l'autre et à ne pas entrer dans un système d'alliance qui les mettrait face à face. Mais ce qu'il y avait de plus important dans le document, c'était le protocole secret qui prévoyait qu'en cas de modification de la situation en Pologne, l'URSS pourrait intégrer à sa sphère d'influence les provinces orientales de la Pologne jusqu'à la ligne Narew-Vistule-San ainsi que l'Estonie, la Lettonie et la Finlande, et même le cas échéant occuper la Bessarabie roumaine. Après la signature de ce pacte, personne ne se faisait plus guère d'illusion sur la sort de la Pologne. En dépit d'une démarche commune franco-britannique auprès des gouvernements de Berlin et de Varsovie pour tenter de trouver un compromis, les jeux étaient faits, et Hitler était bien décidé à régler par la force son différend avec la Pologne.

Le 1er septembre 1939, à 5 h 45, l'armée allemande pénétrait en Pologne ; le même jour, le Sénat de Danzig qui, le 23 août, avait désigné comme Chef de l'État libre, le Gauleiter Forster chef des nazis locaux, proclama le rattachement de Danzig au Reich. L'agression allemande contre la Pologne suscita une vive émotion. Le 1er septembre au soir, la mobilisation générale était décrétée en France ; le lendemain, le gouvernement polonais demanda à ses alliés le respect de leurs engagements. Le 3 septembre, après le rejet par Berlin d'un ultimatum franco-britannique exigeant le retrait de Pologne des troupes allemandes, le Royaume-Uni et la France déclarèrent la guerre à l'Allemagne. Les États danubiens et balkaniques ainsi que l'Italie et l'URSS se déclarèrent neutres.

Pour la Pologne, la guerre s'engageait dans des conditions plus que mauvaises. Isolée de ses alliés occidentaux, la Pologne n'avait de frontières naturelles facilement défendables que du côté de ses amis hongrois et roumains, mais là d'où pouvait venir le danger, ce n'était que des plaines largement ouvertes sur l'ouest comme sur l'est, avec plus de 1 500 km de frontières à défendre. De plus, l'armée polonaise, en dépit de la bravoure et de l'héroïsme de ses soldats et de ses officiers, était constituée en grande partie de cavalerie, et manquait d'unités motorisées en face d'ennemis bien entraînés et bien équipés. Dès le premier jour de la guerre, l'aviation polonaise, déjà très peu nombreuse, fut détruite au sol par les pilonnages systématiques de ses aérodromes par la Luftwaffe. Les principaux nœuds ferroviaires furent également visés par l'aviation allemande, mais ce qui sapa le plus le moral des Polonais, ce furent les bombardements effectués sur les populations civiles. A l'intérieur du pays, les minorités allemandes dès les premières heures de la guerre agissant en véritables *cinquième colonne* se préparèrent activement à accueillir leurs « libérateurs ». Les autorités polonaises réagirent brutalement aux tentatives de sabotage en procédant parfois à des exécutions sommaires comme ce fut le cas le 2 septembre à Bydgoszcz où 150 civils allemands furent fusillés. A titre de représailles, les troupes allemandes multiplièrent les exécutions de civils polonais là où dans les villages qu'ils occupaient, ils rencontraient de la résistance.

L'armée polonaise, sous les ordres du maréchal Rydz-Smigly, dispersée à travers tout le territoire national, fut très vite en position difficile. Dès le 14 septembre, moins de deux semaines après le déclenchement des hostilités, Varsovie se trouva encerclé, pilonné sans cesse par l'artillerie et l'aviation allemandes, bientôt privé d'eau potable et de ravitaillement. A l'agression allemande devait bientôt s'ajouter l'agression soviétique. Dès le 9 septembre, le ministre des Affaires Étrangères Molotov avait prévenu le gouvernement allemand que l'armée soviétique allait occuper la partie orientale du territoire polonais conformément aux dispositions prévues dans le pacte du 23 août. La presse soviétique déclencha immédiatement une violente campagne contre la Pologne, accusée d'opprimer les populations biélorusses et ukrainiennes qui vivaient sur son territoire. Puis le 17 septembre, à un moment où l'armée polonaise épuisée par une lutte inégale était sur le point de succomber, elle eut à faire face sur ses arrières à l'attaque des Soviétiques. Pour justifier leur agression, les Soviétiques invoquèrent deux arguments. D'abord l'État polonais ayant pratiquement cessé d'exister, l'accord de non-agression signé avec lui en 1934 était devenu caduc; l'autre argument étant que l'URSS entendait assurer la protection des Biélorusses et des Ukrainiens de Pologne. L'Armée Rouge fit porter tous ses efforts en direction des frontières méridionales de la Pologne de façon à empêcher les restes de l'armée polonaise de passer en Hongrie et en Roumanie. Le gouvernement polonais et le Haut-Commandement s'étaient déjà installés avec le Président Moscicki en territoire roumain. Des milliers de civils et de militaires parvinrent en dépit des difficultés à atteindre les Carpates hongroises et roumaines et à échapper ainsi aux malheurs qui s'abattirent sur leur pays.

Sur le plan militaire, la campagne de Pologne, type même de la *Blitzkrieg*, fut un succès total pour la Wehrmacht. Dès le 27 septembre, les Allemands et les Soviétiques contrôlaient pratiquement tout le pays. Varsovie capitula le 1er octobre après une résistance de 17 jours menée surtout par la population civile. Les derniers îlots de résistance autour de Gdynia se rendirent le 2 octobre. Un mois de guerre avait mis fin une nouvelle fois à l'indépendance de la Pologne; elle venait d'y perdre déjà 300 000 de ses fils; 450 000 prisonniers se trouvaient entre les mains des Allemands, 200 000 entre celles des Soviétiques. Mais la volonté de résistance du pays n'était pas morte. Après la démission le 30 septembre du Président Moscicki, trop compromis avec le régime des colonels, un gouvernement d'Union Nationale fut constitué à Paris sous la direction du général Sikorski et décida de poursuivre la lutte aux côtés des Alliés; il organisa une *Légion polonaise* avec les rescapés de l'armée qui avaient été recueillis en Hongrie et dirigés sur la France par la Yougoslavie.

Quant à la Pologne occupée, son sort avait déjà été réglé. Dès le 22 septembre, Allemands et Soviétiques s'étaient mis d'accord pour procéder au *Quatrième Partage de la Pologne* et pour fixer les limites de leur part respective. L'Allemagne se réserva tous les territoires situés à l'ouest du Bug, ce qui était plus que ce qui avait été prévu dans le Pacte germano-soviétique; à titre de compensation, la Lituanie fut comprise dans la zone

d'influence soviétique. Cet accord frontalier fut complété
le 28 septembre par un traité de « délimitation et d'amitié » dans lequel les deux parties prenaient l'engagement
de « ne tolérer sur leur territoire aucune agitation polonaise susceptible d'affecter l'ordre dans les territoires de
l'autre partie ». C'était par avance la condamnation de
toute Résistance polonaise.

Chacun des deux co-partageants procéda à l'organisation de ses nouvelles acquisitions. L'Allemagne annexa
purement et simplement les régions qu'elle avait dû
céder à la Pologne en 1919, c'est-à-dire, la Posnanie, Danzig et la région du *corridor*, ainsi que la Haute-Silésie qui
formèrent désormais sur le plan administratif les *Territoires de l'Est incorporés*. Les citoyens de langue allemande y formèrent l'*élite*, renforcée de colons allemands
venus de l'intérieur du Reich et d'Allemands de Pays
baltes rapatriés. A côté d'eux, ceux des Polonais qui
n'avaient pas été expulsés furent réduits au rang de
citoyens de seconde zone cantonnés dans les tâches
subalternes. Le reste du territoire polonais forma le *Gouvernement Général des Provinces polonaises occupées*
placé sous l'autorité du Gouverneur Frank. Le *Gouvernement Général*, peuplé d'environ 12 millions de Polonais
avec Cracovie comme capitale, fut en réalité une gigantesque zone d'occupation avec cependant une administration locale partiellement polonaise mais sous l'étroite
surveillance des Allemands. L'ensemble des territoires
polonais occupés par les Allemands forma pour le Reich
un important réservoir de main-d'œuvre, et une source
non négligeable d'approvisionnements en denrées alimentaires et de matières premières. Les Juifs, nombreux
dans les villes, furent les premiers à subir les effets du
nouveau statut de la Pologne. Dès la fin septembre 1939,
ils furent recensés puis astreints au port de l'étoile jaune ;
à la fin de l'année 1939, ils furent progressivement rassemblés dans des ghettos. La situation n'était guère plus
enviable dans les territoires placés sous administration
soviétique. Ces régions furent incorporées aux Républiques socialistes de Biélorussie et d'Ukraine après un
semblant de consultation populaire. Les citoyens d'origine polonaise furent privés de leurs droits et placés sous
la surveillance constante des autorités soviétiques. Plus

de un million de Polonais, sans doute 1 500 000 d'après le général Anders, furent déportés en URSS entre octobre 1939 et juin 1941. Plus de 200 000 d'entre eux périrent dans les bagnes soviétiques. Les principales victimes de ces déportations appartenaient aux classes moyennes et aux professions libérales; c'étaient aussi des notables, des prêtres, des intellectuels, d'anciens officiers, des hommes politiques, des syndicalistes, bref tous ceux qui représentaient une valeur dans la société polonaise. Mais ce qui est encore plus typique du comportement des Soviétiques en Pologne orientale, c'est qu'ils s'en prirent également aux Juifs qui avaient fui les régions occupées par les Allemands. Deux membres de l'organisation socialiste juive du BUND, Henryk Ehrlich et Victor Atler qui avaient fui Varsovie en septembre 1939 et s'étaient réfugiés en Pologne orientale, furent ainsi arrêtés en 1941. Pourtant à la demande des Soviétiques, ils avaient formé au début de 1940 un *Comité juif anti-hitlérien*. Lorsque les Allemands attaquèrent l'URSS en juin 1941, le Comité fut évacué sur Moscou puis sur Kouibychev. C'est là qu'en décembre 1941, on perd leur trace; Ehrlich et Atler disparurent à jamais. On apprit par la suite qu'ils avaient été exécutés pour activités antisoviétiques. Mais hélas ce n'était pas un cas isolé. Le comportement des deux co-partageants de la Pologne n'était pas sans présenter d'étranges similitudes.

Conformément aux accords conclus avec l'Allemagne, l'URSS commença à prendre pied dans les Républiques baltes dont les gouvernements furent contraints, courant octobre 1939, de signer des traités d'assistance mutuelle prévoyant la cession de bases navales et aériennes, ainsi que le droit pour les Soviétiques d'y maintenir des garnisons. La Finlande, ayant opposé un refus à ces demandes soviétiques, fut envahie dès le 30 novembre, mais sa longue résistance lui permit, malgré sa défaite finale, de conserver au moins son indépendance politique. En revanche, l'Estonie, la Lettonie et la Lituanie eurent moins de chance. En juin 1940, les Soviétiques prétextant des actes d'hostilité à l'Armée Rouge commis par les populations locales intervinrent directement dans les affaires intérieures de ces pays; ils y établirent des gouvernements à dominante communiste dévoués à leurs intérêts. Les élections du 14 juillet qui assurèrent plus de 90 % des voix à la liste unique présentée dans chacun de ces États par le gouvernement prosoviétique, donnèrent un semblant de légalité à l'annexion par l'URSS des trois républiques baltes. L'indépendance des États baltes, recouvrée en 1917, n'avait guère duré plus longtemps que celle de la Pologne.

LES CHANGEMENTS DANS LE MONDE DANUBIEN ET BALKANIQUE (1939-1941)

Les événements d'août-septembre 1939, le pacte germano-soviétique et la disparition de l'État polonais sous les assauts conjugués de Hitler et de Staline, avaient clairement montré aux pays danubiens et balkaniques encore indépendants qui étaient les véritables maîtres de l'Europe à cette époque. Chaque État va s'efforcer chacun à sa manière de s'organiser en fonction de ces nouvelles données.

NEUTRALITÉ ET RÉVISIONNISME HONGROIS

Les dirigeants hongrois qui, depuis 1919, avaient eu comme fondement principal de leur politique la lutte contre le bolchévisme, furent surpris, voire indignés, de la conclusion du pacte germano-soviétique et cela d'autant plus qu'en janvier 1939, ils avaient adhéré à la demande de l'Allemagne au pacte anti-Komintern justement dirigé contre l'URSS. Leur indignation fut particulièrement violente lorsqu'au début de septembre 1939, Hitler leur demanda de laisser transiter à travers le territoire hongrois des troupes allemandes destinées à prendre ainsi à revers par le sud l'armée polonaise. Le Président du Conseil hongrois, le comte Teleki, opposa à cette demande un refus catégorique; mieux, il donna des instructions aux gardes-frontières pour qu'ils facilitent l'entrée des civils et des militaires polonais fuyant devant leurs envahisseurs. Le comte Teleki ne disposait cependant que d'une marge de manœuvre très étroite; il ne pouvait heurter de front l'Allemagne compte-tenu de la disproportion des forces entre les deux pays, et d'autre part il savait parfaitement que si la Hongrie voulait obtenir la réalisation de ses objectifs révisionnistes du côté de la Transylvanie, l'accord des Pays de l'Axe était indispensable. Teleki, pour contrebalancer l'influence allemande, se tourna vers l'Italie, son autre allié, mais depuis 1939, la politique de Mussolini était de plus en plus dépendante de celle de Hitler. Parallèlement à ces démarches diplomatiques et sans se répartir de sa politique de stricte neutralité, Teleki accéléra le programme de réarmement qui avait été annoncé par son prédécesseur en 1938 afin d'être en mesure de saisir toute occasion qui se présenterait pour récupérer les territoires perdus en 1920. L'occasion lui fut fournie lorsqu'en juin 1940, l'URSS réclama à la Roumanie la cession de la Bessarabie et du nord de la Bucovine. Les Soviétiques proposèrent alors à la Hongrie de reprendre la Transylvanie. Teleki déclina cette offre préférant recourir à la négociation pour réaliser ses objectifs révisionnistes. La neutralité des pays de l'Axe dans cette affaire incita le gouvernement hongrois à demander à la Roumanie l'ouverture de négociations à propos de la Transylvanie. Les pourparlers engagés à Turnu-Severin ne permirent pas de trouver un terrain d'entente. Comme en novembre 1938, l'Allemagne et l'Italie imposèrent aux deux parties leur médiation. Par le *Second arbitrage de Vienne* du 30 août 1940, la Hongrie put récupérer le nord de la Transylvanie, c'est-à-dire un territoire de 45 000 km² avec 2 500 000 habitants dont plus de 1 100 000 Magyars, avec les villes de Kolozsvár et de Nagyvárad ainsi que l'ensemble du pays sicule.

Le retour d'une partie de la Transylvanie à la mère-patrie fut accueilli avec enthousiasme par l'opinion publique hongroise. Pour Hitler, le partage avait été une solution habile car, dans son esprit, il ne pouvait que susciter une émulation dans la germanophilie entre la Hongrie et la Roumanie, la première pour obtenir le reste de la Transylvanie, la seconde pour récupérer la partie qu'elle avait dû céder. Le comte Teleki était parfaitement conscient des desseins profonds du Führer; déjà en juillet 1940 Hitler n'avait-il pas laissé les Croix-Flèchées hongrois organiser un complot déjoué à temps? S'efforçant

de maintenir la neutralité, Teleki amorça un rapprochement avec son voisin méridional, la Yougoslavie avec
laquelle il signa le 12 décembre 1940 un pacte d'amitié
par lequel les deux pays s'engageaient à régler leurs différends par la voie des négociations. Mais Teleki était le
premier à savoir que sa liberté d'action était très limitée.
L'Allemagne en effet, victorieuse sur tous les fronts, était
plus que jamais en position de force, et le gouvernement
hongrois ne put se dérober lorsque Hitler l'invita à adhérer au *Pacte tripartite*, accord défensif conclu le 27 septembre 1940 à l'initiative de l'Allemagne, de l'Italie et du
Japon. Bien que toujours officiellement neutre, la Hongrie, tout en cherchant à en limiter les effets, s'intégrait
peu à peu dans le nouvel ordre européen.

LA FASCISATION DE LA ROUMANIE

L'établissement de la dictature royale en Roumanie au
début de 1938 n'avait réglé aucun des problèmes qui se
posaient au pays. L'élimination de Codreanu et des principaux chefs de la Garde de Fer n'avaient pas mis fin à
l'action de ses partisans regroupés au sein du *Mouvement
légionnaire* avec Horia Sima. En outre, les différentes
populations allogènes multipliaient leurs actions sécessionnistes en dépit du Statut relativement libéral qui leur
avait été accordé le 4 août 1938. Les Bulgares de la
Dobroudja méridionale provoquèrent ainsi en mai 1939
des troubles graves qui furent durement réprimés, ce qui
provoqua une vive tension dans les relations entre Bucarest et Sofia. La situation n'était guère meilleure en Transylvanie où la minorité hongroise attendait avec plus en
plus d'impatience son retour à la Hongrie et où la minorité allemande, travaillée intensément par la propagande
nationale-socialiste, était en train de constituer peu à peu
un véritable État dans l'État avec le soutien à peine dissimulé de Berlin. Enfin, en Bessarabie et en Bucovine, la
propagande communiste encouragée par Moscou suscitait des manifestations séparatistes chez les populations
russes et ukrainiennes. A tout cela s'ajoutait l'agitation
politique menée sur tout le territoire par les anciens Partis désormais dissous. L'hiver 1939-1940 fut particulière-

ment difficile en raison des répercussions économiques de la guerre qui touchaient la Roumanie et qui se traduisirent essentiellement par la hausse brutale des prix et la pénurie des denrées alimentaires à cause des livraisons exigées par l'Allemagne en vertu des accords commerciaux en vigueur.

La crise éclata au cours de l'été 1940. Ce fut d'abord le 26 juin 1940 l'ultimatum soviétique réclamant la cession dans les 24 heures de la Bessarabie et du nord de la Bucovine. La Roumanie dut s'incliner car l'Allemagne, sollicitée, refusa de défendre les intérêts roumains. Ensuite, ce fut la crise avec la Hongrie que l'arbitrage germano-italien résolut par l'abandon aux Hongrois de la moitié septentrionale de la Transylvanie. Enfin les Bulgares à leur tour revendiquèrent la Dobroudja : les négociations bilatérales tenues à Craiova aboutirent le 7 septembre à un accord et les Bulgares se virent retrocéder la Dobroudja méridionale. C'était la fin du rêve grand-roumain concrétisé par les traités de 1919-1920, mais c'était aussi la naissance d'une nouvelle Roumanie, moins étendue certes, mais plus homogène par sa population et plus conforme au principe des nationalités. Cette nouvelle Roumanie ne comportait plus ni Bulgares, ni Russes, ni Ukrainiens; les seules minorités nationales étaient constituées de quelques 500 000 Hongrois et autant d'Allemands, c'est-à-dire à peine 7 % de la population totale. Mais l'opinion publique entretenue depuis 1919 dans l'illusion mythique d'une Grande-Roumanie allant de la Tisza au Dniestr accepta mal ces modifications territoriales. Le mécontentement populaire gronda et se retourna contre le roi Carol II, accusé de trahison. Les mécontents et les nationalistes pro-allemands mirent leur espoir dans le général Ion Antonescu, ministre de la Guerre et Chef de l'État-Major général, qui avait protesté contre les capitulations successives du souverain. Pressé par l'opinion publique, le Roi donna le pouvoir le 4 septembre 1940 au général qui prit le titre de *Guide suprême (Conducator)*. Le lendemain, Antonescu invita le souverain à se retirer : Carol II abdiqua aussitôt en faveur de son fils Michel qui l'avait déjà précédé sur le trône de 1927 à 1931.

Le général Antonescu établit aussitôt un régime de dictature militaire et fut soutenu dans cette politique par le

Mouvement Légionnaire; il renforça les liens de la Roumanie avec l'Allemagne nazie dans l'espoir qu'il pourrait en tirer profit pour son pays. Et le 8 octobre, il autorisa les troupes allemandes à établir des bases en territoire roumain. Le roi Michel fut dépouillé de la plupart de ses prérogatives de souverain. La Roumanie devînt un État fasciste sous le nom d'*État national légionnaire*. Le nouveau régime adopta aussitôt une politique violamment antisémite : des milliers de Juifs et d'opposants politiques furent arrêtés et leurs biens confisqués. Les Légionnaires, devenus maîtres de l'État, disposèrent d'une *police légionnaire*, en marge de la police officielle, qui multiplia les exactions et les vengeances. Dans la nuit du 26 au 27 novembre 1940, dans la prison militaire de Jilava, là même où deux ans auparavant jour par jour Codreanu était tombé sous les balles de la police, les Légionnaires massacrèrent 64 personnalités de l'ancien régime, entre autres le général Marinescu et le professeur Nicolas Iorga, connu pour ses sentiments anti-allemands.

Le général Antonescu, très jaloux de ses prérogatives, se rendit vite compte du danger que faisait courir au pays des actions incontrôlées des Légionnaires. Après avoir rencontré Hitler et l'avoir assuré de la fidélité totale de la Roumanie, il se débarrassa des éléments les plus virulents du Mouvement Légionnaire. La police légionnaire et les Chemises vertes furent dissoutes; leur chef Horia Sima qui était également vice-président du Conseil, fut destitué et se réfugia en Allemagne, où les Allemands le gardèrent en réserve pour le cas où Antonescu se montrerait peu docile. Le pays accueillit bien cette épuration. Mais, même débarrassé des Légionnaires qui l'avaient pourtant aidé à arriver au pouvoir, le *Conducator* maintint la même politique de régime personnel. La Roumanie demeura un État fasciste totalitaire dont la politique étrangère était totalement alignée sur celle du Reich comme le prouve son adhésion enthousiaste le 23 novembre 1940 au Pacte tripartite.

LES AMBIGUÏTÉS DE LA BULGARIE

Tout comme la Hongrie, la Bulgarie avai réussi non sans mal à se maintenir à l'écart de la crise internationale de l'été 1939 et se cantonna dans une stricte neutralité dès le début de la Seconde Guerre mondiale. Le roi Boris III, en dépit de ses sentiments personnels favorables aux Puissances de l'Axe, s'efforça de tenir son pays le plus longtemps possible en dehors du conflit. L'arrivée à la tête du gouvernement du germanophile Bogdan Filov ne modifia guère la politique suivie depuis le début des années trente. La Bulgarie demeura un État autoritaire à l'intérieur, neutre à l'extérieur. Cela n'empêcha pas le gouvernement bulgare de profiter des difficultés roumaines pour récupérer la Dobroudja méridionale annexée par la Roumanie à l'issue de la Deuxième Guerre balkanique. La Bulgarie était ainsi parvenue à réaliser pacifiquement une partie de ses objectifs révisionnistes. Pendant l'hiver 1940-1941, au moment où l'État-Major allemand préparait les plans pour l'attaque prévue le 15 mai 1941 contre l'URSS, Hitler s'efforça d'intégrer la Bulgarie à son système d'alliance, ou tout au moins de s'assurer de sa neutralité bienveillante et de sa coopération économique. Il fit demander au gouvernement bulgare son adhésion au Pacte tripartite en lui promettant en échange la récupération du littoral égéen perdu en 1919 dès que la Grèce en guerre avec l'Axe depuis le 28 octobre 1940, aurait été vaincue. Au même moment, l'URSS, de plus en plus inquiète de l'évolution de la politique allemande, tenta une ouverture diplomatique en direction de la Bulgarie, allant même jusqu'à lui proposer le 25 novembre 1940 un pacte d'amitié et d'assistance mutuelle. Sollicitée par les deux Grandes Puissances du moment, le gouvernement bulgare hésitait à s'engager. En dépit d'une opinion publique traditionnelle russophile à cause du rôle décisif joué par la Russie au moment de la Guerre d'Indépendance, les avances soviétiques furent repoussées mais sans qu'il y ait rupture. Quant aux propositions allemandes, Boris III attendit longtemps avant d'y souscrire; ce n'est que le 1er mars 1941 que la Bulgarie se résigna à donner son adhésion au Pacte tripartite. Le lendemain, des troupes allemandes venues de Roumanie vinrent s'installer en territoire bulgare afin d'y établir des bases dans la perspective d'une contre-offensive prochaine en Grèce, rendue indispensable après les revers essuyés par le corps expéditionnaire italien. Les Bulgares cependant n'entendaient pas être engagés dans des opérations militaires.

LA FIN DE L'ÉTAT YOUGOSLAVE

La Yougoslavie, depuis l'assassinat du roi Alexandre, s'était progressivement détachée de ses alliances traditionnelles pour se rapprocher de l'Allemagne. Cette nouvelle politique fut essentiellement l'œuvre du Prince-Régent Paul. Lors des deux crises tchécoslovaques de 1938-1939 et au moment de l'attaque allemande contre la Pologne, le gouvernement de Belgrade adopta une attitude de stricte neutralité mais les dirigeants yougoslaves n'en étaient pas moins conscients du danger que constituait pour l'indépendance de leur pays l'hégémonie que l'Allemagne était en train d'étendre sur les pays danubiens. C'est en partie pour y faire contre-poids qu'ils avaient normalisé leurs relations avec la Hongrie en signant avec elle un traité d'amitié. Au cours de l'hiver 1940-1941, la pression allemande s'accentua. Hitler, qui voulait attaquer l'URSS, réclama de la Yougoslavie son adhésion au Pacte tripartite afin de l'associer plus étroitement encore à son système d'alliances. Après de longues hésitations, la Yougoslavie s'inclina et le 25 mars 1941, les représentants du gouvernement de Belgrade signèrent à Vienne l'adhésion de leur pays au Pacte tripartite. Lorsque cette nouvelle fut connue dans le pays, elle provoqua un vif mécontentement dans l'opinion publique serbe francophile et anti-allemande. De violentes manifestations eurent lieu à Belgrade. Dans la nuit du 26 au 27 mars , des officiers serbes, opposés à la politique du Régent et soutenus secrètement par des agents britanniques s'emparèrent du pouvoir, destituèrent le Prince-Régent Paul et proclamèrent majeur le Prince Pierre, fils du défunt roi Alexandre. A la demande du roi Pierre II, le général serbe Douchan Simovitch forma un gouvernement d'Union Nationale mais dominé par les éléments serbes, ce qui provoqua aussitôt la méfiance puis l'inquiétude des Croates et des Slovènes. Simovitch modifia du tout au tout la politique étrangère de la Yougoslavie ; il prit contact avec les Britanniques et s'apprêta même à signer un traité d'amitié avec l'URSS, ce qui fut d'ailleurs fait le 5 avril.

Ainsi, en quelques jours, la Yougoslavie basculait du côté des adversaires de l'Axe moins de deux mois avant la date prévue par Hitler pour le déclenchement de l'attaque contre l'URSS. La riposte allemande fut immédiate. Le 6 avril, l'aviation allemande bombarda Belgrade, tandis que de tous les côtés, les troupes allemandes pénétraient massivement en territoire yougoslave, à partir de l'Autriche, de la Bulgarie et aussi de la Hongrie. Hitler, au lendemain du coup d'État de Belgrade, avait demandé au gouvernement de Budapest sa collaboration militaire en échange du retour à la Hongrie des territoires de la Voïvodine perdus en 1920. Le comte Teleki, qui se sentait toujours lié par le traité d'amitié signé l'hiver précédent avec la Yougoslavie, se montra très réservé; il n'accepta la collaboration militaire qu'au cas où la Croatie se proclamerait indépendante et où les minorités hongroises se trouveraient en danger. En fait le Chef d'État-Major hongrois Werth avait déjà donné son accord, et le 3 avril, au moment où il apprit que la Wehrmacht avait déjà commencé à se déployer en territoire hongrois, Teleki choisit de se suicider plutôt que de manquer à la parole donnée. La mort de Teleki enleva le dernier obstacle à la participation militaire de la Hongrie, d'autant plus que son successeur à la tête du gouvernement, Bardossy, était nettement plus germanophile. Très vite, la Wehrmacht grossie de contingents hongrois et italiens occupa la Yougoslavie. Le 10 avril à Zagreb, les nationalistes croates profitèrent de la situation nouvelle pour prendre le pouvoir. Le colonel Kvaternik proclama le même jour sur la place Jellachich l'indépendance de l'État national croate et le 15 avril, Ante Pavelitch, appuyé par les Oustachis, prit le titre de Chef (Poglavnik) de cette Croatie enfin indépendante; plus tard on envisagea de donner la couronne de Croatie à un Prince italien, le duc de Spolète. En Serbie, l'armée yougoslave tenta de résister mais elle fut rapidement débordée et dut capituler le 17 avril. Le roi Pierre II et son gouvernement se réfugièrent à Londres d'où, dès le 22 avril, ils appelèrent à la résistance populaire.

La Yougoslavie venait à son tour de disparaître sous les

coups conjugués des attaques des États voisins et du séparatisme croate. A sa place se constitua d'abord un État croate indépendant correspondant à l'ancien royaume de Croatie-Slavonie grossi le 23 avril 1941 de la Bosnie-Herzégovine, mais amputé de la Dalmatie attribuée à l'Italie. Au centre du pays fut formé un État serbe réduit qui fut d'abord occupé par les Allemands seuls, puis par les Allemands associés aux Bulgares. Le reste de l'ancienne Yougoslavie fut partagé entre ses voisins. L'Allemagne annexa la Slovénie du Nord avec la région de Maribor (Marburg) et administra directement le Banat yougoslave en dépit des revendications hongroise et roumaine. L'Italie s'attribua la Slovénie du sud avec Ljubljana et un protectorat sur l'ancien Monténégro. La Hongrie recouvra la plus grande partie de la Voïvodine avec les villes de Szabadka et de Ujvidék, tandis que l'Albanie sous souveraineté italienne depuis avril 1939 annexait le Kossovo et une partie de la Macédoine peuplée d'Albanais. Les Bulgares enfin recevaient la majeure partie de la Macédoine avec la ville de Skoplje. Au même moment, la défaite de la Grèce leur permit de récupérer le littoral égéen. Dans ce cas encore, malgré le coup de force réalisé par la Wehrmacht et ses alliés, on doit reconnaître qu'à bien des égards la nouvelle situation correspondait davantage aux aspirations des peuples que l'ancien royaume unitaire de Yougoslavie. Mais il ne fallait pas trop se faire d'illusions. L'Allemagne et l'Italie ne s'étaient pas donné pour mission de mettre en application les principes wilsoniens mais cherchaient seulement à établir là leur hégémonie politique et économique.

A la veille de l'attaque contre l'URSS, d'ailleurs retardée à cause des événements de Yougoslavie, les positions du Reich et de ses alliés s'étaient considérablement renforcées en Europe danubienne et balkanique. Tous les pays de cette région, de gré ou de force, avaient ainsi été placés dans la mouvance de l'Allemagne.

LES PAYS DE L'EST À L'ÉPOQUE DE LA GUERRE GERMANO-SOVIÉTIQUE (1941-1945)

Le 22 juin 1941 à l'aube, les troupes allemandes déclenchèrent l'opération *Barbarossa* préparée depuis décembre 1940 et pénétrèrent en plusieurs points du territoire soviétique. Le même jour, la Roumanie, la Slovaquie et la Croatie déclaraient la guerre à l'Union Soviétique. Le gouvernement de Budapest n'avait pas été sollicité pour faire partie de la « Croisade contre le Bolchévisme » mais l'État-Major hongrois souhaitait une participation de la Hongrie afin de maintenir de bonnes relations avec le Reich. Le bombardement de la ville hongroise de Kassa par des avions apparemment soviétiques mais probablement allemands ou slovaques, fournit au gouvernement le prétexte qui manquait et le 27 juin, la Hongrie à son tour déclara la guerre à l'URSS. Seule des alliés du Reich, la Bulgarie demeura neutre. Désormais cependant, directement ou indirectement, tous les pays de l'Europe centrale et orientale, de gré ou de force, les pays occupés et vaincus, les pays neutres tout autant que les alliés du Reich, vont se trouver concernés par la guerre et intégrés à l'effort de guerre allemand. Et tous, les alliés comme les victimes de l'Allemagne, vont en subir les conséquences.

LES ÉTATS ALLIÉS DE L'ALLEMAGNE

Ce fut incontestablement la Roumanie d'Antonescu qui manifesta le plus grand zèle pour la participation à la guerre contre l'URSS. Le *Conducator* y voyait d'abord une excellente occasion de donner des gages de fidélité à Hitler. Sa politique intérieure était déjà alignée sur celle de l'Allemagne notamment en ce qui concernait la politique à l'égard des Juifs, qui furent au mieux internés dans des camps et affectés à des grands travaux, ou au pire assassinés au cours de pogromes sanglants comme ceux qui eurent lieu à Jassy et en Bucovine. Mais surtout, participer à cette guerre, c'était pour la Roumanie un moyen de récupérer les terres irrédentes perdues en 1940. Effectivement dès juillet 1941, la Bessarabie fut réoccupée et réintégrée à la Roumanie. Aussitôt après, le roi Michel décerna à Antonescu le titre de « Maréchal de Roumanie ». Après les premiers sucès, la Roumanie se vit attribuer tous les territoires soviétiques compris entre le Dniestr et le Dniepr qui formèrent la province de *Transis-*

trie avec Odessa pour capitale. Les nationalistes roumains depuis 1848 considéraient en invoquant les arguments plus que douteux que ces régions faisaient partie de leur espace national. Ces nouveaux territoires furent soumis en fait à un pillage intensif en même temps que des colons roumains y furent installés pour « roumaniser » les populations autochtones. La Roumanie ne lésina pas sur l'effort de guerre. Dès 1941, 20 divisions roumaines étaient déjà engagées sur le front russe et elles furent complétées par l'envoi de nouveaux renforts en 1942. A cette époque, plus de 700 000 soldats roumains combattaient sur le front russe aux côtés de la Wehrmacht. De plus, la Roumanie livrait à l'Allemagne en quantités abondantes des denrées alimentaires et la quasi-totalité de sa production de pétrole.

La participation hongroise fut beaucoup plus modeste. Jusqu'au milieu de 1942, il n'y eut guère plus de 40 000 soldats hongrois engagés dans les opérations militaires en Russie. Cette guerre n'était pas très populaire aussi bien dans les milieux de l'opposition qui organisèrent à Budapest le 15 mars 1942, devant la statue de Petöfi, des manifestations en faveur de la paix, que chez certains dirigeants du pays qui comme Miklós Kallay, le nouveau Président du Conseil depuis le 9 mars 1942, soutenu par le vice-Régent Étienne Horthy, fils de l'Amiral, cherchaient le moyen de se sortir d'un conflit coûteux et impopulaire. Kallay fit des ouvertures en direction des Anglo-Saxons qui avaient rompu avec la Hongrie en décembre 1941, mais ces efforts furent contrés par les éléments germanophiles de l'État-Major. Pour donner le change aux Allemands, qui en fait étaient au courant de ce « double jeu » hongrois, Kallay se vit obligé d'envoyer sur le front du Don la IIe et la IIIe armée, ce qui porta la participation militaire de la Hongrie à 250 000 hommes à la fin de l'année 1942. La Hongrie en revanche accepta plus volontiers de fournir à l'Allemagne des vivres et la quasi-totalité de sa production de pétrole, limitée il est vrai.

Quant aux autres États engagés dans la guerre, la Croatie et la Slovaquie, leur participation militaire fut des plus réduites, une vingtaine de milliers d'hommes pour chacun d'entre eux. La Bulgarie, elle, se borna à mettre son économie au service de l'effort de guerre allemand.

En revanche, à la différence de la Hongrie qui conserva son régime parlementaire jusqu'au printemps 1944, mais comme la Bulgarie et la Roumanie, la Slovaquie et la Croatie alignèrent leurs institutions et leur politique intérieure sur le modèle allemand. En Slovaquie, le gouvernement de Mgr. Tiso, appuyé par la majorité de la population, pratiqua une politique ultra-nationaliste à l'égard des Tchèques qui furent internés ou expulsés vers la Bohême-Moravie ; à l'égard des Juifs, il prit un certain nombre de mesures discriminatoires. C'est ainsi que le 10 septembre 1941, la Diète adopta à l'unanimité un *Codex judaicus* qui limitait à 4 % le nombre des Juifs pouvant être admis dans la fonction publique ou dans les professions libérales. Une SS slovaque, désignée sous le nom de *Garde Hlinka* fut chargée d'assurer le maintien de l'ordre. Il faut cependant remarquer que le régime slovaque fut beaucoup plus modéré que celui de nombre de ses voisins, en raison de l'influence des principes chrétiens qui guidaient les dirigeants. En revanche, en Croatie, le régime d'Ante Pavelitch se caractérisa par son caractère brutal et autoritaire, avec une organisation de l'État basée sur le *Führer-prinzip*. Le régime brilla par sa politique antiserbe et antiorthodoxe. Les Croates opprimés pendant plus de vingt ans par la dictature grand-serbe prirent cruellement leur revanche avec Ante Pavelitch. S'appuyant sur les Croates et sur les Musulmans de Bosnie, Pavelich se livra à une politique de persécution systématique à l'encontre des 1 900 000 Serbes orthodoxes qui vivaient à l'intérieur des frontières de l'État croate. Près de 300 000 d'entre eux périrent entre 1941 et 1945, soit parce qu'ils avaient été pris les armes à la main en train de combattre dans les groupements de résistance, soit tout simplement parce qu'ils entendaient rester fidèles à leurs convictions religieuses.

LES PAYS SOUMIS

Alors que les États que nous venons de passer en revue donnaient l'apparence d'être indépendants en dépit de leurs liens étroits avec l'Allemagne et bénéficiaient ainsi d'une position relativement privilégiée, les pays soumis à l'occupation allemande parce qu'ils avaient été incorporés au Reich ou parce qu'ils avaient été vaincus à l'issue d'une guerre malheureuse, connaissaient un sort peu enviable.

Le Protectorat de Bohême-Moravie avait été le 15 mars 1939 intégré au *Grande Reich allemand*. Le pays reçut pour *Protecteur* le baron von Neurath, ancien ministre des Affaires Étrangères du Reich à côté duquel fut placé en tant que Chef de la police Reinhard Heydrich. Dès la fin de l'année 1939, les Universités, où la jeunesse étudiante ne cachait pas ses sentiments patriotiques, furent fermées et les groupements des Sokols furent dissous. La population cependant, dans son immense majorité, demeurait attentiste en dépit de la formation de groupes isolés de Résistance en liaison avec le gouvernement en exil que Benès avait formé à Londres, ou avec le Parti communiste clandestin. La Bohême-Moravie participa activement par ses activités industrielles à l'effort de guerre allemand; elle fournit également au Reich de la main-d'œuvre pour ses usines. Au début de 1943, près de 300 000 Tchèques étaient employés dans les usines à l'intérieur de l'Allemagne. Alors que jusque-là la population était demeurée calme et appréciait secrètement d'avoir échappé au sort de la Pologne et de bénéficier du plein emploi, l'assassinat de Heydrich, qui venait de succéder à von Neurath comme *Protecteur*, provoqua une vague de répression qui modifia radicalement les sentiments de la population. Le 27 mai 1942, un commando venu d'Angleterre abattit Heydrich qui circulait avec une escorte réduite. Aussitôt après, à titre de représailles, les deux bourgs de Lidice et de Lezaky furent totalement détruits par les SS et leur population massacrée. Des milliers d'arrestations suivies de déportations en Allemagne eurent lieu; le temps de la « collaboration » était désormais révolu.

La situation de la Pologne n'avait rien de comparable. La Pologne dès le début fut traitée en pays ennemi et en pays vaincu. Administrés directement par les autorités d'occupation, les Polonais perdirent pratiquement tous leurs droits. Les plus durement frappés furent les Juifs qui, dès le début de l'occupation, furent parqués dans des ghettos très vite surpeuplés. A partir de février 1942, ces ghettos furent progressivement vidés de leurs occupants dirigés vers les camps d'extermination. A partir de septembre 1942, le ghetto de Varsovie qui rassemblait plus de 400 000 juifs alimenta à son tour les camps. La révolte qui s'y produisit au début de 1943 en accéléra la liquidation. Au total, 3 millions de juifs polonais furent ainsi exterminés. Les autorités allemandes entreprirent également la liquidation des élites polonaises. Intellectuels, artistes, prêtres, religieux, enseignants, membres des professions libérales furent systématiquement internés ou tout simplement exécutés. La nation polonaise une fois de plus subissait le poids d'un destin tragique.

La guerre germano-soviétique n'amena aucun changement, si ce n'est que les territoires polonais annexés par l'URSS en 1939 furent incorporés au Gouvernement Général. Les Polonais purent ainsi se rendre compte que le sort de leurs compatriotes tombés aux mains des Soviétiques n'avait guère été meilleur que le leur. Ils en eurent une preuve supplémentaire lorsque le 13 avril 1943, les Allemands découvrirent près de Smolensk, dans la forêt de Katyn, huit fosses communes contenant les cadavres de plusieurs milliers d'officiers polonais faits prisonniers par les Soviétiques à la fin de septembre 1939 et exécutés au printemps 1940. Les Soviétiques, tout autant que les Allemands, avaient ainsi manifesté leur détermination d'exterminer les cadres de la nation polonaise. La Pologne participa malgré elle à l'effort de guerre allemand. Sa production agricole et industrielle fut destinée en priorité à l'Allemagne. La main-d'œuvre civile fut expédiée dans les usines allemandes dans lesquelles travaillaient au début de 1943 plus de 1 600 000 civils dont 527 000 femmes.

Dans les Balkans, les États occupés par les Allemands et leurs alliés furent, aux aussi, livrés à une exploitation systématique de leurs ressources. La Serbie, sous le gouvernement fantoche du général Neditch, se borna à fournir de la main-d'œuvre et des matières premières à l'Allemagne, mais ses moyens étaient limités en raison de l'hostilité grandissante de la population. La position des Italiens était encore plus délicate dans les régions qu'ils tenaient ; même en Albanie, ils se heurtaient à l'opposition active des populations locales.

LE RETOURNEMENT DE LA SITUATION À PARTIR DE 1943

Les échecs militaires de l'Allemagne enregistrés au cours de l'hiver 1942-1943 marqués essentiellement par le débarquement anglo-américain en Afrique du nord le 8 novembre 1942 et surtout la capitulation de l'armée Von Paulus à Stalingrad le 3 février 1943 modifièrent complètement la tournure de la guerre. Les alliés de l'Allemagne commencèrent à se demander s'ils avaient fait le bon choix, tandis que les mouvements de Résistance qui s'étaient organisés dans la plupart des pays occupés, pleins d'espoir dans la libération prochaine multipliaient leurs actions contre les occupants.

La volte-face de la Roumanie et ses conséquences

L'exemple de roi d'Italie qui, le 24 juillet 1943, avait éliminé Mussolini et conclu le 3 septembre suivant un armistice avec les Anglo-Américains donna à réfléchir aux dirigeants des pays alliés de l'Allemagne. En Roumanie, l'homonyme et parent du Conducator, le ministre des Affaires étrangères Michel Antonescu, devant l'évolution de la situation sur le front russe, avait cherché dès l'été 1943 à entrer en contact avec les Anglo-Saxons. De leur côté, les adversaires d'Antonescu multipliaient les démarches auprès du roi Michel pour qu'il se débarrasse du dictateur et qu'il demande aux Alliés un armistice selon l'exemple donné par le roi d'Italie. En avril 1944, le Prince Barbu Stirbey fut envoyé secrètement au Caire pour y entamer des négociations d'armistice. Les partisans de la paix s'étaient regroupés au sein d'un *Front Démocratique National* constitué le 10 juin 1944 et qui regroupait les Libéraux de Bratianu, les Nationaux-Paysans de Maniu, les Socialistes de Titel Petrescu et même le représentant du Parti communiste clandestin Patrascanu. L'aggravation de la situation militaire les amena à précipiter leur action. En effet, les Soviétiques avaient franchi le Dniestr le 18 août et s'approchaient dangereusement des frontières roumaines. Le roi Michel, qui avait appuyé de toute son autorité l'action des adversaires d'Antonescu, se décida à agir. Le 23 août, le Maréchal Antonescu et Michel Antonescu furent arrêtés en plein Palais Royal. Le Roi nomma aussitôt un nouveau gouvernement présidé par le général Sanatescu, qui comprenait des membres de tous les Partis du Front Démocratique National. Les troupes allemandes qui occupaient le pays furent internées, mais certaines unités réussirent à se réfugier en Hongrie. En changeant de camp à la dernière minute, les Roumains avaient pensé qu'ils seraient traités en alliés. En fait, les troupes soviétiques occupèrent immédiatement le territoire roumain qui fut traité en pays conquis. Les populations civiles furent livrées au pillage des nouveaux occupants, tandis que les forces de police et de gendarmerie étaient désarmées par l'armée soviétique. En dépit des demandes pressantes du gouvernement roumain appuyé par les Anglo-Américains, les Soviétiques n'acceptèrent de signer l'armistice avec la Roumanie que le 12 septembre. La Roumanie, qui avait été le premier de tous les États de l'Europe de l'est à entrer en guerre était le premier à en sortir.

La volte-face roumaine eut immédiatement des répercussions en Bulgarie. La Bulgarie n'était pas en guerre avec l'URSS mais elle avait participé économiquement à l'effort de guerre allemand, ce qui avait amené les Anglo-Saxons à rompre avec elle. Dès juillet 1942, le Parti communiste clandestin avait lancé un appel à tous les Partis démocratiques de l'opposition pour former un *Front de la Patrie* et lutter contre la politique pro-allemande menée par le gouvernement. Après Stalingrad, des maquis se constituèrent peu à peu : en 1944, ils groupaient une dizaine de milliers de combattants. Depuis la disparition tragique du roi Boris III, le 28 août 1943 dans des conditions telles que la responsabilité de cette mort fut attribuée aux Allemands, un Conseil de Régence formé du Prince Cyrille, frère du roi défunt, de Bogdan Filov et du général Mihov exerçait les fonctions de chef de l'État au nom du jeune roi Siméon II. Les Régents maintinrent au début la politique germanophile antérieure, mais, devant le mécontentement grandissant des populations et les succès remportés par les Alliés, ils chargèrent le 1er juin 1944 le diplomate Ivan Bagrianov de former un gouvernement susceptible d'ouvrir des négociations avec les alliés occidentaux. Les événements de Bucarest accélérèrent l'évolution de la situation en Bulgarie. Le 26 août, Bagrianov rappela que la Bulgarie, qui venait de renoncer à son alliance avec l'Allemagne, entendait demeurer neutre comme elle l'avait toujours été notamment dans le conflit germano-soviétique et comme gage de la bonne volonté du gouvernement bulgare, il donna l'ordre aux troupes d'évacuer la Macédoine yougoslave. Pour complaire aux Anglo-Américains, les Régents remplacèrent le gouvernement Bagrianov par un gouvernement dirigé par l'Agrarien Muraviev, neveu du chef historique du mouvement agrarien. Stambolijski, qui était tombé en 1923 sous les coups de la réaction. Cette nomination arrivait trop tard et surtout contrecarrait les plans des communistes bulgares soutenus par Moscou. Le 26 août, le Parti communiste avait donné l'ordre à ses militants de se tenir prêts pour une insurrection générale en liaison avec les Soviétiques. Le 5 septembre, l'URSS déclarait la guerre à la Bulgarie ; le 8, ses troupes, venant de Roumanie, franchissaient le Danube et pénétraient en Bulgarie. Le soir même, les membres du Front de la Patrie déclenchaient une insurrection générale dans tout le pays, s'emparaient des Régents et des membres du gouvernement. L'habileté des dirigeants bulgares, qui avaient cru qu'en maintenant leurs pays à l'écart du conflit germano-soviétique, ils pourraient tirer leur épingle du jeu sans trop de dommages, n'avait pas été payante pour eux. Les Soviétiques, qui se trouvaient en position de force à l'été 1944, n'allaient pas laisser échapper de leur influence un pays dont la position stratégique était importante...

L'échec de la volte-face hongroise

Les dirigeants hongrois, eux aussi après Stalingrad et les pertes subies avec l'anéantissement de leur IIe armée, cherchaient à sortir de la guerre. Eux aussi, ils tentèrent de poursuivre les négociations engagées avec les alliés occidentaux depuis 1942. Ils espéraient un débarquement anglo-américain dans les Balkans ou sur l'Adriatique qui leur éviterait une confrontation directe avec les Soviétiques. Comme gage de bonne volonté à l'égard des alliés, le gouvernement Kallay, au cours de l'année 1943, s'efforça de limiter au maximum la participation hongroise à l'effort de guerre. Dans le domaine économique, les livraisons furent considérablement réduites et tombèrent à un niveau inférieur à celui de 1938. Les Allemands, qui étaient parfaitement au courant des pourparlers secrets avec les Anglo-Saxons, décidèrent d'occuper militairement le pays. Le 15 mars 1944, le Régent Horthy fut convoqué par Hitler qui exigea un renforcement de la participation hongroise et la formation d'un nouveau gouvernement plus favorable aux intérêts allemands. Pendant que se déroulaient ces entretiens, dans la nuit du 18 au 19 mars, les troupes allemandes occupèrent le territoire hongrois et procédèrent à l'arrestation de tous ceux qui étaient connus pour leur hostilité à l'Allemagne. Horthy, pressé par Hitler, entérina le changement intervenu en son absence et forma un gouvernement germanophile dirigé par le général Sztojay « pour lutter contre l'ennemi commun, et surtout contre le bolchevisme ». Mais les diplomates hongrois en poste dans les pays neutres n'en reçurent pas moins l'ordre de Horthy de continuer à maintenir le contact avec les Anglo-américains. Le nouveau gouvernement augmenta la participation hongroise à l'effort de guerre pour satisfaire aux exigences allemandes en fournissant principalement des troupes d'occupation pour les territoires soviétiques encore tenus par la Wehrmacht. Les relations entre les généraux allemands et leurs homologues hongrois furent souvent difficiles, car leur conception même de la guerre était différente. Alors que le Haut-Commandement allemand ordonnait de traiter les partisans russes capturés comme des bandits et de les exécuter, le général Lakatos, Commandant des troupes hongroises en Russie, recommandait à ses officiers de les traiter « avec chevalerie et humanité ».

La présence de l'armée allemande sur le territoire de la Hongrie modifia radicalement la situation des Juifs. A l'exception du pogrome de Ujvidék en 1942, dont furent victimes un millier de Juifs serbes et dont les responsables furent désavoués et punis par le gouvernement, les quelques 800 000 Juifs de Hongrie avaient bénéficié d'une situation enviable par rapport à celle de leurs coréligionnaires des pays voisins. Jusqu'en mars 1944, près de 70 000 Juifs étrangers fuyant les persécutions dont ils étaient victimes avaient trouvé refuge en Hongrie même. Après l'occupation de la Hongrie par les Allemands, leur situation empira brutalement. Dès le 27 avril, le gouvernement Sztojay décida le rassemblement des Juifs dans des ghettos, puis, à la demande d'Eichman, procéda aux premiers transferts en direction de l'Allemagne à partir de la mi-mai 1944. L'intervention du Saint-Siège et des Églises catholique et protestante, les protestations des représentants diplomatiques des États neutres, aboutirent à l'interruption de ces déportations dès le début de juillet. Les Juifs furent dès lors affectés sur place à des commandos de travail.

Devant le renforcement de l'emprise allemande sur la Hongrie, les Partis d'opposition se regroupèrent dans la clandestinité avec l'appui de certains milieux officiels, et acceptèrent en dépit de leurs réticences d'agir en commun avec les représentants du Parti communiste clandestin. Au cours de l'été 1944, devant les menaces directes que faisait peser sur le pays l'avance de l'Armée Rouge, le Régent Horthy releva de ses fonctions le gouvernement pro-allemand de Sztojay et le remplaça par un gouvernement Lakatos beaucoup plus réservé à l'égard de l'Allemagne. Après la conclusion de l'armistice soviéto-roumain, Horthy envoya dans le plus grand secret une délégation officielle auprès du gouvernement soviétique afin d'obtenir un armistice identique. Effectivement, une convention d'armistice fut signée à Moscou le 11 octobre pour entrer en vigueur le 16. Mais lorsque, le 15 octobre, l'amiral Horthy dans un discours radiodiffusé annonça au peuple qu'il venait de signer un armistice et que la Hongrie se retirait de la guerre, les Allemands investirent le Palais royal de Budapest et procédèrent à l'arrestation du Régent et de ses ministres. Puis, avant d'emmener Horthy en Allemagne, où il sera détenu jusqu'à la fin de la guerre, ils exigèrent de lui qu'il nomme comme Chef de l'État, François Szalasi, le chef du Parti des Croix-Fléchées. La Hongrie venait de rater de peu sa sortie de la guerre.

La lutte des peuples contre l'occupant allemand

Au fur et à mesure que se dessinait à l'horizon la perspective d'une prochaine défaite de l'Allemagne, les divers mouvements de Résistance qui s'étaient formés dans les pays soumis à l'occupation étrangère intensifièrent leurs actions.

En Bohême-Moravie, l'action de la Résistance fut relativement réduite, même après le durcissement des autorités allemandes consécutif à l'assassinat de Heydrich. La Résistance limita son action à des sabotages, à des attentats isolés contre des « collaborateurs » et des fonctionnaires allemands, à des grèves. Les groupes de résistants qui travaillaient en liaison avec le gouvernement en exil que Benès avait formé à Londres, étaient fortement noyautés par les membres du Parti communiste clandestin, surtout depuis l'été 1941. La Résistance tchèque ne se manifesta véritablement que pendant les dernières semaines de la guerre, alors que les troupes américaines avaient déjà libéré Pilsen et que les troupes soviétiques se trouvaient déjà aux portes de Prague. Le 5 mai 1945, elle déclencha à Prague une insurrection populaire dont les victimes furent surtout des civils allemands alors que les militaires avaient déjà évacué la capitale. Le 9 mai, l'Armée Rouge entrait à Prague.

En Slovaquie, la Résistance avait commencé à s'organiser dans le courant de l'année 1942 dans les régions montagneuses où s'étaient constitués des maquis formés de déserteurs de l'armée slovaque, de communistes locaux, d'anciens autonomistes déçus par le régime de Mgr Tiso auxquels s'étaient joints quelques 1 700 prisonniers de guerre français évadés. A la fin de décembre 1943, un *Conseil National Slovaque* clandestin avait été formé dans les montagnes de Slovaquie centrale par des représentants du Parti communiste slovaque comme Gustave Husak et des membres protestants du Parti démocrate menés par Joseph Lettrich. Ce conseil avait pour objectif la libération du pays et la reconstruction d'un État tchécoslovaque dans lequel les Tchèques et les Slovaques seraient traités sur un pied d'égalité, ce qui n'avait pas été le cas dans la Première République tchécoslovaque. A partir du début de l'année 1944, la Résistance se fit plus combative et contrôlait déjà de vastes zones du territoire slovaque. Le gouvernement de Bratislava inquiet se résigna à faire appel aux troupes allemandes pour rétablir l'ordre. Le 24 août 1944, un convoi allemand dans lequel se trouvait le général Otto, chef de la Mission militaire allemande à Bucarest, tomba dans une embuscade près de Turciansky Sv. Martin. Ce fut le signal de la révolte. Le 29 août, les partisans s'emparaient de la ville de Banska-Bystrica et de sa station de radio, d'où ils lançaient un appel à l'insurrection générale. Des unités régulières de l'armée slovaque se joignirent à eux. Le général Catlos, ministre de la Guerre dans le gouvernement Tiso, chercha à rejoindre le maquis mais les partisans le capturèrent puis le livrèrent aux Russes, qui l'exécutèrent. Pendant près de deux mois, 60 000 partisans slovaques réussirent à tenir en échec plusieurs divisions allemandes. Finalement, ils furent écrasés sous le nombre et le 27 octobre, leur dernier centre de résistance, Banska-Bystrica, capitula. L'insurrection slovaque avait fait plus de 25 000 victimes. Des maquis isolés, désorganisés et démoralisés, se maintinrent çà et là mais la plus grande partie du pays avait été replacée sous l'autorité allemande. Les troupes soviétiques qui combattaient non loin de là dans l'est de la Hongrie n'avaient pas cherché à appuyer l'insurrection slovaque. Elles ne paraîtront en Slovaquie qu'au début de mars 1945.

En Pologne, la Résistance, qui s'était organisée spontanément dès les premiers temps de l'occupation allemande, rassembla autour d'elle l'immense majorité de la population. Elle fut conduite de Londres par le gouvernement polonais en exil d'abord dirigé par le général Sikorski auquel succéda, après la mort accidentelle de celui-ci le 4 juillet 1943, le leader paysan Stanislas Mikolajczyk. La résistance polonaise, compte tenu du comportement des Soviétiques à l'égard des Polonais entre septembre 1939 et juin 1941, se montra toujours très méfiante à l'égard des avances que lui fit l'URSS après le déclenchement du conflit germano-soviétique. Les prisonniers de guerre polonais internés en URSS depuis septembre 1939, qui avaient pendant 18 mois subi les bagnes soviétiques refusèrent dans leur très grande majorité de combattre dans les rangs de l'Armée Rouge comme le leur proposaient les Soviétiques. A la suite d'un accord conclu entre les généraux Anders et Sikorski, et les autorités soviétiques, ils furent transférés à partir de l'été 1942 en Iran puis de là en Égypte, où ils furent intégrés aux forces britanniques. Mais des milliers d'officiers et de soldats manquaient à l'appel et les réponses évasives et dilatoires données par les autorités soviétiques à propos de leur disparition ne pouvaient qu'accentuer la méfiance des Polonais. En fait, les disparus étaient morts dans les camps. Ainsi sur les 10 000 Polonais internés au camp de Kolyma, 583 seulement en sortirent vivants. Et ce n'est qu'un exemple parmi d'autres. La découverte du charnier de Katyn envenima un peu plus les relations déjà mauvaises entre le gouvernement polonais en exil et les dirigeants soviétiques.

La Résistance polonaise s'organisa donc indépendamment des Soviétiques et n'entendit dépendre que du gouvernement de Londres, le seul gouvernement légal à ses yeux. Son moyen d'action principal était constitué par l'*Armée de l'Intérieur* ou A.K. (*Armia Krajowa*) créée en 1941 et dont les effectifs s'élevèrent en 1944 à plus de 380 000 hommes. Cette Armée placée sous les ordres du général Bor-Komorovski dépendait sur place d'un Parlement clandestin, le *Conseil de l'Unité Nationale* que présidait le socialiste Puzak et qui était formé des représentants des 4 Partis démocratiques de l'ancienne opposition au régime des *colonels* (Parti socialiste polonais, Parti paysan, Travailleurs Chrétiens, Nationalistes).

A côté de cette Résistance « nationale », les communistes polonais d'URSS, rescapés des purges de 1938, cherchèrent eux aussi à être présents sur le terrain afin de contrecarrer l'influence de l'A.K. Au début de 1943, ils organisèrent en territoire polonais un *Parti des Travailleurs polonais* clandestin qui disposa de ses propres forces de résistance sous le nom d'*Armée Populaire* ou A.L. (*Armia Ludowa*) commandée par le général Rola Zymierski. Les effectifs de l'Armée Populaire n'atteignirent jamais 40 000 hommes, juste le dixième de l'Armée de l'Intérieur.

Le bilan de l'action de la Résistance polonaise pendant la période qui va du 1er janvier 1941 au 30 juin 1944 est particulièrement éloquent : 6 930 locomotives et 19 058

wagons de chemin de fer détruits, 732 déraillements pro-
voqués, et près de 6 000 fonctionnaires allemands tués ou
blessés. Mais son action la plus spectaculaire fut l'insurrection qu'elle déclencha à Varsovie le 1er août 1944. A ce
moment-là, les troupes soviétiques avaient déjà pénétré
profondément en territoire polonais, accompagnées
d'une unité de volontaires polonais, la *division Kosciuszko.* Un *Comité de Libération Nationale* dirigé par le
socialiste de gauche Edouard Osobka-Morawski et le
communiste Boleslaw Bierut s'était formé à Lublin et
s'était proclamé le 22 juillet « unique source du pouvoir
dans l'État ». Ce coup de force fut mal apprécié par le
Gouvernement polonais en exil et par l'Armée de l'Intérieur. Il est probable que c'est ce qui incita l'Armée de
l'Intérieur à passer à l'action. A partir du 1er août, les
combattants de l'intérieur et les civils de Varsovie entreprirent de libérer leur ville. Pendant 63 jours, l'A.K. soutenue par les civils tint tête aux troupes allemandes et fit
de chaque maison une véritable place-forte. L'armée
soviétique du maréchal Rokossowsky, installée sur la rive
droite de la Vistule depuis le début de septembre, ne bougea pas, bien qu'elle fut à quelques kilomètres des
combattants. Mieux, il fut interdit aux avions anglais et
américains qui tentaient de parachuter des armes et des
vivres aux combattants d'utiliser les aérodromes tenus
par les Soviétiques pour leur ravitaillement. Le chef du
gouvernement polonais de Londres, Mikolajczyk, qui se
trouvait alors à Moscou, pour y discuter avec Staline du
sort futur de la Pologne, réclama en vain de ses interlocuteurs qu'une aide soit fournie aux combattants de
Varsovie. Le 3 octobre, à court de munitions, affamés, les
combattants de Varsovie capitulèrent. Dans les combats,
100 000 d'entre eux avaient trouvé la mort. Les survivants
et les civils furent aussitôt déportés en Allemagne et la
ville fut systématiquement détruite. Lorsque l'Armée
Rouge s'en empara, le 17 janvier 1945, ce n'était plus
qu'un amas de ruines, totalement désert.
   Manifestement, les Soviétiques avaient laissé écraser la
Résistance polonaise. Certes, les Polonais s'étaient sans
doute lancé un peu à la légère dans cette insurrection,
encore qu'il est à peu près certain aujourd'hui que Radio-
Moscou, le 29 juillet, a lancé un appel au combat. De

toute façon, une fois l'insurrection engagée, les Soviétiques demeurèrent passifs. Cette attitude n'était certainement pas le fait du hasard ; elle avait été délibérément adoptée. L'objectif immédiat des Soviétiques n'était pas tant de chasser les Allemands de Varsovie que de laisser écraser l'Armée de l'Intérieur. L'élimination de l'Armée de l'Intérieur était une des conditions indispensables à l'installation en Pologne d'un régime favorable aux intérêts de l'URSS. Dans les régions orientales du pays déjà occupées par l'Armée Rouge, les Résistants de l'Armée de l'Intérieur furent traqués systématiquement par la police militaire soviétique : plus de 50 000 d'entre eux furent déportés en URSS et un nombre infime en revint. Étrange comportement des « libérateurs » d'un pays considéré comme « allié » ! Et lorsqu'au début de 1945, le territoire polonais fut entièrement occupé par l'Armée Rouge, la Résistance, qui avait grandement contribué à l'expulsion de l'occupant allemand, se trouvait presque totalement anéantie dans un pays exsangue et dévasté par les derniers combats.

La Résistance yougoslave présente certaines analogies avec la Résistance polonaise, ne serait-ce que par l'importance des effectifs qu'elle regroupa et par le rôle décisif qu'elle a joué dans la libération du pays. Mais là s'arrêtent les similitudes. Dès le 22 juillet 1941, le roi Pierre II avait lancé depuis Londres un appel à la lutte populaire contre les occupants. A son appel, le général serbe Draga Mihajlovitch, nommé ministre de la Guerre par le Roi, organisa dans les régions montagneuses de Serbie les premiers groupes de combattants du Mouvement *Tchetnik*, destinés à jeter les bases d'une armée nationale qui pourrait prêter main-forte aux Alliés quand ceux-ci débarqueraient dans le pays. Les Tchetniks agissaient surtout sous la forme d'actions ponctuelles d'importance limitée afin d'éviter aux populations civiles les représailles qu'entraîneraient inévitablement une entreprise de guérilla. Il est vrai que les représailles exercées en Yougoslavie sur les populations civiles étaient particulièrement exemplaires. C'est ainsi qu'en octobre 1941 dans le village serbe de Kragujevac, les Allemands fusillèrent 7 000 civils à la suite d'une embuscade tendue contre eux par les partisans. Les Tchetniks, très attachés à l'idée grand-serbe et à l'orthodoxie furent davantage tentés d'agir contre les Croates et les Musulmans de Bosnie qui faisaient cause commune avec eux, que contre les Allemands et les Italiens. Il leur arrivait même parfois de lutter en collaboration avec les occupants contre leurs rivaux de la Résistance.

Les Tchetniks ne constituaient pas en effet le seul mouvement de Résistance en Yougoslavie. A l'initiative du Parti communiste yougoslave clandestin animé par Joseph Broz, dit Tito, un mouvement de Résistance d'inspiration communiste et fédéraliste s'était constitué en un *Front de Libération Nationale* dès la fin d'avril 1941 et avait lancé le 12 juillet 1941, c'est-à-dire après l'attaque allemande contre l'URSS, un appel à l'insurrection générale. Bien que Tito fut croate d'origine, ce furent surtout les régions à peuplement serbe majoritaire qui répondirent à l'appel à la Résistance, tout comme d'ailleurs c'était en Serbie que se recrutaient principalement les partisans de Mihajlovitch. Les effectifs des partisans titistes, qui atteignaient déjà 80 000 hommes à la fin de l'année 1941, dépassaient les 300 000 hommes à la fin de 1943 pour atteindre à la fin de la guerre 800 000 hommes. Les hommes de Tito menaient essentiellement une guerre d'usure et de harcèlement contre leurs adversaires ; ils tenaient les montagnes d'où ils descendaient dans les vallées afin d'y saboter les voies de communication et de tendre des embuscades aux convois ennemis.

Au début, les deux mouvements de Résistance tentèrent de trouver un terrain d'entente. Une rencontre eut lieu en septembre 1941 entre Tito et Mihajlovitch ; elle se solda par un échec en raison des profondes divergences politiques qui séparaient le vieil officier monarchiste et le militant communiste révolutionnaire, et aussi à cause des différences de conception sur la manière de mener la lutte contre l'occupant. Dès lors pour Tito, Mihajlovitch ne fut rien d'autre qu'un traître. Les Britanniques tentèrent d'apaiser les différends qui séparaient la Résistance royaliste de la Résistance populaire. Mais en raison des succès militaires remportés par Tito sur le terrain, ils retirèrent à la fin de 1943 leur appui aux Tchetniks et appuyèrent le seul *Front de Libération Nationale*. Le roi Pierre II lui-même en vint à désavouer son général. Il est vrai qu'à ce moment-là, les partisans de Tito avaient réussi à libérer près de la moitié du pays, exploit fantastique puisque réussi sans aide extérieure.

En même temps qu'ils menaient la lutte contre les Allemands, les partisans préparaient le statut futur de la Yougoslavie. Le 27 novembre 1942 à Bihac fut créé le *Conseil Antifasciste de Libération Nationale*, véritable gouvernement provisoire, visant à établir dans la Yougoslavie d'après-guerre une démocratie socialiste dans le cadre d'un État fédéral où les différents peuples jouiraient de l'égalité des droits. Là encore, on prenait conscience de l'inégalité de traitement qu'avaient subi certaines nationalités dans l'ancienne Yougoslavie. La défection de l'Italie en septembre 1943 permit aux partisans de récupérer une partie du matériel de guerre et des munitions abandonnées par les Italiens, ce qui permit d'intensifier la lutte. A l'été 1944, la Serbie, la Macédoine, le Monténégro, la Bosnie-Herzégovine étaient presque totalement sous le contrôle des partisans. Seules, la région de Belgrade et la Voïvodine, la Croatie et la Slovénie leur échappaient encore. L'action conjointe de l'Armée Rouge et des partisans aboutit le 20 octobre 1944 à la libération de Belgrade et à l'expulsion des troupes hongroises de Voïvodine. La Croatie et la Slovénie tenues par les troupes allemandes et les Oustachis résistèrent jusqu'au début de mai 1945. Là aussi, il faut bien constater que, en dépit des assurances données par Tito sur l'égalité des droits entre les divers peuples de la Yougoslavie future, les Croates – bien que Tito fut l'un des leurs – et dans une moindre mesure les Slovènes, brillèrent par leur absence dans les mouvements de Résistance, et beaucoup de Croates firent confiance jusqu'au bout au *Poglavnik*.

En Albanie, la situation n'était pas sans présenter une certaine analogie avec celle de la Yougoslavie dans la mesure où c'est la Résistance intérieure qui a libéré le territoire national. Depuis 1939, l'Albanie faisait partie intégrante de l'Empire italien et Victor-Emmanuel III avait remplacé Zog Ier sur le trône. Au début de l'occupation italienne, un gouvernement de notables conservateurs présidé par un ancien adversaire de Zog, Shefret Verlaci, exerça le pouvoir sous le contrôle du Haut-Commissaire italien, mais se heurta très vite à une hosti-

lité grandissante de la population. Les Albanais supportaient mal la pénétration massive des Italiens qui entendaient faire de l'Albanie une base de départ pour l'attaque
qu'ils préparaient contre la Grèce. Après la disparition de
l'État yougoslave et l'occupation de la Grèce par la Wehrmacht, le gouvernement italien pensa se concilier l'opinion publique en flattant ses sentiments patriotiques par
la création d'une *Grande Albanie*. Le territoire du Kossovo ainsi que quelques districts grecs de population
albanaise furent en effet incorporés à l'État albanais. Les
Italiens placèrent en décembre 1941 à la tête du gouvernement albanais un bourgeois nationaliste Mustafa Kruja.
Ces mesures ne calmèrent pas l'opposition. En fait, une
Résistance était en train de s'organiser dans les régions
montagneuses, ou plutôt des Résistances, l'une formée
d'anciens partisans du roi Zog et animée par Abas Kupi
appuyé par les Anglais, l'autre sous l'égide du Parti
communiste, né à Korça en 1930 et reconstitué clandestinement lors d'un Congrès tenu à Tirana du 8 au
14 novembre 1941, qui plaça à la tête de son Comité Central un jeune intellectuel de culture française, Enver
Hoxha. Les communistes, regroupés au sein d'un *Front de
Libération Nationale* ouvert à tous les adversaires du fascisme, organisèrent les premiers groupes de partisans qui
s'opposèrent dès 1943 aux milices zoguistes dans le cadre
d'une véritable guerre civile. Après le remplacement de
l'occupant italien par l'occupant allemand, en septembre
1943, le Front de Libération Nationale intensifia les
combats pour la libération du pays. Il menait le même
type de guerre que les partisans yougoslaves avec lesquels
furent organisées des actions communes. Dès qu'une
localité était libérée, le *Comité local de libération* animé
par des militants communistes prenait en main l'administration sous le contrôle du *Comité Antifasciste*, véritable
gouvernement provisoire formé le 24 mai 1944 par Enver
Hoxha. Les derniers combats eurent lieu en octobre-
novembre et l'entrée triomphale de Enver Hoxha à
Tirana le 28 novembre 1944 marqua l'achèvement de la
lutte pour l'indépendance.
    La libération de l'Albanie comme celle de la Yougosla-
vie avait été l'œuvre des seuls partisans, qui avaient
souvent bénéficié des livraisons d'armes et de matériel

fournis par les Anglo-Américains beaucoup plus que par les Soviétiques, mais qui s'étaient toujours organisés spontanément et avaient toujours agi indépendamment de toutes directives venues de l'extérieur. C'était là une situation tout à fait originale en Europe de l'Est et dont les conséquences furent importantes pour l'évolution politique ultérieure de ces deux pays.

La fin de la guerre en Europe centrale et orientale

Au début de l'hiver 1944-1945, les Soviétiques sont sur le point d'occuper la Hongrie, la Tchécoslovaquie et l'ouest de la Pologne et ils comptent bien en finir avec l'Allemagne avant la fin de l'hiver. Ils tiennent déjà solidement la Bulgarie et la Roumanie ainsi que la moitié orientale de la Pologne. En Albanie et en Yougoslavie, les mouvements de Résistance dirigés par les communistes contrôlent le pays.

Seules des anciens alliés de l'Allemagne, la Hongrie, la Croatie et la Slovaquie continuent la lutte. En Hongrie, l'échec de la tentative de paix séparée et la disposition du Régent Horthy par les Allemands ont porté au pouvoir Ferenc Szalasi et le Parti extrémiste des Croix-Fléchées. Tandis que le nouveau régime installe dans le pays une dictature policière dont les Juifs furent les premiers à en subir les effets néfastes, la Hongrie devint très rapidement un gigantesque champ de bataille dans lequel s'affrontèrent pendant près de 6 mois l'Armée Rouge et la Wehrmacht grossie des contingents hongrois qui continuaient la lutte à ses côtés. Le symbole le plus caractéristique de ces combats acharnés fut le siège de Budapest, commencé par les Soviétiques le 25 décembre 1944 et qui s'acheva le 13 février 1945. Mais les combats continuèrent encore en Hongrie occidentale jusqu'au 4 avril. A ce moment-là, le pays était entièrement contrôlé par l'Armée Rouge. Au gouvernement Szalasi, qui s'était réfugié en Allemagne, se substitua à Budapest un gouvernement provisoire formé à l'initiative des Soviétiques dès la fin décembre 1944 à Debrecen, l'une des premières villes importantes occupée par l'Armée Rouge.

Au cours des premiers mois de l'année 1945, les troupes allemandes furent chassées définitivement des autres territoires est-européens qu'elles tenaient encore. Après la prise de Varsovie, le 17 janvier 1945, l'ouest de la Pologne fut rapidement occupé par l'Armée Rouge, qui pénétra profondément à l'intérieur de l'Allemagne afin d'y engager la bataille pour Berlin. La capitale du Reich encerclée dès le 19 avril tomba aux mains des Soviétiques le 2 mai. Plus au sud, les armées soviétiques, longtemps bloquées en Hongrie par la résistance allemande, durent ralentir leur progression. Courant mars, la Slovaquie fut enfin libérée. Banska-Bystrica, le haut-lieu de l'insurrection slovaque d'août 1944, fut prise le 25 mars, et Bratislava, la capitale de l'éphémère État slovaque indépendant, tomba à son tour au début d'avril. Le Parlement slovaque, qui avait tenu sa dernière séance le 23 janvier 1945, avait exprimé avant de se séparer le vœu que la Slovaquie puisse dans les temps futurs maintenir sa spécificité. A la veille de l'entrée de l'Armée Rouge à Bratislava, Mgr. Tiso et plusieurs de ses ministres passèrent en Autriche, où ils furent faits prisonniers par les Américains qui, en octobre 1945, les livrèrent aux nouvelles autorités tchécoslovaques. Déjà, le 3 avril, le président Benès et son gouvernement reprenaient contact avec le pays qu'ils avaient quitté en octobre 1938 et s'installèrent dans la première ville importante libérée, Kosice, qui de 1938 à 1945 avait repris son ancien nom hongrois de Kassa. Le lendemain, Benès publiait le *Programme de Kosice* qui exposait les grands traits de la nouvelle Tchécoslovaquie : l'État tchécoslovaque serait désormais l'État des *seuls* Tchèques et Slovaques, ce qui impliquait l'élimination des anciennes minorités nationales. Plus au sud enfin, les partisans yougoslaves poursuivaient la lutte contre les troupes croates d'Ante Pavelitch et les éléments de la Wehrmacht qui les épaulaient. La résistance croate fut opiniâtre et les derniers combats qui se déroulèrent dans le nord de la Slovénie s'achevèrent avec la capitulation définitive de l'Allemagne le 8 mai 1945. Pour échapper aux partisans, les dernières unités croates se rendirent aux Anglo-Américains déjà maîtres de l'Autriche, mais ceux-ci les livrèrent peu après à Tito.

Conclusion : YALTA

Vingt-cinq ans après la fin de la Première Guerre mondiale qui avait été pour les peuples de l'Europe centrale et orientale le point de départ d'une nouvelle existence dans un cadre territorial profondément bouleversé, une nouvelle page d'Histoire, riche en événements et en péripéties de toutes sortes, venait d'être tournée en ce mois de mai 1945. Le rêve wilsonien d'une Europe des Nations dans laquelle tous les peuples, petits ou grands, devaient vivre en paix dans la sécurité et la coopération, s'était déjà évanoui au lendemain et à cause des traités de 1919-1920. La reconstruction politique et territoriale de cette Europe centro-orientale sur des principes sensiblement différents de ceux au nom desquels on avait combattu, avait abouti à une exaspération des antagonismes et des rivalités entre États, à une montée du nationalisme, à l'instabilité interne de la plupart des États et à la recherche par tous d'appuis extérieurs qui ne furent jamais désintéressés.

Vingt ans après la fin d'une guerre qui avait été meurtrière et ruineuse pour tous, avait commencé une guerre encore plus meurtrière et encore plus ruineuse à l'issue de laquelle la totalité de l'espace est-européen n'était plus qu'un champ de ruines après avoir été un champ de bataille sur lequel s'étaient affrontées les armées. Plus qu'en 1919, le sort des peuples de cette partie de l'Europe se trouvait entre les mains des Grandes Puissances victorieuses. Les peuples dont les gouvernements avaient fait alliance avec l'Allemagne nationale-socialiste, tout autant que ceux qui furent victimes des agressions successives de Hitler, se virent imposer des décisions prises en dehors d'eux par les Grands du moment. La Seconde Guerre avait eu pour prélude la Conférence de Munich où les Grandes Puissances d'alors avaient décidé de l'avenir de la Tchécoslovaquie sans même consulter son gouvernement et lui avaient imposé *leur* solution, ce qui avait largement ouvert les portes du monde danubien à Hitler. Elle s'achevait par l'application des décisions prises en février 1945 au cours d'une autre Conférence internationale, celle de Yalta, où les nouveaux Grands, les États-Unis, le Royaume-Uni et l'URSS, avaient décidé dans la même ignorance volontaire des vœux de la population de placer dans la sphère d'influence soviétique les pays de l'est européen. C'est ainsi qu'est née à Yalta cette *Europe de l'Est* telle que nous l'entendons aujourd'hui dans notre jargon politique, une Europe de l'Est dont font partie l'ensemble des États danubiens et balkaniques, la Pologne ainsi que la partie de l'ancien territoire du Reich qui fut attribuée à l'URSS comme zone d'occupation et qui est devenue en 1949 la République Démocratique Allemande. Désormais, l'Europe de l'Est allait vivre à l'ombre de Moscou.

A L'OMBRE
DE MOSCOU

EN GUISE D'AVERTISSEMENT

A la fin de la guerre, l'URSS a étendu son autorité sur la totalité de ce que nous appelons l'Europe de l'Est à la fois par la présence effective de ses armées dans les territoires conquis ou occupés par elles depuis 1944, et par l'influence prépondérante de son idéologie au sein des mouvements de Résistance dans les pays qui, comme l'Albanie et la Yougoslavie, se sont libérés par leurs propres moyens. Cette position exceptionnellement favorable, l'URSS l'avait fait reconnaître par avance par ses alliés de la Seconde Guerre mondiale au cours des entrevues de Téhéran et de Yalta, et elle a cherché à la consolider et à la renforcer au lendemain de la guerre.

Une fois admise la présence soviétique en Europe de l'Est, le problème essentiel qui va dorénavant dominer l'histoire de cette partie de l'Europe, c'est celui des rapports entre les gouvernements des pays est-européens avec l'Union Soviétique. Pour bien comprendre la politique que l'URSS a menée depuis 1945 dans tous les pays, il faut constamment avoir à l'esprit les deux principes suivants qui sont la base même de la politique soviétique :

D'abord en tant qu'État, l'URSS, depuis la Révolution d'octobre et surtout depuis l'agression allemande du 22 juin 1941, considère qu'elle se trouve sous la menace permanente, réelle ou supposée, des États capitalistes occidentaux. Il en résulte pour elle la nécessité impérieuse d'assurer sa sécurité le long de ses frontières occidentales. Existe-t-il aux yeux des dirigeants soviétiques un meilleur moyen pour assurer cette sécurité sinon que de constituer

au-delà des frontières susceptibles d'être menacées un glacis de protection *aussi étendu que possible?* C'est cet
*argument que la diplomatie soviétique a toujours avancé
et fait prévaloir lors des négociations diplomatiques
menées aussi bien avec Hitler au moment de la conclusion
du pacte germano-soviétique, qu'avec les Puissances occidentales pendant et après la guerre.*

*En second lieu, en tant que premier État socialiste et
centre fondateur du communisme mondial, l'URSS,
qu'elle en fasse publiquement état par la bouche de ses
dirigeants ou qu'elle cherche à le dissimuler pour des raisons d'opportunité, au nom des principes du marxisme-
léninisme qui constituent – et cela les maîtres du Kremlin
ne l'ont jamais caché – le fondement jamais démenti de
son idéologie, vise à étendre à l'ensemble du monde et en
premier lieu aux pays qui font partie de sa « zone de
sécurité » le système politico-économique qu'elle s'est
donné en 1917. Dans ces conditions, il était parfaitement
logique que les Soviétiques aient facilité sinon provoqué
l'installation en Europe de l'Est de gouvernements
conformes à leurs vues, c'est-à-dire dirigés par le Parti
communiste, et qu'elle ait cherché à les y maintenir au
besoin par la force et contre le gré des populations. Il est
également parfaitement logique que soit écarté du pouvoir
tout dirigeant communiste qui ne fait pas preuve de fidélité
inconditionnelle aux directives du gouvernement et du
Parti soviétiques. Les chefs communistes des Pays de l'Est
ont tous implicitement admis ce point de vue et leur
inconditionnalité a été jusqu'au sacrifice de leur carrière,
voire de leur vie au nom des intérêts supérieurs du Parti et
de la Patrie soviétique. Si l'on ne tient pas compte de ces
données lorsque l'on étudie le comportement que l'on
pourrait parfois qualifier de* masochiste – *le film* l'Aveu *est
très révélateur à ce sujet – de certaines personnalités
communistes d'Europe de l'Est, il n'est pas possible
d'expliquer certaines attitudes parfois déroutantes. Le
sacrifice des victimes des grands procès des années cinquante, qui avouaient ce qu'on leur demandait d'avouer
dans l'intérêt supérieur du Parti, la docilité résignée d'un
Dubcek détruisant lui-même sa propre œuvre afin de
mieux faire accepter cette destruction par son peuple,
reconnaissant humblement ses erreurs, ne peuvent s'expli-*

quer que par la fidélité absolue et l'obéissance inconditionnelle de Moscou.

Le principe de la loyauté absolue à l'égard de l'URSS avait été solennellement codifié lors de la Conférence secrète tenue du 22 au 27 septembre 1947 à Szklarska-Poreba et d'où sortit le Kominform (Bureau d'Information communiste). Là, les dirigeants de 9 Partis communistes européens, ceux de l'URSS et des Pays de l'Est ainsi que les représentants des PC français et italien, avaient adopté à l'unanimité le principe de la fidélité inconditionnelle et de la loyauté la plus totale à l'égard de l'Union Soviétique. Le fait de se reconnaître comme communiste impliquait ipso facto l'adhésion à ces principes.

Même si, dans certains cas particuliers, les dirigeants de l'URSS et des pays socialistes ont toléré des entorses à ce principe de fidélité absolue à Moscou comme ce fut le cas en 1948 avec le schisme yougoslave de Tito et en 1960 lors de la rupture des relations avec l'Albanie d'Enver Hoxha, ce n'est ni par grandeur d'âme ni à la suite d'un quelconque changement dans les principes. L'explication est ailleurs. D'une part ces deux pays, la Yougoslavie comme l'Albanie, n'étaient pas intégrés dans le dispositif militaire soviétique; d'autre part, les Soviétiques et leurs alliés n'ont pas jugé bon d'intervenir militairement comme ils l'ont fait pourtant en 1956 à Budapest et en 1968 à Prague, d'abord parce qu'une telle opération aurait pu entraîner des risques sur le plan international, ensuite parce qu'on n'a jamais perdu totalement l'espoir de réintégrer ces pays au sein de la « famille ». A l'heure actuelle, le principe de la fidélité inconditionnelle à Moscou et au camp socialiste demeure toujours d'actualité. On a pu croire un moment que la relative tolérance dont avait bénéficié pendant plus d'un an l'expérience du renouveau polonais était le signe que quelque chose était en train de changer au Kremlin. Les événements qui se sont déroulés en Pologne après le 13 décembre 1981 auraient pu laisser croire que tout était fini. En fait, l'arrivée au pouvoir de Mikhaïl Gorbatchev en 1985 a provoqué un changement radical dans les rapports entre l'URSS et ses partenaires de l'Est européen.

Les expulsions d'Allemands

2000000

R.D.A. ●

10000000 POLOGNE

3000000

TCHÉCOSLOVAQUIE

250000 HONGRIE

250000 ROUMANIE

250000

YOUGOSLAVIE

Territoires annexés par l'U.R.S.S. de 1939 à 1945.

XXI

LE NOUVEAU STATUT
DE L'EUROPE DE L'EST

L'entrée de l'Union Soviétique dans la Seconde Guerre mondiale à la suite de l'agression allemande dont elle fut victime et sa participation active aux opérations militaires contre le Reich, qui aboutirent aux succès de l'Armée Rouge évoqués précédemment, ont fait de l'URSS l'État le plus directement concerné par la réorganisation territoriale de l'Europe de l'Est. En 1919-1920, la France avait été la puissance dont le rôle avait été déterminant et qui avait imposé ses vues à ses partenaires ; en 1945, c'est l'URSS qui a imposé sa loi dans le règlement de la paix en Europe de l'Est.

LA PRÉPARATION DU STATUT FUTUR DE L'EUROPE DE L'EST

Dès l'été 1941, l'URSS a été considérée par le Royaume-Uni puis par les États-Unis comme un allié et un partenaire à part entière dans la lutte contre les Puissances de l'Axe. Au cours de leurs premières rencontres avec les Alliés occidentaux, les dirigeants soviétiques ont clairement laissé entendre qu'il n'était pas question pour eux de renoncer aux territoires qui leur avaient été attribués par le Pacte germano-soviétique, c'est-à-dire les 3 Républiques baltes ainsi que les provinces orientales de la Pologne. Ils n'ont pas caché non plus leur volonté d'assurer dans l'avenir leur propre sécurité et celle des Pays de l'Europe de l'Est face à l'Allemagne. A cet effet, les Soviétiques se sont dès 1942 montrés favorables à un démembrement de l'Allemagne et à des modifications territoriales de détail au profit de la Yougoslavie du côté de l'Italie et à leur profit du côté de la Roumanie. Les Alliés occidentaux furent longtemps évasifs sur la question des frontières occidentales de l'URSS dans la mesure où cela concernait leur allié du premier jour, la Pologne, pour la défense de l'intégrité territoriale de laquelle la France et le Royaume-Uni étaient entrées en guerre en septembre 1939. Jusqu'en 1943, rien de précis ne fut prévu sur cette question des frontières entre la Pologne et l'URSS. Après leur victoire de Stalingrad, qui donna aux Soviétiques une nouvelle envergure, les Anglo-Américains se montrèrent moins hostiles aux thèses soviétiques et s'efforcèrent d'agir sur le gouvernement polonais en exil pour qu'il se fasse à l'idée de renoncer aux provinces orientales. L'URSS se montrait en revanche tout à fait disposée à donner à la Pologne des compensations territoriales à l'ouest aux dépens de l'Allemagne. Le gouvernement polonais s'opposa fermement à tout abandon du principe de l'intégrité territoriale du pays et durcit encore davantage sa position après la découverte du charnier de Katyn. Lorsque le général Sikorski demanda à ce sujet l'ouverture d'une enquête de la Croix-Rouge internationale, les Soviétiques rompirent les relations diplomatiques avec les Polonais, ce qui mit les Anglo-Saxons dans le plus grand embarras. La mort accidentelle de Sikorski le 4 juillet 1943 arrangea bien les Anglo-Saxons, d'autant plus que son successeur Mikolajczyk semblait plus souple. Mais les tentatives de reprise de contact avec Moscou demeurèrent dans l'impasse en raison du refus maintenu par Mikolajczyk de renoncer aux provinces orientales.

A la Conférence de Téhéran, qui réunit le 28 et le 29 novembre 1943 Churchill, Roosevelt et Staline, on discuta du problème allemand et tout le monde tomba d'accord sur la nécessité du morcellement de l'Allemagne. On parla aussi de l'Europe de l'Est. Staline se vit confirmer par les Occidentaux la possession des États baltes et posa à nouveau la question des frontières polonaises. Pour lui, la Pologne agrandie à l'ouest de la Poméranie et de la Silésie, et au nord de Danzig et d'une partie de la Prusse orientale, devait renoncer aux territoires situés au-delà de la ligne Curzon. Roosevelt donna l'impression de se rallier aux thèses de Staline; Churchill s'y montra plus réticent, mais il y apporta son adhésion pourvu que les Polonais soient d'accord. Au cours de cette même Conférence, Staline, soutenu par Roosevelt, fit échouer le projet britannique d'ouverture d'un second front dans les Balkans. Dans la mesure où l'URSS avait des visées expansionnistes sur l'Europe de l'Est, l'idée d'un débarquement anglo-américain dans les Balkans devait être absolument écartée. L'abandon de ce projet fut donc un succès incontestable pour la politique soviétique. Au lendemain de la Conférence de Téhéran, les Soviétiques remportèrent un nouveau succès diplomatique : ce fut la signature à Moscou, le 4 décembre 1943, d'un traité d'amitié avec le gouvernement tchécoslovaque en exil. Au cours des entretiens qui eurent lieu entre Staline et Benès, ce dernier assura que dans le gouvernement futur de la Tchécoslovaquie libérée, les communistes auraient une place importante; Benès insista également auprès de Staline pour que les Soviétiques détruisent radicalement le féodalisme en Hongrie et en Pologne. La haine de Benès à l'égard des pays voisins lui faisait souhaiter l'établissement d'une présence soviétique active en Europe centrale.

Les victoires soviétiques dès le début de l'année 1944, l'occupation de la Bulgarie, de la Roumanie et d'une partie de la Pologne par l'Armée Rouge amenèrent vite les Alliés occidentaux à céder à toutes les demandes soviétiques qui touchaient à l'Europe de l'Est. Le problème polonais fut réglé de lui-même, sur place, avec l'installation par les Soviétiques d'un Conseil National, véritable gouvernement établi à Lublin et qui se posait en seul détenteur de l'autorité légale face au gouvernement polonais de Londres. L'échec de l'insurrection de Varsovie n'arrangea pas les affaires des Polonais de Londres. En octobre 1944, Mikolajczyk, venu à Moscou en compagnie de Churchill, se vit contraint d'accepter les frontières imposées par Staline ainsi que la fusion du gouvernement de Londres avec le Comité de Lublin, mais à l'avantage numérique de ce dernier. Désavoué par ses collègues, Mikolajczyk fut remplacé à la tête du gouvernement en exil par le socialiste Arciszewski fermement décidé à défendre l'intégrité territoriale de son pays. Mais cela ne modifia pas le cours des événements. Les Grandes Puissances étaient bien décidées à régler le sort de la Pologne par-dessus la tête des Polonais.

La Conférence de Yalta, du 4 au 11 février 1945, fixa d'abord le sort de l'Allemagne dont le territoire fut partagé en zones d'occupation attribuées à chacune des puissances victorieuses. Pour la Pologne, on se rallia au plan soviétique antérieur qui faisait de la ligne Curzon la nouvelle frontière polono-soviétique et qui attribuait à la Pologne des compensations territoriales aux dépens de l'Allemagne. Churchill réussit à obtenir cependant qu'un gouvernement polonais d'union nationale soit constitué avec des gens du Comité de Lublin afin de préparer les élections d'où sortirait l'Assemblée qui organiserait la Pologne future. Les trois participants à la Conférence de Yalta publièrent à l'issue de leurs entretiens une *Déclaration sur l'Europe libérée* dans laquelle on insistait sur la responsabilité des trois Grands dans l'organisation future des « États libérés et des États anciens satellites de l'Axe en Europe » ; les Grands s'y engageaient à faciliter les formation de « gouvernements largement représentatifs de tous les éléments démocratiques de la population qui s'engageraient à faire établir, aussitôt que possible par des élections libres, des gouvernements répondant à la volonté du peuple ». En fait, les expressions comme « éléments démocratiques » ou « élections libres » n'avaient pas partout la même signification. Les Anglo-Saxons en étaient certes conscients ; mais compte-tenu de la présence déjà effective de l'Armée Rouge en Europe de l'Est, il leur était difficile de ne pas laisser carte blanche aux Soviétiques dans les régions qu'ils occupaient déjà. A Yalta, les Grands s'étaient partagés l'Europe.

La Conférence qui se tint à Potsdam du 17 juillet au 2 août 1945 moins de trois mois après la capitulation allemande, compléta les dispositions prises à Yalta. Le Conseil des Ministres des Affaires étrangères alliés fut chargé de préparer les traités de paix avec les anciens alliés de l'Allemagne, le traité allemand devant être rédigé ultérieurement. Les grandes lignes de la politique à appliquer en Allemagne y furent fixées ainsi que les limites précises des différentes zones d'occupation. Les

Anglo-Américains et les Soviétiques enfin confirmèrent leur accord de Yalta sur les frontières de la nouvelle Pologne et sur les frontières occidentales de l'URSS. Une fois encore, le sort des populations de l'Europe de l'Est avait été fixé en dehors d'elles et de leurs représentants.

LE NOUVEAU CADRE TERRITORIAL DE L'EUROPE DE L'EST

LES SANCTIONS CONTRE LES VAINCUS

La Bulgarie et la Roumanie, en dépit de leur revirement à la fin de la guerre, furent, comme la Hongrie, considérés comme des États vaincus. Les conventions d'armistice qui furent signées par leurs nouveaux dirigeants au moment où ils sortirent du conflit laissaient déjà augurer de leur sort futur. Les armistices les rétablirent dans leurs frontières de 1937 avec toutefois quelques modifications plus ou moins importantes selon les pays et que nous signalerons plus loin. Les trois anciens alliés de l'Allemagne devaient d'abord verser aux victimes de leurs agressions des réparations en marchandises ou en or : la Roumanie 300 millions de dollars-or à l'URSS ; la Hongrie 300 millions également dont 200 à l'URSS, 50 à la Tchécoslovaquie et autant à la Yougoslavie ; la Bulgarie enfin 70 millions dont 25 à la Yougoslavie et le reste à l'URSS, avec laquelle pourtant elle n'avait été en guerre que quelques jours et encore pas de son propre fait ! Les réparations étaient en fait un moyen indirect employé par les Soviétiques pour affaiblir encore davantage les pays qu'ils occupaient et y créer la pénurie au moyen de livraisons de denrées alimentaires et de matières premières. Tous les biens allemands qui se trouvaient sur le territoire des États vaincus devenaient en vertu des conventions d'armistice propriété de l'URSS : or, depuis la pénétration allemande en Europe centro-orientale, les Allemands avaient réalisé là des investissements considérables. Par le biais de ces biens allemands confisqués, les Soviétiques contrôlèrent ainsi d'importants secteurs de l'économie de ces trois pays, et en particulier les secteurs-clé. Il était prévu également que ces pays seraient placés jusqu'à la conclusion du traité de paix sous l'occupation des troupes soviétiques; pendant tout le temps que durerait cette occupation, « une Commission de contrôle alliée » serait chargée « de réglementer et de superviser l'exécution des termes de l'armistice sous la présidence du Haut-Commandant allié (c'est-à-dire soviétique) avec participation des représentants de la Grande-Bretagne et des États-Unis ».

Après la réunion de plusieurs Conférences inter-alliées, les États vaincus furent invités à Paris pour y signer le 10 février 1947 les traités de paix. La Bulgarie s'en tira relativement bien sur le plan territorial : elle conserva la Dobroudja méridionale que la Roumanie lui avait cédée en 1940 mais dut renoncer aux territoires grecs et yougoslaves qu'elle avait occupés en 1941. La Hongrie retrouva ses frontières du traité de Trianon à l'exception de 3 villages situés sur la rive droite du Danube en face de la ville de Bratislava, qu'elle dut abandonner à la Tchécoslovaquie. La Hongrie perdait ainsi tous les territoires qu'elle avait récupérés de 1938 à 1941. La Roumanie recouvra la partie septentrionale de la Transylvanie qu'elle avait du rendre à la Hongrie en 1940 mais dut renoncer définitivement à la Bessarabie et à la Bucovine, que l'URSS lui avait enlevées à la même époque. Les réparations prévues par les conventions d'armistice furent confirmées par les traités de paix. Les trois États se virent imposer des limitations dans leurs effectifs militaires, mais beaucoup moins sévères que dans les traités de 1919-1920. Il est vrai que l'URSS entendait intégrer ces pays dans son système de sécurité. Enfin, les traités autorisaient l'Union Soviétique à maintenir en Hongrie et en Roumanie des troupes afin d'assurer la sécurité de leurs communications avec leur zone d'occupation en Autriche.

LES ÉTATS VAINQUEURS

Les nouvelles frontières de la Pologne

Les nouvelles frontières de l'État polonais furent fixées conformément aux décisions prises à Yalta et à Potsdam. Pour les Alliés occidentaux, ces frontières n'avaient qu'un caractère provisoire; selon eux, seul le traité de paix avec l'Allemagne pouvait leur donner juridiquement un caractère définitif et jusqu'aux accords conclus en 1969 entre Willy Brandt et le gouvernement polonais, les « nouvelles provinces » polonaises furent considérées par les Puissances occidentales comme étant « sous administration provisoire polonaise ». Pour les Soviétiques comme pour les Polonais en revanche, il s'agissait bel et bien de frontières définitives.

A l'ouest, la frontière entre la zone soviétique d'occupation en Allemagne et l'État polonais fut déterminée par le cours de l'Oder et de son affluent la Neisse de Lusace avec toutefois l'attribution à la Pologne du port de Stettin, bien que situé sur la rive occidentale de l'Oder. La Pologne bénéficiait ainsi de substantiels avantages, d'abord d'une large façade maritime allant des boucles de l'Oder à celles de la Vistule, ensuite les riches terres agricoles de Poméranie et de Prusse, et surtout l'ensemble de la Silésie avec le bassin houiller le plus riche d'Europe après celui du Donbass en URSS. En revanche, à l'est, la Pologne, si elle se partageait avec l'URSS l'ancien territoire de Prusse orientale, renonçait à tous les territoires situés à l'est de la ligne Curzon à l'exception toutefois de la ville de Przemysl qu'elle conserva. Au total, la Pologne en 1945, amputée de 80 000 km² par rapport à celle de 1938, décalée vers l'ouest avec une capitale excentrée, disposait maintenant d'une économie mieux équilibrée avec un important potentiel industriel constitué par la Silésie et une façade maritime bien plus étendue que l'étroit *corridor* de Danzig.

L'Albanie et la Yougoslavie

Si l'Albanie retrouva ses frontières en 1939, la Yougoslavie bénéficia de quelques aménagements du côté de ses frontières occidentales; elle se fit céder en effet par l'Italie l'Istrie à l'exception de la ville de Trieste, une grande partie de la Vénétie julienne, ainsi que le port de Fiume devenu désormais Rijeka.

L'URSS

Le grand bénéficiaire de la guerre fut en réalité l'Union Soviétique, qui déplaça sensiblement ses frontières en direction de l'ouest. L'URSS en effet s'était déjà fait reconnaître à Téhéran et à Yalta la possession des Républiques baltes d'Estonie, de Lettonie et de Lituanie acquises par elle en 1940, occupées par les Allemands de 1941 à 1944 et reconquises au cours de l'hiver 1944-1945. Elle annexa également le nord de l'ancienne Prusse orientale avec la ville de Königsberg devenue Kaliningrad. Cette poussée vers l'ouest se fit également aux dépens de pays officiellement alliés. L'URSS ne se contenta pas d'occuper les provinces orientales de l'ancienne Pologne, mais en dépit des promesses faites à Benès quant à l'intégrité territoriale de la Tchécoslovaquie, elle exigea de Prague la cession de la Ruthénie subcarpatique après y avoir fomenté de l'agitation parmi les populations locales. L'accord soviéto-tchécoslovaque du 29 janvier 1945 consacra l'abandon définitif de ce territoire par la Tchécoslovaquie. Avec ce territoire, l'URSS tenait désormais les deux versants de la chaîne des Carpates, mettait fin à l'existence de la frontière commune entre la Roumanie et la Tchécoslovaquie et s'avançait ainsi profondément au cœur de la plaine hongroise. C'était là une position stratégique de première importance : sur le plan ethnique, la région en majorité de peuplement ruthène, comportait une importante minorité hongroise.

MINORITÉS NATIONALES ET TRANSFERTS DE POPULATIONS

Le nouveau découpage politique de l'espace est-européen aurait pu augmenter le nombre des minorités nationales. Les Grandes Puissances qui le cautionnèrent et l'organisèrent prirent conscience de ce problème.

Pour éviter un tel risque, on autorisa les pays-bénéficiaires de nouveaux territoires à expulser les anciennes populations. A la Conférence de Potsdam, on étendit cette possibilité d'expulsion des populations allogènes à l'ensemble des pays de l'Est. Les victimes de ces transferts de populations furent principalement les Allemands, les Polonais et les Hongrois. Les Allemands de Prusse orientale et des régions passées sous la souveraineté de la Pologne furent expulsés sans ménagements au cours de l'hiver 1945-1946 et dirigés vers l'Allemagne. Le gouvernement tchécoslovaque utilisa la possibilité qui lui était offerte par les Alliés et qui d'ailleurs était conforme au programme de Kosice. De mai à août 1945, 800 000 Allemands furent dirigés vers l'Autriche, puis après la Conférence de Potsdam, les 2 500 000 Allemands qui restaient encore en Tchécoslovaquie furent à leur tour expulsés dans des conditions particulièrement pénibles. Seuls furent autorisés à demeurer sur place 155 000 Allemands antinazis ou considérés comme tels. Les autres États danubiens expulsèrent aussi les Allemands qui vivaient depuis des siècles sur leur territoire. Sur les 600 000 Allemands de Hongrie, 250 000 seulement furent admis à rester et sur les 780 000 Allemands de Roumanie, plus de la moitié furent expulsés. Quant aux Allemands de Yougoslavie, à l'exception des quelques 80 000 d'entre eux qui avaient été dirigés sur l'Allemagne dès 1943, leur sort fut certainement le plus tragique : sur les 450 000 qui demeuraient encore en Yougoslavie en 1945, de 140 000 à 260 000 selon les sources, furent massacrés en cours de transfert, le reste parvenant non sans mal à gagner l'Autriche.

Les Soviétiques procédèrent de la même façon à l'égard des quelques deux millions de Polonais des territoires annexés et qui furent dirigés vers la Pologne; ils furent réinstallés dans les régions occidentales que venaient de quitter les populations allemandes. En même temps, le gouvernement polonais invita les Polonais de l'émigration à revenir au pays pour combler les vides laissés par la guerre. Près de deux millions d'entre eux furent sensibles à cet appel.

Les seules minorités nationales qui ne furent pas touchées par ces transferts de populations furent les Albanais et les Bulgaro-Macédoniens de Yougoslavie, ainsi que la plupart des Hongrois qui depuis 1919 déjà se trouvaient placés sous la souveraineté des États voisins. La Tchécoslovaquie aurait souhaité éliminer la minorité hongroise de Slovaquie méridionale. Plusieurs milliers de Hongrois furent expulsés vers la Hongrie dès 1945, tandis qu'un accord conclu entre les gouvernements hongrois et tchécoslovaque le 27 février 1946 autorisa la Tchécoslovaquie à échanger les Hongrois « criminels de guerre » et « traîtres à la patrie tchécoslovaque » (sic) contre les Slovaques de Hongrie qui voudraient s'installer en Tchécoslovaquie. Une trentaine de milliers de personnes furent ainsi échangées. D'autre part, plusieurs dizaines de milliers de Hongrois jugés indésirables en Slovaquie mais considérés cependant comme nécessaires à l'économie tchécoslovaque furent transférés en pays sudète pour y remplacer les Allemands que l'on venait de chasser : ce n'est qu'en 1948-1949 qu'ils purent regagner leurs villages d'origine.

Si l'on regarde la carte ethnique de l'Europe centro-orientale en 1947, on constate qu'elle a été singulièrement simplifiée par rapport à celle de 1938. Les minorités allemandes ont disparu dans leur quasi-totalité à la suite de ces transferts de population ; en fait quand on sait dans quelles conditions ces transferts ont eu lieu, il serait plus juste de parler de véritables déportations. Des millions d'hommes, de femmes et d'enfants ont ainsi fait, le plus souvent à pied et en plein hiver, des parcours de plusieurs centaines de kilomètres dans le plus total dénuement. Les minorités nationales étaient certes devenues moins nombreuses, mais à quel prix, et sans que disparaissent pour autant les antagonismes nationaux !

Au lendemain de la Seconde Guerre mondiale, c'est l'Union Soviétique qui apparaît manifestement comme le grand bénéficiaire des changements qui ont affecté l'Europe de l'Est. De tous les belligérants, c'est le seul pays qui a fait d'aussi importantes acquisitions de territoires. Par là même, elle a réalisé l'un des objectifs essentiels de sa politique, à savoir de disposer d'un glacis de protection pour assurer sa sécurité du côté de l'ouest. La présence de l'Armée Rouge dans tout l'espace qui s'étend de l'Elbe au Bug et de la Baltique au Danube, mit l'URSS en position de force en Europe. Cette présence militaire dans la plupart des pays de l'Europe centrale et orientale lui permit de disposer d'impressionnants moyens de pression sur leurs gouvernements. Par la main-mise soviétique sur les biens allemands dans les États anciens alliés de l'Allemagne, l'URSS put disposer dans ces pays d'atouts économiques de première importance renforcés encore par l'intégration de l'Allemagne orientale à son système; elle put aussi par le biais des réparations dont on pouvait exiger ou différer à son gré le paiement, intervenir en faveur ou contre les gouvernements en place dans ces pays ex-vaincus. Et vis-à-vis des pays vainqueurs comme la Tchécoslovaquie ou la Pologne, l'URSS par sa puissance militaire pouvait se présenter comme la seule protection efficace contre une renaissance du militarisme allemand. On voit ainsi facilement combien la présence des Soviétiques fut déterminante pour l'orientation future des pays de l'Europe de l'Est.

Quelques dates

1876 : *Guerre russo-serbo-turque.*
1885 : *Unité de la Bulgarie.*
1908 : *L'Autriche annexe la Bosnie.*
1912-1913 : *Guerres balkaniques.*
1914-1918 : *La Bulgarie s'allie aux puissances centrales.*
1919-1920 : *Traités de Paix. La Pologne repousse l'invasion soviétique. Échec, en Hongrie du régime de Bela Kun.*
1921 : *Création de la « Petite Entente » entre la Tchécoslovaquie, la Roumanie et le royaume des Serbes, des Croates et des Slovènes.*
1929 : *Le royaume des Serbes, des Croates et des Slovènes devient la Yougoslavie.*
1934 : *Assassinat à Marseille du roi Alexandre Ier de Yougoslavie.*
1938 : *Crise des Sudètes. Dépeçage de la Tchécoslovaquie. Accords de Munich.*
1939 : *Émancipation de la Slovaquie. Occupation de Prague par les Allemands.*
L'Italie annexe l'Albanie. Invasion de la Pologne par les Allemands puis par les Soviétiques.
1940 : *Redécoupage de l'Europe centrale par les puissances germano-italiennes.*
1941 : *Invasion de la Yougoslavie. Tito constitue les premiers maquis.*
1942 : *Stalingrad.*
1943 : *Du 19 avril au 16 mai, insurrection du ghetto de Varsovie.*

1944 : *Effondrement du Front balkanique. Occupation de la Roumanie et de la Bulgarie par les Soviétiques. Libération de Belgrade par les Yougoslaves.*

1945 : *Chute de Berlin. Constitution des zones d'occupation en Allemagne. Expulsion des Allemands des territoires de l'Est.*

1946 : *L'Albanie devient une République populaire. Proclamation de la République fédérative de Yougoslavie.*

1947 : *La Tchécoslovaquie rejette le Plan Marshall. Création du Kominform.*

1948 : *Rupture Moscou-Belgrade. Départ du roi Michel de Roumanie. Gottwald prend le pouvoir en Tchécoslovaquie.*

1949 : *Constitution de la RDA. Procès « staliniens » en Hongrie et en Tchécoslovaquie.*

1953 : *Mort de Staline. Insurrection à Berlin-Est.*

1956 : *Manifestations en Pologne (Poznan). Émeutes en Hongrie.*

1968 : *Le Printemps de Prague en Tchécoslovaquie.*

1978 : *Le cardinal polonais Wojtyla devient Pape sous le nom de Jean-Paul II.*

1980 : *Mort de Tito. Création du syndicat « Solidarité ».*

1981 : *« Coup d'État » du général Jaruzelski.*

1985 : *Gorbatchev devient Secrétaire-Général du PCUS et chef de l'État soviétique.*

1988 : *Démission de János Kádár en Hongrie et mise en place d'un « État de droit ».*

1989 : *Premier gouvernement à majorité non communiste en Pologne.*
Démantèlement du « rideau de fer » et fin du « mur de Berlin ».
Chute des régimes communistes à Berlin, Prague, Sofia, Bucarest.

1990 : *Triomphe de la ligne Gorbatchev au Plénum du CC du PCUS des 6 et 7 février.*
Victoire des Partis de Droite et du Centre-Droit aux élections du 18 mars en RDA et des 25 mars et 8 avril en Hongrie.

XXII

LA NAISSANCE
DES DÉMOCRATIES POPULAIRES

Après l'effondrement militaire du Reich et de ses alliés
qui entraîna *ipso facto* l'élimination des régimes politiques responsables de la politique d'alliance avec l'Allemagne et qui rendit la liberté aux pays que le Reich avait
occupés ou conquis depuis 1939, le problème majeur qui
se posa immédiatement fut celui de combler le vide politique et de mettre en place des gouvernements susceptibles de prendre en charge la reconstruction politique,
économique et morale de ces pays.

UN ENVIRONNEMENT FAVORABLE AUX COMMUNISTES

Une des premières données dont il faut tenir compte
pour comprendre comment les communistes, très minoritaires au départ, sont parvenus à s'emparer du pouvoir,
c'est la présence omniprésente de l'Armée Rouge et des
forces armées de la Résistance fortement noyautées par
les communistes. L'Armée Rouge occupe en effet par
droit de conquête la Roumanie, la Bulgarie, la Hongrie,
la partie orientale de l'Autriche et les territoires allemands compris entre l'Elbe et la ligne Oder-Neisse; elle
est présente également en tant que co-belligérante et
alliée en Pologne et en Tchécoslovaquie. Seules, l'Albanie
et la Yougoslavie sont vides de troupes soviétiques, car ce
sont les soldats de la Résistance en grande majorité
communistes qui les ont libérées et qui tiennent ces pays,

ce qui leur permet de disposer de positions particulièrement favorables pour s'emparer de l'appareil de l'État.
La présence de l'Armée Rouge ne fut pas sans influer
sur la mise en place des nouvelles équipes dirigeantes
dans les pays de l'Europe de l'Est. Dans les pays considérés comme vaincus, l'Armée Rouge était une force
d'occupation; le Commandant en Chef local était de ce
fait en mesure de peser de tout son poids pour appuyer
ou au contraire destituer les autorités locales et intervenir dans les affaires intérieures du pays. Les autorités
d'occupation contrôlaient de droit les moyens d'information, pouvaient autoriser ou censurer à leur gré telle ou
telle publication et cela jusqu'à la conclusion des traités
de paix. C'est dire que pendant près de deux ans, ces pays
occupés furent soumis au bon vouloir des autorités soviétiques. De plus, toute action contraire aux intérêts de la
politique soviétique pouvait d'une façon parfaitement
légale être présentée comme « action subversive anti-
soviétique » et donner lieu à l'arrestation de ses auteurs
par la toute puissante Police militaire soviétique. Ce fut
un moyen fréquemment utilisé pour éliminer des journalistes influents ou des hommes politiques peu enclins à
collaborer avec les communistes. L'arrestation en février
1947 par la Police militaire soviétique du leader paysan
hongrois Béla Kovács sous l'inculpation d'activités anti-
soviétiques est un exemple de ces interventions directes
des occupants dans les affaires intérieures des États ex-
vaincus. Mais des procédés du même genre furent
employés également dans les pays réputés amis. C'est
ainsi que de nombreux dirigeants de l'Armé polonaise de
l'Intérieur, dont le socialiste Puzak, qui durant la guerre
avait présidé le Parlement clandestin, furent arrêtés au
début de 1945, transférés secrètement en URSS et jugés à
Moscou du 18 au 21 juin 1945 pour avoir préparé « des
plans en vue d'une action militaire contre l'Union Soviétique de concert avec l'Allemagne », accusation gro-
tesque quand on sait le lourd tribut que la Résistance
polonaise avait payé aux nazis. Il est vrai que la Résistance polonaise ne valait pas grand-chose aux yeux des
Soviétiques car elle n'était pas dominée par les communistes. Dans le cas de l'affaire Puzak comme dans celui de
Kovács, il s'agissait pour les Soviétiques d'éliminer des

hommes politiques de valeur, populaires et connus pour leur hostilité aux communistes.

Un autre moyen utilisé par les autorités militaires soviétiques pour faire sentir tout le poids de leur présence dans les pays occupés fut de tolérer, voire d'encourager, ou bien au contraire d'empêcher les exactions commises par certaines unités de l'Armée Rouge à l'encontre des populations civiles. Dans les pays considérés comme alliés telles la Pologne et surtout la Tchécoslovaquie, ou dans les pays vaincus qu'on voulait ménager comme la Bulgarie, le comportement des soldats soviétiques ne donna lieu à aucun reproche majeur. En revanche, en Roumanie, en Hongrie, en Ruthénie, et à plus forte raison en Allemagne, les exactions et les violences de toutes sortes furent monnaie courante pendant les premiers mois de l'occupation. En Roumanie, du 23 août au 12 septembre 1944, dans un pays qui s'ouvrait à l'Armée Rouge, les troupes soviétiques se livrèrent à un pillage méthodique et à de multiples agressions sexuelles; des milliers de civils furent à proprement parler enlevés pour être dirigés vers l'URSS afin d'y être affectés à des travaux de reconstruction. En Hongrie, le comportement des soldats soviétiques fut tout aussi brutal. Le Vendredi-Saint de 1945, l'évêque de Györ, Vilmos Apor qui défendait des femmes venues se réfugier dans son église fut abattu par des soldats soviétiques et plusieurs femmes furent blessées. Ce n'est qu'un exemple parmi des centaines d'autres. A Budapest, des milliers de civils furent enlevés et conduits en URSS pour y travailler jusqu'en 1947. Et même un diplomate suédois, Raoul Wallenberg, qui à l'époque des persécutions juives était intervenu avec succès pour les faire cesser, fut enlevé par la Police militaire soviétique et disparut ainsi à jamais. De telles pratiques relevaient d'une volonté délibérée de briser le moral des populations, de tuer dans l'œuf toute vélléité de résistance afin de faire accepter passivement les changements que l'on préparait. En Yougoslavie et en Tchécoslovaquie, ce furent surtout les partisans qui se livrèrent à ces violences contre les personnes. En Yougoslavie, la Croatie fut traitée en véritable pays conquis et des milliers de Croates trouvèrent la mort au cours de ces expéditions punitives menées par les Partisans au lendemain de la guerre ; en Voïvodine, des milliers de Hongrois et d'Allemands furent massacrés lors de la reconquête de cette province. En Tchécoslovaquie, ce furent les Slovaques « collaborateurs » et les membres de la minorité allemande et hongroise qui subirent ces violences. Le but réel recherché par les Soviétiques ou les Partisans, en tolérant ou en perpétrant ces exactions, était de créer, là où leurs projets politiques futurs risquaient de rencontrer de l'opposition, un climat de terreur propice à faire réfléchir les populations, avec en contrepartie l'action de propagande des communistes locaux recommandant la collaboration avec eux, seul moyen selon eux de mettre fin à ce climat de violence.

Un autre élément qui favorisa le succès des communistes fut l'état de ruine dans lequel se trouvait l'économie des pays de l'Europe de l'Est au lendemain de la guerre. Si la Tchécoslovaquie et la Bulgarie se trouvaient dans une situation relativement favorable, les autres pays en revanche sortaient ruinés et détruits de la guerre. Les pertes humaines avaient été partout considérables ; le potentiel industriel, les voies de communications étaient en grande partie inutilisables ; en Allemagne et dans les pays vaincus, ce qui n'avait pas été détruit était démantelé et récupéré par les occupants à titre des réparations. En plus, les combats qui s'étaient déroulés sur les territoires hongrois, polonais et allemands avaient gravement affecté leur potentiel agricole : les récoltes de 1944 ct de 1945 y furent pratiquement nulles. La pénurie alimentaire était une donnée supplémentaire dont il fallait tenir compte. Et là encore, on pouvait par une propagande habilement menée faire endosser la responsabilité de la situation aux grands propriétaires et aux spéculateurs, ou au contraire attribuer un approvisionnement providentiel des marchés à la générosité des libérateurs soviétiques. Les difficultés de l'économie se traduisirent partout par une inflation considérable qui atteignit en Roumanie et en Hongrie en particulier des niveaux jamais encore atteints dans toute l'histoire monétaire, même à l'époque de l'inflation allemande de 1923.

Il faut ajouter encore que dans les pays vaincus, l'absence des hommes prisonniers de guerre et en Pologne, les transferts massifs de populations joints à l'arrivée des Polonais de l'émigration, avaient créé une telle modification des données sociologiques que les conditions pour la mise en place d'une vie politique normale se trouvaient sensiblement altérées. Enfin, et cela est vrai partout, les populations civiles étaient tellement épuisées moralement et physiquement par les cinq années terribles qu'elles venaient de vivre, qu'elles étaient prêtes à accepter n'importe quels changements pourvu qu'elles puissent en espérer le retour à des conditions normales d'existence.

LA MISE EN PLACE DES NOUVEAUX RÉGIMES

Les transformations politiques qui se produisent en 1944 à 1948 en Europe de l'Est aboutirent toutes au même résultat, c'est-à-dire à la mainmise du Parti communiste, ou du Parti communiste allié ou d'autres formations politiques sympathisantes, sur l'appareil de l'État et à l'établissement dans tous ces pays de régimes de *Démocratie populaire*. L'objectif que s'étaient fixés les Soviétiques en se faisant reconnaître par leurs Alliés occidentaux une prééminence de droit comme de fait sur cette partie de l'Europe se trouva dès lors atteint.

Pourtant, au départ, à l'exception de la Tchécoslovaquie où avant guerre déjà le Parti communiste était puissant, les Partis communistes étaient partout minoritaires en Europe de l'Est, soit que les persécutions nazies les aient démantelés comme ce fut le cas en Allemagne, soit que les mentalités et les structures sociales existantes leur aient été contraires. Malgré ces handicaps, les communistes, au plus tard en 1948, se trouvaient partout maîtres du pouvoir. Facilité par les circonstances et les conditions favorables mentionnées précédemment, le processus d'accession au pouvoir s'est déroulé selon des schémas différents en fonction des pays considérés, et dans un laps de temps plus ou moins long. Là où les communistes étaient peu nombreux, ils suppléèrent le nombre par l'habilité. On peu ainsi distinguer les pays dans lesquels le changement de régime s'est fait d'une façon rapide et expéditive, et ceux au contraire où l'on est passé par étapes d'un gouvernement de coalition à un système fondé sur le Parti unique.

LA MÉTHODE EXPÉDITIVE

En Bulgarie, tout comme en Albanie et en Yougoslavie, l'accession au pouvoir des communistes et de leurs alliés s'est réalisée très rapidement. A la fin de l'année 1945, le régime communiste, y était déjà solidement implanté et d'une façon irréversible.

La Bulgarie

La Bulgarie présentait un intérêt non négligeable pour l'Union Soviétique. C'était d'abord un pays slave de tradition russophile depuis l'époque de son indépendance. En outre, elle avait une tradition révolutionnaire qui s'était manifestée en 1919-1920 à la fois dans le cadre du mouvement agraire et par l'existence d'un Parti communiste dont le Secrétaire général Georges Dimitrov était une des figures les plus marquantes du mouvement communiste international. Grâce au *Front de la Patrie* qu'ils avaient formé en juillet 1942, les Communistes avaient pris la direction des mouvements de Résistance avec la collaboration de certains agrariens comme Nicolas Petkov et de sociaux-démocrates. Lorsque le 8 septembre 1944 les troupes soviétiques pénétrèrent en Buglarie, le Front de la Patrie déclencha dans tout le pays une insurrection générale et s'empara du pouvoir dans la nuit suivante. Dans toutes les localités, des autorités provisoires furent mises en place. A Sofia, un gouvernement d'*Union Patriotique* fut formé sous la direction d'un militaire venu de l'ancien groupe d'extrême droite *Zveno* et rallié aux communistes, le colonel Georgiev, dans lequel entraient à côté des communistes titulaires du ministère de l'Intérieur et de la Justice, des agrariens et des sociaux-démocrates. Le gouvernement Georgiev signa aussitôt un armistice avec le Commandant des troupes soviétiques, le maréchal Tolboukkhine, et décida de faire participer l'armée bulgare aux opérations militaires contre l'Allemagne. L'éloignement de l'armée hors des frontières du pays dès le 8 octobre laissa le champ libre aux groupes armés du *Front de la Patrie* qui, sous le nom de *Milice*, se substituèrent aux anciennes forces de police.

Le nouveau gouvernement procéda aussitôt à une épuration radicale et expéditive. Les Régents, les membres des gouvernements qui avaient dirigé le pays depuis 1941, de nombreux députés des partis bourgeois, de nombreux hauts fonctionnaires, des notables, furent arrêtés et traduits devant la *Cour du Peuple*. L'épuration officielle concerna près de 11 000 personnes et fut suivie de 2 138 exécutions dont celles des trois Régents, le Prince Cyrille, Bogdan Filov et le général Mihov, et de l'ancien Premier ministre Bagrianov. En vue des élections prévues pour la fin de 1945, les communistes avaient ainsi éliminé avec l'assentiment de leurs alliés du *Front de la Patrie*, la Droite conservatrice et les chefs des Partis bourgeois. En outre, par leur mainmise sur les administrations municipales, ils contrôlaient les listes électorales. Pour les élections, les Partis non communistes du *Front de la Patrie*, l'Union Agrarienne de Nicolas Petkov, l'Union du Peuple Zveno, et les socialistes étaient tous partagés en une tendance favorable à la formation d'une liste unique sous le sigle du *Front de la Patrie*, et une autre tendance préconisant des listes séparées. Les tendances unitaires l'emportèrent; les partisans des listes séparées se regroupèrent autour de Nicolas Petkov. Les élections du 18 novembre 1945 furent un succès pour la liste unique du *Front de la Patrie* qui recueillit 88 % des voix. Les opposants, peu convaincus de l'honnêteté du scrutin, en réclamèrent l'annulation mais en vain. Fort de son succès, le gouvernement s'attaqua à la refonte des institutions. A la suite du référendum du 8 septembre 1946, où 92,7 % des Bulgares se prononcèrent pour la République, la monarchie fut abolie et le 15 septembre, le communiste Basile Kolarov devenait le premier Président de la République bulgare. Le mois suivant, on procéda à l'élection d'une Assemblée Constituante. La liste du *Front de la Patrie* obtint 70 % des voix et 362 sièges dont 275 au Parti communiste, tandis que l'opposition conduite par Petkov avec 30 % des voix n'obtenait que 99 sièges. Disposant de la majorité absolue à l'Assemblée, les communistes cherchèrent aussitôt à éliminer Petkov qui jouissait d'une certaine popularité dans les campagnes. Accusé de trahison, il fut arrêté, condamné à mort et pendu le 23 septembre 1947. Le processus mis en route le 9 septembre 1944 avait ainsi abouti au contrôle absolu de l'État par les communistes. La Constitution du 4 décembre 1947 fit de la Bulgarie une démocratie populaire sur le plan juridique; elle l'était déjà dans les faits depuis la fin de l'année 1944.

L'Albanie

En Albanie, l'établissement de la démocratie populaire fut la conséquence directe de la victoire du *Front de Libération Nationale*. Malgré l'appui donné par les Britanniques à la Résistance zoguiste, le Front de Libération Nationale contrôlait déjà la moitié du territoire national lorsqu'il tint le 24 mai 1944 à Pernët, la première ville libérée, un Congrès au cours duquel fut formé une sorte de Parlement provisoire, le *Conseil anti-fasciste de Libération nationale*. Un gouvernement provisoire, le *Comité anti-fasciste*, présidé par Enver Hoxha, Secrétaire Général du PC albanais, fut également constitué. Après l'expulsion des dernières troupes allemandes, Enver Hoxha contrôlait tout le pays sauf quelques districts montagneux tenus par des partisans du roi Zog. Dès le début de décembre, les communistes maîtres du pouvoir firent la chasse aux opposants zoguistes et nationalistes. Des tribunaux populaires en condamnèrent à mort plusieurs centaines, qui furent aussitôt exécutés. Ayant ainsi éliminé les éventuels opposants, Hoxha fit procéder le 2 décembre 1945 à des élections. La liste unique du *Front démocratique* conduite par Enver Hoxha obtint 93 % des voix. La Constitution de 1946 sanctionna ces transformations en faisant de l'Albanie une *République Populaire*.

La Yougoslavie

En Yougoslavie, la victoire des armées de la Résistance plaça Tito et le *Front de Libération Nationale* en position favorable pour prendre en main la direction du pays. A la suite d'un compromis signé entre Soubachitch, représentant le roi Pierre II, et Tito, on s'était mis d'accord pour qu'à la libération, la Yougoslavie devienne un État démocratique et fédéral, et pour qu'une Assemblée constituante décide du maintien ou de l'abolition de la monarchie. Tito, en signant cet accord en décembre 1944, savait très bien qu'il ne courait aucun risque : fort de l'appui de ses 800 000 soldats, il disposait d'un atout considérable. Le 7 mars 1945, conformément à l'accord conclu avec les représentants du roi, Tito forma un gouvernement d'union dans lequel entraient quelques représentants du gouvernement royal dont Soubachitch aux Affaires Étrangères, mais surtout des amis de Tito, communistes comme lui, et issus des différentes nationaliés de Yougoslavie, slovènes comme Édouard Kardelj, serbes comme Alexandre Rankovitch, monténégrins comme Milovan Djilas. En fait, sur les 28 ministres, 23 étaient communistes. La réalité du pouvoir dans le pays était détenue par les partisans de Tito, présents partout sur le terrain, contrôlant les administrations locales, épurant çà et là la magistrature, la fonction publique, et exerçant dans le cadre des tribunaux populaires officiels ou officieux une justice expéditive à l'égard des « collaborateurs » ou tout simplement de leurs adversaires politiques. De plus, les journaux non communistes furent interdits, les réunions politiques des mouvements non communistes furent entravées. Les ministres venus de Londres démissionnèrent en signe de protestation et l'opposition invita les électeurs à boycotter ces élections. Seuls se présentèrent les candidats du *Front Populaire*, vaste organisation de masse qui avait remplacé le *Front de Libération Nationale* et qui, sous la direction de Tito et des communistes, regroupait en son sein divers groupements comme les syndicats et les Jeunesses communistes. Ces élections auxquelles étaient conviés tous les Yougoslaves, hommes et femmes âgés de 18 ans et plus – à l'exception de plusieurs centaines de milliers d'entre eux qui furent rayés des listes électorales pour des raisons politiques – eurent lieu le 11 novembre 1945 et donnèrent 90,48 % des voix au *Front Populaire* ; plus de 11 % des électeurs, conformément aux consignes de l'opposition, n'avaient pas pris part au vote.

La première décision adoptée par l'Assemblée constituante lors de sa réunion d'ouverture le 29 novembre 1945 fut la proclamation de la *République Populaire Fédé-*

rative de Yougoslavie dont les institutions furent précisées dans la Constitution du 30 janvier 1946, très proche de la Constitution soviétique de 1936. Il est vrai qu'en 1946, Tito passait dans le monde communiste comme le plus fidèle disciple de Staline. En matière de purge et d'élimination de ses adversaires, il pouvait supporter aisément la comparaison. Les années 1945 et 1946 furent marquées par l'élimination physique de dizaines de milliers d'opposants. Les Croates furent particulièrement visés. Bien que Tito fut lui-même d'origine croate, il frappa très dur ceux de ses compatriotes qui avaient collaboré avec le régime d'Ante Pavelitch ou qui avaient servi dans son armée ou dans son administration. Plus de 100 000 soldats croates qui s'étaient réfugiés en Autriche furent extradés par les Anglo-américains et livrés à Tito : ils furent tous exécutés. On ne se contenta pas de traquer les « collaborateurs » de la Croatie indépendante ou de la Serbie occupée; on persécuta aussi les Techtniks qui avaient combattu les Allemands dès les premiers jours et que Tito accusa vite de « collaboration ». Leur chef, le général Mihajlovitch fut condamné à mort en juin 1946 pour haute trahison et aussitôt exécuté. L'Église catholique fut elle aussi très durement frappée, des centaines de prêtres de Croatie, de Voïvodine, de Slovénie, furent exécutés sommairement en 1945. L'archevêque de Zagreb, Mgr. Stepinac fut accusé de « collaboration » et condamné le 11 octobre 1946 à 16 ans de prison alors qu'en fait il avait joué constamment un rôle modérateur auprès des dirigeants de l'État croate.

Le tour de passe-passe polonais

La Pologne, à la fin de la guerre, présentait cette originalité qu'elle était un pays considéré officiellement comme *allié* et *ami* de l'Union Soviétique, et qui en outre disposait d'un gouvernement légal en exil ayant sous ses ordres des forces armées. Une partie d'entre elles, environ 100 000 hommes, sous les ordres du général Anders, étaient engagées aux côtés des armées alliées dans les combats pour la libération de l'Italie; le reste, c'est-à-dire *l'Armée de l'Intérieur*, menait depuis 1940 une lutte de tous les instants en territoire polonais même, contre l'occupant allemand. Afin de jeter le trouble dans les esprits, les Soviétiques avaient installé à Lublin un *Comité de Libération Nationale* formé de communistes et de sympathisants, qui s'affirma dès le 22 juillet 1944 comme le seul gouvernement légal de la Pologne. Après l'échec de l'insurrection de Varsovie et l'élimination des survivants de l'Armée de l'Intérieur par les Soviétiques au fur et à mesure de leur avance, le Comité de Lublin eut les mains libres pour mettre en place son administration dans toutes les localités libérées. De la sorte, les communistes et leurs amis purent contrôler toutes les municipalités. A la Conférence de Yalta, les Trois grands avaient recommandé l'élargissement du Comité de Lublin par l'entrée en son sein de représentants du gouvernement en exil. Les Polonais de Londres refusèrent de collaborer avec les gens de Lublin. Malgré l'opposition du chef du gouvernement en exil, le socialiste Arciszewski et du général Anders, Mikolajczyk accepta à titre personnel de rentrer en Pologne. Le 29 juin 1945, un gouvernement d'union nationale dans lequel les gens de Lublin s'attribuèrent 17 des 21 ministres, fut formé par le socialiste procommuniste Osobka-Morawski : Mikolajczyk y obtenait le poste de vice-président du Conseil tout comme Wladislaw Gomulka, Secrétaire Général du Parti Ouvrier. Un autre communiste, Boleslaw Bierut devenait Président provisoire de la République. La majorité des ministères avait été attribuée à des communistes ou à des hommes qui leur étaient favorables.

L'habileté des dirigeants communistes polonais et des Soviétiques dès l'époque de Lublin avait été de susciter la formation de Partis politiques apparemment non communistes, portant des sigles voisins de ceux des Partis démocratiques traditionnels, mais dirigés par des hommes de paille, transfuges des Partis traditionnels et dévoués aux communistes. Face au Parti socialiste polonais dirigé à Londres par Arciszewski, apparut à Lublin un Parti Ouvrier des Socialistes polonais dirigé par Osobka-Morawski, qui, à partir de septembre 1944, adopta la même dénomination que son homologue de Londres. De la même façon, on assista à la création d'un Parti paysan dissident et d'un Parti démocrate dissident. Les noms de ces nouvelles formations politiques ressemblaient à s'y méprendre à ceux des Partis traditionnels. Il était ainsi facile de tromper la population.

Le gouvernement d'Union Nationale aurait dû organiser des élections dans les plus brefs délais, mais il en repoussa la date jusqu'en janvier 1947. Il s'efforça de constituer pour ces élections une liste unique sous la direction du Parti ouvrier polonais – c'est-à-dire du Parti communiste – et avec l'assentiment des Partis dissidents nés à Lublin. On proposa même à Mikolajczyk le quart des sièges pour peu qu'il adhère au principe de la liste unique; il s'y refusa. En fait, les jeux étaient faits. Pendant toute l'année qui précéda la consultation, le gouvernement paralysa systématiquement l'action des Partis traditionnels qui tentaient de se reconstituer, interdisant la publication de leurs journaux, sabotant leurs réunions publiques. Il lança une campagne de dénigrement contre les membres du gouvernement de Londres qui, pour la plupart, avaient refusé de rentrer en Pologne compte-tenu de la situation qui y régnait; il s'en prit aussi aux survivants de l'Armée de l'Intérieur accusés d'activités anti-soviétiques, car certains d'entre eux avaient tenté d'organiser des maquis dans le sud du pays. La campagne électorale fut très dure. Si les candidats « officiels » du *Bloc démocratique* dirigé par les communistes bénéficièrent de toute latitude pour présenter leur programme aux électeurs, il n'en fut pas de même pour les socialistes indépendants et pour les amis de Mikolajczyk, dont la candidature devait être appuyée par une demande écrite de 1 000 électeurs dans chaque circonscription. Les autorités municipales dominées par les communistes rayèrent des listes électorales plus d'un million d'électeurs sous des prétextes divers, et de ce fait, les signatures qu'avaient fournies ces électeurs radiés pour présenter des candidats d'opposition furent déclarées nulles. De la sorte, 246 candidats du Parti paysan furent écartés – et 149 d'entre eux arrêtés – et encore davantage de socialistes indépendants. De plus, après le scrutin, il ne fut qu'exceptionnellement permis à des représentants des Partis d'opposition de prendre part au dépouillement. Dans de telles conditions, les élections du 19 janvier 1947 assurèrent une victoire totale au Bloc démocratique qui obtint 90 % des voix. Les opposants ne purent faire élire que 28 députés, 27 du Parti paysan de Mikolajczyk, et le socialiste indépendant Zulawski élu à Cracovie. Lors de la première séance du nouveau Parlement, Zulawski dénonça les procédés employés : « Les élections n'ont pas été libres; en réalité il n'y a pas eu d'élections du tout mais une terreur organisée contre l'électeur et sa conscience » osa-t-il déclarer, mais son intervention fut censurée. Il en fut de même pour un discours dans le même sens prononcé par Mikolajczyk. Celui-ci d'ailleurs n'allait pas tarder à abandonner le combat et quitta le pays en octobre suivant.

Ainsi, dans les quatre cas que nous venons d'examiner, en dépit de différences mineures dues à des circonstances locales particulières, le processus d'accession au pouvoir avait été sensiblement le même. Dans un premier temps, les Communistes et les forces d'appoint qu'ils avaient noyautées, avec l'appui de l'Armée Rouge ou des forces armées issues de la Résistance qu'ils contrôlaient, se sont emparés à tous les niveaux des postes-clé au moment de la vacance du pouvoir, réelle ou provoquée. Puis, dans un deuxième temps, maîtres de l'appareil administratif, judiciaire et policier, ils ont organisé des élections pour légaliser a posteriori le nouveau pouvoir qu'ils avaient mis en place.

LA MÉTHODE PROGRESSIVE

De la monarchie constitutionnelle à la démocratie populaire : le cas de la Roumanie (1944-1948)

La Roumanie constitue un cas particulier dans la mesure où le passage de l'ancien régime représenté par la dictature d'Antonescu au nouveau régime marqué par l'arrivée au pouvoir des communistes s'est effectué dans les formes *apparemment* démocratiques et avec le concours du roi Michel jusqu'à son abdication forcée le 30 décembre 1947.

Le gouvernement d'union nationale constitué au lendemain de l'élimination d'Antonescu avec des membres du Front Patriotique et des militaires sous la présidence du général Sanatescu se heurta très rapidement à des difficultés de toutes sortes : présence pesante et coûteuse de l'Armée Rouge, tensions sociales liées aux difficultés économiques, inflation galopante, pénurie alimentaire, agitation paysanne fomentée par le *Front les Laboureurs* du communiste Pierre Groza, agitation ouvrière du groupe *Apararea Patriotica* dirigé par les communistes et qui, au moment des événements du 23 août, avaient reçu des armes pour neutraliser les Allemands et les partisans d'Antonescu. En outre, le retour de Moscou des anciens dirigeants du PC roumain en exil (le Secrétaire Général Gheorgiu-Dej, Anna Pauker, Vasile Luca), la libération par les Russes de prisonniers de guerre roumains soigneusement choisis et endoctrinés et l'entrée en masse dans les rangs du Parti communiste d'anciens partisans d'Antonescu désireux de se dédouaner, renforcèrent considérablement les effectifs et l'influence du Parti communiste en Roumanie. Dès octobre 1944, l'idée de constituer en force politique dominante l'ancien Front Démocratique élargi fut mise à l'ordre du jour par les communistes. En dépit de leurs réticences, les Partis traditionnels s'y rallièrent et se virent associés aux communistes et aux associations de masse en grande partie contrôlées par eux dans l'œuvre de reconstruction d'une nouvelle Roumanie indépendante qu'il fallait aussi défendre « contre les ennemis du régime démocratique ». Devant cette nouvelle situation, le général Sanatescu démissionna le 6 novembre 1944 et reconstitua un nouveau gouvernement dans lequel les communistes se firent attribuer un nombre accru de portefeuilles, celui des Transports pour Gheorgiu-Dej, celui de la Justice pour L. Patrescu, celui des Affaires sociales pour L. Nicolaï et surtout le sous-Secrétariat d'État à l'Intérieur pour T. Georgescu. Le manque d'homogénéité du gouvernement provoqua des tensions au sein du cabinet, surtout face à la recrudescence de l'agitation ouvrière fomentée par les communistes. Un mois après son entrée en fonction, le 2e gouvernement Sanatescu se retira et fut remplacé le 5 décembre par un gouvernement dirigé par un autre militaire, le général Radescu. Les communistes y conservèrent les postes qu'ils occupaient précédemment. L'agitation redoubla d'intensité ; les manifestations contre la vie chère, pour la réforme agrairie et pour les nationalisations, se multiplièrent à travers tout le pays. Pendant ce temps-là, les ministres communistes Petrescu et Georgescu se livraient à une épuration radicale de l'administration préfectorale, de la magistrature et de la police. L'armée, de son côté, qui avait repris la lutte contre les Allemands aux côtés des Soviétiques, se trouvait hors du pays, et les rares unités qui étaient demeurées en territoire roumain n'avaient pas échappé, elles non plus, à l'épuration. Au début de l'année 1945, les communistes commencèrent à récolter les fruits de leur action en profondeur : ils étaient parvenus à rallier à eux tous les mécontents, même les membres de la minorité hongroise regroupés au sein du Madosz (Association des Travailleurs Hongrois) et qui avaient été durement traités au moment du retour des autorités roumaines en Transylvanie du nord. Pierre Groza avait alors été le seul à prendre leur défense. Les communistes accusèrent le général Radescu de favoriser dans le pays les éléments réactionnaires et déclenchèrent dans tout le pays une vaste campagne pour obtenir son départ. Comme en Pologne, ils suscitèrent au sein des Partis non communistes des mouvements de dissidence afin de les affaiblir et de jeter le trouble dans la population. A côté du Parti libéral et du Parti national-paysan apparurent des Partis d'appellation voisine, dirigés respectivement par G. Tatarescu et A. Alexandrescu.

La situation était de plus en plus confuse. Le 24 février 1945, les communistes organisèrent à Bucarest de grandes manifestations populaires contre le fascisme et contre le gouvernement Radescu : à cette occasion, l'Armée Rouge avait fourni des camions et du carburant pour transporter les manifestants. Dans la soirée, des coups de feu furent échangés. Les communistes en firent porter la responsabilité à Radescu qui répliqua dans un discours radiodiffusé ; il y condamna les fauteurs de troubles menés par « des étrangers apatrides, la Juive Anna Pauker, et le Hongrois Vasile Luca, étrangers par leur nationalité aux aspirations du peuple roumain ». C'est alors que les Soviétiques décidèrent d'intervenir directement. Le vice-ministre des Affaires étrangères Vychinski arriva le 27 février à Bucarest et demanda à être reçu immédiatement par le roi ; il exigea du souverain la formation d'un nouveau gouvernement. Devant le refus du roi Michel, Vychinski donna l'ordre au nouveau Commandant des forces soviétiques en Roumanie, le général Sussaykov, de faire désarmer la gendarmerie et la police roumaines ainsi que la garnison de Bucarest; puis le lendemain, il réitéra sa demande qui fut assortie d'un véritable ultimatum. Le souverain crut qu'en remplaçant le général Radescu par le prince Stirbey, il pourrait satisfaire les Soviétiques. Il n'en fut rien et à la suite d'une nouvelle entrevue orageuse avec Vychinski, le roi se résigna à nommer le communiste Pierre Groza, Président du Conseil. Le 6 mars 1945, le cabinet Groza, dominé par les communistes, entrait en fonction; le libéral dissident, Georges Tatarescu, discrédité par sa collaboration à la dictature à l'époque de Carol II, y détenait le portefeuille des Affaires Étrangères. Peu après, Moscou envoyait en Roumanie le maréchal Malinovsky officiellement afin de démanteler un soi-disant complot militaire contre les Soviétiques qui aurait été ourdi par Radescu et ses amis. Néanmoins, la situation sembla peu à peu se détendre. Sous la pression des Britanniques et des Américains, les ministres nationaux-paysans et libéraux furent même réintégrés au sein du gouvernement. Cependant, les communistes, maîtres des postes-clé dans le gouvernement et dans l'administration, et pouvant toujours compter sur les Soviétiques, renforcèrent progressivement leur mainmise sur l'État. Maîtres de l'appareil judiciaire, ils contrôlèrent de très près l'épuration – le dictateur Antonescu jugé fin mai 1946 fut exécuté aussitôt – frappant surtout les « collaborateurs » qui ne voulaient pas se rallier au nouveau régime tandis que d'anciens dignitaires du régime précédent étaient « récupérés ». L'année 1946 fut consacrée à la préparation des élections prévues pour le 19 novembre. La campagne électorale se déroula dans un climat pesant. Les candidats nationaux-paysans et libéraux, ceux du Parti socialiste qui avec Titel Petruscu avaient refusé de faire des listes communes avec les communistes comme venait de le faire la gauche socialiste, furent pratiquement empêchés de prendre part à la campagne. Nombre d'entre eux furent arrêtés et battus. Les autorités policières reprirent les bonnes vieilles habitudes d'antan. Mieux, les résultats ne furent publiés que quatre jours après la clôture du scrutin, et pendant ce laps de temps, les urnes avaient été gardées par les autorités municipales toutes dévouées au Parti communiste. Rien d'étonnant à ce que, dans ces conditions, le *Front Patriotique* ait obtenu plus de 5 800 000 voix et 414 sièges, tandis que l'opposition regroupait 1 200 000 voix et se voyait généreusement attribuer 34 sièges. C'était encore trop aux yeux des communistes ; ils décidèrent d'éliminer ce qui restait de l'opposition. Le 14 juillet 1947, à la suite d'une provocation, Ion Mihalache, l'un des principaux chefs du Parti national-paysan, qui s'apprêtait à quitter le pays clandestinement, fut arrêté et inculpé de haute trahison. L'autre leader paysan, Maniu, et plusieurs membres de la direction du Parti furent arrêtés à leur tour. A la suite d'un procès qui se déroula devant un Tribunal populaire présidé par le colonel Alexandre Petrescu, ancien Directeur Général des prisons et des camps de concentration à l'époque d'Antonescu, Jules Maniu et Ion Mihalache furent condamnés aux travaux forcés à perpétuité.

L'achèvement de la longue marche vers le pouvoir se situe à la fin de l'année 1947. Le roi Michel, de plus en plus isolé, était parti dans le courant d'octobre pour assister à Londres aux fêtes organisées à l'occasion du mariage de l'héritière du trône, la princesse Elisabeth. Il prolongea quelque peu son séjour en Grande-Bretagne à la grande joie des dirigeants roumains qui lui firent savoir discrètement que son retour n'était pas souhaité. En fait, le roi Michel regagna son pays le 21 décembre. Quelques jours plus tard, le 30, le chef du gouvernement, Groza, vint au Palais royal exiger le départ du souverain ; la Garde, ainsi que les conseillers du Roi, avaient déjà été désarmés et placés en état d'arrestation. Le 3 janvier 1948, le roi Michel et les siens quittèrent le pays. Le 28 mars 1948, de nouvelles élections donnèrent au *Front Patriotique* 405 des 414 mandats. Le premier acte de la nouvelle Assemblée fut de voter le 13 avril la nouvelle Constitution de la *République de Roumanie.*

L'illusion démocratique en Hongrie

La Hongrie présente cette originalité que dans ce pays à faible implantation communiste – le PC clandestin atteignait tout juste les 30 000 membres en 1938 –, les Soviétiques ont laissé se développer une expérience de démocratie limitée, de courte durée certes, mais qui, après avoir tourné à leurs dépens, fut brutalement interrompue.

Pour comprendre le déroulement, il faut remonter aux derniers mois de la guerre. Au moment où Szalasi venait de s'emparer du pouvoir avec l'appui des Allemands, l'est et le sud de la Hongrie étaient déjà occupés par l'Armée Rouge. En novembre 1944, un *Front National de l'Indépendance* fut aussitôt organisé à Szeged avec des personnalités de l'opposition de gauche, y compris des communistes, des syndicalistes et des représentants de la Résistance. Devenu Parlement provisoire et installé à Debrecen, le Front National désigna un gouvernement provisoire dès le 21 décembre, présidé par le général Miklós de Dalnok et groupant à la fois des personnalités du régime Horthy comme Géza Teleki, fils de l'ancien Président du Conseil, et des représentants des Partis du Front National (Petits propriétaires, Nationaux-paysans, Socialistes et Communistes). Bien qu'ayant déclaré la guerre à l'Allemagne dès son entrée en fonction, le gouvernement provisoire se trouva en vertu de la convention d'armistice placé sous le contrôle d'une Commission militaire alliée présidée par le maréchal soviétique Vorochilov. Une fois l'ensemble du territoire hongrois libéré, le gouvernement provisoire s'installa à Budapest et s'efforça de parer au plus pressé dans un pays ruiné et démoralisé.

Voulant donner une base légale à son action, le gouvernement provisoire décida d'organiser au plus tôt des élections. La loi électorale limita les partis autorisés aux seuls partis du Front National et exclut du vote les « collaborateurs ». En dépit de ces restrictions, aux élections municipales de Budapest en septembre 1945, le parti le plus modéré du Front National, le Parti des petits propriétaires, obtint la majorité absolue dans la capitale. Cette tendance fut confirmée aux élections générales du 4 novembre 1945. Avec 57 % des voix, les petits propriétaires obtinrent 246 sièges contre 70 aux communistes, 69 aux socialistes, 29 aux nationaux-paysans et 2 aux démocrates-bourgeois. Le succès du Parti des petits pro-

priétaires tenait largement au fait qu'il était, de tous les
partis autorisés, le moins à gauche et dès lors il avait
bénéficié des voix de la droite et du centre-droit. En réalité cependant, – et cela les électeurs l'ignoraient –, ce
parti était déjà noyauté par des éléments procommunistes
comme Dobi, qui fut plus tard Chef de l'État, ou comme
Ortutay, le ministre de l'Instruction publique et des
Cultes. Il en était de même chez les nationaux-paysans et
les socialistes.

La pression de la Commission alliée de contrôle et
l'indécision des chefs du parti victorieux amenèrent la
formation d'un gouvernement de coalition avec participation communiste, alors que les électeurs, en ne donnant que 17 % des voix aux communistes, s'étaient à une
très large majorité prononcé contre eux. Dans le cabinet
Tildy, formé le 15 novembre 1945, les communistes
s'emparèrent du ministère de l'Intérieur attribué à Imre
Nagy et du poste de vice-président du Conseil donné à
Mathias Rákosi, Secrétaire Général du PC. Dès lors, avec
la complicité plus ou moins consciente du Parti majoritaire, une gigantesque épuration fut entreprise ; les tribunaux populaires condamnèrent à mort non seulement
Szalasi et la plupart de ses ministres, mais également
diverses personnalités de l'époque Horthy comme les
anciens Présidents du Conseil Imrédy et Bardossy.
D'autres notables furent emprisonnés, parfois déportés
en Sibérie comme le Président du Conseil des années
vingt, le comte Bethlen, qui pourtant, depuis 1933,
n'avait pas cessé de dénoncer la politique germanophile
du gouvernement. L'épuration toucha aussi l'administration, la police avec la dissolution de la gendarmerie, dont
nombre de ses membres furent poursuivis pour crimes de
guerre, et l'armée, dont furent exclus entre 1945 et 1948
près de 14 000 de ses membres. Les Petits propriétaires
ne firent rien pour s'opposer à ces mesures ; d'abord ils
redoutaient d'être débordés sur leur gauche par les
communistes, qui n'hésitaient pas à mobiliser les foules
comme moyen de pression, et d'autre part, ils étaient persuadés qu'une fois le traité de paix signé et le départ des
occupants soviétiques obtenu, les choses s'arrangeraient
d'elles-mêmes.

A la demande des communistes et des socialistes, le

parti majoritaire vota en faveur d'un projet déposé par le gouvernement qui instituait la République. Tildy d'ailleurs fut aussitôt élu Président de la République et remplacé à la tête du gouvernement par son ami Ferenc Nagy. La Constitution votée le 6 février 1946 prévoyait une Assemblée unique, élue au suffrage universel direct et secret, qui désignait les membres du gouvernement et contrôlait leur action. En réalité, bien que détenant à la fois la Présidence de la République, la Présidence du Conseil et la majorité des sièges à l'Assemblée, les Petits propriétaires voyaient peu à peu le pouvoir leur échapper. Profitant du mécontentement né des difficultés économiques et de l'inflation galopante, le *Bloc de gauche* formé des communistes, des socialistes et des nationaux-paysans, multiplia à partir de mars 1946 les manifestations de masse contre le parti majoritaire accusé de sabotage. En fait c'était surtout l'aile droite du Parti des petits propriétaires, avec Béla Kovács, qui faisait l'objet des attaques les plus violentes. Soucieux de maintenir la coalition gouvernementale, Ferenc Nagy fit pression sur ces collègues pour qu'ils excluent du Parti des éléments réputés anti-communistes. Le noyautage du Parti des petits propriétaires par les éléments pro-communistes commençaient à porter ses fruits : 23 députés furent donc exclus. Sur sa lancée, Ferenc Nagy fit adopter une loi prévoyant de lourdes peines pour « les ennemis de l'ordre démocratique et de la République » et remplaça au ministère de l'Intérieur Imre Nagy jugé trop modéré par un autre communiste plus *dur*, László Rajk.

A partir de l'automne 1946, les premiers effets de ces mesures commencèrent à apparaître. Les journaux hostiles aux communistes se virent privés de papier, puis suspendus en même temps que le Bloc de Gauche amplifiait ses attaques contre les Petits propriétaires. Ce fut le début de l' « *opération salami* » pour reprendre l'expression de Mathias Rákosi à la session de l'Académie politique du Parti communiste de janvier 1952, où il expliquait comment les communistes étaient arrivés au pouvoir en « débitant » l'opposition tranche par tranche : les petits propriétaires en constituaient l'entame. Grâce à Rajk, les communistes s'installèrent dans des postes de confiance. Une police politique, l'AVO dirigée par le communiste

Gábor Péter et une Section politique du ministère de la Guerre sous les ordres du général Pálffy-Œsterreicher furent chargées de la lutte contre les « ennemis du peuple ». C'est cette Section qui annonça en décembre 1946 la découverte d'un complot où étaient impliqués des membres du Parti des petits propriétaires et notamment Béla Kovacs, l'adversaire n° 1 des communistes. Bien que le Parlement eût refusé de lever son immunité parlementaire, Béla Kovacs fut arrêté par la police militaire soviétique en février 1947 et ses *aveux* entraînèrent d'autres arrestations. Compromis lui-même, Ferenc Nagy fut au cours d'un séjour privé en Suisse invité par téléphone à démissionner, car on venait de découvrir la preuve de sa collusion avec les « comploteurs ». La démission de Nagy le 30 mai 1947 amena à la tête du gouvernement Lajos Dinnyés, également du Parti des petits propriétaires, mais bien vu des communistes. A la suite de ces arrestations, démissions et défections, les effectifs du parti majoritaire furent ramenés de 246 à 184 députés, ce qui lui faisait perdre la majorité absolue.

Ayant ainsi démantelé le principal parti non marxiste du pays, László Rajk annonça le renouvellement anticipé du Parlement et fixa la date des élections au 31 août. Le climat s'alourdissait; la découverte de « complots » avait jeté le trouble dans les esprits. L'institution de l'autorisation préalable et de la censure venait de restreindre la liberté de la presse. La loi électorale du 24 juillet 1947 multiplia les incapacités de vote : plus de 500 000 électeurs se trouvèrent ainsi privés du droit de s'exprimer. En outre, les partis autres que ceux du Front National ne pouvaient présenter de candidats que s'ils étaient recommandés par une pétition d'électeurs. Malgré les risques que présentait cette mesure pour les signataires des pétitions, six partis d'opposition purent présenter des candidats, ce qui d'ailleurs provoqua une dispersion des voix non communistes. La loi électorale permettait enfin aux électeurs en déplacement de voter là où ils se trouvaient. Les communistes, maîtres de la police et de l'administration locale, sauf à Budapest, où il y avait eu des élections municipales, purent ainsi faire voter plusieurs fois leurs partisans au moyen des « bulletins bleus » réservés aux électeurs en déplacement. Malgré ces dispo-

sitions, les communistes n'obtinrent que 21,8 % des voix
et 97 députés. Les petits propriétaires, en raison de leur
indécision et de leur docilité à l'égard des exigences
communistes, furent les grands perdants avec seulement
15,2 % des voix. Toutefois, le Front National de 1945
demeurait quand même la force dominante avec 60,2 %
des voix mais en son sein, c'était le Parti communiste qui
en devenait le groupe le plus nombreux. En face, les
petits Partis d'opposition avec près de 40 % des voix
n'obtenaient que 142 mandats contre 269 au Front National. Bien qu'ils fussent fort loin de la majorité avec leurs
97 députés, les communistes avaient deux atouts, la présence de l'Armée Rouge et la division de leurs adversaires.

Au lendemain de ces élections, les communistes, tout
en poursuivant leurs attaques contre la « réaction », s'en
prirent aussi aux « éléments réactionnaires du Parti socialiste ». La découverte d'un « complot » fasciste auquel
était soi-disant mêlé le chef de l'aile droite du Parti socialiste, Károly Peyer ainsi que les dirigeants des partis bourgeois d'opposition, amena de nouvelles arrestations. A la
demande de Rajk, l'immunité parlementaire de Peyer fut
levée le 22 novembre 1947. Les « centristes » du Parti
socialiste, Anna Kéthly, Antal Ban, furent à leur tour
dénoncés comme « réactionnaires ». La direction du Parti
les exclut de ses rangs pour éviter les complications, ce
qui prépara la fusion avec le Parti communiste. Effectivement, au Congrès du Parti socialiste tenu du 11 au 13 juin
1948, le principe de la fusion fut adopté et aussitôt après,
socialistes et communistes se retrouvèrent unis au sein
du *Parti des Travailleurs hongrois* dont la présidence
revint au Communiste Mathias Rákosi avec le titre de
Secrétaire Général. Le dernier obstacle à l'établissement
de la *Démocratie populaire* était le Président de la République, Tildy. La découverte d'un « complot » où était
compromis son gendre amena sa démission le 30 juillet
1948 et son remplacement par A. Szakasits, le président
du Parti des Travailleurs hongrois. La pseudo-expérience
démocratique avait été de courte durée.

Benès et les communistes (1945-1948)

Comme la Pologne, la Tchécoslovaquie avait conservé pendant toute la durée de la guerre un gouvernement en exil dirigé de Londres par le Président de la République Benès. Mais à la différence de son homologue polonais, le gouvernement tchécoslovaque avait résolument choisi une politique d'entente avec les Soviétiques; il est vrai qu'il n'existait aucun contentieux entre la Tchécoslovaquie et l'URSS. La politique d'entente avec l'URSS fut concrétisée par la signature à Moscou le 4 décembre 1943 d'un traité d'amitié et d'alliance entre les deux pays fondé sur la base de la non-ingérence dans les affaires intérieures. Au cours de son séjour à Moscou, Benès avait conclu avec le Secrétaire Général du PC tchécoslovaque, Klément Gottwald, un accord politique. Il était prévu qu'à la Libération serait formé un gouvernement d'union dirigé par un homme de gauche et que des élections libres et secrètes seraient organisées dans les meilleurs délais. Le gouvernement qui sortirait de ces élections devrait alors être dirigé par le chef du parti le plus nombreux. En signant cet accord, Gottwald était intimement persuadé que les communistes gagneraient ces premières élections.

Lorsque Benès regagna la Tchécoslovaquie et s'installa provisoirement à Kosice le 3 avril 1945, il désigna comme chef du gouvernement le social-démocrate Fierlinger. Dans son cabinet, les communistes reçurent 8 des 25 ministères mais, outre la vice-présidence du Conseil confiée à Gottwald, ils obtenaient notamment deux ministères-clé, celui de l'Intérieur, c'est-à-dire le contrôle de la police et de l'administration locale, et celui de l'Information, c'est-à-dire la haute main sur la presse et la radio. Les Partis qui composaient le gouvernement en exil, les différentes organisations clandestines issues de la Résistance et les syndicats formèrent aussitôt le *Front National des Tchèques et des Slovaques*, tandis qu'à l'échelon local, le pouvoir était exercé au fur et à mesure de la libération du territoire par des comités issus de la Résistance et dominés par les éléments communistes. Le gouvernement Fierlinger, dès le 5 avril, publia une véritable charte-programme désignée habituellement sous le nom de *Programme de Kosice*. Ce document prévoyait notamment en politique étrangère le maintien de l'alliance privilégiée avec l'Union soviétique, et à l'intérieur le châtiment des traîtres et des collaborateurs, l'octroi d'un statut particulier pour la Slovaquie, une profonde réforme agraire, la nationalisation des banques, des mines et des cntreprises industrielles employant plus de 500 salariés.

Ces mesures furent appliquées immédiatement après l'installation du gouvernement dans la capitale à la fin mai 1945 et la formation d'un Parlement provisoire avec les délégués du *Front National*. Comme prévu, les tribunaux spéciaux procédèrent dès juin 1945 et jusqu'en 1948 à la mise en jugement des « traîtres » et des « collaborateurs ». Les victimes de cette épuration furent soit les dirigeants des minorités allemandes et hongroises accusés de trahison, soit les membres de l'administration de l'État slovaque de Mgr Tiso. Le procès de Mgr Tiso, qui se déroula à Bratislava du 3 décembre 1946 au 15 avril 1947, provoqua des remous, d'abord en raison de la composition particulière du tribunal – 5 des 7 juges étaient des communistcs –, cnsuite à cause de la popularité considérable dont jouissait le prélat parmi ses compatriotes. Sa condamnation à mort et son exécution le 19 avril 1947 en dépit des appels à la clémence de l'épiscopat tchécoslovaque et de Joseph Lettrich, chef du Parti démocrate slovaque majoritaire en Slovaquie, heurtèrent vivement les sentiments d'une partie importante de la population slovaque. Au total, sur les quelque 20 000 procès qui furent intentés dans le cadre de la politique d'épuration, il y eut 365 condamnations à mort suivies d'exécution. L'épuration toucha aussi l'administration, la magistrature et la police, ce qui permit aux communistes, qui détenaient le ministère de l'Intérieur, de placer partout des hommes à eux.

Les élections prévues eurent lieu le 20 mai 1946. Cinq Partis furent autorisés à y participer : le Parti communiste avec sa section tchèque et sa section slovaque, le Parti social-démocrate, le Parti socialiste-national très lié à Benès, le Parti populiste tchèque de Mgr Sramek, de tendance démocrate-chrétienne, le Parti démocrate slovaque. Le Parti communiste obtint 38 % des voix, davantage dans les pays tchèques, où il frôla les 40 %, qu'en Slovaquie, où il atteignit à peine 30 % des voix. Les sociaux-démocrates de leur côté eurent 13 % des suffrages, ce qui donnait la majorité absolue à la coalition socialo-communiste. Ce succès des communistes s'expliquait à la fois par le rôle qu'ils avaient joué dans la Résistance et par l'action des militants dont les effectifs avaient considérablement grossi par rapport à 1938, passant de 80 000 à cette date à plus de 500 000 à la fin de 1945. Ce succès pouvait également s'expliquer par les positions qu'occupaient les communistes dans les municipalités, et aussi par le recul sensible du Parti social-démocrate par rapport à ses positions d'avant-guerre. Face à cette coalition de gauche, les Partis bourgeois avaient rassemblé sur leurs candidats 49 % des voix, avec un léger avantage aux socialistes-nationaux (18 %) suivis par les populistes (16 %) et les démocrates slovaques (15 %). L'enseignement qui se dégageait de ces élections, c'était que d'une part plus de 3 électeurs sur 5 n'étaient pas communistes, mais que d'autre part, le PC était devenu la première force politique du pays et notamment dans les pays tchèques. Conformément aux accords passés par Benès, ce fut Klement Gottwald qui, le 2 juillet 1946, forma le nouveau gouvernement avec les Partis du *Front National.* Les communistes s'attribuèrent 9 ministères dont ceux de l'Intérieur, de la Justice et de l'Information ; 13 ministères allaient aux autres Partis dont les Affaires étrangères, qui furent confiées à Jan Masaryk, fils de l'ancien Président de la République. Le ministère de la Défense Nationale fut donné à un pseudo-apolitique, le général Svoboda.

Le succès électoral du Parti communiste et l'impulsion que ses militants donnèrent à la reconstruction du pays lui valurent une influence et un prestige accrus. Ses effectifs atteignirent le chiffre de 1 300 000 adhérents au début de l'année 1948. Le nouveau Comité Central, dont le Secrétaire Général était maintenant Rudolf Slansky, était composé d'hommes entièrement dévoués à Moscou et à Gottwald. Par l'intermédiaire des conseils locaux, les communistes contrôlaient alors plus de la moitié des municipalités, principalement en Bohême, alors qu'en Slovaquie leur influence était plus réduite. Depuis 1945 les communistes avaient la haute main sur le *Mouvement Syndical Révolutionnaire*, seul syndicat autorisé et que dirigeait Antonin Zapotocky, membre du Comité Central du PC. D'autre part, ils disposaient d'éléments dévoués à leur cause dans tous les autres Partis qu'ils avaient peu à peu noyautés, dans l'aile gauche du Parti social-démocrate avec Fierlinger, et même à l'intérieur du Parti populiste avec des gens comme l'abbé Plojhar qui plus tard jouera un rôle important dans le *Mouvement des Prêtres pour la paix*. Ils pouvaient compter aussi sur l'armée dont le chef, le général Svoboda, leur était acquis. En 1945, Svoboda avait voulu adhérer au Parti communiste mais en avait été dissuadé par Gottwald lui-même car à ses yeux, en tant qu' « apolitique », il était à même de « rendre au Parti des services beaucoup plus grands ». Jusqu'au début de l'année 1947, le gouvernement Gottwald appliqua sans difficulté et dans un relatif consensus les décisions économiques envisagées dans le *programme de Kosice*. Cependant, peu à peu, les communistes renforcèrent leur pénétration dans les secteurs qu'ils ne contrôlaient pas encore, ce qui amena une prise de conscience du danger chez les dirigeants des partis bourgeois, beaucoup plus que chez Benès.

Les premières tensions au sein de la coalition gouvernementale se produisirent en juillet 1947 lorsqu'il s'est agi de décider si oui ou non la Tchécoslovaquie participerait à la Conférence préparatoire pour la mise en application du Plan Marshall, c'est-à-dire d'un plan d'aide aux pays européens que le Secrétaire d'État américain venait de proposer. Ce plan prévoyait l'ouverture de larges crédits à tous les pays européens, la seule condition posée étant que le contrôle de ces fonds soit exercée par des représentants des États-Unis. Le 4 juillet, le cabinet tchécoslovaque approuva à l'unanimité le principe de la participation à cette Conférence mais Gottwald suggéra de faire approuver cette décision par Moscou car entre-temps, le 2 juillet, l'URSS avait annoncé qu'elle refusait le Plan Marshall. En présentant sa suggestion, Gottwald n'agissait pas en tant que chef d'un gouvernement d'un État indépendant, mais en tant que dévoué et féal porte-parole du gouvernement soviétique. On le vit bien à Moscou, où le ministre des Affaires étrangères en titre, Masaryk, se trouva pratiquement exclu des entretiens que menèrent Gottwald et son ministre du Commerce Loebl avec Staline. Les dirigeants soviétiques firent clairement savoir que l'acceptation du Plan Marshall serait considéré par l'URSS comme un acte hostile à son égard. Le 10 juillet, comme un seul homme, le gouvernement de Prague ainsi que le président Benès s'alignèrent sur les positions soviétiques et déclinèrent l'offre américaine. Les ministres non communistes se rendirent compte alors que c'était Moscou qui, par l'intermédiaire de Gottwald, faisait la pluie et le beau temps en Tchécoslovaquie. Ils tentèrent de réagir.

La seconde phase de la crise eut lieu à peu près au même moment en Slovaquie, où le Secrétaire Général du PC slovaque, Gustav Husak, lança une violente attaque contre le Parti démocrate de Joseph Lettrich, accusé d'être noyauté par d'anciens partisans de Mgr Tiso et de favoriser l'agitation nationaliste dans le pays. De nombreux militants démocrates furent aussitôt arrêtés et le député Ursiny fut accusé d'avoir trempé dans leur complot. A Prague, les ministres non communistes dénoncèrent les méthodes de Husak. Celui-ci riposta en déclenchant le 5 novembre une grève générale en Slovaquie pour exiger l'épuration du Parti démocrate. Ces procédés commencèrent à provoquer l'inquiétude dans les milieux non communistes. Le Congrès du Parti social-démocrate, qui se tenait alors à Brno, conscient de l'influence grandissante du PC, refusa le projet de fusion avec les communistes, ce qui amena aussitôt Gottwald à dénoncer « les milieux réactionnaires soutenus par l'étranger » et qui s'opposaient à l'établissement du socialisme en Tchécoslovaquie.

A partir de ce moment-là, l'attitude des communistes se durcit progressivement. Les syndicats multiplièrent les manifestations de masse et les grèves d'avertissement. Il est vrai que les résultats insuffisants de l'agriculture prolongeaient l'état de pénurie alimentaire, ce qui favorisait les trafics de toutes sortes et créait un mécontentement profond dans le monde ouvrier. A la fin de l'année 1947, les syndicats reconstituèrent les *Milices populaires* armées qui avaient été dissoutes à la fin de la guerre; le but était officiellement d'assurer la défense de la République contre la réaction. Au même moment, le climat s'alourdit encore davantage avec l'annonce de la découverte d'un important complot à Most-na-Labe. Le ministre de l'Intérieur, le communiste Nosek, en profita pour accélérer l'épuration de la police. L'évolution de la situation provoqua une inquiétude grandissante dans les milieux non communistes, d'autant plus que des élections générales étaient prévues pour le mois de mai suivant. Pour ces élections, le Parti communiste avait présenté un programme étendant les nationalisations aux entreprises de plus de 50 salariés et aggravant les dispositions de la réforme agraire en cours.

Les Partis bourgeois, qui comptaient sur le soutien du Président Benès, décidèrent de contre-attaquer. Le 13 février 1948, les ministres socialistes-nationaux demandèrent que soit annulée la destitution d'un certain nombre de hauts fonctionnaires de la police prononcée par le ministre Nosek, et ils l'obtinrent. Voulant aller plus loin, les ministres des Partis bourgeois décidèrent de démissionner en bloc, espérant que Benès refuserait leur démission, ce qui amènerait l'ensemble du cabinet Gottwald à démissionner. Le 20 février, ils présentèrent effectivement leur démission, mais contrairement à leur attente, le général Svoboda et Jan Masaryk refusèrent de les suivre, tandis que les sociaux-démocrates jugeaient leur attitude « inopportune ». Au sein même des Partis bourgeois, les éléments pro-communistes se montrèrent hostiles à ces démissions. Mais les jeux étaient faits et le sort du pays se trouvait maintenant entre les mains du Président de la République. Les syndicats, conscients du risque que constituait l'éventualité d'une crise ministérielle et l'organisation d'élections libres dans lesquelles la « majorité silencieuse » pourrait donner raison aux ministres démissionnaires, mobilisèrent leurs adhérents. Joseph Smrkovsky, commandant adjoint des Milices populaires, mobilisa ses troupes. Le 21 février, Gottwald, au cours d'un meeting tenu en plein cœur de Prague, dénonça le complot impérialiste qui se préparait. Le lendemain, les syndicats annoncèrent une grève générale d'une heure pour le 23. Dans la nuit du 22 au 23 février, Gottwald et Nosek firent arrêter de nombreux militaires et hauts fonctionnaires jugés peu sûrs et firent procéder à des perquisitions au siège des Partis bourgeois. La crise atteignit alors son paroxysme. Appuyés et encadrés par les Milices armées rassemblées par Pavel et Smrkovsky, des milliers de manifestants descendirent dans les rues de Prague, venus des banlieues ouvrières et des villes de province par trains spéciaux. Une première manifestation eut lieu le 23 appuyée par la grève générale : mais la tension atteignit son point culminant le 25, où 300 000 militants communistes rassemblés sur la place Venceslas exigèrent le maintien de Gottwald, à la tête du gouvernement. N'ayant pu obtenir le soutien des sociaux-démocrates, Benès céda, donna satisfaction à Gottwald et abandonna ses amis. Le 25 au soir en effet, il accepta de remplacer les ministres démissionnaires. Sur les 20 ministres que comptait le nouveau cabinet Gottwald, il y avait maintenant 12 communistes. Avec Masaryk et le général Svoboda, qui gardaient leur portefeuille, les non-communistes étaient représentés par 3 sociaux-démocrates, membres de l'aile gauche du Parti, un populiste dissident et deux démocrates slovaques en rupture de Parti. Le *coup de Prague* avait réussi avec la complicité de Benès. La rue, armée par le Parti communiste, avait imposé sa loi. Quelques jours plus tard, dans la nuit du 9 au 10 mars, Jan Masaryk se suicidait.

Le Parlement s'attaqua à la discussion du projet de Constitution qui était en suspens. Avant de se séparer, il adopta le 9 mai la nouvelle Constitution. Les élections générales du 30 mai donnèrent à la liste unique du *Front National* 6 430 000 voix sur 8 000 000 d'inscrits. Plus de 1 500 000 électeurs s'étaient abstenus ou avaient voté blanc. Le Président Benès, malade depuis déjà longtemps, démissionna le 7 juin, non sans avoir refusé de promulguer la nouvelle Constitution. Il devait mourir peu après, le 3 septembre 1948. Aussitôt après la démission de Benès, l'Assemblée désigna à l'unanimité Klement Gottwald comme second Président de la Deuxième République tchécoslovaque. A son tour, la Tchécoslovaquie devenait une *démocratie populaire*.

La naissance de la RDA

La zone soviétique d'occupation se présente elle aussi comme un cas particulier dans la mesure où, depuis la capitulation du Reich le 8 mai 1945 et conformément aux décisions des Alliés, l'État allemand a cessé d'exister en tant qu'entité politique, et que les autorités militaires d'occupation ont pris en charge l'administration du pays, chacune dans sa zone. L'absence des prisonniers de guerre qui ne seront libérés qu'à partir de 1947, la présence pesante de l'armée soviétique, le désarroi de la population civile dans un pays dévasté par les bombardements et les combats, le poids de la défaite enfin, tout cela a créé des conditions tout à fait particulières que les occupants soviétiques ont su utiliser avec le plus grand profit. Le régime national-socialiste avait dès 1933 fait table rase de tous les Partis politiques si bien que les Soviétiques eurent toute latitude d'agir. Ils avaient facilité la fondation à Moscou, en pleine guerre, d'un *Comité pour l'Allemagne libre* présidé par le communiste Walter Ulbricht qui disposait d'un journal *Freies Deutschland* dans lequel était exposé ce que devrait être l'Allemagne future. Dès le 1er mai 1945, les communistes allemands réfugiés à Moscou arrivèrent à Berlin et s'attachèrent à la réorganisation du Parti. Une fois la guerre terminée, l'administration militaire soviétique jeta les bases d'une administration locale provisoire en faisant appel à des membres des anciens Partis dissous en 1933, mais en donnant la préférence aux éléments communistes. Au cours de l'été 1945, les Soviétiques donnèrent leur accord pour la reconstitution ou la création d'un certain nombre de Partis politiques. Outre le Parti communiste de Walter Ulbricht et de Wilhelm Pieck, se reconstituèrent le Parti social-démocrate avec Otto Grotewohl et Frederic Ebert, fils de l'ancien Président du Reich, le Parti démocrate-chrétien d'Otto Nuschke, et le Parti libéral de Johannes Dieckmann. Ces partis décidèrent le 14 juillet 1945 de former un *Front uni des Partis antifascistes et démocratiques* afin de lutter contre les vestiges de l'hitlérisme, contre l'impérialisme et le militarisme, et pour la reconstruction du pays sur une base démocratique. Aussitôt, les communistes et les sociaux-démocrates entamèrent des négociations qui aboutirent en avril 1946, lors d'un Congrès commun tenu à Berlin, à la formation du *Parti Socialiste Unifié d'Allemagne* ou SED *(Sozialistische Einheitspartei Deutschlands)* qui regroupait au total près de 1 300 000 adhérents et qui constituait ainsi la première formation politique de la zone soviétique d'occupation.

Avant même la formation du SED, on avait procédé sous le contrôle des autorités d'occupation à la mise en place de nouvelles circonscriptions administratives, les *Laender*. Les administrations provisoires mises en place procédèrent à de profondes réformes de structure, réforme agraire, nationalisations, qui furent ratifiées par référendum populaire. En octobre 1946 eurent lieu les premières élections provinciales et municipales : le SED y obtint près de 48 % des suffrages, les libéraux et les chrétiens-démocrates chacun 24 %. Un peu plus tard apparurent deux nouvelles formations politiques, le Parti démocrate paysan et le Parti national-démocrate. Peu à peu, les Soviétiques rendirent aux autorités locales allemandes l'essentiel des responsabilités administratives. En mars 1948, à l'issue d'une réunion en un *Congrès du Peuple* des représentants des Partis politiques et des organisations de masse, on désigna les membres d'un *Conseil du Peuple* chargé d'élaborer un projet de Constitution. La *guerre froide*, la dégradation des relations entre les Puissances occidentales et l'URSS à la suite de la réforme monétaire de juin 1948 dans les zones occidentales et à Berlin-Ouest, la décision des Soviétiques à titre de représailles, de fermer aux Occidentaux les voies d'accès terrestre à Berlin, accélérèrent le processus de mise en place d'un État est-allemand intégré à l'Europe de l'Est. Une nouvelle réunion du Congrès du Peuple approuva le 30 mai 1949 le projet de Constitution préparé par le Conseil du Peuple. Le Congrès du Peuple prit aussitôt le nom de *Chambre du Peuple* provisoire et désigna le 7 octobre 1949 Otto Grotewohl comme chef du gouvernement provisoire de la *République Démocratique Allemande*, au moment même où à Bonn s'organisait la *République Fédérale d'Allemagne*. La division de l'Allemagne se trouvait ainsi officialisée. La RDA par l'orientation politique de ses dirigeants allait bientôt devenir un membre à part entière de l'Europe socialiste.

Ainsi, à l'exception de la RDA, où le processus de transformation a été plus tardif en raison de sa situation particulière, tous les pays de l'Europe de l'Est sont devenus au plus tard en 1948 des *démocraties populaires*. Les Partis communistes sont alors devenus la force politique dominante dans tous ces pays avec la ferme volonté d'y établir une organisation politique, économique et sociale conforme au modèle soviétique. On peut vraiment parler alors du *Bloc soviétique*.

LA YOUGOSLAVIE FÉDÉRALE

AUTRICHE

RÉPUBLIQUE SOCIALISTE
DE SLOVÉNIE

Maribor

Ljubljana

ITALIE

Rijeka

Zagreb

SOCIALISTE DE CROATIE

RÉPUBLIQUE

HONGRIE

ROUMANIE

RÉGION AUTONOME
DE VOÏVODINE

Novi Sad

Belgrade

RÉPUBLIQUE SOCIALISTE
DE BOSNIE-HERZÉGOVINE

Sarajevo

Split

ADRIATIQUE

Dubrovnik

RÉPUBLIQUE
SOCIALISTE
DE MONTÉNÉGRO

Titograd

RÉPUBLIQUE SOCIALISTE DE SERBIE

Nis

BULGARIE

Pristina

RÉGION AUTONOME
DE KOSSOVO

Skopje

ALBANIE

RÉPUBLIQUE SOCIALISTE
DE MACÉDOINE

Ohrid

GRÈCE

La Yougoslavie d'après 1945 est divisée en 6 républiques fédératives : du nord au sud : Slovénie, Croatie, Bosnie-Herzégovine, Serbie, Monténégro, Macédoine, auxquelles ont été adjointes les territoires de la Voïvodine (hongroise jusqu'en 1918) et la région albanophone de Pristina, à l'ouest de la Vieille-Serbie.

XXIII

L'ÉPOQUE STALINIENNE
(1948-1953)

Pour les peuples de l'Europe de l'Est, les cinq années qui se sont écoulées, entre l'hiver 1947-1948 et la mort de Staline le 5 mars 1953 ont constitué la période la plus sombre et la plus difficile qu'ils aient connue depuis la fin de la guerre jusqu'à aujourd'hui. Ces années furent marquées sur le plan international par la *guerre froide* et par l'établissement de liens de dépendance très étroits entre les pays de l'Est et Moscou : seule la Yougoslavie est parvenue à desserrer quelque peu ces liens. A l'intérieur, ces années furent l'apogée du système dictatorial mis en place au lendemain de la guerre; les opposants aux nouveaux régimes en furent les victimes, mais aussi beaucoup de chefs communistes eux-mêmes. Enfin, sur le plan économique, les années 1948-1953 correspondent à la mise en place d'une façon irréversible du système d'économie socialiste planifiée.

MOSCOU ET LES PAYS DE L'EST EUROPÉEN

Le resserrement des liens avec les démocraties populaires

L'installation des régimes de démocratie populaire dans les pays de l'Europe de l'Est coïncide sur le plan des relations internationales avec l'époque de la *guerre froide*. Dès la fin de 1946, l'entente entre les Alliés de la Seconde Guerre mondiale qui avait régné jusque-là en dépit d'accès d'humeur localisés dans le temps et dans l'espace, a laissé la place à une dégradation et à un refroidissement rapide des relations entre le *Bloc occidental* conduit par les États-Unis et le *Bloc soviétique* dirigé par l'URSS. Les causes de cette *guerre froide* sont multiples, et sont liées tout d'abord aux différences fondamentales des conceptions politiques et économiques qui séparent le système libéral et le système socialiste. Si, durant la guerre, en raison des nécessités imposées par la lutte contre un ennemi commun, ces différences ont été pudiquement dissimulées, une fois la paix revenue elles sont réapparues d'autant plus que le successeur du Président Roosevelt, Harry S. Truman, semblait beaucoup moins décidé que son prédécesseur à faire des concessions supplémentaires aux Soviétiques. En outre, les conditions dans lesquelles les Partis communistes étaient parvenus au pouvoir en Europe de l'Est avaient suscité de sérieuses réserves dans les pays occidentaux traditionnellement attachés à la démocratie parlementaire pluraliste. Très vite, les Puissances occidentales ont eu l'impression qu'à Yalta, Staline s'était joué d'elles.

La volonté clairement exprimée du Président Truman de contenir désormais les Soviétiques a suscité de leur part un net durcissement rélévé notamment lors de la Conférence organisatrice du Kominform en septembre 1947. Considérant que l'Europe de l'Est était indispensable à sa sécurité, l'URSS a décidé d'en faire une véritable *chasse gardée* en l'isolant du monde extérieur. A ce titre, les dirigeants soviétiques ont interdit aux pays de l'Est tout accord politique et économique direct avec les pays occidentaux. Le refus par la Tchécoslovaquie, sur ordre de Moscou, de l'aide Marshall, qu'elle avait d'abord acceptée, montrait clairement la volonté de Moscou de conserver la haute main sur la politique étrangère des pays de l'Est européen. Et d'ailleurs, aussitôt après, l'URSS s'empressa de conclure avec la Tchécoslovaquie un accord économique avantageux. D'autres accords commerciaux furent, dans les mois qui suivirent, conclus avec les autres démocraties populaires. Alors que jusque-là ces pays réalisaient la plus grande partie de leurs échanges commerciaux avec l'Europe occidentale, ce fut l'URSS qui désormais devînt leur premier client et

leur premier fournisseur. En même temps, c̲
commerciaux furent signés entre chaque d̲
populaire et toutes les autres. Pour un pays co̲
RDA, qui jusque-là avait été intégré au vaste en̲
économique que constituait l'Allemagne, ces nouv̲ ̲s
orientations des échanges nécessiteraient un redéploiement radical des activités économiques en fonction des
besoins de ses nouveaux partenaires.

Les accords économiques furent doublés par des traités
d'alliance, d'amitié et d'assistance mutuelle qui renforcèrent les liens politiques d'une part entre l'URSS et chacun des pays de l'Est, et d'autre part entre chaque État et
les autres membres du *Bloc soviétique*. Ces traités pré-
voyaient tous l'envoi par l'URSS d'instructeurs et d'assis-
tants techniques; ce furent des militaires soviétiques qui,
en vertu de ces traités, furent chargés de réorganiser les
forces armées de ces pays. Le but recherché était de
constituer un ensemble de pays solidaires entre eux et
alliés d'une façon indéfectible à l'Union Soviétique à la
fois considérée en tant qu'État, et en tant que centre dirigeant du communisme mondial. Le principe de ces liens
privilégiés avec l'URSS basés sur une fidélité absolue des
Partis communistes à l'égard de Moscou, avait été solennellement affirmé lors de la conférence de Szklarska-
Poreba que nous avons déjà évoquée plusieurs fois. En
cette fin de l'année 1947, les Pays de l'Est commencent à
apparaître comme un bloc apparemment homogène,
étroitement lié à l'Union Soviétique qui est présente chez
certains d'entre eux (Hongrie, Pologne, Roumanie et
RDA) par ses armées. A cette époque, c'est la Yougoslavie
de Tito qui apparaît à tous comme le pays le plus proche
idéologiquement et politiquement de l'URSS; c'est sans
doute pour cette raison que Belgrade fut choisi alors
comme siège du Kominform. Or, moins d'un an plus tard,
le 28 juin 1948, le Kominform condamnait la politique de
Tito et sommait le Parti communiste yougoslave de changer d'orientation.

Le schisme yougoslave

La rupture de l'été 1948 entre la Yougoslavie et le *Bloc
soviétique* constitue la première crise sérieuse qui a

affecté le monde socialiste. Pourtant, rien ne laissait penser que le plus stalinien des chefs communistes de
l'Europe de l'Est allait du jour au lendemain être considéré comme l'homme à abattre. Tito n'avait-il pas calqué
rigoureusement les institutions de son pays sur celles de
l'URSS ? La Constitution yougoslave de 1946 ne présen-
tait-elle pas d'étranges analogies avec la Constitution stalinienne de 1936 ? Les Services de Sécurité, l'OZNA, sous
la direction d'A. Rankovich, n'avait-elle pas éliminé avec
un zèle tout stalinien les divers opposants ? Et en politique étrangère, la Yougoslavie ne s'était-elle pas alignée
sur l'URSS dans ses attaques contre l'impérialisme américain et ne soutenait-elle pas activement les maquis
communistes qui, dans le nord de la Grèce, avaient
déclenché une véritable guerre contre le gouvernement
d'Athènes ? Pourtant, les dirigeants de Moscou trouvaient
dans certains comportements de Tito matière à inquiétude. D'abord, Tito, du fait que ses propres armées
avaient elles-mêmes libéré la plus grande partie du territoire national, se sentait moins dépendant vis-à-vis des
Soviétiques que les autres dirigeants de l'Europe de l'Est.
Jusqu'au début de l'année 1948, les Soviétiques ne semblèrent pas prendre ombrage de ce *nationalisme* yougoslave. Les choses se compliquèrent lorsque Tito envisagea
de constituer sous la direction de Belgrade une *Fédération balkanique* groupant autour de la Yougoslavie,
l'Albanie et la Bulgarie. Déjà, depuis la fin de la guerre, la
Yougoslavie avait mené en Albanie une politique
d'intense pénétration politique et économique qui avait
abouti à la signature en juillet 1946 d'un accord de coopération et d'assistance mutuelle renforcé encore en
novembre de la même année par un accord douanier et
monétaire : les deux pays décidèrent alors de réaliser une
union douanière et monétaire totale. En même temps,
des centaines de techniciens yougoslaves, civils et militaires, s'étaient abattus sur l'Albanie. La présence de ces
instructeurs yougoslaves, qui bien souvent se compor-
taient avec arrogance à l'égard des populations locales,
provoqua de violentes discussions au sein même du PC
albanais. Certains dirigeants albanais eurent alors
l'impression que Tito voulait faire de l'Albanie la 7e république de la Fédération yougoslave. La direction du PC

albanais persista dans le maintien des liens étroits avec la Yougoslavie jusqu'au moment où, au début de 1948, Tito voulut placer sous commandement yougoslave les forces armées albanaises et faire stationner ses troupes en Albanie « pour la défendre contre les menaces monarcho-fascistes grecques ». Enver Hoxha, malgré l'existence au sein du PC albanais d'une importante fraction pro-yougoslave, décida de réagir et avertit Moscou des prétentions de Tito. Dès mai 1948, les relations entre Tirana et Belgrade commencèrent à se détériorer. Moscou paraissait d'autant plus inquiet des visées expansionnistes de Tito qu'elles se manifestaient également en direction de la Bulgarie. Les relations entre Belgrade et Sofia étaient au beau fixe depuis la rencontre entre Tito et Dimitrov complétée par l'accord d'Euxinograd du 27 novembre 1947 par lequel, en échange de l'abandon par la Bulgarie de ses revendications sur la Macédoine, la Yougoslavie avait renoncé aux réparations bulgares. On avait aussi discuté du projet de *Fédération balkanique*. Dimitrov au début de janvier 1948 avait évoqué la possibilité d'une telle fédération qui pourrait intégrer d'autres pays de l'Est comme la Hongrie, la Pologne, la Tchécoslovaquie et même la Grèce. Dès le 28 janvier, la *Pravda* avait critiqué les déclarations de Dimitrov, qui d'ailleurs se rétracta quelques jours plus tard. Pour Moscou, c'en était trop. Que Tito veuille à la fois annexer l'Albanie et rassembler autour de lui les pays balkaniques et danubiens, c'était là une éventualité qui pouvait constituer à long terme une menace pour l'hégémonie soviétique dans ce secteur. Moscou tenta d'abord d'obtenir une autocritique des Yougoslaves qui semblèrent céder le 11 février en signant à Moscou un document par lequel ils s'engageaient à consulter l'URSS pour toutes les questions relatives à leur politique étrangère. Mais, en dépit de cette bonne volonté apparente, Tito entendait rester maître de ses décisions. Le Comité central du PC yougoslave réuni le 1er mars préconisa une attitude de fermeté à l'égard des Soviétiques. Moscou répliqua le 18 mars en rappelant de Yougoslavie ses conseillers militaires sous prétexte qu'ils étaient traités d'une façon inamicale et qu'ils faisaient l'objet d'une surveillance étroite de la part des Services de Sécurité yougoslaves. Tito répondit en adressant une longue lettre au ministre soviétique des Affaires étrangères Molotov dans laquelle il justifiait la surveillance dont avaient été l'objet les conseillers soviétiques pour les activités d'espionnage auxquelles ils se livraient. On s'acheminait ainsi lentement vers la rupture, mais à pas feutrés. Personne, en dehors des initiés, n'était au courant de ce qui était en train de se passer. L'URSS fit une dernière tentative pour faire céder Tito en invitant les anti-titistes du PC yougoslave, le colonel-général Joujovitch et André Hebrang, président du Comité du Plan à dénoncer la politique suivie par le PC. La manœuvre échoua : Joujovitch et Hebrang furent dès avril exclus du Parti puis arrêtés. La crise était maintenant ouverte. Tito, appuyé par les membres de la direction du Parti, Djilas, Kardelj, Rankovitch, tous solidaires de lui, tenait tête à Moscou, et le Parti était unanime derrière lui. A la suite de l'exclusion du groupe Joujovitch-Hebrang, Tito chercha cependant à justifier sa politique aux yeux de Moscou. Dans une lettre du 13 avril adressée aux dirigeants du Parti soviétique, il leur rappela que « les informations inexactes et calomnieuses » au sujet du Parti yougoslave et de sa politique leur avaient été fournies par Joujovitch et Hebrang exclus du Parti pour activités fractionnistes ; il y précisa sa position quant aux rapports avec l'URSS, insistant sur le fait que « quel que soit l'amour que chacun de nous ressent pour l'URSS, pays du socialisme, il ne doit en aucun cas en aimer moins son propre pays qui lui aussi édifie le socialisme ».

Jusqu'à ce moment-là encore, les militants de base ignoraient tout de ce qui était en train de se produire. La première manifestation publique de la crise se produisit le 17 mai 1948 au moment de l'annniversaire du maréchal Tito. Ni l'URSS ni l'Albanie n'envoyèrent les traditionnels messages de félicitations. Il est vrai que Tito venait de refuser l'arbitrage des « partis frères » que le Kremlin avait proposé. Lors de leur réunion de la fin juin 1948, les dirigeants du Kominform condamnèrent la politique suivie par Tito. Dans leur résolution du 28 juin, ils dénoncèrent la mainmise des éléments nationalistes sur la direction du PC yougoslave et invitèrent « les authentiques communistes » de Yougoslavie à « imposer une nouvelle ligne politique ». Le lendemain, le Comité central du PC yougoslave invitait les militants et les membres du *Front Populaire* à poursuivre l'œuvre d'édification du socialisme.

Chacun était resté sur ses positions. La rupture fut vite consommée. Le 1ᵉʳ juillet, l'Albanie, le premier de tous les pays de l'Est, dénonça les traités conclus avec la Yougoslavie. Le 4 juillet, la Yougoslavie était exclue du Kominform. Tito, de son côté, fort de l'appui massif que lui apporta le 21 juillet le Vᵉ Congrès du Parti, demeura ferme sur ses positions. Il repoussa toutes les accusations de déviationnisme et de nationalisme dont avait fait l'objet la direction du PC yougoslave et il invita toute la population à faire bloc autour de ses dirigeants.

L'URSS tenta alors la manœuvre de la dernière chance en favorisant la préparation d'un coup de force militaire contre Tito. Les Soviétiques pouvaient compter sur le Chef d'état-major yougoslave, le général Jovanovitch. Mais l'armée ne semblait pas disposée à suivre les conjurés. Jovanovitch préféra quitter le pays ; le 11 août, il fut abattu par des miliciens au moment où il s'apprêtait à passer en Bulgarie. Ses complices furent arrêtés peu après.

Aussitôt, la Yougoslavie fut mise en quarantaine. Les « pays frères » la mirent pratiquement en état de blocus économique. Les ambassadeurs des pays socialistes en poste à Belgrade quittèrent les uns après les autres la capitale yougoslave, où ne furent maintenus que des chargés d'affaires. Parallèlement, Moscou renforça son emprise sur les pays de l'Est demeurés fidèles. En 1949, afin de resserrer encore davantage les liens qui l'unissaient déjà aux démocraties populaires, l'Union Soviétique proposa la création d'un *Conseil d'Assistance Économique Mutuelle* ou CAEM destiné à mettre en place une étroite coopération économique entre les pays membres sur la base d'accords multilatéraux. Cependant, la mise en route du CAEM fut assez lente ; ce n'est qu'après la mort de Staline que le CAEM entra effectivement dans la réalité. En même temps, des réunions périodiques des ministres des Affaires étrangères des pays de l'Est furent organisées tandis que la coopération militaire fut renforcée mais sous l'étroit contrôle de l'Union Soviétique. Il n'était pas question de laisser se développer une nouvelle expérience yougoslave. Et comme les dirigeants polonais semblaient quelque peu réticents, la Pologne fut placée sous la surveillance pointilleuse du maréchal Rokossowsky, d'origine polonaise, mais également citoyen soviétique et maréchal de l'Armée Rouge, qui fut mis à cette occasion à la tête de l'armée polonaise et nommé en même temps ministre de la Défense. Le schisme yougoslave amena à l'intérieur des démocraties populaires un durcissement très net et un alignement rigoureux sur les thèses de Moscou.

L'ÉVOLUTION INTÉRIEURE DES DÉMOCRATES POPULAIRES À L'ÉPOQUE STALINIENNE (1948-1953)

L'organisation de l'État

A partir de 1948, la démocratie populaire est en palce dans toute l'Europe de l'Est. Partout, le Parti communiste a conquis le pouvoir et impose aux populations ses objectifs politiques et son idéologie inspire largement la nouvelle législation mise en place. Les nouvelles Constitutions mises en vigueur en Roumanie en avril 1948, en Tchécoslovaquie au mois de mai de la même année, en Hongrie en août 1949 et en RDA en octobre, tout comme celles déjà en application depuis 1946 en Albanie et en Yougoslavie et depuis 1947 en Bulgarie et en Pologne, sont toutes inspirées de la Constitution soviétique de 1936. Ce fut d'ailleurs la Constitution yougoslave qui s'en rapprocha le plus en raison de son caractère fédéraliste : tout comme en URSS, il y avait en Yougoslavie des républiques fédérées au nombre de 6 et des territoires autonomes au nombre de 2 et tout comme en URSS, l'*Assemblée populaire* se composait de deux Chambres, le *Conseil Fédéral* formé de députés élus à raison de un député pour 50 000 habitants, et un *Conseil des Peuples* chargé de représenter les différentes nationalités. Cette Assemblée populaire, analogue au *Soviet Suprême* d'URSS avait pour fonction de voter les lois, de désigner les membres du gouvernement et d'élire le Présidium, véritable direction collective de l'État dans lequel le Président, en l'occurrence le maréchal Tito, exerçait les responsabilités essentielles. Dans les autres démocraties populaires, de statut unitaire et non fédéral, le pouvoir appartenait à une Assemblée unique (Chambre du Peuple en RDA, Diète en Pologne, Grande Assemblée en Bulgarie et en Roumanie, Assemblée Nationale en Hongrie et en Tchécoslovaquie. Assemblée populaire en Albanie) au gouvernement et au Présidium élus par elle; le Président du Présidium était partout le Chef de l'État. Tous les organes représentatifs, les conseillers locaux et départementaux, l'Assemblée, étaient élus par l'ensemble des citoyens, hommes et femmes âgés de 18 ans et plus, au suffrage direct et secret – encore que passer dans l'isoloir était suspect –, mais selon le système de la liste unique. Les listes étaient dressées avant les élections par les organes directeurs des *Fronts populaires*, ou *Fronts patriotiques*, qui rassemblaient dans chaque pays autour du Parti communiste, les autres formations politiques alliées à lui quand il y en avait, les syndicats et les autres organisations de masse. L'électeur avait en principe le choix entre l'approbation de la liste, le vote négatif ou blanc, ou bien encore l'abstention. Le système était si bien organisé que l'ensemble des votes blancs ou négatifs et des abstentions représentait toujours moins de 5 % du nombre des inscrits! Toutes ces Constitutions indiquaient sous une forme ou sous une autre que la démocratie populaire était « l'État des ouvriers et des paysans travailleurs » et la plupart d'entre elles mentionnaient clairement le rôle dirigeant du Parti communiste. Ces Constitutions garantissaient officiellement les principales libertés, liberté de la presse et de réunion, liberté religieuse. Mais de la théorie à la pratique, il y avait une grande marge.

Au moins jusqu'au milieu des années cinquante, toutes ces dispositions ne furent que des formules théoriques. En fait, le pouvoir réel appartenait au Parti communiste ou plus exactement à la direction du Parti communiste en contact constant avec la direction du Parti communiste soviétique. Le véritable maître du pouvoir était le Secrétaire Général du Parti communiste, qui parfois cumulait cette fonction avec celle de Chef de l'État ou Chef du gouvernement. Ainsi, Mathias Rákosi était à la fois le Secrétaire Général du Parti des Travailleurs hongrois et le Président du Conseil; Walter Ulbricht était à la fois Président du Conseil d'État de la RDA et Premier Secrétaire du Parti Socialiste Unifié, tout comme dans leurs pays respectifs, Enver Hoxha en Albanie et Tito en Yougoslavie dirigeaient à la fois l'État et le Parti. En revanche en Tchécoslovaquie, Klement Gottwald après son élection à la présidence de la République, abandonna à Rudolf Slansky la direction du Parti mais tout en supervisant son action. De même en Pologne, la séparation entre la direction de l'État et celle du Parti était la règle. Mais dans tous les pays, les institutions du Parti avaient la prééminence sur celles de l'État.

Le pouvoir absolu exercé par l'État communiste renforcé par les syndicats et les organisations de masse s'appuyait partout sur l'existence d'une Police Politique toute puissante, véritable État dans l'État, chargée de traquer les opposants tant à l'extérieur du Parti qu'en son sein même. Ses premières victimes furent d'abord les membres des anciennes classes dirigeantes et tous ceux dont la fidélité au nouvel ordre des choses paraissait douteuse, propriétaires terriens, commerçants, classes moyennes. Cela se traduisit souvent par l'expulsion des villes de tous les « indésirables » et leur transfert à la campagne et même éventuellement dans des chantiers de travail forcé. De nombreux opposants au régime roumain furent affectés aux travaux d'aménagement du delta du Danube. En Hongrie, en mai-juin 1951, on chassa de Budapest 65 000 de ces indésirables qui furent déportés dans des fermes collectives de l'est du pays. Des procédés semblables furent utilisés aussi en Tchécoslovaquie à la même époque. La toute-puissance de la police politique contribua à créer dans tous ces pays un climat de méfiance et de délation à tous les niveaux de la société.

La lutte contre l'Église

L'attitude du pouvoir communiste à l'égard de la religion et de l'Église fut différente selon les pays. En Bulgarie et en Roumanie, où la population était en grande majorité de religion orthodoxe, le nouveau pouvoir eût tôt fait de rallier à lui les dirigeants de l'Église en jouant à la fois de leur haine traditionnelle à l'égard de Rome et sur la nécessité de faire bloc autour du Patriarcat de Moscou, entièrement dévoué à l'État soviétique. L'Église orthodoxe de Serbie adopta dès le début la même attitude de soumission à l'égard du régime de Tito. Partout, les éléments récalcitrants du clergé orthodoxe furent écartés de leurs paroisses avec la complicité de la hiérarchie, relégués dans des monastères, voire emprisonnés. L'Église orthodoxe devint de la sorte une des courroies de transmission du régime et elle en tira de substantiels avantages. En Roumanie, pour la récompenser de son zèle, le gouvernement réintégra en son sein et par la force, les catholiques uniates qui s'en étaient séparés à la fin du XVIIᵉ siècle. La suppression de l'Eglise uniate en 1948 ne sembla guère être appréciée ni des fidèles ni de son clergé qui continua clandestinement son activité en subissant souvent la persécution.

Dans les pays catholiques, la situation se présentait différemment. L'Église catholique, en raison de ses liens avec Rome et de sa structure centralisée, constituait une force considérable qui, si elle n'était pas neutralisée ou tout au moins contrôlée par l'État, risquait d'être le point de ralliement des opposants au régime. Dès 1945-1946, de nombreux prêtres et religieux ainsi que des personnalités marquantes du monde catholique avaient été arrêtées et furent condamnées pour « collaboration » et « activités antisoviétiques ». Officiellement du moins, l'Église en tant que telle n'était pas visée, encore que sous prétexte de « collaboration », on éliminait des personnalités de premier plan comme ce fut le cas en Yougoslavie avec Mgr. Stepinac. De même, les réformes agraires qui touchèrent les propriétés foncières de l'Église n'étaient pas spécialement dirigées contre l'Église en tant que telle, mais en dépouillant l'Église de son patrimoine, on la rendait tributaire de l'État pour sa subsistance. Les premières mesures qui frappèrent directement l'Église catholique dans les pays où elle était majoritaire ne tardèrent pas à apparaître. Là où les catholiques étaient minoritaires, l'Église avait été éliminée dès 1945 comme ce fut le cas en Albanie. Ailleurs, la persécution ne commença qu'en 1946-1947. Ce fut d'abord la suppression par étapes de la presse catholique qui commença en 1946. La Pologne bénéficia dans ce domaine d'un répit jusqu'en 1949. On peut dire qu'à ce moment-là, la presse catholique indépendante avait été totalement éliminée en Europe de l'Est. Ce fut ensuite la nationalisation des établissements d'enseignement tenus par l'Église et la suppression de l'enseignement religieux obligatoire, effectives partout dès 1948 sauf en Pologne. Ce fut aussi la dissolution de toutes les associations catholiques de jeunesse ou d'adultes, et des mouvements d'Action Catholique. Toutes ces mesures provoquèrent des protestations des chefs locaux de l'Église appuyées parfois de manifestations de fidèles. Le pouvoir réagit en déclenchant dans la presse communiste des attaques violentes contre le Vatican « agent de l'impérialisme américain » et contre l'épiscopat. Il utilisa également des procédés plus insidieux. Ici, l'État encourageait les mouvements minoritaires de *Prêtres pour la Paix* qui regroupaient des prêtres *progressistes* plus ou moins favorables aux communistes comme le P. Richard Horváth en Hongrie ou l'abbé Plohjar en Tchécoslovaquie. Là, on appuyait ouvertement des mouvements catholiques ouverts aux idées nouvelles comme le groupe *Pax* en Pologne, animé par le comte Boleslas Piasecki, ancien dirigeant d'un Parti d'extrême droite avant guerre, arrêté par les Soviétiques en 1944 puis libéré et passé à leur service. On cherchait aussi à opposer le bas clergé à la hiérarchie, mais ces tentatives n'eurent qu'un succès très limité. Dans la même perspective, on citait en exemple l'esprit d'ouverture et de coopération du cardinal Wyszinski en Pologne que l'on opposait à ses confrères « réactionnaires » le cardinal Mindszenty en Hongrie ou Mgr. Beran en Tchécoslovaquie, accusés l'un et l'autre d'être des agents du Vatican, « centre du fascisme international » comme l'avait défini le Concile orthodoxe tenu à Moscou en juillet 1948.

Les protestations publiques et répétées de l'Église catholique contre les atteintes à la liberté religieuse, contre les empiètements du temporel sur le spirituel, contre les abus du régime, déclenchèrent à partir de la fin de 1948 des persécutions physiques contre un certain nombre de prélats. L'État communiste supportait de plus en plus mal la présence d'une force morale disposant auprès des foules d'une telle audience. Les dizaines de milliers de Hongrois qui se pressaient pour entendre les sermons du cardinal Mindszenty et les centaines de milliers de Polonais qui se rassemblaient au sanctuaire marial de Czestochowa ne pouvaient que confirmer les dirigeants communistes dans leur idée de frapper fort et haut. L'arrestation du cardinal Mindszenty le 26 décembre 1948 sous l'inculpation de complot contre la République, d'espionnage et de trafic de devises, son procès au cours duquel il apparut brisé physiquement et avouant non sans réticences ses « forfaits », sa condamnation à la prison perpétuelle, suscitèrent une vive émotion dans le pays. Pour éviter le pire, l'épiscopat hongrois céda, et le 30 avril 1950, l'archevêque Grösz se résigna à signer avec le gouvernement un accord qui garantissait officiellement la liberté du culte et l'octroi d'une aide financière à l'Église en échange de la reconnaissance par l'Église de l'État socialiste garantie par une prestation de serment de fidélité. C'était en fait un marché de dupes. Une semaine après la conclusion de ce compromis, le gouvernement hongrois prononçait la dissolution de la quasi-totalité des Ordres religieux : plus de 10 000 religieux et religieuses étaient dispersés, beaucoup d'entre eux internés dans des camps de travail. Au début de l'année suivante, l'archevêque Grösz fut à son tour arrêté et condamné à 15 ans de prison. La même année en Tchécoslovaquie, ceux des évêques qui n'avaient pas été arrêtés en 1950 le furent à leur tour et notamment l'archevêque de Prague, Mgr Beran le 10 mars 1951. En Pologne, la même année, la police arrêta l'évêque de Kielce Mgr Kaczmarek et l'ancien archevêque de Lvov, Mgr Baziak. La même année encore, tous les évêques catholiques de Roumanie furent internés à leur tour. Le haut clergé ne fut pas la seule victime de ces persécutions physiques. Le bas clergé fut soumis partout à ces tracasseries de toutes sortes, des prêtres furent arrêtés, des séminaires furent fermés. Plus tragique encore était le sort de ce qui subsistait du clergé régulier. Au début des années cinquante, dans toute l'Europe de l'Est, l'Église catholique était devenue l'*Église du silence*. La Pologne fit longtemps figure d'heureuse exception. Mais ce fut de courte durée. Le cardinal Wyszinski qui n'avait pas hésité à conclure en avril 1950 un accord avec le gouvernement en dépit des réserves du Saint-Siège fut frappé à son tour et assigné à résidence le 26 septembre 1953.

En même temps que la hiérarchie était ainsi démante-
lée, l'État s'assura le contrôle de l'Église par la création
dans tous les pays catholiques d'*Offices pour les Affaires
ecclésiastiques* chargés de contrôler toutes les affecta-
tions et nominations de prêtres faites par les évêques
encore en activité. Par ce biais, en opposant son veto et
au contraire en favorisant tel ou tel candidat à tel ou tel
poste, l'État communiste s'assurait le contrôle de fait de
toute l'administration des diocèses. De plus, lorsqu'un
siège épiscopal se trouvait vacant du fait du décès de son
titulaire, le successeur nommé par Rome ne pouvait
occuper sa charge qu'avec l'assentiment du gouvernement. De ce fait, en raison de l'opposition du pouvoir, de
nombreux évêques désignés ne purent exercer leurs fonctions et les diocèses dépourvus de titulaires étaient placés
sous la direction d'*Administrateurs Apostoliques* désignés
par le pouvoir.

Les Églises protestantes connurent en général moins de
difficultés, sauf en RDA, où les protestants majoritaires
dans le pays pouvaient constituer une force d'opposition.
Ailleurs, au contraire, où les protestants étaient peu nombreux, en dépit de l'élimination de pasteurs et d'évêques
jugés hostiles, l'État chercha à opposer l'Église protestante minoritaire à l'Église catholique, et l'on vit en Hongrie un évêque protestant, János Péter, entrer plus tard
au gouvernement comme ministre des Affaires étrangères. On vit même parfois l'État placer des protestants à
la tête des *Offices pour les Affaires ecclésiastiques* dans les
pays à majorité catholique.

Les querelles de sérail

A la suite du schisme yougoslave, les dirigeants soviétiques invitèrent la direction des divers Paris communistes d'Europe de l'Est à redoubler de vigilance contre
« les ennemis de classe » qui s'étaient glissés parmi eux,
c'est-à-dire contre ceux dont le comportement pouvait
être interprété comme favorable aux thèses de Tito. Dès
l'été 1948, on procéda dans tous les Partis communistes à
un examen approfondi de la situation et des attitudes de
tous les militants, et à plus forte raison de ceux qui
occupaient un poste de responsabilité. Il s'agissait d'un

travail de longue haleine, car les effectifs des Partis communistes s'étaient considérablement enflés après l'établissement de la démocratie populaire : beaucoup d'opportunistes avaient donné leur adhésion par prudence ou par souci de faire carrière. Un climat de méfiance s'établit à tous les échelons du Parti. Des milliers de militants furent exclus, officiellement pour titisme ou antisoviétisme, mais le plus souvent pour donner à réfléchir à ceux qui seraient tentés par des velléités d'indépendance à l'égard de la direction du Parti. On peut estimer que les exclusions et les radiations ont éliminé environ le quart des adhérents du Parti communiste, tous pays confondus, et que 7 à 8 % des exclus furent arrêtés. Quand on sait ce que l'exclusion du Parti pouvait entraîner de fâcheux à cette époque pour celui qui en était victime tant au niveau de son emploi que de sa vie sociale, on s'imagine facilement les conséquences que ces *purges* ont entraînées dans tous ces pays. La Yougoslavie ne fut pas épargnée par ces pratiques : on cherchait ici à démasquer les éléments prosoviétiques ! Dans tous les pays de l'Est, ce qui a retenu le plus l'attention du grand public, ce furent les grands procès publics, souvent retransmis par la radio, au cours desquels des dirigeants communistes de haut rang, craints ou respectés selon l'opinion que l'on avait d'eux, étaient accusés de toute une série de crimes allant de la trahison pure et simple et de l'espionnage au profit des pays impérialistes jusqu'à des malversations ou au trafic de devises. Et à la stupeur générale, les accusés, pâles et contrits, avouaient, reconnaissaient les crimes dont on les accusait et en avouaient encore d'autres.

C'est le Parti communiste polonais qui fut le premier à frapper haut. La première et la plus célèbre des victimes des purges fut Wladislaw Gomulka, Secrétaire Général du Parti ouvrier polonais depuis 1943, accusé de déviation « nationaliste et droitière » lors de la réunion du Comité central de septembre 1948 et immédiatement remplacé à ce poste par Boleslaw Bierut, un pur stalinien qui était déjà Chef de l'État. Gomulka fut ensuite exclu du Parti en novembre 1949 en même temps qu'un ancien de l'Armée Populaire, le général Spychalski. L'arrestation de ce dernier, en mai 1950, suivie de celle de Gomulka l'année suivante sous l'inculpation d'atteinte à la sûreté de l'État, ne donna pas lieu cependant à un grand procès à la différence de ce qui se passa dans la plupart des pays de l'Est.

Dans les autres pays en effet, on eut recours aux *procès-spectacles* pour mieux impressionner la population et pour inciter les militants à la vigilance. Le modèle du genre fut celui de László Rajk et de ses coïnculpés, qui se déroula à Budapest du 16 au 24 septembre 1949. L'acte d'accusation révélait que « Rajk et sa bande s'étaient assignés pour but d'arracher la Hongrie au camp des défenseurs de la paix... » ; ils étaient les complices « de ce Tito qui, avec sa bande, a déserté le camp du socialisme et de la démocratie... qui a fait de la Yougoslavie un satellite des impérialistes... Derrière les projets de Rajk se dissimulait l'impérialisme américain qui tenait déjà rassemblé dans la zone d'occupation d'Autriche sa meute de chasse, les officiers croix fléchées, fascistes, horthystes, et les anciens gendarmes qui avaient espéré se baigner dans le sang du peuple travailleur... ». Ces accusations reprises en chœur par la presse communiste du monde entier étaient d'autant plus mal venues que Rajk justement, et son principal coaccusé Pállfy-Oesterreicher, avaient été ceux qui avaient joué un rôle décisif dans l'arrivée au pouvoir des communistes en 1947-1948, et qui avaient mis en place tout l'appareil répressif du régime. Rajk et deux de ses compagnons furent condamnés à mort et exécutés, les autres, condamnés à de lourdes peines de prison. En faisant le procès de Rajk, on avait fait en réalité le procès de Tito. Les « aveux » de Rajk provoquèrent des réactions en chaîne dans les autres démocraties populaires. En Tchévoslovaquie, une première vague de purges frappa certains dirigeants communistes slovaques accusés de *nationalisme bourgeois* et de *déviationnisme*. Le ministre des Affaires étrangères Clementis, le président du Conseil des Commissaires slovaques Gustave Husak, le Commissaire à l'Éducation Novomesky et le Commissaire à la Culture Holdos furent arrêtés en février 1951 à l'instigation de Rudolf Slansky agissant de concert avec les Services soviétiques de Sécurité. Peu après, c'était au tour de Rudolf Slansky d'être relevé de ses fonctions à la tête du Parti en septembre de la même année puis d'être arrêté le 24 novembre en compagnie d'autres personnalités de premier plan, presque toutes d'origine juive comme lui. Le procès se déroula à huis clos en novembre 1952. Slansky et ceux qu'il avait fait arrêter se retrouvèrent côte à côte sur le banc des accusés. Onze des quatorze accusés, dont Clementis et Slansky, furent condamnés à mort et exécutés. Deux des survivants, Arthur London et Eugène Lœbl, ont évoqué plus tard les contraintes physiques et morales subies par les accusés au cours de l'instruction; tous protestaient de leur innocence et de leur fidélité au Parti. Au cours des interrogatoires, on leur promit même la vie sauve en échange d'aveux nécessaires au Parti pour que soient démasqués les véritables ennemis du socialisme. Et tous s'empressèrent de dénoncer leurs meilleurs amis pour le Parti... ou pour sauver leur peau.

En dehors des procès Slansky ou Rajk, il y eut des dizaines d'autres procès en Hongrie et en Tchécoslovaquie au cours desquels furent condamnés des hommes qui, comme János Kádár en Hongrie ou Gustav Husak en Tchécoslovaquie, ont exercé plus tard de hautes fonctions dans leurs pays après avoir été emprisonnés et torturés dans les prisons staliniennes. Comment expliquer que l'un et l'autre aient accepté à la demande des nouveaux dirigeants soviétiques d'assumer la direction des affaires de leurs pays respectifs, dans des circonstances dramatiques, le premier après l'écrasement de la révolte de Budapest en 1956, le second après l'échec du « Printemps de Prague » en 1968, si ce n'est pas leur fidélité inconditionnelle à leur Parti et à l'Union Soviétique? Ailleurs, en Albanie, en Bulgarie, en Roumanie, il y eut aussi des purges dont furent victimes ceux qui dans l'immédiat après-guerre avaient contribué activement à la mise en place du régime communiste dans leur pays. Ce fut le cas de Traïko Kostov en Bulgarie, de Lucrèce Patrascanu et d'Anna Pauker en Roumanie, de Koci Xoxé en Albanie, tous vieux militants du Parti.

Partout, les victimes de toutes ces purges avaient en commun d'être plus *nationaux*, moins dévoués à Moscou que ceux qui les ont éliminés; certains comme Slansky ou Anna Pauker étaient *juifs*; ils avaient presque tous combattu dans la résistance intérieure ou à l'étranger, parfois aussi dans les *Brigades Internationales* à l'époque de la guerre d'Espagne. De ce fait, à cause des contacts qu'ils avaient pu avoir à l'étranger, ils paraissaient aux yeux des dirigeants du Kremlin comme moins *sûrs* en dépit des gages de fidélité qu'ils avaient pu donner. Tous en effet avaient participé, quand ils ne l'avaient personnellement organisé, à l'élimination des opposants au nouvel ordre politique. Et paradoxalement, des hommes comme Rajk et Slansky seront plus tard parés d'une auréole de martyr, alors qu'en fait ils furent les premières victimes du système répressif dont ils avaient largement contribué à la mise en place. En dehors les larmoiements de circonstance des journalistes occidentaux, il est peu vraisemblable que les milliers d'innocents qui avaient été jetés en prison par les Rajk, Slansky et Cie aient versé des larmes sur le sort de ceux qui, après tout, n'étaient que les victimes d'une querelle de sérail...

LES TRANSFORMATIONS ÉCONOMIQUES ET SOCIALES

Dès la fin de la guerre, les gouvernements mis en place en Europe de l'Est procédèrent aux premières réformes de structure qui devaient déboucher quelques années plus tard sur la mise en place d'une économie socialiste planifiée. Les premières mesures prises concernèrent l'agriculture; elles avaient pour objectif l'élimination définitive de la grande propriété privée en Europe de l'Est. Dans un premier temps, les lois de réforme agraire fixèrent une limite maxima à la dimension des propriétés foncières, le seuil variant d'un pays à l'autre, 5 ha en Albanie, 20 ha en Bulgarie (sauf en Dobroudja où la limite était fixée à 30 ha), 45 ha en Yougoslavie (avec un maximum de 20 à 35 ha de terres arables selon les régions), 50 ha en Roumanie et en Tchécoslovaquie, 57,5 ha en Hongrie, de 50 à 100 ha en Pologne selon les régions, 100 ha en RDA (sauf pour les biens des nazis qui étaient totalement confisqués). Les terres récupérées ainsi furent redistribuées à des petits exploitants ou à des paysans sans terres. C'est en Hongrie, en Pologne et en RDA que les transferts de propriétés furent les plus importants. En Hongrie, plus de 2 900 000 ha soit 34,6 % du sol furent partagés entre quelques 642 000 bénéficiaires généralement propriétaires d'une micro-exploitation. En Pologne, 4 500 000 ha récupérés dans les provinces occidentales ex-allemandes furent attribués par lots de 7 à 15 ha à 440 000 familles paysannes, tandis que dans les anciennes provinces, 1 100 000 ha allèrent arrondir les micro-propriétés de 440 000 familles. Enfin, en RDA, la grande propriété aristocratique des *Junkers* prussiens disparut : 2 190 000 ha furent attribués à 559 000 bénéficiaires dont 40 % sous forme de lots de 7 ha pour des ouvriers agricoles. Une partie des terres confisquées ne fut pas redistribuée et servit à constituer les premières *fermes d'État* dont l'organisation était calquée sur celle des *sovkhozes* soviétiques.

Lorsque furent définitivement installés les régimes de démocratie populaire, les dirigeants encouragèrent les paysans à se regrouper en *fermes collectives* selon le modèle des *kolkhozes* soviétiques. Dès 1945, le gouvernement bulgare avait encouragé la formation de *fermes coopératives de travail* : celles-ci étaient déjà au nombre de 579 en février 1948 et couvraient alors 190 000 ha. La Yougoslavie, elle aussi dès 1945, avait adopté une politique identique tout comme l'Albanie. Ailleurs, la collectivisation des terres fut mise en œuvre plus tardivement pour ne pas heurter de front le monde des campagnes. L'année 1949 fut pour la collectivisation de l'agriculture l'année décisive. La mise en commun des terres basée en principe sur la libre adhésion des agriculteurs fut réalisée, comme dans l'URSS des années trente, par des moyens coercitifs ; elle provoqua partout des tensions qui se traduisirent soit par une résistance passive des paysans ou en RDA par le départ de nombreux exploitants agricoles vers la RFA. Presque partout en 1953, le processus de collectivisation des terres était déjà bien avancé. Cependant, la Yougoslavie assez tôt laissa les paysans libres de leur choix mais abaissa en 1953 à 10 ha la taille maxima des exploitations. L'achèvement de la collectivisation dans les autres pays de l'Est fut réalisée au milieu des années soixante, sauf en Pologne, où les événements de 1956 donnèrent aux paysans la possibilité de sortir des coopératives, ce qu'ils firent dans leur très grande majorité.

Dans les autres secteurs de l'économie, les transformations furent beaucoup plus radicales. Au cours des années 1945-1948, on avait déjà procédé à la nationalisation des banques, du commerce extérieur, des mines, des transports et des industries de base. Dans certains pays comme l'Albanie et la Bulgarie, la nationalisation de l'industrie fut totale dès le début. Dans d'autres pays, on procéda par étapes; on s'attaqua d'abord aux entreprises de plus de 500 salariés, puis à celle de 100 salariés, puis en 1949 à la quasi-totalité du secteur industriel et parfois même artisanal. Le commerce de détail fut lui aussi touché par les nationalisations mais dans certains pays comme la Hongrie, la RDA et la Yougoslavie, une partie du commerce de détail continua à relever du secteur privé.

Ces transformations amenèrent un bouleversement des structures sociales. Le travailleur indépendant, l'artisan, le commerçant, le petit patron, tous devinrent des salariés ou membres d'une coopérative de production. Les professions médicales furent en grande partie fonctionnarisées tandis que les pharmacies furent nationalisées. Les autres professions libérales comme celles de notaires ou d'huissiers furent fonctionnarisées, tandis que les avocats se regroupaient dans leur grande majorité au sein de coopératives professionnelles. En outre, pour mieux effacer le passé et ouvrir aux couches sociales montantes certaines professions réputées nobles, l'accès aux établissements d'enseignement supérieur fut réservé en priorité, voire exclusivité, aux étudiants issus des classes laborieuses, ouvriers et paysans. Telles furent les principales transformations qui furent réalisées à l'époque stalinienne d'une façon contraignante et maintenues par la suite, mais avec beaucoup plus de souplesse.

Toute l'activité économique des pays de l'Europe de l'Est fut déterminée par un système de planification rigoureuse et impérative, tand sur le plan de la production que sur celui de la consommation et des revenus. Après les premiers Plans de courte durée, qui visaient à la reconstruction des économies ruinées par la guerre, les Plans quinquennaux furent mis en application partout à partir de 1950. Comme ils le faisaient en politique, les dirigeants des pays de l'Est suivirent le modèle soviétique dans leur planification. La priorité fut donnée à l'industrie lourde et aux biens d'équipement, aux dépens des biens de consommation. L'industrialisation fut accompagnée d'un développement de l'urbanisation. Presque partout, les ouvriers devinrent plus nombreux que les paysans, sauf dans les pays les moins développés économiquement comme l'Albanie, la Bulgarie, la Roumanie et la Yougoslavie. La volonté de développer à tout prix une industrie lourde nécessita des investissements massifs réalisés au prix de lourds sacrifices pour les populations. La production de biens de consommation, volontairement sacrifiée, se traduisit par l'insuffisance d'approvisionnement du marché pour certains produits d'usage courant. La pénurie jointe aux carences du système de distribution et au bas niveau des revenus individuels en dépit du développement du travail féminin, suscita la montée d'un climat de mécontentement latent qui n'attendait qu'une occasion pour se manifester.

XXIV

L'EUROPE DE L'EST
FACE À LA DÉSTALINISATION
(1953-1968)

La mort de Staline, le 5 mars 1953, survenue cinq ans
après la mise en place généralisée des régimes de démocratie populaire en Europe de l'Est a été la première
grande épreuve à laquelle les dirigeants de ces pays ont
été confrontés. De même que sous le règne de Staline on
obéissait sans broncher à ses directives dans les capitales
est-européennes, de même après sa mort on s'est appliqué à suivre et à essayer de suivre avec la même docilité
les instructions envoyées par les nouveaux maîtres du
Kremlin. Or justement dans le mois même qui suivit la
dispation de Staline, la nouvelle équipe dirigeante
conduite par Malenkov a inauguré une nouvelle politique
en publiant dès le 27 mars un décret de large amnistie,
mesure qui fut bientôt suivie par une attaque en règle
contre les Services de Sécurité dont le chef Lavrenti
Beria allait servir de bouc émissaire. Avec l'élimination
de Beria en juillet suivant, on eut l'impression que les
nouveaux dirigeants soviétiques avaient la ferme intention de rompre avec certaines pratiques du passé. Malenkov et son équipe paraissaient en particulier vouloir éviter une trop grande personnalisation du pouvoir en
mettant en place une direction collective de l'État et du
Parti. Un vent de libéralisme semblait souffler au Kremlin. Allait-il en être de même dans les capitales des pays
satellites? On était en droit de le penser, car en juillet, les
dirigeants soviétiques, à l'occasion d'une réunion à Moscou des membres du Kominform, recommandèrent aux
« Partis frères » d'établir partout une direction collective

et par la même occasion de faire quelques concessions aux populations.

Ainsi, les changements survenus à Moscou allaient se traduire par des changements dans les démocraties populaires à la fois au niveau des dirigeants les plus marqués par leur attitude stalinienne qu'au niveau de la vie des peuples.

L'ORAGE AVANT LA CRISE : LES SIGNES AVANT-COUREURS

La première explosion : Berlin 1953

La RDA, au moment de la mort de Staline, se trouvait dans une situation particulièrement difficile. Outre les difficultés économiques communes à l'ensemble des pays de l'Est à cette époque, la RDA se trouvait confrontée avec une vague de mécontentement qui se traduisait par ce que l'on a appelé le *plébiscite par les pieds*. Des milliers d'exploitants agricoles hostiles à la collectivisation des terres, des milliers d'ouvriers déçus par le régime et mécontents de leurs bas salaires, des membres des professions libérales, des jeunes autant que des vieux, avaient pris à un rythme qui s'accélérait dangereusement, le chemin de l'Ouest en utilisant les possibilités de libre circulation qui existaient entre les différents secteurs de l'ancienne capitale du Reich. Avec un simple billet de métro, on passait du secteur soviétique dans les secteurs occidentaux et de là, par avion, on gagnait la RFA où le travail ne manquait pas et où le niveau de vie était élevé. Ces départs étaient loin d'arranger une situation économique déjà mauvaise. Lorsque, par un décret du 28 mai 1953, Walter Ulbricht, en dépit des consignes modératrices reçues de Moscou, décida d'augmenter les normes de production pour conjurer la crise, il provoqua un double phénomène de rejet. D'abord, les Soviétiques le désavouèrent en suscitant une opposition contre lui à l'intérieur du SED et il dut lâcher du lest. Le 11 juin, le *Neues Deutschland*, le journal du Parti, annonça quelques mesures en faveur de l'amélioration du niveau de vie de la population ainsi que la fin de la discrimination scolaire et universitaire dont souffraient les jeunes issus de la bourgeoisie et des classes moyennes, mais le décret du 28 mai demeurait. Ensuite et surtout, le peuple réagit massivement.

Dès le 16 juin, des manifestations eurent lieu à Berlin contre l'augmentation des normes de production; l'annonce en fin de journée de la suspension de cette mesure ne suffit pas pour calmer les esprits. Le lendemain en effet, le 17, la grève était générale à Berlin, à Leipzig, à Dresde, à Rostock et dans la plupart des centres industriels de RDA. A Berlin, les manifestants débordèrent rapidement le service d'ordre, attaquèrent les bâtiments officiels et les permanences du Parti, arrachèrent puis brûlèrent le drapeau soviétique qui flottait sur la Porte de Brandebourg, symbole de la division de l'Allemagne. La manifestation ouvrière dégénérait en manifestation anti-soviétique. Dans le milieu de la journée, l'armée soviétique entra en action. L'état de siège fut proclamé et les blindés de l'Armée Rouge entrèrent en action, tirant sur la foule désarmée. La répression fut sévère. Outre les centaines de victimes lors des combats de rue, les tribunaux militaires soviétiques prononcèrent une quarantaine de condamnations à mort qui furent aussitôt exécutées. Plus de 20 000 arrestations furent opérées et des milliers de personnes furent condamnées à de lourdes peines de prison. La tension demeura persistante en RDA pendant tout l'été.

Le véritable bénéficiaire des événements de Berlin fut Walter Ulbricht pourtant contesté auparavant et qui sut persuader Moscou qu'il était le seul capable de faire régner l'ordre en RDA. Dès lors et jusqu'à sa mort, en 1973, il allait continuer à diriger d'une main pesante l'Allemagne orientale.

La première déstalinisation hongroise et ses limites

En Hongrie, la première conséquence de la nouvelle orientation politique du Kremlin fut l'effacement momentané et relatif du « disciple hongrois le plus fidèle de Staline », Mathias Rákosi. Le Secrétariat Général du Parti des Travailleurs hongrois qu'il occupait fut remplacé par une direction collégiale de 3 secrétaires : Rákosi fut l'un d'entre eux. En même temps, Rákosi renonça à ses fonctions de Président du Conseil au profit d'Imre Nagy qui était dans une semi-disgrâce depuis 1950. Le 4 juillet 1953, Imre Nagy présenta au Parlement son programme de gouvernement. Dans le domaine économique, il annonçait le ralentissement de la collectivisation des terres et rendit même possible la dissolution des fermes collectives si la majorité des membres le désirait. Mais ce qui frappa le plus l'opinion publique, ce fut l'annonce de la libéralisation du régime : « ... Les organes du pouvoir d'État doivent veiller », déclarait Nagy, « à ce que chaque citoyen puisse jouir de ses droits stipulés par la Constitution. Le renforcement de la légalité est une des tâches les plus urgentes du gouvernement ». Aussitôt après, une très large amnistie fut décrétée. Les camps d'internement furent dissous et leurs 150 000 « pensionnaires » libérés ; les « indésirables » chassés de Budapest purent regagner la capitale. Mais Imre Nagy devait compter avec les staliniens qui étaient encore nombreux au sein du Parti. « Nagyistes » et « rakosistes » s'opposèrent violemment lors du Congrès de mars 1954 mais « la nouvelle ligne politique » suivie par Nagy fut approuvée. Le conflit entre « libéraux » et « staliniens » ne tarda pas à reprendre ; ces derniers l'emportèrent lors de la réunion du Comité Central le 9 mars 1955. Les « rakosistes » y dénoncèrent « la déviation de droite du camarade Nagy » qui, le 4 avril suivant, fut relevé de ses fonctions et remplacé par un fidèle de Rákosi, André Hegedüs, avant d'être exclu du Parti en novembre. Il était difficile cependant à la nouvelle équipe dirigeante de revenir sur la politique de libéralisation amorcée par Nagy, car dans tout le pays, un vent de liberté avait commencé à souffler. Les gens avaient repris l'habitude de parler, de discuter, de critiquer. Les paysans massivement quittaient les fermes collectives et reprenaient en charge leurs anciennes exploitations. Les anciens chefs politiques de l'immédiat après-guerre, Anna Kéthly, Béla Kovács, Zoltán Tildy, avaient été libérés. Les étudiants, les intellectuels de la capitale, groupés dans le *Cercle Petöfi* discutaient de plus en plus librement et réclamaient publiquement le retour au pouvoir d'Imre Nagy qui, en moins de deux ans, avait acquis dans le pays une immense popularité. Au sein du Parti même, les vieux militants commençaient à réclamer la réhabilitation de László Rajk et de ses amis ; ils l'obtinrent non sans une lutte longue et patiente, le 27 mars 1956. Il est vrai qu'à ce moment-là, Tito, le véritable accusé du procès Rajk, avait été lui-même publiquement réhabilité par les nouveaux maîtres du Kremlin.

La réconciliation Moscou-Belgrade

La mort de Staline avait levé la principale hypothèque qui pesait sur les relations entre l'URSS et la Yougoslavie. Dès le 6 juin, Molotov proposa de remplacer les missions diplomatiques qui assuraient les relations entre les deux pays depuis 1949 par des ambassades, ce que Tito s'empressa d'accepter. Puis, la presse soviétique peu à peu cessa d'attaquer les dirigeants yougoslaves, suivie en cela par la presse des démocraties populaires. Les incidents de frontière avec l'Albanie, la Hongrie et la Roumanie, si nombreux au début des années cinquante, devinrent rarissimes. Mais le grand événement, aussitôt après la stabilisation de pouvoir en URSS avec l'arrivée de l'équipe Boulganine-Khrouchtchev, fut le voyage que les nouveaux dirigeants soviétiques firent en Yougoslavie. Khrouchtchev, Premier secrétaire du Parti, accompagné de Boulganine, Président du Conseil et de Mikoyan, Président du Présidium, arrivèrent le 26 mai 1955 à Belgrade. Aussitôt, Khrouchtchev exprima publiquement ses regrets pour ce qui s'était passé en 1948 et en attribua astucieusement la responsabilité à Beria ; il reconnut d'autre part que le Parti communiste yougoslave était un authentique Parti marxiste-léniniste. Le communiqué qui fut publié à l'issue de cette visite, insista sur le fait qu'il pouvait y avoir « des formes différentes de développement socialiste ». Après ce voyage, les démocraties populaires, les unes après les autres, normalisèrent leurs relations avec la Yougoslavie, à l'exception toutefois de l'Albanie qui sembla manifester une certaine réticence. Enver Hoxha n'avait pas oublié en effet les visées impérialistes de Tito sur l'Albanie. Dans l'immédiat cependant, la Yougoslavie redevenait un membre à part entière de la « famille socialiste » mais ses dirigeants n'avaient cédé en rien sur leur volonté d'indépendance.

Cher camarade Tito,

« ... *Les peuples de nos pays sont unis par les liens d'une longue amitié fraternelle et d'une lutte commune... Nous regrettons sincèrement ce qui s'est passé... Nous avons étudié minutieusement les documents sur lesquels se fondaient les graves accusations et les graves offenses proférées à l'époque contre les chefs de la Yougoslavie. Les faits prouvent que ces documents ont été forgés de toutes pièces par les ennemis du peuple...* »

déclaration de N. Khrouchtchev à l'aéroport
de Belgrade, le 26 mai 1955

La déstalinisation dans les autres démocraties populaires

Dans les autres pays de l'Est, on alla beaucoup moins loin dans la voie de la déstalinisation. La révolte de Berlin-Est, et des luttes intestines au sein du Parti des Travailleurs hongrois avaient incité les dirigeants des autres pays à agir avec la plus grande prudence. En Tchécoslovaquie, on se borna à mettre en place une direction collective. Après le décès de Gottwald, qui était survenu le 14 mars 1953 à la suite d'une mauvaise grippe contractée lors des obsèques de Staline, la Présidence de la République revint à Antonin Zapotocky, qui fut remplacé à la tête du gouvernement par le slovaque Siroky, tandis que le Parti, séparé du moins en droit, de l'État, fut placé sous la direction d'Antonin Novotny. Sur ces entrefaites, une réforme monétaire accompagnée d'un échange des billets dans des conditions peu favorables pour les épargnants provoqua quelques troubles au début de juin 1953. La dure répression qui y mit fin montra qu'en Tchécoslovaquie les tendances staliniennes demeuraient prépondérantes malgré les changements de personnes à la tête de l'État et du Parti. Les partisans de la ligne dure devaient continuer à diriger le pays pour encore une dizaine d'années et peu à peu, ce fut Novotny, c'est-à-dire le Premier Secrétaire du Parti, qui devint le personnage principal du système. Il n'était pas encore question de réhabiliter les victimes des grands procès de 1951-1952.

En Roumanie, la déstalinisation se limita à une amnistie limitée. Gheorgiu-Dej, « le meilleur fils de la Roumanie » et Secrétaire Général du PC roumain depuis 1945, conserva ses fonctions malgré une courte éclipse en 1953, tandis que Pierre Groza demeura Président de la République. En Bulgarie aussi, les changements furent des plus limités. On procéda à quelques réhabilitations comme celle de Kostov, exécuté en 1949 pour titisme. Le Secrétaire Général du PC bulgare depuis 1950, Valko Tchervenkov, continua à cumuler cette fonction avec celle de chef du gouvernement, du moins jusqu'en 1956, date à laquelle il dut abandonner la direction du Parti à son adjoint Todor Jivkov, un autre stalinien. De même en Albanie, Enver Hoxha conserva la direction du Parti des Travailleurs albanais mais confia la conduite du gouvernement à Mehmet Shehu qui, en 1948-1949, avait organisé les purges anti-titistes, – ce qui était ainsi une déstalinisation à rebours.

En Yougoslavie, il semble apparemment absurde de parler de déstalinisation puisque Tito a été en fait la première victime de Staline. Pourtant, les méthodes de gouvernement de Tito, même après la rupture de Moscou, étaient demeurées staliniennes. Le vent de libéralisation qui a touché à partir de 1953 la plupart des pays de l'Est n'a pas épargné non plus la Yougoslavie. Il s'est manifesté essentiellement dans le domaine économique avec le développement de l'autogestion amorcée en 1951, marquée dans un premier temps en 1953 par la décollectivisation des terres. L'année 1953 fut marquée aussi par une certaine libéralisation du régime : on libéra quelques détenus. Dans l'ensemble cependant, le régime demeurait dictatorial. Un vieux compagnon de Tito, Milovan Djilas, Président de l'Assemblée Fédérale, s'en aperçut vite lorsqu'il fut exclu de la Ligue des Communistes pour avoir critiqué la bureaucratie et réclamé la démocratisation du régime. Lorsque Djilas reprit ses attaques en les amplifiant dans un article publié en décembre 1954 dans le New York Times, où il réclamait notamment la création d'un second Parti politique, il fut chassé de toutes les fonctions publiques qu'il occupait et mis sous surveillance.

La Pologne, dans les premiers temps, demeura imperméable aux changements qui s'étaient amorcés dans les pays voisins. Il est vrai qu'en Pologne, les « violations de la légalité socialiste » avaient été moins nombreuses et plus tardives qu'ailleurs. Comme dans les autres pays cependant, on avait procédé en mars 1954 à la séparation du Parti de l'État. Le stalinien Bierut conserva la haute main sur le Parti, mais abandonna la Présidence du Conseil d'État à Alexandre Zawadski, tandis que le socialiste de gauche Joseph Cyrankiewicz reprit la Présidence du Conseil qu'il avait déjà occupé de 1947 à 1952. Au mois d'août suivant, le nouveau gouvernement décida la remise en liberté de plusieurs milliers de détenus politiques, dont l'ancien Secrétaire Général du Parti ouvrier polonais Gomulka ; il annonça aussi que le cas des membres du Parlement injustement accusés serait prochainement examiné. En revanche, le cardinal Wyszinski fut maintenu en résidence surveillée. A Varsovie, on se hâtait lentement pour corriger les erreurs du passé. Mais ici comme en Hongrie, la libéralisation jugée insuffisante avait provoqué cependant un esprit de renouveau dans les milieux intellectuels où les discussions allaient bon train.

En dépit de ses insuffisances, la première phase de ce qu'il est convenu d'appeler la *déstalinisation* a mis en route un processus dont les dirigeants de certains pays, en particulier de Pologne et de Hongrie, n'allaient pas tarder à mesurer toute l'ampleur. Les Soviétiques, qui avaient été à l'origine de cette déstalinisation, n'avaient pas pour autant renoncé à leur hégémonie sur l'Europe de l'Est. Pour mieux en souder les diverses composantes entre elles et autour de Moscou, et aussi bien pour faire sentir aux Puissances occidentales les limites de l'*ouverture* qui commençait à apparaître dans les relations Est-Ouest, les Soviétiques organisèrent à Varsovie du 11 au 14 mai 1955 une réunion au sommet de tous les dirigeants des pays de l'Est au cours de laquelle fut signé le traité d'amitié, de coopération et d'assistance mutuelle connu sous le nom de *Pacte de Varsovie*. Officiellement, il s'agissait de répondre au réarmement de l'Allemagne fédérale ; en réalité, on voulait avant tout renforcer les liens entre les pays du camp socialiste. Un commandement militaire unifié fut créé et confié aussitôt au maréchal soviétique Koniev qui l'exerça jusqu'en 1961. Tous les pays de l'Europe de l'Est firent partie de cette alliance, à l'exception de la Yougoslavie même après sa réconciliation avec Moscou.

LES CRISES DE 1956

Quelque étonnant que cela puisse nous paraître, ce fut le XXe Congrès du Parti communiste de l'Union Soviétique tenu à Moscou en février 1956 qui accéléra le déclenchement de la crise qui couvait dans certains pays. A l'occasion de ce Congrès, N. Khrouchtchev au cours d'une séance tenue à huit clos et en la présence des seuls cadres supérieurs du Parti soviétique, donna lecture d'un rapport secret. Le *rapport Khrouchtchev* dénonçait le culte outrancier de la personnalité qui avait été pratiqué sous Staline, énumérait les abus et crimes de toutes sortes commis par Staline, évoquait toutes les méthodes utilisées pour instituer dans le pays une véritable *Terreur*. Khrouchtchev évoquait également les persécutions dont furent victimes certains peuples de l'Union Soviétique pendant et après la guerre, ainsi que les relations de dominant à dominé qui s'étaient établies dans les rapports entre l'URSS et les démocraties populaires.

Les dirigeants polonais, à qui le document fut remis dans le courant du mois de mars, furent les premiers à en révéler le contenu aux instances du Parti, ce qui souleva une très vive émotion. A la suite de *fuites*, le contenu du rapport Khrouchtchev fut bientôt connu de tout le monde, et les radios occidentales en diffusèrent le contenu dans leurs émissions à destination des peuples de l'Europe de l'Est. On s'imagine facilement le trouble qu'il jeta dans l'esprit des militants communistes et l'indignation qu'il suscita chez les simples citoyens. Les Yougoslaves furent ravis de cette justification *a posteriori* de leur conduite en 1948 ; de plus, l'annonce en avril 1956 de la dissolution du Kominform ne put que les conforter dans leurs positions.

Les peuples interprétèrent d'une façon différente le contenu du rapport Khrouchtchev. Pour eux, il ne s'agissait pas de questions théoriques réservées aux seuls initiés. Pour eux, c'était tout le système imposé depuis 1945 qui était remis en question par le XXe Congrès. Telle est du moins la conclusion que beaucoup de particuliers en tirèrent. La conséquence logique devait être le départ des dirigeants en place qui avaient suivi aveuglément les directives de Moscou dans un premier temps, et ensuite éventuellement la remise en cause du fonctionnement du régime, voire du régime lui-même. En fait, c'est surtout en Pologne et en Hongrie, c'est-à-dire dans des pays de tradition occidentale et catholique, et où la conscience nationale était la plus développée, que se produisirent les plus vives réactions contre les régimes en place.

La fausse libéralisation en Pologne

En Pologne, où la première phase de la déstalinisation avait été lente à se mettre en route, la première conséquence du XXe Congrès fut l'arrivée à la tête du Parti d'un « centriste » en la personne d'Edouard Ochab pour succéder au stalinien Bierut décédé à Moscou le 12 mars au lendemain du Congrès. Ochab amplifia sensiblement la portée des mesures de libéralisation prises antérieurement : 30 000 prisonniers politiques de toutes origines furent amnistiés dès avril, et les anciens dirigeants communistes mis en liberté conditionnelle à la fin de 1954 furent définitivement et totalement remis en liberté sans pour autant être réhabilités. C'était le cas notamment de W. Gomulka et de ses amis. En revanche, des poursuites furent engagées contre les principaux chefs de la Sécurité accusés de « violation de la légalité socialiste ».

Mais, outre ces questions de personnes qui concernaient principalement la classe politique, des problèmes beaucoup plus concrets se posaient pour la masse de la population. Les salaires bas et le relèvement récent des normes de production pour redresser l'économie avaient provoqué dès la fin de 1955 un vif mécontentement dans le monde ouvrier. A la fin de juin 1956, la situation se tendit brusquement à Poznan à l'occasion de la Foire internationale. La situation était déjà explosive depuis quelques mois. Les ouvriers de Poznan avaient même envoyé une délégation à Varsovie pour y présenter leurs revendications. Devant le refus opposé à leurs demandes, les ouvriers de Poznan se mirent en grève, et descendirent dans la rue. Le 28 juin, sous l'œil étonné des exposants et des visiteurs étrangers de la Foire, les ouvriers manifestèrent. Les slogans n'étaient pas seulement d'ordre économique et social. On y criait aussi « A bas l'URSS! Liberté religieuse! Liberté pour le cardinal Wyszinski! ». La foule s'empara de plusieurs commissariats de police, libéra les personnes arrêtées. Des coups de feu furent échangés. Les autorités polonaises firent appel à l'armée. Les blindés de l'armée polonaise et des forces de Sécurité dégagèrent brutalement les rues. Le lendemain, l'ordre régnait à nouveau à Poznan, mais on dénombrait officiellement 54 morts, plusieurs centaines de blessés, et de très nombreuses arrestations avaient été opérées. Les autorités dénoncèrent l'action de « provocateurs armés » et l'intervention des « agents de l'impérialisme américain ». En réalité, le mécontentement était général dans la population, et le fait que l'on ait changé la direction du Parti communiste n'avait rien réglé. Au Plénum du Comité Central qui se tint à Varsovie du 18 au 20 juillet, staliniens et modérés s'affrontèrent, mais les libéraux n'avaient pas réussi à obtenir la réhabilitation et la réintégration de Gomulka en raison du véto soviétique. Or Gomulka, qui jouissait d'une popularité certaine surtout parce qu'il avait été une victime du stalinisme, semblait être seul à pouvoir ramener la confiance dans le pays. La destalinisation demeurait toujours aussi prudente et limitée.

Le mécontentement latent amena les dirigeants polonais à lâcher du lest, mais dans le cadre du système en place. La situation devenait chaque jour plus critique. Les catholiques exigeaient maintenant d'une façon ouverte la libération de leur Primat et le firent clairement savoir d'une façon spectaculaire à l'occasion du pèlerinage national à Czestochowa. Là, le 15 août, sur l'estrade, symbole visible de l'absence du cardinal Wyszinski, un fauteuil vide avait été placé en évidence. Dans ces conditions, afin de calmer par un geste l'opinion publique, la Diète réunie en session extraordinaire vota une réforme de l'administration pénitentiaire qui restreignait les droits de la police dans ce domaine. La tension remonta brusquement à la fin de septembre à l'occasion du procès des manifestants de Poznan. Pour la première fois, les audiences furent publiques, et les accusés et leurs avocats purent s'y exprimer librement. Au cours du procès, on n'hésita pas à dénoncer le régime, ses méthodes, son incapacité à régler les véritables problèmes. Là où l'on vit que le climat s'était modifié, ce fut à l'occasion du verdict. Les sentences prononcées furent clémentes. Le pouvoir visiblement cherchait à éviter de nouveaux troubles.

Le régime devait agir vite car l'opinion manifestait de plus en plus son impatience. Pour les dirigeants polonais, l'essentiel était de maintenir la Pologne dans le camp socialiste tout en donnant satisfaction à la population. Le Comité Central après avoir longtemps hésité décida début octobre de faire appel à Gomulka ; le 13 octobre, en présence de Gomulka, le Bureau Politique élabora un vaste programme de réformes à faire entériner par le Comité Central convoqué pour le 19. Les staliniens de la direction du Parti furent peu enthousiasmés par la tournure que prenaient les événements et tentèrent un coup de force en s'appuyant sur l'armée ; là ils pouvaient compter sur le Maréchal Rokossowsky et sur le général Witaszewski, mais au niveau des officiers subalternes et de la troupe on refusa de marcher. La tentative de coup d'État militaire avec arrestation de Gomulka et des libéraux prévue entre le 15 et le 19 octobre ne put ainsi être réalisée. Le refus de la troupe, la distribution d'armes aux ouvriers des usines mit en échec le projet des staliniens. Seule, une intervention des Soviétiques pouvait maintenant faire échouer le processus de changement en cours. Et en effet, le 19 octobre au matin, Khrouchtchev, Molotov, Mikoyan, accompagnés du maréchal Koniev et d'une impressionnante délégation militaire, débarquèrent à Varsovie. Au même moment, dans tout le pays, les troupes soviétiques semblèrent se préparer à converger vers Varsovie. Malgré ces menaces, le Comité Central se réunit et commença par nommer Gomulka au poste de Premier Secrétaire. Ainsi, fort de la confiance de la directifon du Parti, Gomulka à la tête d'une délégation du Comité Central, prit contact avec la délégation soviétique. Pendant toute la nuit du 19 au 20 octobre, Polonais et Soviétiques discutèrent avec passion, tandis que la population, tenue au courant des événements par la radio, se mobilisait pour parer à toute éventualité. Le 20 octobre au matin, les Soviétiques regagnèrent Moscou et l'atmosphère se détendit quelque peu.

Si les Soviétiques s'étaient résignés à reconnaître Gomulka dans ses nouvelles fonctions, ce n'était certes pas par crainte d'une réaction hostile de la population polonaise : ils avaient suffisamment de moyens sur place pour écraser dans l'œuf toute velléité de résistance. Ce qui les amena à « céder », c'est que Gomulka et son équipe les ont rassurés sur l'essentiel. Pour Moscou, l' « essentiel », c'était le maintien du régime socialiste et des alliances avec l'URSS et le camp socialiste. Gomulka ne s'en cacha pas dans son discours au Comité Central le 20 octobre : « Nous ne permettrons à personne de tirer profit du processus de démocratisation aux dépens du socialisme. A la tête de ce processus de démocratisation se trouve notre Parti » déclara-t-il alors. Pour Gomulka, il n'était pas question de causer du tort « à la cause de l'édification du socialisme en Pologne ».

De telles paroles ne pouvaient que rassurer les Soviétiques. Quant aux mesures destinées à calmer l'opinion publique toujours méfiante, Gomulka en annonça quelques-unes au cours de cette même intervention. Il fit savoir en effet que désormais les paysans auraient la possibilité de sortir des coopératives – et ils le firent avec empressement dans leur grande majorité – et que d'autre part, la liberté religieuse serait respectée pourvu que l'Église soutienne le pouvoir populaire. Et effectivement, le 21 octobre, le cardinal Wyszinski était remis en liberté. Peu après, une commission mixte Église-État se mit au travail pour régler les problèmes en suspens. Les paysans et les catholiques, c'est-à-dire la majorité du peuple polonais, semblaient avoir obtenu satisfaction et s'en félicitèrent. Quant aux ouvriers, qui avaient été à l'origine des événements, Gomulka leur promit une augmentation des salaires ainsi que la démocratisation du syndicalisme officiel. S'agissait-il de concessions dictées par l'opportunisme et faites pour obtenir l'appui du peuple et de l'Église, ou bien de la mise en route d'une voie originale dans le socialisme ?

Personne en Pologne à vrai dire ne se posait une telle question en cette fin de l'année 1956. Tout le monde avait confiance en Gomulka. N'avait-il pas réussi à éviter au pays l'intervention militaire des Soviétiques? Pour les Polonais, c'était là l'essentiel, d'autant plus qu'ils venaient de voir non loin de chez eux cette même armée soviétique écraser l'insurrection hongroise.

La Révolution hongroise de 1956

En Hongrie, la première phase de la destalinisation s'était soldée par l'élimination de son principal auteur, Imre Nagy, et par le retour au pouvoir des forces staliniennes menées par Rákosi et ses amis. Mais le bref passage au pouvoir d'Imre Nagy avait fait naître bien des espoirs, aussi bien à l'intérieur même du Parti communiste que dans l'ensemble de la population. Pour les communistes « nagyistes », il s'agissait maintenant de ramener au pouvoir leur idole et d'établir une véritable démocratie socialiste. Pour beaucoup de simples particuliers qui avaient oublié le rôle joué par lui en 1945 comme ministre de l'Intérieur, le nom d'Imre Nagy évoquait surtout l'ouverture des prisons, la décollectivisation des terres, une plus grande liberté et le début peut-être de changements plus profonds. Sous la pression de la base, devant le mécontentement grandissant de la population, et certainement aussi à la suite des événements de Poznan, Mathias Rákosi se résolut enfin à quitter le devant de la scène politique, et le 18 juillet 1956, il demanda à être « relevé de ses fonctions » en raison « des fautes qu'il avait commises sur le plan du culte de la personnalité et de la légalité socialiste ». En fait, c'est un proche de Rákosi, Ernest Gerö, qui le remplaça à la tête du Parti, mais on fit aussi entrer dans le Comité Central quelques libéraux qui avaient été victimes des purges staliniennes comme Georges Marosan et János Kádár. Mais avec Gerö à la tête du Parti et Hegedüs toujours à la tête du gouvernement, les amis de Rákosi disposaient encore d'une influence déterminante à la tête du pays.

Dans les milieux intellectuels, au *cercle Petöfi*, partout on réclamait le retour d'Imre Nagy et on suivait avec attention l'évolution de la situation en Pologne. La volonté de changement trouva sa première grande expression publique le 6 octobre, lors des obsèques solennelles faites aux restes de László Rajk : au cours de la cérémonie, Imre Nagy vint témoigner publiquement sa sympathie à la veuve de l'ancien ministre. Étrange cérémonie où tous les opposants au régime étaient là, davantage pour manifester leur hostilité à Rákosi que pour rendre hommage au disparu ! Le retour au pouvoir de Gomulka en Pologne suscita l'enthousiasme en Hongrie, d'autant plus que le 14 octobre le Comité Central avait annoncé la réhabilitation d'Imre Nagy et sa réintégration dans le Parti. Un peu partout dans le pays, ce furent des manifestations de joie. L'horizon semblait tout d'un coup s'éclaircir. Profitant de la liberté retrouvée, dès le 19 octobre, les étudiants de Szeged, de Debrecen et surtout ceux de Budapest formèrent des associations indépendantes, distinctes des associations officielles contrôlées par le Parti. Les étudiants de Budapest rédigèrent aussitôt un manifeste en 14 points dans lequel ils réclamaient avant tout le retour d'Imre Nagy à la tête du gouvernement, mais aussi le départ des troupes soviétiques, des élections libres et secrètes avec pluralité des listes, ainsi que la liberté totale pour la presse et la création artistique.

Lorsque le 23 octobre, les dirigeants du PC, Gerö, Hegedüs et Kádár, rentrèrent d'un voyage officiel en Yougoslavie, ils trouvèrent une capitale en état d'effervescence. A l'initiative des étudiants, une manifestation de soutien aux Polonais avait été prévue devant la statue du général Bem, héros polonais de la Révolution hongroise de 1848-1849. La manifestation, d'abord interdite, fut finalement autorisée pour l'après-midi. Aux étudiants se joignirent bientôt les ouvriers venus des faubourgs et les passants. Devant l'immeuble de la Radio, où les étudiants demandaient que leurs revendications soient diffusées, les membres de l'AVO, la Police politique, tirèrent sur la foule. La manifestation dès lors prit une allure différente et dégénéra en émeute. Des soldats de l'armée hongroise, au lieu de rétablir l'ordre comme ils en avaient reçu l'ordre, distribuèrent leurs armes à la foule. De partout surgirent des drapeaux d'où l'on avait arraché l'étoile, symbole de régime. La foule se porta en masse devant le

Parlement, où Imre Nagy tenta de la calmer. Lorsque le vieux leader commença à parler, le mot « camarades! » qu'il adressa à la foule, provoqua des huées. Ce n'était plus une crise au sein du Parti communiste, c'était une révolte contre le régime lui-même qui était en train de se faire. Le soir, à la radio, Gerö dénonça « les menaces qui pèsent sur le socialisme » et vitupéra contre ceux qui « cherchent à rompre le lien entre notre Parti et le glorieux Parti communiste de l'Union Soviétique » et qui « accumulent les calomnies contre l'Union Soviétique ». Ce discours provoqua la fureur des manifestants, toujours maîtres de la rue. La foule, pendant la nuit, s'attaqua aux permanences du PC, aux librairies soviétiques; elle mit le feu aux portraits des dirigeants communistes, à des livres écrits en russe et se porta en masse devant la statue géante de Staline qu'elle se mit en devoir d'abattre. La radio, pendant ce temps, mettait en garde le peuple contre « les éléments fascistes et réactionnaires » qui s'étaient soulevés contre l'ordre socialiste. Aux premières heures de la matinée du 24 octobre, Imre Nagy, nommé Président du Conseil, annonça la mise en vigueur de la loi martiale et lança un appel aux manifestants pour qu'ils déposent les armes immédiatement, mais il fit savoir aussi qu'il favoriserait le développement d'un « socialisme à caractère national ». Les paroles de Nagy ne suffirent pas à ramener le calme. L'agitation gagna l'ensemble du pays.

Avant de démissionner de ses fonctions à la tête du Parti, Gerö avait demandé l'aide des Soviétiques. Dès le 24, les chars soviétiques commencèrent à sillonner les rues de Budapest; mais leur action demeura d'abord assez limitée. On vit même des cas de fraternisation avec la foule. Le soir même, une délégation soviétique conduite par Mikoyan et Souslov arriva à Budapest et rencontra immédiatement Imre Nagy au siège du Parti. Imre Nagy semble avoir à cette occasion reçu carte blanche des Soviétiques pour agir comme il l'entendait au mieux des intérêts de tous. Et effectivement, le 25, le remplacement de Gerö à la tête du Parti par János Kádár fut interprété comme un geste d'apaisement : le nouveau Premier secrétaire annonça que, aussitôt l'ordre rétabli, il y aurait une négociation avec l'URSS « pour un règlement juste et équitable des questions pendantes entre les deux pays socialistes ». Cela semblait être une première victoire pour les insurgés. En fait, l'agitation fut loin de s'apaiser, bien au contraire. La grève générale commencée à Budapest le 24 s'étendit rapidement à tout le pays. Partout, des comités locaux prenaient la place des autorités officielles sans rencontrer de résistance la plupart du temps. Mais parfois aussi, l'AVO résistait comme ce fut le cas à Mosonmagyarovár dans l'ouest du pays, où les policiers tirèrent dans la foule faisant une centaine de tués parmi les civils. Ces tentatives de résistance de l'AVO provoquèrent la fureur de la foule. Nombre de membres de la Police politique furent massacrés, surtout après que l'on eut découvert à Budapest les cachots dans lesquels on avait torturé tant de prisonniers dans un passé pas si lointain.

Imre Nagy se trouva de plus en plus dépassé par l'ampleur du mouvement. Pour satisfaire la foule, il fit entrer le 27 dans son gouvernement Béla Kovács et Zoltán Tildy, de l'ancien Parti des petits propriétaires. Pour les membres non communistes du gouvernement comme pour les comités locaux révolutionnaires, Imre Nagy n'était accepté que comme le chef d'un gouvernement d'Union nationale : tout le monde rejetait maintenant le système du Parti unique. Le 28 octobre, Imre Nagy sembla maintenant se rallier à la révolution : « Le gouvernement se refuse à considérer le formidable élan populaire comme une contre-révolution... Les graves crimes commis au cours des dernières années de notre histoire ont suscité ce vaste mouvement... » déclara-t-il dans un appel radiodiffusé où il annonçait également qu'un accord venait d'être conclu avec les Soviétiques sur l'évacuation par eux de Budapest, en attendant l'ouverture de pourparlers sur le retrait définitif des troupes soviétiques de l'ensemble du territoire hongrois.

Le discours de Nagy fut bien accueilli. A ce moment-là, la situation dans le pays se présentait de la façon suivante. A Budapest, le pouvoir officiel était aux mains d'Imre Nagy sous le contrôle vigilant des divers mouvements, associations et Partis réssucités à la faveur de la liberté retrouvée. En province, le véritable pouvoir était entre les mains des divers Comités révolutionnaires, de coloration politique différente selon les régions. Dans l'ouest du pays, en Transdanubie, leur tendance était nettement anticommuniste, alors qu'au contraire, le Comité de Miskolc représentait le « communisme national ». A Budapest comme en province, des *Gardes Nationaux* assuraient le maintien de l'ordre en lieu et place de la police régulière qui s'était volatilisée. Mais en dépit des tendances multiples qui se faisaient jour partout, tout le monde était d'accord sur deux points, le départ des Soviétiques et l'établissement en Hongrie d'une véritable démocratie. Pendant ces quelques jours, la Hongrie connut un climat de liberté exceptionnel. Tous les détenus politiques avaient été libérés, des dizaines de journaux étaient apparus, la Police politique et ses milliers d'indicateurs s'étaient terrés. Le cardinal Mindszenty, symbole de la résistance au régime en 1948, venait d'être libéré par les soldats de l'armée régulière et le 30 octobre, le gouvernement Nagy publia à son sujet un décret le lavant de toutes les accusations dont on l'avait chargé lors de son procès. A son arrivée à Budapest le 31 octobre, il reçut un accueil triomphal de la foule.

Les heures de liberté furent de courte durée. Dès le 31 octobre, les Soviétiques avaient introduit en Hongrie de nouvelles troupes formées essentiellement d'unités provenant d'Asie centrale. Peu à peu, la capitale se trouva prise dans un étau. Le 1er novembre au soir, Imre Nagy condamna à la radio l'attitude des Soviétiques qui, malgré leurs promesses, avaient ramené leurs soldats. Aux yeux des Soviétiques, il commit dans ce discours une faute impardonnable et annonçant que désormais la Hongrie entendait quitter le Pacte de Varsovie pour devenir un pays neutre. C'est justement à ce moment-là que János Kádár et quelques-uns de ses amis, sans doute sur le conseil de Tito, rompirent avec le gouvernement Nagy et se refugièrent en Ruthénie subcarpatique, en territoire soviétique. Pendant ce temps, l'Armée Rouge continuait à déferler sur la Hongrie en dépit des protestations du gouvernement hongrois aussi bien auprès de l'ambassade d'URSS à Budapest qu'auprès de Dag Hammarskjöld, Secrétaire Général de l'ONU. Le 3 novembre, l'armée soviétique avait repris le contrôle de la plus grande partie du pays; la frontière autrichienne, ouverte depuis le 24 octobre, se trouvait à nouveau bloquée. A Budapest, Imre Nagy combla les vides laissés dans son gouvernement par le départ des amis de János Kádár en y introduisant des personnalités issues des anciens Partis démocratiques, et nomma les généraux Béla Király et Paul Maleter aux postes respectifs de Commandant de la Garde Nationale et de ministre de la Défense. C'est à ce titre que Maleter participa le jour même aux négociations prévues avec le Haut-Commandement soviétique pour oganiser l'évacuation de leurs troupes. En fait, la rencontre avec les Soviétiques fut un véritable guet-apens. Dans la nuit du 3 au 4 novembre, Maleter et les membres de la délégation hongroise furent arrêtés par les Soviétiques. Le soir, à la radio, le cardinal Mindszenty lançait un appel à l'unité nationale dont la propagande officielle, plus tard, dénaturera le contenu. Le 4 novembre au matin, l'artillerie lourde et l'aviation se livrèrent à un immense bombardement de la capitale tandis que les blindés pénétraient de tous côtés dans la ville. En dépit de la résistance acharnée des Gardes Nationaux et des civils, les soldats soviétiques se rendirent maîtres en quarante-huit heures de la plus grande partie de la ville et procédèrent dans les jours qui suivirent au nettoyage des dernières poches de résistance. Le 13 novembre tout était rentré dans l'ordre. Ceux des dirigeants qui n'avaient pas fui à l'étranger, cherchèrent refuge dans les ambassades étrangères, Imre Nagy et ses ministres à l'ambassade de Yougoslavie qu'ils quittèrent peu après : ils furent alors arrêtés par les Soviétiques en dépit des assurances données à l'ambassadeur yougoslave. Le cardinal Mindszenty trouva refuge à l'ambassade des États-Unis, où il devait demeurer jusqu'en... 1971.

En cette même journée du 4 novembre qui avait vu la fin de leur épopée, les Hongrois apprirent par la radio qu'un « gouvernement révolutionnaire ouvrier et paysan » avait été formé par János Kádár pour « restaurer la paix et l'ordre intérieur, protéger les résultats acquis du socialisme, élever rapidement le niveau de vie des travailleurs, écraser les forces néfastes de la réaction et restaurer le calme et l'ordre grâce à l'aide des Soviétiques ». Aussi curieux que cela puisse paraître, ceux à qui Moscou avait confié le soin de reprendre en main la Hongrie étaient des hommes qui, comme János Kádár, György Marosan, Ferenc Münnich, avaient connu les prisons de Rákosi et avaient été accusés autrefois de titisme!

Allocution radiodiffusée du cardinal Mindszenty (3 novembre 1956)

... « *Nous désirons vivre en toute amitié avec tous les peuples et tous les pays... Nous voulons vivre en bonne amitié avec les grands États-Unis aussi bien qu'avec le tout puissant Empire russe, et nous voulons être en relations de bon voisinage avec Prague, Bucarest, Varsovie et Belgrade... Nous sommes neutres. Nous ne donnons à l'Empire Russe aucune raison de faire couler le sang. Mais est-ce que l'idée n'est jamais venue aux chefs de l'Empire russe que nous aurions un plus grand respect du peuple russe s'il ne nous opprimait pas? D'habitude, c'est l'attaqué qui se précipite sur l'ennemi. Nous n'avons pas attaqué la Russie et nous espérons sincèrement qu'elle retirera très bientôt ses forces de Hongrie... Maintenant il nous faut des élections libres, sans tromperies, dans lesquelles tous les partis pourront avoir des candidats. Ces élections devraient se dérouler sous contrôle international... J'use de toute mon autorité pour mettre en garde les Hongrois contre toute querelle de partis et toute mésentente après ces jours de magnifique union... »*

Appel de Imre Nagy (4 novembre 1956), 4 h 20)

« *Ici Imre Nagy, président du Conseil. Aujourd'hui à l'aube, les troupes soviétiques ont déclenché une attaque contre la capitale avec l'intention évidente de renverser le gouvernement légal de la démocratie hongroise. Nos troupes combattent. Le gouvernement est à son poste. J'en avertis le peuple hongrois et le monde entier.* »

Appel de l'Union des Écrivains hongrois
(4 novembre 1956, 6 h 56)

« *Ici l'Union des Écrivains hongrois ! A tous les écrivains du monde, à toutes les fédérations de savants ou d'écrivains, à toutes les académies et associations scientifiques, à l'Intelligentsia du monde entier ! Nous demandons à chacun de vous, votre aide et votre soutien. Il n'y a pas un instant à perdre. Vous savez ce qui se passe. Il est inutile d'en dire plus long. Aidez la Hongrie ! Sauvez les écrivains, les savants, les ouvriers, les paysans de Hongrie et notre Intelligentsia ! Au secours ! Au secours ! Au secours !* »

Discours de János Kádár
(4 novembre 1956 dans la matinée)

... « *Bien que des progrès aient été faits au cours des douze dernières années, la clique Rákosi-Gerö a commis de nombreuses fautes graves et a sérieusement violé la légalité. Tout cela a mécontenté à juste titre les travailleurs. Les réactionnaires cherchent maintenant à utiliser ce mécontentement à leur profit... En exploitant les erreurs commises dans l'édification de notre système démocratique populaire, les éléments réactionnaires ont fourvoyé de nombreux travailleurs honnêtes, des jeunes surtout, qui se sont joints au mouvement animés des meilleures intentions patriotiques... Nous devons mettre un terme aux excès de la contre-révolution...* ».

Appel du gouvernement ouvrier et paysan
(4 novembre 1956, 21 h)

« *Les événements du 4 novembre ont amené la complète déroute des forces réactionnaires en Hongrie. Le gouvernement d'Imre Nagy qui avait ouvert le chemin à la contre-révolution s'est effondré et n'existe plus... Les forces socialistes du peuple hongrois, conjointement avec les troupes soviétiques appelées pour les défendre, se sont dévouées aux tâches entreprises par le gouvernement révolutionnaire ouvrier et paysan...* »

Source : La Révolte de la Hongrie *d'après les émissions des radios hongroises octobre-novembre 1956.*

Paris 1957 (Pierre Horay éd.)

La révolution hongroise de 1956, surtout si on la compare aux événements survenus au même moment en Pologne, montrait clairement le seuil de tolérance admis par Moscou. Pour les Soviétiques, il n'était pas question qu'un pays socialiste sorte du « système » même si ses habitants le souhaitaient. Moscou acceptait à la rigueur des réformes de détail dans les pays satellites, mais qu'un État membre du Pacte de Varsovie veuille renoncer à ses alliances et choisir la voie de la neutralité, c'était absolument insupportable. Dans l'optique de Moscou, il s'agissait là d'un problème de sécurité, d'autant plus qu'au même moment, la France et le Royaume-Uni crurent opportun de déclencher l'*expédition de Suez* contre l'Égypte de Nasser, alors État allié et ami de l'URSS. Les Soviétiques ont eu alors l'impression d'avoir affaire à une opération concertée contre leurs intérêts. Pourtant, la Révolution hongroise, qui couvait depuis déjà quelques années, avait été un phénomène spontané, provoqué par l'hostilité de la grande majorité d'un peuple à un régime qui lui avait été imposé et qui ne lui avait apporté jusque-là que misère et servitude.

Le bilan de la répression fut lourd. Des milliers d'arrestations suivies de condamnations à de lourdes peines de prison, plusieurs centaines de condamnations à mort à l'issue de procès expéditifs devant des cours martiales furent prononcées, sans compter ceux qui avaient été capturés par les Soviétiques et qui furent dirigés sur la Sibérie. Les principaux accusés, Imre Nagy et Paul Maleter ainsi que plusieurs autres, furent condamnés à mort à l'issue d'un procès secret et exécutés le 16 juin 1958. S'il faut en croire le témoignage de l'ancien Préfet de Police de Budapest, Kopácsy, les Soviétiques auraient obligé János Kádár à assister à l'exécution de ceux avec lesquels il avait un moment collaboré. Si ces faits sont exacts, cela prouverait que les Soviétiques voulaient donner un sérieux avertissement aux nouveaux dirigeants hongrois et les mettre en garde contre toute nouvelle expérience du même genre.

En 1956, la crise polonaise et la révolte hongroise ont abouti à des situations apparemment opposées. En Pologne, la destalinisation semblait avoir réussi sans que le sang ait coulé. Gomulka, avec la bénédiction du cardi-

nal Wyszinski, avait, en échange de quelques concessions comme la décollectivisation des terres et l'octroi
d'une certaine liberté religieuse, maintenu intégralement le régime socialiste et encore renforcé les liens
avec l'URSS puisqu'à la suite d'un voyage à Moscou, il
avait signé le 18 novembre un accord qui confirmait le
maintien des troupes soviétiques dans son pays en
échange de quelques avantages économiques. Mais dès
1957, fort de l'appui d'un peuple qui voyait en lui
l'homme de l'*ouverture*, Gomulka pouvait progressivement restreindre peu à peu la portée des concessions
faites, tout en se montrant incapable de régler les problèmes économiques qui se posaient à son pays, tant et
si bien qu'à partir de 1960, les mêmes problèmes qui
avaient en juin 1956 déclenché les événements de Poznan demeuraient entiers.

En Hongrie au contraire, malgré l'échec apparent de
la Révolution, malgré les victimes et les ruines accumu-
lées au cours des combats, les nouveaux dirigeants ont
vite compris que rien ne pourrait plus être comme
avant, et ils en ont tenu compte dans leur action politique ultérieure. Après la répression brutale du début,
imposée par les Soviétiques plus que voulue par les
autorités hongroises, une période de relative détente a
suivi, si bien que moins de dix ans après les événements
de 1956, la Hongrie de János Kádár suscitait déjà
l'envie des autres pays de l'Est, à la fois à cause de son
niveau de vie relativement élevé et par le climat de
relative liberté qui y régnait. En 1956, Gomulka et
Kádár ont joué un rôle décisif dans leurs pays respectifs. Gomulka était alors l'homme le plus populaire de
Pologne, et Kádár l'homme le plus honni de Hongrie.
Dix ans après, le premier était devenu le champion de
la *ligne dure* au sein du monde socialiste, et avait profondément déçu son peuple; le second au contraire,
petit à petit, avait su rallier à lui beaucoup de ceux qui
l'avaient combattu à la fois par la politique de développement économique réussie et par la mise en sourdine de l'idéologie pesante. Le premier fut chassé du
pouvoir par la révolte des ouvriers des ports de la Baltique en 1970; le second est demeuré jusqu'au début
des années 80 le chef incontesté de son pays.

D'UNE CRISE À L'AUTRE :
LES PAYS DE L'EST DE 1956 À 1968

Les événements de Pologne et de Hongrie ont provoqué dans les pays de l'Est un certain nombre de changements et d'évolutions. Leurs dirigeants ont essayé collectivement ou individuellement de prendre les mesures qu'ils jugeaient opportunes pour éviter le renouvellement de telles crises.

Les nouvelles orientations de la politique de l'URSS et des démocraties populaires

La première conséquence des événements de Pologne et de Hongrie a été une redéfinition des rapports entre l'URSS et ses alliés. L'intervention militaire en Hongrie a montré d'une façon nette qu'il n'était pas question pour un pays membre du Pacte de Varsovie de quitter le camp socialiste et d'organiser à sa guise sa vie intérieure et ses relations extérieures. L'URSS de toute évidence entendait conserver intact le glacis de protection qu'elle avait constitué le long de ses frontières occidentales. Pour renforcer encore davantage la cohésion du camp socialiste, le CAEM (Conseil d'Assistance Économique Mutuelle) créée en 1949 fut réanimé. Jusqu'au milieu des années cinquante, le CAEM s'était surtout attaché à développer les échanges commerciaux entre les États membres et en particulier entre ceux-ci et l'URSS. A partir de 1955, l'idée d'une harmonisation des Plans et d'une spécialisation des activités en fonction des possibilités ou des potentialités de chaque pays fut mise à l'ordre du jour. Cela a abouti en juin 1962 à l'adoption des *Principes fondamentaux de la division internationale socialiste du travail* d'après lesquels chaque pays se voyait confier en principe le monopole ou tout au moins une prépondérance de la production de tel ou tel produit à la fois pour ses besoins propres et ceux de ses partenaires. Seule, l'URSS, par la variété de ses ressources et par son niveau

élevé de développement économique, échappait à la
règle de la spécialisation. L'objectif réel de ces mesures
était d'associer encore plus étroitement l'économie des
divers États. Afin que les problèmes de paiement ne
constituent plus un obstacle aux échanges inter-CAEM,
on décida même la constitution d'une Banque de coopération économique internationale, dont le siège était
à Moscou, et qui commença à fonctionner le 1er janvier
1966. En même temps, la coopération entre les pays
socialistes fut étendue à tous les domaines, transports,
échanges de technologie, construction en commun
d'oléoducs, de centrales nucléaires... L'objectif demeurait toujours le même, souder encore plus étroitement
les divers membres de la communauté des États socialistes.

Au même moment, les dirigeants soviétiques, N.
Khrouchtchev jusqu'en octobre 1964, puis L. Brejnev,
engagèrent le lent processus de mise en route de la politique dite de la *détente* avec le monde occidental. Cette
politique aboutit à un développement des échanges
commerciaux entre les pays occidentaux et le monde
communiste et aussi par l'ouverture limitée des frontières aux visiteurs étrangers. Ces nouvelles orientations
économiques et politiques allaient avoir des conséquences importantes dans la vie intérieure des pays socialistes.

Une note discordante : l'Albanie

Si toutes les démocraties populaires européennes ont
suivi les nouvelles orientations définies par Moscou au
lendemain des crises de 1956, l'Albanie s'est dès le début
montrée pour le moins réservée. Certes, au lendemain
des événements de Budapest, Enver Hoxha et les dirigeants albanais ont approuvé sans réserve l'intervention
militaire soviétique, mais dans le même temps, l'Albanie
a repris ses attaques contre la Yougoslavie, accusée
d'avoir soutenu l'expérience de libéralisation menée par
Imre Nagy. Dans un deuxième temps, Enver Hoxha laissa
entendre que l'apparition des mouvements contre-
révolutionnaires en Pologne et surtout en Hongrie avait

été provoquée par les orientations nouvelles du XXe Congrès soviétique et par le rapport Khrouchtchev. Hoxha le fit savoir d'ailleurs à Khrouchtchev lui-même en avril 1957 lorsqu'il se rendit à Moscou. Cependant, jusqu'en 1960, Hoxha qui, à l'intérieur du pays, avait maintenu avec fermeté la ligne dure antérieure, continua à entretenir avec l'URSS des relations apparemment amicales bien qu'à chaque occasion, il ne manquait pas de rappeler le rôle positif qu'avait joué Staline dans l'histoire du socialisme. Au cours de l'année 1960, les relations entre Moscou et Tirana se tendirent brutalement. Les Albanais multipliaient alors les attaques contre les « révisionnistes yougoslaves » mais à travers eux, on sentait bien qu'ils visaient Khrouchtchev. Ils multipliaient les réticences, au nom de leur indépendance nationale, à l'égard des idées de division internationale du travail qu'on commençait à évoquer à Moscou et surtout ils refusaient de condamner les thèses soutenues par Pékin dans le conflit idéologique qui opposait Chinois et Soviétiques. Mieux même, le Chef de l'État albanais, Haxhi Kieshi profita de la visite officielle qu'il fit à Pékin en juin 1960 pour appuyer publiquement les thèses de Mao Tsé-toung. Pendant ce temps, Enver Hoxha épurait le Parti des travailleurs albanais et excluait du Comité Central les membres connus pour leurs positions prosoviétiques. Le conflit Moscou-Pékin trouvait ainsi un écho dans les Balkans. Et au moment même où les Soviétiques retiraient leurs techniciens de Chine, ils refusaient de livrer aux Albanais les céréales qu'ils avaient promis de leur fournir. On s'engageait ainsi de part et d'autre sur le chemin de la rupture. Celle-ci se produisit à Moscou en novembre 1960 à la Conférence des Partis communistes. Enver Hoxha attaqua les positions révisionnistes de Khrouchtchev, condamna la politique de rapprochement avec la Yougoslavie, fit publiquement l'éloge de Staline et des dirigeants chinois; puis, avant même que la Conférence soit achevée, la délégation albanaise quitta Moscou. Dès lors et jusqu'en 1978, l'Albanais allait devenir le porte-parole des thèses chinoises en Europe de l'Est; des techniciens chinois s'installèrent en Albanie et participèrent à la mise en valeur des ressources naturelles du pays et à son développement économique. Appuyée par la Chine, l'Albanie n'avait pas à redouter une intervention des pays du Pacte de Varsovie.

L'évolution de la Yougoslavie

Depuis 1955, la Yougoslavie avait normalisé ses relations avec les autres pays socialistes de l'est européen. L'intervention soviétique en Hongrie les assombrit quelque peu, encore que dans cette affaire l'attitude de Tito ait été assez équivoque. Mais ni l'URSS ni Tito n'entendaient envenimer les choses, l'URSS à cause de ses problèmes avec la Chine, Tito à cause des tensions qui existaient à l'intérieur de son pays. C'est d'ailleurs la politique de rapprochement entre la Yougoslavie et l'URSS qui provoqua une nouvelle intervention de Milovan Djilas. Comme Djilas avait critiqué cette politique, il fut arrêté et condamné une nouvelle fois à une peine de prison. D'autres difficultés attendaient les dirigeants yougoslaves dans le domaine économique, dues essentiellement aux hésitations dans le choix entre l'autogestion intégrale et le socialisme centralisé que préconisait Rankovitch; de plus, le maintien des disparités régionales entre les Républiques économiquement évoluées de l'ouest comme la Croatie et la Slovénie, et les régions sous-développées de l'est comme la Macédoine et le Kossovo, ranimait les tensions traditionnelles entre Croates et Slovènes d'un côté, et Serbes de l'autre. Sur le plan politique, en dépit de l'arrestation d'un universitaire contestataire, le professeur Mihajlov, qui avait violemment critiqué l'URSS dans un livre publié à l'étranger, la ligne libérale sembla prévaloir à partir de 1965-1966. Ce fut confirmé en juin 1966 avec le départ de Rankovitch, le tout-puissant chef des Services de Sécurité et qui était le porte-parole du nationalisme panserbe; il fut accusé alors d'abus de pouvoir et de complot mais aucune poursuite ne fut engagée contre lui. En liaison avec l'affaire Rankovitch, la police secrète, l'UDBA, fut épurée et décentalisée. Un autre aspect de la libéralisation fut l'attribution de pouvoirs plus étendus aux assemblées locales en même temps que leur fonctionnement était démocratisé; elles furent désormais moins dociles et moins unanimes dans leurs votes. La même détente s'établit aussi dans les rapports avec l'Église catholique qui, jusque-là, étaient demeurés très tendus. La signature le 25 juin 1966 d'un accord entre Mgr Casaroli au nom du Saint-Siège et M. Moratcha, président de la Commission des cultes, rétablit la pleine liberté de pratique religieuse et la livre communication entre l'Église yougoslave et Rome. Cet accord fut le prélude à la reprise en 1970 des relations diplomatiques entre la Yougoslavie et le Vatican.

Le « kadarisme » en Hongrie

Malgré la lourde hypothèque qui pesait sur le gouvernement Kádár en raison même de ses origines, celui-ci a réussi à concilier l'existence du régime de démocratie populaire avec une politique relativement libérale. Ce résultat est l'œuvre personnelle de János Kádár, Premier Secrétaire du Parti socialiste ouvrier depuis 1956, et qui dirigea également le gouvernement de novembre 1956 à janvier 1958, et de novembre 1961 à juin 1964.

De 1956 à 1958, Kádár chercha principalement à rassurer l'URSS et les autres pays socialistes en resserrant les liens politiques et militaires dans le cadre du Pacte de Varsovie, et en jouant à fond la carte de la coopération économique avec ses partenaires du CAEM. A l'intérieur, Kádár s'efforça de justifier l'intervention soviétique car « la contre-révolution voulut renverser le régime légal de la République populaire hongroise, son ordre social... afin d'instaurer à sa place le système le plus réactionnaire des dictatures bourgeoises, la dictature fasciste » (rapport au Parlement, 9 mai 1957); en revanche, il reconnaissait aussi que « les fautes commises par Rákosi et son groupe jouèrent un rôle essentiel » dans les événements de 1956 (rapport au Congrès du Parti socialiste ouvrier, 30 novembre 1959). A partir de 1959, le gouvernement hongrois a considérablement libéralisé le régime. Une large amnistie a permis l'élargissement de la plupart des détenus politiques. Un nouveau slogan politique est apparu : « Ceux qui ne sont pas contre nous sont avec nous » et au nom de ce principe, d'anciens cadres de l'administration exclus en 1949 ont été réintégrés. Les frontières du pays se sont progressivement ouvertes dans les deux sens et déjà, en 1964, 200 000 touristes hongrois avaient pu se rendre dans les pays occidentaux. Le chiffre en a été multiplié par 5 au cours des dernières années. La même souplesse se retrouve dans la politique à l'égard de l'Église catholique. Certes, l'État garde la haute main sur toutes les nominations ecclésiastiques, mais un accord a enfin été conclu le 15 septembre 1964 avec le Saint-Siège qui a permis de pourvoir un certain nombre de sièges épiscopaux vacants. Le cas du cardinal Mindszenty, réfugié à l'ambassade américaine, n'a pu être réglé qu'en 1971 lorsque le Pape Paul VI a demandé au prélat de s'exiler. La nomination d'un nouveau Primat en la personne du cardinal Lékai semble avoir mis fin au contentieux entre Rome et Budapest.

La politique économique du régime Kádár a été marquée par la même volonté d'efficacité et de pragmatisme. La réforme économique appliquée dans sa totalité depuis le 1er juillet 1968 a donné une large autonomie aux entreprises et a introduit un début d'économie du marché. La priorité à l'industrie lourde qui avait été l'objectif n° 1 jusqu'en 1953 a été abandonnée : l'accent est mis surtout sur la modernisation et sur le développement des échanges avec tous les pays. Le résultat de cette politique, largement visible depuis la fin des années soixante, est le niveau de vie relativement élevé de la population surtout si on le compare à celui des pays socialistes voisins. Dix ans après l'échec de la Révolution de 1956, la Hongrie de Kádár faisait figure déjà d'heureuse exception à l'intérieur du camp socialiste.

Les « néo-staliniens »

Les dirigeants bulgares et roumains profitèrent des événements de 1956 pour mettre un terme à la politique de destalinisation limitée qu'ils avaient entreprise précédemment. En Bulgarie, la concentration des pouvoirs se maintînt au profit du nouveau Secrétaire Général du PC depuis 1956, Todor Jivkov qui, à partir de 1962, cumula cette fonction avec celle de Premier ministre. Avec Jivkov, la Bulgarie a rigoureusement aligné sa politique sur celle de l'URSS dont elle constitue l'allié le plus fidèle et le plus zélé dans les Balkans, face à la Yougoslavie et à la Roumanie. En Roumanie, l'après-1956 a été, ici encore, marqué par un retour à un stalinisme rampant. Les premières victimes en furent les Hongrois de Transylvanie qui avaient applaudi aux événements de Budapest et qui furent à nouveau traités en suspects; ils perdirent dès lors les quelques avantages qu'ils avaient obtenus en 1950. Mais ils ne furent pas les seuls à être remis au pas. Dans la crainte d'éventuels troubles, l'ensemble de la population fut soumis à une étroite surveillance de la Milice et de la *Securitate*. La toute-puissance du Parti, incarnée par G. Gheorgiu-Dej jusqu'à sa mort en 1965, est depuis cette date symbolisée par son successeur au Secrétariat Général, Nicolae Ceaucescu qui est en outre depuis décembre 1967 également Chef de l'État. Le « fils le plus aimé du peuple roumain » a su habilement se donner à l'extérieur l'image d'un homme ouvert dans la mesure où il s'est opposé à Moscou, en paroles d'ailleurs plus qu'en actes, à propos du rôle modeste attribué à la Roumanie par le CAEM, où il a multiplié les accords de coopération économique avec les pays occidentaux, et où il a su tirer profit de la rivalité Moscou-Pékin pour jouer sur les deux tableaux. En réalité, avec Ceaucescu c'est à la fois le stalinisme et le nationalisme qui s'est consolidé en Roumanie.

En Pologne, W. Gomulka, après avoir repris le pouvoir grâce à l'appui des libéraux et de l'Église et avec l'approbation enthousiaste de la population, a peu à peu restreint la portée des mesures de libéralisation prises en 1956-1957. Gomulka en ce sens a suivi l'itinéraire inverse de celui de Kádár en Hongrie. Son attitude à l'égard de l'Église catholique est significative de ce changement de ligne politique. Officiellement, les accords de 1957 qui donnaient à l'Église un statut privilégié ont été maintenus, mais à partir de 1958-1959, les conflits locaux se sont multipliés. Ici, on créait des difficultés à des parents qui voulaient inscrire leurs enfants au cathéchisme; là on refusait l'autorisation pour bâtir un nouvel édifice pour le culte, même si les frais en étaient supportés par les fidèles. A chaque fois, le cardinal Wyszinski intervenait et finissait par obtenir gain de cause mais au prix d'un marchandage long et pénible. Le conflit Église-État atteignit son paroxysme en 1965-1966 lorsque les évêques polonais et leurs confrères de RFA échangèrent une correspondance afin de concrétiser la réconciliation entre les deux peuples. Le gouvernement polonais interpréta ce geste comme une trahison à l'égard de la Pologne. Les cardinaux Wyszinski et Wojtyla répondirent publiquement en dénonçant les tracasseries de toutes sortes dont étaient victimes les croyants et l'Église.

Dans le domaine économique, les espoirs mis dans les promesses faites par Gomulka furent assez rapidement déçus. Certes les salaires nominaux augmentèrent de plus de 35 % entre 1956 et 1959, mais l'inflation eût tôt fait de réduire à néant ces augmentations. Le pouvoir d'achat demeura très bas dans le monde ouvrier et chez les employés, et comme par le passé, les syndicats continuèrent à jouer le rôle de courroie de transmission entre le pouvoir et le monde du travail. La faible productivité du travail, les prix de revient élevés des produits industriels furent un frein aux exportations même en direction des pays du CAEM, alors que les importations de biens d'équipement augmentaient. Le résultat fut le développement de l'endettement extérieur aussi bien à l'égard de l'URSS que des pays occidentaux. L'accélération de l'inflation à partir de 1962 a accentué le malaise latent du monde du travail. Les seuls bénéficiaires du régime Gomulka furent les paysans qui abandonnèrent en grand nombre les fermes collectives et qui sont parvenus à augmenter leurs revenus par un accroissement de leur productivité. Les difficultés économiques, les pénuries épisodiques de denrées de première nécessité, la déception qui a succédé à l'espoir, tout cela a suscité une nouvelle fois le développement d'un climat de mécontentement qui s'est traduit de différentes façons : alcoolisme, violence, houliganisme, « système D » et trafics de toutes sortes. Pour éviter que ce mécontentement populaire soit générateur de troubles, Gomulka, à partir de 1959, a durci peu à peu sa politique et s'est attaqué aux intellectuels accusés d'être trop perméables aux influences de l'Occident. La censure s'est faite plus rigoureuse ; le ministre de l'Éducation Brankowski, jugé trop libéral, a été destitué. En revanche autour de Gomulka, devenu de plus en plus autoritaire, s'est constitué une équipe formée du général Moczár ministre de l'Intérieur, d'Édouard Ochab son prédécesseur à la tête du Parti, du général Spychalski et des anciens socialistes de gauche, Joseph Cyrankiewicz le Premier ministre, et Adam Rapacki le ministre des Affaires étrangères. Tous avaient en commun la volonté ferme de maintenir les alliances avec le camp socialiste, la méfiance à l'égard des pays occidentaux et en particulier la RFA, le goût de l'ordre et l'hostilité aux intellectuels. Ce sont ces hommes qui, en 1968, se sont montrés, avec l'URSS, les adversaires les plus déterminés de l'expérience de libéralisation en Tchécoslovaquie. Ce changement d'orientation politique a peu à peu atteint le prestige personnel dont jouissait Gomulka et son impopularité, due au caractère personnel de son pouvoir, a été grandissante.

En RDA, la politique néo-stalinienne de Walter Ulbricht s'est maintenue sans faille. La fermeture de la frontière avec les secteurs occidentaux de Berlin par la construction du *Mur*, le 13 août 1961, a mis fin aux possibilités d'émigration pour ceux qui étaient mécontents du régime. Mais en même temps, les dirigeants est-allemands ont cherché à apaiser les éventuels mécontentements en améliorant le niveau de vie de la population. Grâce à son niveau élevé de développement industriel et à ses exportations massives de produits à haute valeur ajoutée, la RDA a connu à partir des années soixante un taux de croissance élevé. Elle joua dès lors au sein du CAEM le même rôle que la RFA dans la CEE. Le développement de la production des biens de consommation a permis de satisfaire les besoins d'une population dont le niveau de vie en 1968 était déjà le plus élevé de tous les pays de l'Est. Les succès économiques du pouvoir socialiste compensaient ainsi le conservatisme politique des dirigeants.

En Tchécoslovaquie, la situation était quelque peu différente. Il n'y avait pas eu de destalinisation à proprement parler et les événements de Hongrie avaient au contraire provoqué un durcissement du régime. Le Parti communiste tchécoslovaque avait alors été un des premiers à condamner Imre Nagy et à applaudir à l'intervention des chars soviétiques. Novotny et son équipe conservatrice entendaient éviter tout risque et faisaient figure de modèle de discipline dans le camp socialiste. En

1960, une nouvelle Constitution consacra cette situation : la Tchécoslovaquie ayant dépassé le stade de la démocratie populaire devint une *République Socialiste*. Ce n'est qu'en 1962 que Novotny se résolut à prendre quelques mesures d'amnistie et à annoncer la création d'une Commission de révision pour les procès politiques des années cinquante. Cette Commission commença ses activités au début de 1963 et examina 480 cas. La première réhabilitation importante fut celle de Slansky le 21 août 1963 à titre posthume, mais ce n'était qu'une réhabilitation partielle car il demeurait exclu du Parti. En revanche, la réhabilitation de Clementis en 1964, elle aussi à titre posthume, fut totale tout comme celles de Gustave Husak, Arthur London et Eugène Loebl, récemment libérés. On libéra aussi au cours de l'été 1963 tous les évêques qui avaient été arrêtés en 1950; mais eux n'eurent pas le droit à une réhabilitation. Ils demeurèrent sous surveillance sans pouvoir reprendre leurs fonctions. Quant à Mgr Beran, l'archevêque de Prague interné depuis mars 1951, il fut libéré en octobre 1963 sous condition et astreint à résidence, puis en février 1965 fut autorisé à quitter le pays pour s'installer à Rome. C'est aussi à partir de ces années 1963-1964 que le pays commença à s'ouvrir aux touristes occidentaux. On avait l'impression qu'un lent dégel apparaissait enfin dans le pays. La censure se faisait moins tâtillonne, les gens commençaient à réagir. Ces premières libérations de détenus, ces réhabilitations provoquèrent à l'intérieur du Parti des mouvements contradictoires. Les éléments libéraux se mirent à demander des explications tandis que les conservateurs groupés autour de Novotny, réélu en 1964 à la Présidence de la République, et autour du Premier ministre Joseph Lenart, s'efforçaient de freiner ce déjà lent processus de libéralisation. La situation évolua cependant de façon assez rapide en raison de l'accumulation des problèmes en suspens. En premier lieu, l'économie tchécoslovaque connaissait de sérieuses difficultés. L'achèvement de la collectivisation des terres en 1959-1960 et la résistance passive des paysans se combinant aux aléas climatiques amenèrent à partir de 1962 de sérieux problèmes d'approvisionnement dans les villes. Dans l'industrie, la lourdeur de la bureaucratie freinait la production; l'abandon de certaines productions exigé par la politique de division internationale du travail mise en vigueur par le CAEM désorganisait certaines branches de l'industrie. Des économistes comme Ota Sik et Eugène Loebl préconisèrent alors, pour redresser l'économie, une réforme de la gestion des entreprises avec l'octroi à celles-ci d'une plus grande liberté d'action. Après de longs débats au sein du Parti, Novotny en 1967 accepta leurs suggestions. Au même moment, les communistes slovaques avec Dubcek et Husak demandèrent que justice soit rendue à leurs compatriotes et que la Tchécoslovaquie se transforme en un État fédéral. Et surtout, les intellectuels menés par le romancier slovaque Ladislas Mnacko réclamaient de plus en plus ouvertement que toute la vérité soit faite sur les grands procès et que l'on ne fasse pas des réhabilitations *à la sauvette* pour se donner bonne conscience. Tout laissait supposer que dans ce pays, qui était encore un des bastions du stalinisme, on s'acheminait à grands pas vers une crise. La situation de la Tchécoslovaquie en 1967 n'était pas sans présenter d'analogies avec celle de la Pologne et de la Hongrie en 1956.

LE MYTHE DU « PRINTEMPS DE PRAGUE » ?

Si l'on veut comprendre les événements qui se sont déroulés en Tchécoslovaquie en 1967-1968, il faut d'abord évoquer le contexte international de cette époque. En Europe occidentale, ces années furent marquées par l'agitation étudiante, en Italie, en RFA, et qui culmina en France pendant les journées de mai 1968. Au même moment, en Chine, c'était le point culminant de la *Révolution culturelle*. A Moscou, et dans la plupart des capitales de l'Europe de l'Est où sévissait une contestation latente chez les intellectuels, les autorités considérèrent avec beaucoup de méfiance cette agitation désordonnée et anarchique, et prirent aussitôt des mesures locales pour parer à toute éventualité. Au même moment, la *Guerre des Six Jours* entre Israël et les Pays arabes provoqua une nouvelle tension Est-Ouest, l'URSS et presque tous les pays socialistes sauf la Roumanie ayant condamné formellement l'action d'Israël et dénoncé la collusion entre le sionisme et l'impérialisme américain.

Or justement, c'est dans ce contexte que le projecteur de l'actualité va se trouver braqué sur la Tchécoslovaquie, où brutalement, fin juin 1967, la crise latente qui couvait va apparaître au grand jour. En effet, à l'occasion du IVe Congrès des Écrivains qui se tint à Prague à partir du 29 juin, de nombreux orateurs dénoncèrent vivement la campagne anti-israëlienne menée par les autorités officielles. Courant juillet d'ailleurs, l'écrivain Mnacko quitta le pays pour Israël d'où il dénonça l'antisémitisme des dirigeants tchécoslovaques. Au cours du Congrès, de nombreux participants avaient réclamé la liberté de la presse, et en particulier le romancier Ludvik Vaculik qui dénonça avec vigueur les abus de pouvoir commis par le régime. La révolte des écrivains amena des réactions mitigées de la part du gouvernement. Les contestations furent exclus du Parti, la revue de l'Association des Écrivains, *Literarni Noviny* (Les Nouvelles Littéraires), qui tirait à 600 000 exemplaires, fut suspendue. Au Comité Central du Parti qui se tint à partir du 30 octobre, Novotny réclama des sanctions plus sévères contre les intellectuels, mais se heurta aux libéraux tchèques et aux Slovaques menés par Alexandre Dubcek, Premier Secrétaire du Parti communiste slovaque. L'affrontement entre Dubcek et Novotny, c'était, outre le conflit entre un libéral et un conservateur, la lutte entre le *clan slovaque* et le *clan tchèque* au sein du Parti. Le 31 octobre, les étudiants de la Cité Universitaire de Prague, qui manifestaient en faveur de plus de liberté et de meilleures conditions de vie, étaient durement matraqués par la police sur ordre du gouvernement. L'impopularité grandissante de Novotny profita du courant libéral du Parti. Sur le Conseil de Brejnev, venu à Prague le 8 décembre 1967, on prit des dispositions afin d'éviter de nouveaux affrontements. Pour Brejnev, il fallait éviter que la Tchécoslovaquie soit affaiblie par des troubles internes en raison de l'importance de sa position stratégique en Europe centrale.

La réunion du Comité Central, du 19 au 21 décembre, fut marquée par un nouvel affrontement entre les partisans de Novotny et de la ligne dure, et la coalition des libé-

raux tchèques et des Slovaques. Aucune décision
concrète n'en sortit. Profitant de la trève due aux fêtes de
fin d'année, Novotny tenta un coup de force en
s'appuyant sur le général Sejna, chef de l'organisation
communiste au ministère de la Défense et sur les Milices
populaires. Le complot échoua grâce au général Dzur,
ministre de la Défense et ami personnel de Dubcek. La
position de Novotny s'en trouva sérieusement ébranlée
lors de la nouvelle réunion du Comité Central au début
de janvier 1968. A la suite d'un compromis, Novotny
conserva la Présidence de la République mais dut renoncer à la direction du Parti. Dans la nuit du 4 au 5 janvier,
Alexandre Dubcek fut désigné comme Premier Secrétaire
du Parti communiste tchécoslovaque. Pour la première
fois, ce poste était attribué à un Slovaque, qui était en
même temps un homme de la nouvelle génération. La
coalition des Slovaques et des libéraux tchèques l'avait
emporté sur les conservateurs.

Les premiers effets du changements de ligne se firent
aussitôt sentir. Dès le 5 mars, Dubcek annonça la suppression de la censure. Les discussions politiques, qui
jusque-là avaient eu lieu en privé ou dans des cercles res-
treints d'amis, trouvèrent maintenant un écho dans les
colonnes de la presse, à la radio et à la télévision. Le
débat politique se déroulait maintenant face au peuple et
avec la participation du peuple. C'était là une situation
tout à fait originale. L'Église profita de ce climat nouveau
pour réclamer la liberté religieuse garantie par la Constitution mais jamais appliquée. Dès le 12 mars, l'épiscopat,
à la demande des séminaristes et des fidèles, destitua
l'abbé Plohjar de ses fonctions dans le *Mouvement de la
Paix du clergé catholique*, organisation crypto-commu-
niste; ce Mouvement fut réorganisé et prit le nom
d'*Œuvre du renouveau post-conciliaire* sous le contrôle
de la hiérarchie. En même temps, les délégués des Ordres
religieux dissous en 1950 demandèrent au ministre de la
Culture que justice leur soit rendue et qu'ils puissent
reprendre leurs activités. Mgr Tomasek, administrateur
de l'archevêché de Prague réclama au nom de l'épiscopat
la réhabilitation totale des prêtres condamnés, et notamment celle de Mgr Beran en exil à Rome. Quant aux
évêques déjà libérés, ils furent autorisés à regagner leurs
diocèses. Le cas de Mgr Beran demeura en suspens.

Dans ce climat de liberté retrouvée, Dubcek et ses amis s'efforcèrent de trouver rapidement des solutions aux nombreux problèmes qui se posaient. Il y avait déjà la question slovaque : dès mars, Dubcek promit aux Slovaques qu'ils bénéficieraient d'un Statut particulier qui les mettrait sur pied d'égalité avec les Tchèques dans le cadre d'un État fédéral. Le 21 mars, la démission du Président Novotny laissait aux libéraux la place libre à tous les échelons de l'État. Le 30 mars, l'Assemblée Nationale, par 282 voix sur 288 votants, élisait pour lui succéder le général Svoboda, tandis qu'un nouveau gouvernement favorable aux orientations nouvelles du Parti était formé sous la direction du libéral tchèque Oldrich Cernik, avec Jiri Hajek aux Affaires étrangères, le général Dzur à la Défense et Ota Sik à l'Économie. Le 18 avril, l'Assemblée Nationale choisissait pour sa présidence un autre libéral, Joseph Smrkovsky. L'orientation nouvelle fut confirmée lors de la réunion du Comité Central des 4 et 5 avril. On y préconisa « une large alliance des forces progressistes des villes et des campagnes avec la classe ouvrière en tête, et l'unité des nations tchèques et slovaque ». Le Comité Central rappelait cependant que « le Parti se fonde et continuera à se fonder sur la classe ouvrière » mais que « le but du Parti n'est pas de devenir un administrateur universel de la société... et d'entraver toute la vie sociale par ses directives... La politique du Parti ne doit nullement amener à faire naître chez les citoyens non communistes le sentiment qu'ils sont lésés dans leurs droits et dans leur liberté par le parti... ». Tel était ce *socialisme à visage humain* qui vit le jour en mars-avril 1968 à l'époque de ce que l'on a appelé le *Printemps de Prague.*

Il est tout de même assez étrange que les auteurs de ce *Printemps de Prague* soient des hommes qui, tout au long de leur carrière, ont donné des gages de fidélité inconditionnelle au Parti... et à Moscou. Ces « libéraux » de 1968 avaient tous joué en 1948, lors du *coup de Prague,* un rôle déterminant et pendant toute l'époque stalinienne, ils ont tous exercé des responsabilités importantes. Joseph Smrkovsky, celui dont la presse occidentale a fait le héros le plus sympathique du *Printemps de Prague,* était le même homme qui, en février 1948, avait mobilisé les Milices ouvrières pour soutenir l'ultra-stalinien Gottwald,

ce qui avait assuré le succès du *coup de Prague*, Oldrich
Cernik de son côté avait pendant toute la période stalinienne gravi tous les échelons du *cursus honorum* d'un
bon *apparatchik*, d'abord Secrétaire du Parti à Ostrava,
puis Secrétaire du Comité Central, ministre du Plan, vice-
Président du Conseil dans le cabinet Lenart et membre
du Présidium sous Novotny. Le général Svoboda, lui,
avait donné à Gottwald en février 1948 l'appui inconditionnel de l'Armée qu'il avait d'ailleurs épurée précédemment en en chassant les éléments non communistes, et
même s'il fut écarté du pouvoir au début des années cinquante, il mena à l'époque des purges la vie confortable
et paisible d'un retraité de haut rang. Quant à Dubcek lui-
même, issu d'une famille communiste qui vécut en URSS
de 1925 à 1938, il milita dès 1939 au sein du Parti
communiste clandestin, participa à l'insurrection slovaque d'août 1944, puis fit ensuite une brillante carrière
au sein du Parti. Membre du Comité Central du Parti slovaque en 1951 au moment où tant de chefs communistes
slovaques comme Clementis et Husak étaient persécutés,
Dubcek, en raison de son zèle et de son dévouement au
Parti, fut envoyé en 1955 à l'École Supérieure de Politique de Moscou où il y demeura jusqu'en 1958. A son
retour, en pleine époque Novotny, Dubcek continua à
gravir les derniers échelons de la hiérarchie jusqu'à devenir en 1963 Premier Secrétaire du Parti slovaque.

Les responsables du *Printemps de Prague* étaient donc
loin d'être de véritables *libéraux*. Pourquoi ont-ils alors
donné au Parti communiste tchécoslovaque cette nouvelle orientation? On peut se le demander. Sans doute
ont-ils agi ainsi davantage pour sauver un système auquel
ils étaient profondément attachés, que pour mettre fin
aux abus que ce système avait engendrés. Mais leur
marge de manœuvre était très étroite. En donnant des
gages de bonne volonté aux intellectuels et à une opinion
publique avide de liberté, Dubcek et ses amis prenaient le
risque d'inquiéter les dirigeants de l'URSS et des autres
pays socialistes. Dès le 13 avril, la *Pravda*, évoquant l'évolution de la situation en Tchécoslovaquie dénonçait déjà
« les éléments anti-socialistes qui se livrent à des attaques
contre le Parti ». Les voisins de la Tchécoslovaquie
étaient inquiets. Déjà à Dresde à la fin mars, Walter

Ulbricht avait mis en garde les dirigeants tchécoslovaques sur les risques qu'ils étaient en train de prendre; le Polonais Gomulka avait un point de vue identique. En revanche, le Hongrois Kádár paraissait plutôt favorable à l'expérience Dubcek, dans laquelle il retrouvait certaines similitudes avec la politique qu'il avait appliquée en Hongrie depuis le début des années soixante.

Le *Printemps de Prague* était en train de devenir progressivement l'affaire de tout le camp socialiste. L'évolution de la situation d'avril à la fin août 1968 va se situer à deux niveaux. A l'intérieur du pays, profitant de la liberté recouvrée, des mouvements d'origines diverses sont nés ou réapparus, tous désireux d'obtenir davantage de liberté. Les Sokols, interdits depuis 1950, se sont reconstitués et l'on vit réapparaître partout les portraits de Masaryk et de Benès. Les anciens prisonniers politiques libérés s'organisèrent en associations pour obtenir que justice leur soit rendue et que les responsables des abus de pouvoir soient punis. Les anciens Partis politiques, les socialistes et les populistes, se mirent à demander qu'une place leur soit faite dans la gestion des affaires publiques. L'Église de son côté s'empressa de reconstituer les mouvements de jeunesse; elle reprit la publication de ses journaux. Les intellectuels libéraux qui avaient été à l'origine du renouveau voulaient accélérer le processus de libéralisation. Ils exposèrent leurs revendications en publiant le 27 juin à l'initiative de L. Vaculik le *Manifeste des deux mille mots*. Ce Manifeste traduisait bien la différence qui existait entre les vrais libéraux, et ceux qui, avec Dubcek, se trouvaient à la tête de l'État et du Parti. Le Manifeste critiquait très durement le mauvais usage que le PC avait fait du pouvoir depuis 1948. On y dénonçait les menaces qui pesaient sur le renouveau à l'intérieur même du pays : « Établissons des comités pour la défense de la liberté d'expression, organisons notre propre service d'ordre pour nos réunions... Face aux menaces extérieures, soyons fermes et ne prenons pas d'initiatives! ». Face à la montée d'un mouvement qu'elle ne pouvait plus contrôler, la direction du Parti tchécoslovaque tenta d'en limiter la portée. Dubcek multiplia les mises en garde. Dès le 13 juin, devant les Milices ouvrières, il avait déjà clairement fait savoir que le Parti

était « décidé à combattre le phénomène anticommuniste » et tous les excès mettant en danger le processus de
démocratisation ». Et lorsque fut publié le *Manifeste des
deux mille mots*, les auteurs en furent vivement critiqués
par les dirigeants du PC. J. Smrkovsky parla dans le *Rude
Pravo* de « romantisme politique » et Jiri Hajek dénonça
ce texte comme susceptible d'apporter des arguments
aux tenants de la ligne dure. Dubcek et la nouvelle direction entendaient bien suivre la ligne du *juste milieu*. Il
n'était pas question pour eux de revenir au pluralisme
politique ni de remettre en question l'autorité du Parti
qui, seul, devait décider de l'orientation future du pays.
D'ailleurs, on avait convoqué par anticipation un Congrès
extrordinaire pour septembre afin d'y définir les grandes
lignes de la politique à suivre dans l'avenir.

A l'extérieur, Dubcek, très vite, se trouva confronté aux
réactions de plus en plus méfiantes, voire assez hostiles
des autres pays socialistes. Moscou et les « pays frères »
s'inquiétaient vivement de ce climat d'anarchie bon
enfant qui s'installait progressivement en Tchécoslovaquie et qui risquait de s'étendre aux autres pays de l'Est
dans la mesure où des milliers de touristes tchécoslovaques les parcouraient. Des paroles imprudentes du
ministre des Affaires étrangères Hajek préconisant une
coopération économique avec les pays occidentaux tout
en maintenant des liens étroits avec les pays du CAEM,
furent interprétées à Moscou comme le début d'un changement de politique étrangère. Au moment où, le 3 mai,
Dubcek, Cernik et Smrkovsky arrivaient à Moscou pour y
expliquer leur politique aux dirigeants soviétiques, la
presse polonaise s'en prit violemment aux dirigeants de
Prague, accusés de vouloir collaborer avec la RFA. La
presse est-allemande, elle aussi, ne ménagea pas ses critiques à l'égard de la politique de Dubcek. Les dirigeants
soviétiques se montraient plus réservés ; ils ne semblaient
pas avoir perdu l'espoir de récupérer Dubcek pacifiquement, au besoin même en usant d'intimidation à son
endroit. Le 17 mai, le chef du gouvernement soviétique
Alexis Kossyguine, accompagné du maréchal Gretchko,
Commandant en Chef des forces armées du Pacte de Varsovie, fit un bref séjour à Karlovy-Vary, officiellement
pour y suivre une cure thermale. Dubcek les y rencontra.

Les dirigeants soviétiques l'avertirent une fois de plus sur les responsabilités qu'il prenait en laissant poursuivre la politique menée depuis mars. Au cours de l'entrevue de Karlovy-Vary, on se mit d'accord sur l'organisation des manœuvres militaires prévues prochainement en territoire tchécoslovaque dans le cadre du Pacte de Varsovie. Ces manœuvres auxquelles participèrent des troupes soviétiques, tchécoslovaques, est-allemandes, hongroises et polonaises, débutèrent effectivement le 30 mai. Elles devaient prendre fin dans les derniers jours du mois de juin, mais ce n'est qu'à la mi-juillet que les dernières unités soviétiques allaient quitter le pays. La présence prolongée de ces troupes étrangères qui coïncidait avec une intense activité diplomatique entre Moscou et les capitales est-européennes aurait dû inciter les dirigeants de Prague à prendre certaines précautions. En fait, ils faisaient preuve d'un optimisme béat et accusaient des provocateurs d'être responsables de l'inquiétude grandissante de la population. Là encore, comment expliquer ce comportement étrange? Dubcek croyait-il sincèrement qu'il ne se passerait rien, et dans ce cas c'était un naïf, ou bien était-il décidé à laisser faire les Soviétiques sans résister et dans ce cas, pourquoi?

Or, les Soviétiques ne semblaient pas décidés à vouloir laisser se poursuivre la nouvelle orientation du PC tchécoslovaque. Face à la Tchécoslovaquie, Brejnev s'efforça d'obtenir un front commun de ses alliés. Il pouvait compter sur les Polonais, sur les Allemands de l'est et sur les Bulgares. L'attitude des Hongrois était moins sûre. Aussi, lors de la visite que lui fit Kádár au début de juillet, Brejnev lui exprima d'une façon on ne peut plus claire la position de son pays : « L'URSS ne peut pas être indifférente, et ne le sera jamais, aux destins des constructions socialistes des autres pays, ainsi qu'à la cause commune du socialisme et du communisme dans le monde. » Kádár dès lors s'aligna à son tour sur les positions de Moscou. On avait ainsi le *groupe des Cinq* tandis que la Roumanie persistait dans son refus de condamner l'expérience Dubcek. Le 14 juillet, les dirigeants des Partis communistes des Cinq se réunirent à Varsovie pour « examiner le regain d'activité des forces impérialistes agressives qui s'emploient à saper, en recourant à des diversions, le régime socialiste dans certains pays et à affaiblir les liens idéologiques et de coopération unissant les États socialistes ». Ils adressèrent aux dirigeants du PC tchécoslovaque une lettre où ils faisaient part de leurs vives préoccupations : « ... Nous ne pouvons accepter » écrivaient les Cinq « que des forces étrangères conduisent votre pays hors de la voie du socialisme et exposent la Tchécoslovaquie au danger d'être écartée de la communauté socialiste. C'est le problème de tous les Partis communistes et ouvriers... Les forces opposées au socialisme, ensemble avec les forces révisionnistes, ont pris en main la presse, la radio et la télévision de votre pays... Les forces de la réaction ont acquis ainsi la possibilité de publier leur plate-forme politique dans le document intitulé *les deux mille mots* qui constitue une opposition ouverte au Parti communiste, un appel à la lutte contre le pouvoir constitutionnel... » Les Cinq réclamaient pour mettre fin à cette situation « une offensive résolue et courageuse contre les forces antisocialistes de droite..., la cessation des activités de toutes les organisations politiques qui prennent position contre le socialisme... et la cohésion des rangs du Parti autour des principes du marxisme-léninisme pour le maintien du centralisme démocratique et pour la lutte contre ceux qui utilisent dans leurs activités les forces de l'ennemi ». L'avertissement des Cinq était clair et il fallait être aveugle – ou complice – pour ne pas se rendre compte des menaces voilées que contenait leur lettre. A la lettre des Cinq, le Présidium du PC tchécoslovaque répondit aussitôt par une longue déclaration. Pour la direction du PC, le socialisme n'était pas menacé en Tchécoslovaquie et « si une telle situation se présentait, il utiliserait tous les moyens afin de défendre le système socialiste. Notre politique repose sur l'alliance et la coopération avec l'Union soviétique et avec les autres pays socialistes... Nous n'accepterons jamais que les acquisitions du socialisme et la sécurité des nations de notre pays puissent être menacées et que l'impérialisme d'une manière pacifique ou par la violence, brise le système socialiste et modifie le rapport des forces en sa faveur... ». La déclaration rappelait que la direction du PC tchécoslovaque avait condamné à l'unanimité les *deux mille mots* et se terminait ainsi : « Le Parti communiste tchécoslovaque s'efforce de prouver qu'il est capable d'exercer la direction politique autrement que par des méthodes bureaucratiques et policières, avant tout par la force des idées marxistes-léninistes, par son programme, par sa politique juste soutenue par toute la population » tout en déplorant que le PC tchécoslovaque n'ait pas été invité à la réunion à Varsovie.

La polémique ne fit que s'amplifier à partir de la mi-juillet. Si la presse hongroise était encore relativement modérée, les journaux soviétiques, est-allemands et polonais se montraient particulièrement virulents. On parla de la découverte de dépôts d'armes en Tchécoslovaquie ; on accusa les touristes de la RFA, nombreux à Prague en cet été 1968 à la suite de la libéralisation de l'octroi de visas touristiques aux Occidentaux, d'être une « cinquième colonne » venue aider les « contre-révolutionnaires ». Face à ces attaques qui se faisaient de plus en plus directes, Dubcek continuait à faire preuve de la même naïve insouciance, allant même jusqu'à déclarer le 28 juillet qu'il n'y avait absolument pas lieu de s'alarmer. Pourtant le soir même, une importante délégation soviétique conduite par Brejnev, Kossyguine, Podgorny, Souslov et Chelest, arrivait dans la petite gare frontière soviéto-tchécoslovaque de Cierna-nad-Tisou pour y rencontrer Dubcek et une toute aussi nombreuse délégation tchécoslovaque. Les entretiens qui se déroulèrent du 29 juillet au 1er août tournèrent à l'affrontement ; cet « amical et large échange de vues » dont fit mention le communiqué final, déboucha sur une rencontre au sommet entre les Cinq et les dirigeants du PC tchécoslovaque qui eut lieu le 3 août à Bratislava. On y insista une nouvelle fois sur la nécessité de raffermir la cohésion des pays socialistes. « Le maintien, la consolidation et la défense de ces conquêtes remportées au prix des efforts héroïques et du travail plein d'abnégation de chaque peuple est le devoir international commun de tous les pays socialistes ». Le communiqué final de la rencontre de Bratislava rappelait en outre la nécessité d'une action concertée pour la sécurité européenne et la paix, et d'un renforcement du Pacte de Varsovie ». La crise semblait diminuer d'intensité et le risque d'une intervention militaire écarté au grand soulagement d'une population

moins optimiste que ses dirigeants. L'inconscience irré-
fléchie – ou feinte – de Dubcek remit tout en question. Il
reçut en effet à Prague successivement Tito et Ceaucescu,
le premier du 9 au 11 août, le second le 15 août. Le chef
de l'État yougoslave et le président roumain reçurent
tous deux un accueil triomphal. Pour les Soviétiques,
c'en était trop. Le rapprochement entre Prague, Bucarest
et Belgrade passait à leurs yeux pour l'ébauche d'une
nouvelle *Petite Entente*. La riposte fut immédiate.

Dans la nuit du 20 au 21 août, les forces armées des
pays du Pacte de Varsovie entraient en Tchécoslovaquie
de tous les côtés à la fois; l'aviation soviétique intervenait
au même moment sur l'aérodrome de Prague et y débar-
quait des unités de choc qui prenaient aussitôt le contrôle
de la capitale, s'emparant des édifices publics et du bâti-
ment du Comité Central. Là, les Soviétiques firent prisonniers Dubcek, Cernik et Smrkovsky, qui furent immédiatement dirigés sur l'URSS; quant au président
Svoboda, il se trouvait isolé dans son palais du Hradschin.
L'absence des plus élémentaires précautions avait grandement facilité la tâche aux Soviétiques. Dès qu'il avait
appris l'intervention des Soviétiques, Dubcek avait rédigé
au Comité Central un appel dans lequel il protestait
contre cet « acte contraire aux principes fondamentaux
des relations entre pays socialistes » mais où il appelait la
population au calme. Au même moment, le général Svoboda, lui aussi, lançait un appel au calme. Le 21 août dans
la matinée, l'ensemble du pays avait été occupé par les
forces du Pacte de Varsovie : l'armée tchécoslovaque
était demeurée passive. La population s'était bornée à
quelques manifestations accompagnées de jets de pierres
et de cocktails Molotov en direction des chars soviétiques. Cela n'avait rien de comparable avec ce qui s'était
passé en 1956 à Budapest. Le lendemain, les militants
communistes tinrent un Congrès clandestin dans une
usine de la banlieue de Prague, nommèrent un nouveau
Comité Central à un nouveau Présidium, en maintenant
Dubcek dans toutes ses fonctions. La nouvelle direction
donna un ordre de grève générale d'une heure pour le
lendemain. Ce fut la seule manifestation concrète de la
résistance.

Le président Svoboda pensa dénouer la crise en se rendant à Moscou le 23 août; il y était accompagné du général Dzur et de Gustave Husak qui, ces derniers temps, avait pris ses distances à l'égard de Dubcek. Svoboda y fut accueilli en chef d'État mais il refusa de négocier tant que Dubcek et ses amis ne seraient pas libérés. Les Soviétiques se décidèrent à donner satisfaction à la requête de Svoboda. En échange, les dirigeants tchécoslovaques au grand complet, Svoboda et Dubcek à leur tête, signèrent le 26 août les *Accords de Moscou* qui « normalisaient » la situation. Les dirigeants de Prague avaient cédé sur toute la ligne : ils reconnaissaient que la présence des troupes soviétiques était justifiée en raison des menaces qui pesaient contre le socialisme et dont Dubcek reconnut lui-même qu'il en avait sous-estimé l'importance.

Le *Printemps de Prague* se terminait par l'installation permanente des troupes soviétiques en territoire tchécoslovaque; le statut de ces forces armées fut précisé dans le traité du 16 octobre. D'après ce traité, la plupart des 500 000 hommes qui avaient participé à l'invasion devaient être retirés mais en revanche, le maintien de plusieurs divisions soviétiques à titre permanent était prévu. Ce furent les « libéraux » du *Printemps de Prague* qui furent les premiers agents de la *normalisation* à la grande déception de ceux qui avaient mis en eux toute leur confiance. Dubcek demeura à la tête du Parti jusqu'en avril 1969, date à laquelle il fut remplacé par un autre Slovaque, Gustave Husak, avant d'être finalement exclu du Parti en juin 1970. Joseph Smrkovsky fut écarté de ses fonctions de Président de l'Assemblée Nationale à l'occasion de l'entrée en vigueur de la nouvelle Constitution le 1er janvier 1969, et en dépit de son autocritique, il fut lui aussi exclu du Parti en 1970. Le général Svoboda continua à assumer la charge de Président de la République; réélu en 1973, il demeura à la tête de l'État jusqu'à sa mort en 1975. En revanche, des centaines d'intellectuels, des milliers de simples particuliers qui se trouvaient à l'étranger au moment de l'entrée des troupes soviétiques, préfèrent y rester. Quant aux *amis* de Dubcek, Tito et Ceaucescu, ils se bornèrent à quelques protestations puis, eux aussi, acceptèrent la *normalisation*.

Les seuls véritables bénéficiaires du *Printemps de Prague* furent les Slovaques et l'URSS. Les Slovaques qui avaient joué un rôle important dans la mise en place du processus de changement par l'action de leurs intellectuels et des dirigeants de leur PC, ont finalement obtenu la transformation de la Tchécoslovaquie en une *Fédération des États tchèque et slovaque*, et même si Dubcek a quitté le pouvoir en 1969, c'est un autre Slovaque, Gustave Husak, qui l'a remplacé. Quant aux Soviétiques, ils ont obtenu à la faveur des événements de 1968 la possibilité de pouvoir faire stationner leurs troupes en Tchécoslovaquie, c'est-à-dire dans ce quadrilatère de Bohême qui s'enfonce profondément à l'intérieur du territoire de la RFA. Dubcek leur avait rendu un fier service en leur fournissant matière à intervention, et en fin de compte, il ne s'en tirait pas trop mal. Imre Nagy avait eu moins de chance.

A la fin des années soixante, en dépit des crises qui les ont affectés en 1956 et en 1968, les pays de l'Europe de l'Est sont demeurés des États socialistes dans lesquels le Parti communiste a conservé la direction exclusive de l'appareil de l'État, et dont la politique étrangère – sauf en Albanie et dans une moindre mesure en Yougoslavie – est fidèlement alignée sur celle de Moscou. Grâce au CAEM, ils ont formé un bloc économique intégré et puissant, mais ils demeurent tous tributaires de l'URSS pour leur approvisionnement en énergie et en matières premières, et aussi pour leurs exportations, même si tous ont cherché à multiplier leurs relations commerciales avec les pays industrialisés capitalistes et avec le Tiers-Monde. Toutefois, l'intégration économique n'est pas parvenue à faire disparaître les inégalités de niveau dans le développement économique. Certains pays, en raison de leur technologie avancée ou de la souplesse de leur organisation, sont parvenus, comme la RDA et la Hongrie, à élever sensiblement le niveau de vie de leur population. D'autres, comme la Pologne et la Tchécoslovaquie, malgré la richesse de leurs ressources naturelles, n'ont pas réussi à dominer les problèmes économiques auxquels ils se trouvaient confrontés, en raison essentiellement de la lourdeur de la bureaucratie et de la faible productivité de leur agriculture et de leur industrie. Les pays à vocation agricole, la Bulgarie, la Roumanie, la Yougoslavie sont arrivés avec des succès inégaux à réaliser leur « décollage ». La Bulgarie et la Roumanie y sont parvenues assez facilement, mais aux dépens du niveau de vie des populations. La Yougoslavie en revanche, associée à la fois au CAEM et à la CEE, le seul pays de l'Est à disposer d'une monnaie convertible, en raison des hésitations de sa politique économique et des abus de l'autogestion, n'est pas arrivée à maîtriser l'inflation ni le chômage dissimulé partiellement par l'émigration d'une partie de ses actifs vers l'Europe occidentale.

Les crises de 1956 et de 1968, les diverses solutions adoptées pour y faire face ou pour y mettre fin, les différences dans le niveau de développement économique et dans le niveau de vie d'un pays à l'autre, toutes ces raisons ont sensiblement altéré l'image traditionnelle d'un *Bloc soviétique* homogène qui prévalait au début des années cinquante. Les diversités nationales, voire les nationalismes, dissimulés ou masqués sous un faciès unitaire, sont peu à peu réapparues. La crise de 1968 a fait resurgir involontairement certains de ces nationalismes qui avaient eu leur heure de gloire entre les deux guerres. L'entrée des troupes de l'Allemagne de l'Est en Bohême n'a pas manqué d'éveiller certains souvenirs d'un côté comme de l'autre. Les Slovaques n'ont-ils pas profité de la situation pour réclamer et obtenir cette autonomie qu'ils attendaient depuis 1919? La minorité hongroise de Slovaquie méridionale n'a-t-elle pas accueillie avec enthousiasme les troupes hongroises qui, dans le cadre du Pacte de Varsovie, étaient entrées en Tchécoslovaquie le 21 août 1968? Et partout, à la faveur des événements de 1956 et de 1968, l'*Église du silence* n'a-t-elle pas fait la preuve que son audience auprès des populations demeurait aussi forte qu'autrefois en dépit de l'athéisme officiel et des persécutions subies? N'était-ce pas là le signe d'une permanence des traditions que les crises soient intervenues seulement en Allemagne de l'Est, en Pologne, en Hongrie et en Tchécoslovaquie, c'est-à-dire dans des pays où la conscience nationale était la plus développée et où les traditions culturelles étaient proches de l'Occident?

HONGROIS ET ROUMAINS DE TRANSYLVANIE

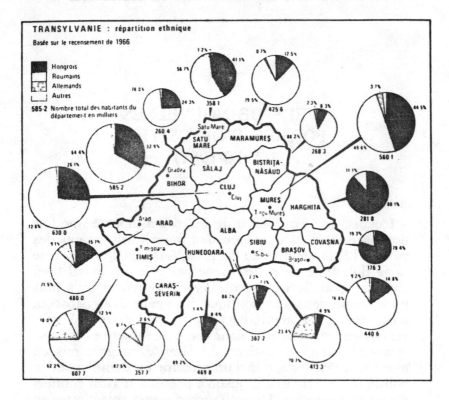

(Documents « *Droits des Minorités*)

XXV

VERS DE NOUVELLES
FORMES D'OPPOSITION
(1970-1981)

L'échec de l'expérience de Dubcek a montré une fois
de plus qu'il n'était pas question pour les dirigeants des
pays de l'Est membres du Pacte de Varsovie de suivre une
ligne différente de celle tracée par Moscou, aussi bien
dans la conduite de leurs affaires intérieures qu'à plus
forte raison dans leur politique étrangère. Pour Moscou,
il est exclu que l'on tolère à l'intérieur du Pacte de Varsovie des expériences qui risqueraient de remettre en cause
le socialisme et le système de défense intégrée mis en
place en 1955. Il s'agit là d'un principe fondamental de la
politique soviétique qui, jusqu'à présent, n'avait souffert
d'aucune exception. L'installation d'unités soviétiques en
Tchécoslovaquie à la suite du Printemps de Prague l'a
clairement fait savoir à ceux qui ne l'avaient pas encore
bien compris. C'est la première application sur le terrain
de ce que l'on appelle désormais la *doctrine Brejnev*.

LES TENDANCES GÉNÉRALES DEPUIS 1970

Ce principe étant bien posé, il est évident que depuis
1970, le contexte international a changé tandis qu'à l'intérieur du monde socialiste, les mentalités ont peu à peu
évolué, si bien que de nouveaux problèmes ont surgi çà et
là. Sur le plan international d'abord, les échanges
commerciaux entre les Pays de l'Est et les pays capitalistes se sont considérablement accrus. Cet accroissement des échanges s'est traduit dans certains pays socia-

listes par l'apparition d'un déficit chronique de leur balance commerciale avec l'Occident. Ce déficit a été la plupart du temps couvert par les emprunts ou par des crédits commerciaux à moyen ou à long terme, ce qui a eu pour conséquence un fort endettement extérieur chez certains pays, le record dans ce domaine étant détenu par la Pologne dont le volume de la dette à l'égard des pays occidentaux est de l'ordre de 27 milliards de $. La crise économique qui affecte le monde occidental depuis 1973-1974 et l'inflation qui en est un des aspects, la hausse brutale du prix de l'énergie et de certaines matières premières, ont frappé à leur tour les pays de l'Europe de l'Est. Les achats de biens d'équipement en Occident sont devenus pour eux plus coûteux, les achats de pétrole sur le marché soviétique également, car l'URSS n'a pas manqué d'aligner ses prix sur ceux de l'OPEP. Tout cela a provoqué en Europe de l'Est des tendances inflationnistes qui se sont traduites par une hausse des prix plus ou moins camouflée, soit que l'État verse des subventions pour maintenir artificiellement le prix de certains produits, soit que l'on retire du marché les marchandises dont les prix ont augmenté de sorte que la pénurie ici remplace l'inflation. A ce moment-là, les produits absents, mais qui cependant existent, se retrouvent au « marché noir » à des prix nettement supérieurs. Il arrive cependant un moment où l'État est bien obligé de procéder à un réajustement des prix et comme cette hausse des prix est décidée brutalement, elle provoque des tensions comme ce fut le cas en Pologne en 1970, en 1976 et aujourd'hui... En revanche, dans les pays comme la Hongrie ou la RDA, où l'on pratique un début de politique de vérité des prix, l'inflation est faible et les hausses de prix régulières et limitées ne provoquent pas les mêmes réactions.

L'autre changement important survenu depuis le début des années soixante-dix est l'ouverture plus large des frontières aux visiteurs des pays occidentaux. Ce phénomène concerne tous les pays de l'Est à l'exception de l'Albanie. Si la Yougoslavie, la Hongrie et la Roumanie sont les pays les plus visités, les autres pays sont également touchés par ces migrations touristiques. Outre les devises qu'ils apportent, ces visiteurs introduisent peu à peu leurs habitudes, leurs idées, leur mode de vie. Inversement, depuis quelques années, les ressortissants des pays de l'Est, ou du moins de certains d'entre eux, viennent en nombre sans cesse plus élevé en Occident. Ces déplacements dans un sens comme dans l'autre, ont introduit un esprit nouveau, ont ouvert de nouvelles perspectives à ces populations vivant jusque-là en milieu fermé. Des points de comparaison quant au mode ou au niveau de vie, quant au niveau de liberté, sont devenus possibles. L'ouverture sur l'Occident rendue possible par la politique de *détente* a entraîné certaines modifications dans les comportements des populations de l'Europe socialiste. L'idéologie officielle laisse de plus en plus indifférentes les jeunes générations qui voyagent, qui lisent, qui étudient. Parfois, on n'hésite pas à la contester dans les milieux étudiants et intellectuels. Chaque pays de l'Est a aujourd'hui ses *dissidents* à l'intérieur même de ses frontières. Cette indifférence grandissante à l'égard de l'idéologie officielle a pu dans certains cas déboucher sur la violence, le houliganisme ou bien sur l'alcoolisme, mais elle a également profité aux idéologies traditionnelles. Dans tous les pays, qu'ils soient de tradition catholique, protestante, orthodoxe, voire musulmane, on assiste depuis quelques années à un renouveau des croyances religieuses, et en particulier chez des jeunes de formation athée. La persistance du fait religieux a été un phénomène constant en Pologne même à l'époque où l'Église était persécutée, et l'impact de la religion n'a fait qu'augmenter en raison de l'influence personnelle du cardinal Wyszinski et surtout depuis 1978 avec l'élection d'un Pape polonais. Mais ce renouveau religieux existe partout à l'heure actuelle. La religion, loin de dépérir, est bien vivante, malgré les persécutions subies et les entraves à son exercice qu'elle connaît encore dans certains pays. Il est évident que ce phénomène n'est pas sans inquiéter les milieux officiels qui cependant paraissent vouloir faire contre mauvaise fortune bon gré. La présence d'impressionnantes délégations officielles des pays de l'Est aux obsèques de Paul VI et aux cérémonies d'intronisation de Jean-Paul Ier et de Jean-Paul II en 1978 sont une preuve de l'importance que les dirigeants de l'Europe de l'Est attachent à la question religieuse.

Ce changement dans les mentalités s'est traduit aussi partout par un besoin grandissant de liberté, surtout depuis 1975 avec la signature des Accords d'Helsinki. Dans plusieurs pays de l'Est, des intellectuels, au nom des Principes d'Helsinki, ont constitué çà et là depuis 1977, des *Comités pour la défense des droits de l'Homme*, en Pologne avec le groupe du K.O.R. (Comité de défense ouvrière), en Roumanie et en Tchécoslovaquie avec la *Charte 77* dont les quelques 500 signataires, réclament la liberté d'expression et de conscience. Ces comités qui publient des appels et font circuler des *samizdats* [1] sont principalement composés d'intellectuels, de philosophes, d'artistes venus souvent de rangs du PC comme Ota Ornets, l'un des signataires de la *Charte 77*, ou l'écrivain Paul Goma en Roumanie. A côté de ces Comités sont apparus aussi vers la même époque des *syndicats libres* en marge des syndicats officiels. Ces syndicats sont nés spontanément dans les pays où les syndicats officiels se faisaient davantage les défenseurs de l'État que des ouvriers, et où la situation écnomique était difficile. Si *Solidarité* en Pologne en est l'exemple le plus connu, – mais aujourd'hui ce n'est plus un mouvement clandestin –, des syndicats libres sont apparus en Roumanie en mars 1979, après que les grèves spontanées des mineurs de Transylvanie aient été durement réprimées, également en RDA et en Tchécoslovaquie. Mais l'action de ces syndicats libres est fortement entravée par les autorités. La plupart des dirigeants du syndicat libre roumain ont été internés récemment dans des hôpitaux psychiatriques, tandis que leurs homologues est-allemands et tchévoslovaques se retrouvaient en prison. La Hongrie, où la politique conciliante de Kádár s'est maintenue en dépit du durcissement général observé partout ailleurs et où le syndicalisme officiel joue un rôle non négligeable dans la défense des travailleurs, semble avoir échappé jusqu'à présent à ces mouvements contestataires, même si l'écrivain d'inspiration « gauchiste » Miklós Haraszti a eu maille à partir avec les autorités à cause de son livre *Le Salaire aux pièces* dans lequel il dénonçait les aspects négatifs de l'organisation des chaînes dans les usines hognroises. De même

1. Mot russe désignant des publications clandestines généralement ronéotypées et publiées par les écrivains dissidents.

quelques sociologues de l' « École de Budapest » ont tenté sans grand succès de lancer un mouvement contestataire.

A l'exception de la Hongrie, qui demeure en dépit des réserves précédentes un « Pays sans histoires » parce que ses dirigeants ont su faire preuve d'efficacité dans le domaine économique et de souplesse en matière politique, les autres pays de l'Europe de l'Est à l'heure actuelle semblent eux aussi à l'abri de grosses difficultés intérieures car leurs gouvernements ont maintenu une attitude décidée de fermeté à l'égard de leurs contestataires. Jivkov en Bulgarie, Honecker en RDA, Ceaucescu en Roumanie et Husak en Tchécoslovaquie, en maintenant depuis l'échec du *Printemps de Prague* une ligne dure à l'intérieur et un alignement inconditionnel sur Moscou à l'extérieur, sont jusqu'à présent parvenus à éviter de faire de leurs pays respectifs des *points chauds* en Europe de l'Est. Il n'en est pas de même partout, ni sur les bords de l'Adratique, ni sur les rives de la Baltique.

LES « ENFANTS TERRIBLES » DE L'ADRIATIQUE

L'Albanie et la Yougoslavie constituent déjà alors deux secteurs particulièrement sensibles à l'intérieur du monde socialiste européen. A bien des égards, ces pays présentent entre eux certaines similitudes. Tous deux ont à leur tête depuis 1945 les mêmes dirigeants, Enver Hoxha en Albanie, le maréchal Tito en Yougoslavie jusqu'à sa mort en 1980, qui, chacun de leur côté, ont été pendant la guerre les organisateurs de la résistance à l'occupant, et qui sont parvenus ainsi à libérer leurs pays respectifs sans le concours des armées soviétiques. Tous les deux, Enver Hoxha comme Tito, ont été dès leur jeunesse des militants communistes ; tous les deux ont été amenés dans des circonstances différentes à rejeter la tutelle de Moscou au nom de leur indépendance nationale. Les deux pays, après leur rupture avec Moscou, ont cherché des appuis à l'extérieur. Tito, pendant un moment a accepté l'aide des Puissances occidentales, essentiellement pour faire face à une éventuelle attaque des pays voisins, puis après sa réconciliation avec les

Soviétiques en 1955, il a joué la carte du Tiers-Monde et s'est fait jusqu'à sa mort le champion des « Pays non engagés ». Enver Hoxha de son côté, après sa rupture avec les « révisionnistes » du Kremlin, s'est tourné vers la Chine, et grâce à l'assistance technique et à l'aide militaire des Chinois, il a pu à la fois maintenir l'indépendance politique de l'Albanie et en assurer la modernisation. Les deux pays s'affirment comme authentiquement socialistes, chacun à sa façon ayant suivi une voie nationale vers le socialisme. Un dernier élément de ressemblance enfin entre l'Albanie et la Yougoslavie. Ces deux pays occupent une position stratégique importante ; par leur façade maritime sur l'Adriatique, ils sont en mesure d'offrir tous les deux d'excellents abris pour une flotte de guerre amie, face aux côtes italiennes et à proximité de la Méditerranée orientale, d'où l'intérêt que ces deux pays peuvent présenter pour les États avec lesquels ils sont en bons termes.

Là peuvent s'arrêter les points de convergences, car il y a aussi de grandes différences entre ces deux pays. L'Albanie est un petit pays, pauvre par ses ressources, isolé par son relief, mais homogène par sa population. La Yougoslavie au contraire est un pays vaste et ouvert de tout côté, avec une population formée de plusieurs nationalités, avec des richesses variées mais inégalement réparties selon les régions. Sur le plan politique, l'Albanie a maintenu les structures rigides de l'époque stalinienne, et Staline est encore là-bas l'objet d'un culte officiel ; le régime yougoslave au contraire, qui a adopté le principe de l'autogestion depuis le début des années cinquante, s'est progressivement libéralisé, surtout après la crise de 1966 marquée par l'élimination des *durs* du Parti, et cette tendance s'est maintenue jusqu'à la mort de Tito. Sur le plan économique enfin, tandis que le système autogestionnaire a maintenu en Yougoslavie les disparités régionales et accentué les inégalités sociales, la planification autoritaire et rigide de l'Albanie a amené au contraire des progrès sensibles dans le développement économique dans le cadre d'une société égalitaire.

Pourtant, à l'heure actuelle, la situation en Albanie et en Yougoslavie n'est pas sans présenter d'étranges coïncidences et en observant ce qui s'y passe depuis 1975, on est en droit de considérer ce secteur adriatique comme l'un des *points chauds* actuels du monde socialiste européen.

Depuis quelques années en effet, l'Albanie semble avoir radicalement modifié sa politique extérieure et à première vue elle se trouve libre aujourd'hui de toute alliance et de toute amitié privilégiée. On a l'impression aujourd'hui que l'Albanie est devenue un pays totalement isolé et replié sur lui-même encore que quelques accords commerciaux viennent d'être passés avec la Grèce et l'Italie. Cette situation nouvelle a commencé à s'établir à la fin de l'année 1976 au lendemain de la mort de Mao Zédong, « le grand ami du peuple albanais ». Les dirigeants de Tirana ont commencé à éprouver quelque inquiétude lorsque les nouveaux maîtres de la Chine ont dénoncé les « crimes » de la « bande des Quatre ». L'inquiétude a grandi lorsqu'en septembre 1977, Tito, l'adversaire privilégié du PC albanais, a entrepris une longue tournée qui l'a conduit en URSS, en Chine et en Corée du Nord. Dès la fin de l'année 1977, la presse albanaise s'est mise à publier des articles critiques à l'égard de la politique jugée dangereuse menée par Hua Guofeng et Deng Xiaoping qualifiés pour la circonstance d' « opportunistes ». Le ton de la critique s'est fait de plus en plus acerbe et l'on n'hésita pas à dénoncer « les traîtres et les renégats du marxisme-léninisme ». Les dirigeants chinois ne se laissèrent pas impressionner par ces attaques. Le 7 juillet 1978, le gouvernement de Pékin annonçait le retrait immédiat de ses techniciens, et la suspension de tous les crédits accordés à l'Albanie. Les techniciens chinois regagnèrent leur pays à la fin du mois, les stagiaires albanais présents en Chine firent de même au même moment. Pour les dirigeants de Tirana, la Chine était « une superpuissance révisionniste, impérialiste et chauvine ». Le voyage de Hua Guofeng en Yougoslavie en août 1978, moins d'un mois après la rupture entre la Chine et l'Albanie, ne fit que conforter Enver Hoxha dans ses positions. Pour les Albanais, les Chinois, tout autant que les Soviétiques, n'étaient que d' « infâmes révisionnistes ». Mais dans cet affrontement, c'est encore Tito qui fit l'objet des plus vives attaques. Dans une brochure distribuée par l'ambassade d'Albanie à Belgrade aussitôt après la visite de Hua Guofeng, Enver Hoxha s'en est pris aux « tendances dominatrices, expansionnistes et hégémonistes » de Tito dont l'expérience autogestionnaire a conduit son pays à un état « anarchique », et qui « se vend complètement » aux capitalistes étrangers auxquels il accorde le droit d'investir en Yougoslavie. Enver Hoxha y dénonçait également le comportement de Tito à l'égard de la religion, jugé par les Albanais trop tolérant.

La mort du maréchal Tito le 4 mai 1980 a momentanément mis en sourdine les attaques habituelles de la presse albanaise contre la Yougoslavie. On a même pu penser qu'avec la direction collégiale mise en place à Belgrade, les relations entre les deux pays allaient s'améliorer ce qui fut le cas effectivement jusqu'à la fin de l'été 1980. Puis brusquement, en avril 1981, la tension a brutalement monté à la suite des violents troubles qui se sont produits au sein de la minorité albanaise de Yougoslavie. Aujourd'hui en effet, vit en territoire yougoslave une communauté albanaise particulièrement prolifique et qui compte environ 1 300 000 ressortissants (1981). Ces Albanais de Yougoslavie vivent poour la plupart dans le Territoire autonome de Kossovo qui fait partic de la République fédérée de Serbie ; les Albanais y représentent près des 3/4 de la population. On trouve aussi une minorité albanaise à l'intérieur de la République fédérée de Macédoine où elle constitue 17 % de la population.

Jusqu'au xviie siècle, le Kossovo était exclusivement de population serbe ; mais à la suite de l'émigration de la population serbe vers la Hongrie à la suite de persécutions turques, le pays fut repeuplé avec une population albanaise islamisée. En 1913, la Serbie récupéra le Kossovo à l'issue des Guerres Balkaniques et entreprit de reserbiser cette région en y amenant des colons. A l'heure actuelle cependant, les Serbes n'y représentent encore que 20 % de la population. La population albanaise avait déjà provoqué des troubles dans le Kossovo en novembre-décembre 1968 : les Albanais avaient alors demandé à ce que le Kossovo devienne au sein de la Fédération yougoslave une 7e République fédérée. Le gouvernement de Belgrade s'y était alors opposé, mais fit cependant quelques concessions sur le plan culturel et économique. Le calme sembla revenir, mais à partir de

1975-1976, la tension monta à nouveau dans le Kossovo. En février 1976, 19 « irrédentistes » albanais accusés de complot contre l'intégrité du territoire furent lourdement sanctionnés. L'agitation latente a pris un tour beaucoup plus violent au début de mars 1981. Pendant plus d'un mois, la région du Kossovo a été agitée par des troubles sérieux, qui ont atteint leur plus grande expansion au début d'avril à Prichtina, la capitale de la région. Selon les autorités yougoslaves, on y a « lancé des mots d'ordre nationalistes albanais ». Les manifestants venus de tous les milieux réclamaient en effet le rattachement du Kossovo à l'Albanie. Cette agitation a été appuyée par un mouvement de grève générale dans toutes les entreprises de la province. Officiellement, les troubles du Kossovo ont fait 9 morts, 8 chez les manifestants, un dans les forces de l'ordre, et plusieurs centaines de blessés dans les deux camps. Mais des témoignages font état de plusieurs dizaines de tués et de plusieurs milliers de blessés ! Après le bouclage de la région par l'armée et la milice, l'ordre a pu être rétabli vers le milieu d'avril, mais de nouvelles manifestations se sont produites dans les premiers jours de mai à l'occasion des premiers procès des manifestants d'avril. Au total, plus de 2 000 personnes ont été arrêtées et inculpées pour leur participation aux troubles du Kossovo. Les autorités yougoslaves semblent avoir pris le parti de frapper fort. Les magistrats réunis dès le 21 avril sous la présidence du Procureur fédéral Goutchevitch et du Président de la Cour Suprême Provitch ont reçu comme instructions de « condamner avec rigueur les ennemis du pays ». De plus, la direction de la Ligue des Communistes du Kossovo a été épurée « en raison de son insuffisance et de son inertie ». A l'heure actuelle déjà plus de 500 personnes « qui voulaient s'attaquer à l'ordre constitutionnel, à l'intégrité et à la souveraineté de la Yougoslavie » ont été jugées et condamnées à de lourdes peines de prison.

L'affaire du Kossovo a eu naturellement des répercussions sur le plan des relations entre l'Albanie et la Yougoslavie. Dès le 8 avril, le quotidien communiste Albanais *Zëri I Popullit* a pris la défense des Albanais du Kossovo « qui demandent à être libérés de la tutelle serbe ». La Yougoslavie de son côté a dénoncé l'ingérence de l'Albanie dans les affaires intérieures yougoslaves et a suspendu les accords culturels passés entre le Kossovo et l'Albanie. Belgrade a attribué la responsabilité des troubles dans le Kossovo à un *Parti marxiste-léniniste albanais* clandestin fondé en 1973 avec l'appui du gouvernement de Tirana. Ces événements viennent d'avoir un prolongement hors des Balkans. Le 14 juillet 1981, un attentat a été perpétré contre l'ambassade yougoslave de Bruxelles, faisant suite d'ailleurs à d'autres actes de mal-

Les nationalités en Yougoslavie (1971)

République de Serbie	8 447 000 hab. (41,2 %)			
Serbie seule	5 250 000 hab.	dont	Serbes	89,5 %
Voïvodine	1 953 000 hab.	dont	Serbes	55,8 %
			Hongrois	21,7 %
			Croates	7,1 %
			divers	15,4 %
Kossovo	1 244 000 hab.	dont	Albanais	73,7 %
			Serbes	18,4 %

République de Croatie	4 426 000 hab. (21,6 %)		
	dont	Croates	79,4 %
		Serbes	14,2 %

République de Bosnie-Herzégovine	3 746 000 hab. (18,2 %)		
	dont	Musulmans	39,6 %
		Croates	20,6 %
		Serbes	37,2 %

République de Slovénie	1 727 000 hab. (8,4 %)		
	dont	Slovènes	95,6 %
		Croates	2,0 %

République de Macédoine	1 647 000 hab. (8,0 %)		
	dont	Macédoniens	69,3 %
		Albanais	17,0 %
		Turcs	6,6 %

République du Monténégro	530 000 hab. (2,6 %)		
	dont	Monténégrins	67,1 %
		Musulmans	13,3 %
		Serbes	7,5 %
		Albanais	6,7 %

veillance commis en Belgique sur des établissements yougoslaves. Les officiels yougoslaves ont attribué ces attentats à des
nationalistes albanais. Nul ne peut évidemment en donner la
preuve formelle.

Les disparités régionales en Yougoslavie dans les années 70

	Analphabètes de plus de 10 ans – % en 1971	Nombre de foyers pour 1 TV (1977)	Nombre d'autos pour 1 000 hab. (1977)	PNB/hab. 1977 indice 100 Yougo-slavie
YOUGOSLAVIE	15,1	1,8	88	100
Croatie	9,0	1,7	102	165
Slovénie	1,2	1,4	179	202
Voïvodine	9,0	1,5	107	145
Bosnie-Herzégovine	23,2	2,4	54	60
Kossovo	31,5	3,1	24	35
Macédoine	18,1	1,8	70	65
Monténégro	16,9	2,7	59	67
Serbie (sans Kossovo ni Voïvodine)	17,6	1,9	93,5	98

Qui a réellement provoqué les troubles du Kossovo?
Telle est la question qui vient immédiatement à l'esprit.
Peut-être sont-ce tout simplement les intéressés eux-
mêmes, c'est-à-dire les membres de la minorité albanaise
de Yougoslavie, mais ce n'est qu'une hypothèse parmi
d'autres! L'Albanie? Possible, mais alors, les Albanais
ont-ils pensé sérieusement, compte tenu de leurs forces
limitées et de leur apparent isolement diplomatique, à
ébranler la Fédération yougoslave? Les Soviétiques? Possible, mais ont-ils vraiment intérêt à se brouiller avec une
Yougoslavie qui semble prendre aujourd'hui une nette
orientation prosoviétique? Les autorités yougoslaves
elles-mêmes? Après tout pourquoi pas? car cela peut leur
servir d'argument pour justifier le durcissement actuel du
régime et de plus, la violente répression qu'elles ont pratiquée en Kossovo peut servir à décourager ceux qui
seraient tentés de se révolter en Croatie ou ailleurs. Mais
il ne s'agit que d'hypothèses...
Les événements du Kossovo, quelle qu'en soit l'origine,
ont montré la fragilité de la Fédération yougoslave,
encore plus évidente depuis la disparition du maréchal

Tito. De ce fait, la Yougoslavie actuelle constitue un autre
point chaud en Europe de l'Est. Les problèmes qui se
posent de nos jours dans ce pays existent déjà depuis de
nombreuses années. Le vide politique laissé par Tito n'a
fait que les amplifier. Il y a en premier lieu la persistance
des nationalismes à l'intérieur du pays qui s'exprime principalement en Croatie, région de tradition occidentale et
habsbourgeoise, mal à l'aise dans un État où les Serbes
occupent les meilleures places. Ce problème croate
latent depuis 1945 – sans parler de la période de l'entre-
deux-guerres – est devenu plus aigu depuis 1971. L'année
1971 a d'abord été marquée dans ce domaine par une
intensification du terrorisme croate tant à l'extérieur qu'à
l'intérieur du pays. L'action la plus spectaculaire a été
l'attentat du 9 avril 1971 contre l'ambassadeur de Yougoslavie à Stockholm qui fut le premier d'une longue
série d'actes terroristes contre les diplomates. Mais il y a
eu aussi des attentats à l'intérieur du pays. Beaucoup plus
pacifique fut l'agitation étudiante en Croatie. Les 30 000
étudiants de l'Université de Zagreb ont déclenché du
23 novembre au 3 décembre 1971 une grève générale
pour protester contre l'impérialisme serbe en Croatie ; ils
ont bénéficié de l'appui de l'Association *Matica Hrvatska*
dirigée par un intellectuel catholique, le professeur
Marko Veselica, défenseur des droits culturels du peuple
croate et emprisonné depuis. Les autorités ont riposté par
des arrestations et par une épuration de la direction du
PC croate, accusé de laxisme à l'égard des nationalistes.
Les chefs communistes locaux comme Tripalo, Hare-
muja, relativement populaires, ont été destitués. L'agitation n'a pas pour autant cessé, mais elle n'a guère touché
les milieux ouvriers de Croatie dans la mesure où Tito a
fait quelques concessions économiques. Cependant,
l'ensemble de la population croate et l'Église catholique
se sont montrés solidaires des étudiants. Il est vrai que
l'emprise serbe sur le peuple croate est demeurée la
règle. Plus de 80 % des effectifs de la Police en Croatie
sont formés de Serbes et la proportion est encore plus
élevée au niveau du commandement. Des pourcentages
du même ordre se retrouvent dans la haute administration et dans l'armée.

A l'autre bout du pays, la Macédoine, qui, avec ses

1 700 000 habitants dont 1 200 000 sont recensés comme « Macédoniens » forme l'une des 6 Républiques fédérées, constitue un autre facteur d'instabilité, dans la mesure où les Yougoslaves ont cherché à créer une *nation macédonienne* et à faire disparaître tout ce qui pouvait rappeler la tradition bulgare. La publication à la fin de 1978 des *Mémoires* d'un membre du PC bulgare, Mme Dragoïtcheva, a ranimé la querelle entre Sofia et Belgrade dans la mesure où l'auteur y rappelle que « les Macédoniens sont des Bulgares ». Inversement, les Yougoslaves, au nom du *fait national macédonien*, accusent les Bulgares d'assimiler les « Macédoniens » qui vivent sur leur territoire.

Le deuxième grave problème que connaît actuellement la Yougoslavie est d'ordre économique. Le pays a été fortement touché par la crise économique du monde occidental. Le déficit du commerce extérieur, traditionnellement important, s'est accru dans des proportions considérables en raison des hausses sur le prix du pétrole et des matières premières. Depuis 1974, le taux de couverture des importations par les exportations n'a jamais dépassé 50 %. L'autogestion, souvent désordonnée, la politique d'augmentation des salaires, l'apport des devises rapatriées par les travailleurs yougoslaves de l'étranger, le déficit budgétaire important provoqué entre autres par les fastes du régime à l'époque de Tito, tous ces éléments ont été des facteurs créateurs d'inflation. Depuis 1974, la hausse annuelle des prix n'a jamais été inférieure à 24 %; elle a atteint plus de 40 % en 1980 et l'on prévoit un chiffre voisin de 50 % pour 1981. L'endettement extérieur est de l'ordre actuellement de 17 milliards de $ et pose de sérieux problèmes que la dévaluation récente du dinar de 30 % accompagnée d'un plan de redressement n'a pas encore résolus. La dévaluation et la politique d'austérité se sont traduits dans l'immédiat par une baisse sensible du niveau de vie de la population, nécessaire sans doute pour rétablir les équilibres rompus par le fait que le pays a longtemps vécu au-dessus de ses moyens ; mais une telle situation risque de provoquer des tensions. D'autre part, le chômage est important : il touche plus de 800 000 personnes aujourd'hui et l'indemnisation est dérisoire. L'envoi du surplus de main-d'œuvre disponible à l'étranger est pratiquement impossible aujourd'hui en raison de la fermeture de la plupart des pays d'Europe de l'Ouest aux travailleurs étrangers. La RFA, depuis quelques années, a incité ceux-ci à regagner leurs pays et plusieurs milliers de travailleurs yougoslaves ont été concernés. Cependant encore à l'heure actuelle, un million de travailleurs yougoslaves se trouvent à l'étranger. On imagine les conséquences graves qu'entraînerait leur retour au pays dans la conjonction actuelle. La crise économique que connaît la Yougoslavie a encore accentué les disparités régionales et les antagonismes. Les régions riches de Croatie et de Slovénie se montrent de moins en moins disposées à faire des sacrifices pour les Républiques pauvres des régions orientales du pays. Là encore, il y a matière à conflit.

Le vide politique depuis la mort du maréchal Tito n'est pas fait pour simplifier les problèmes. Officiellement, la fonction de Président de la République n'avait été prévue dans la Constitution de 1974 que pour le maréchal Tito seul, sa vie durant. Dès le 15 mai 1980, le système de direction collégiale prévu par cette Constitution pour la période de l' « après-Tito » a été mis en place. La Présidence de la République est désormais formée par un collège de 8 membres dont chacun d'entre eux représente une République fédérée ou un territoire autonome. Chaque membre de la Présidence occupe pendant un an la fonction de « *Président de la Présidence de la République fédérative de Yougoslavie* ». Du 15 mai 1980 au 14 mai 1981, c'est le bosniaque Tvziepine Miatovitch qui a occupé ce poste et le 15 mai 1981, le Slovène Sergej Krajger lui a succédé. Une telle rotation dans le personnel politique à la tête de l'État est un incontestable facteur d'affaiblissement du pouvoir politique. Quant à la direction de la Ligue des Communistes yougoslaves, elle est entre les mains d'un collège dominé à l'heure actuelle par les éléments *durs* du Parti conduits par le serbe Dusan Dragosavac, actuel Secrétaire Général, et par le slovène Stane Dolanc. Tout le monde politique en Yougoslavie reconnaît volontiers les inconvénients de ce système collégial et songe à lui substituer une organisation plus efficace. Un avenir prochain nous renseignera certainement sur la solution adoptée. Cependant, depuis la mort de Tito, ce qui semble certain, c'est que les partisans d'une *ligne dure* dans la conduite du pays sont en train de l'emporter et d'imposer leurs vues, en raison des risques d'éclatement de la Fédération et de troubles éventuels liés aux tensions sociales. Des écrivains slovènes qui réclamaient un peu plus de liberté pour les publications ont été vivement pris à parti par la presse officielle. Sept professeurs de l'Université de Belgrade mis en disponibilité depuis 1975 pour activités ultra-gauchistes et collusion avec les ennemis extérieurs, viennent d'être révoqués. Le poète serbe Gojko Djogo, accusé d'avoir présenté dans un de ses derniers livres la Yougoslavie « d'une façon mensongère et malveillante » et d'avoir « offensé la mémoire de Tito », a été arrêté le 29 mai dernier. Il avait notamment écrit que la société yougoslave était une société sans liberté. Son procès s'est ouvert le 2 juillet, et le poète risque une peine de 10 ans d'emprisonnement. De nombreux intellectuels et universitaires serbes n'ont cependant pas hésité à envoyer des pétitions pour réclamer la remise en liberté de leur collègue. Ils semblent avoir obtenu finalement gain de cause ; Gojko Djogo vient d'être remis en liberté provisoire et son procès a été ajourné. Il sera finalement condamné le 17 septembre à 2 ans de prison.

Le renouveau religieux que connaît la Yougoslavie depuis quelques années ne semble guère être apprécié des successeurs de Tito. Une nouvelle polémique entre l'Église catholique et l'État s'est développée au cours de l'année 1981. Elle a débuté le 5 février dernier lors d'une réunion de la direction de la Ligue des Communistes yougoslaves ; l'un des membres du Présidium, Branko Pouharitch, a violemment attaqué la hiérarchie croate déclarant que « les plus hauts dignitaires de l'Église catholique de Croatie font en sorte que celle-ci devienne un refuge pour les renégats, les opposants et les désespérés politiques » et il a condamné toutes les demandes faites pour obtenir la réhabilitation de Mgr Stepinac. L'archevêque de Zagreb, Mgr Kouhanitch venait en effet de réclamer publiquement la réhabilitation de son lointain prédécesseur. A ces attaques, l'épiscopat a répondu à l'occasion de Pâques par la publication d'une lettre pastorale réclamant que soit effectivement respectée la liberté de la pratique religieuse. Ce même durcissement se retrouve dans l'attitude de l'État à l'égard de la communauté musulmane. Le renouveau religieux y est important aussi et les dizaines de mosquées de Sarajevo sont de plus en plus fréquentées. Récemment, plusieurs musulmans viennent d'être condamnés pour « crimes de guerre » commis à l'époque où la Bosnie avait été rattachée à l'État croate d'Ante Pavelitch.

Ce durcissement dans la politique intérieure coïncide avec un renforcement sensible de l'influence soviétique en Yougoslavie. Les relations entre Belgrade et Moscou sont actuellement au beau fixe. Des navires de guerre soviétiques font de plus en plus souvent escale dans les ports yougoslaves et une certaine coopération militaire est en train de se développer entre les deux pays. Or, à l'heure actuelle, c'est l'armée qui, en Yougoslavie, est l'élément le plus cohérent et le plus stable, et si elle tombait sous l'influence des Soviétiques, que se passerait-il alors?

En fonction de tous ces problèmes, quel sera l'avenir de la Yougoslavie au cours des prochaines années? Le pays parviendra-t-il à surmonter ses difficultés économiques et à régler efficacement la crise politique latente qui est apparue à la suite de la mort de Tito? Les difficultés internes liées à la coexistence souvent difficile des diverses nationalités vont-elles se régler ou au contraire s'amplifier? Après ce qui vient de se passer dans le Kossovo, les minorités hongroises de Voïvodine et les Bulgares de Macédoine ne vont-ils pas être tentés de présenter d'une façon aussi brutale que les Albanais leurs revendications? N'y a-t-il pas en ce moment accumulation des facteurs de déstabilisation en Yougoslavie, et en cas de crise grave, que feront les pays voisins?

C'est justement à cause de toutes ces incertitudes que la Yougoslavie et avec elle l'Albanie, constituent à l'heure actuelle un *point chaud* de première importance. Mais ce n'est pas le seul dans cette partie de l'Europe à l'aube des années 80.

LA POLOGNE EN CRISE

Depuis l'été 1980, le monde entier a les yeux fixés sur la Pologne, et le nom des quelques personnalités qui font depuis cette époque l'actualité dans ce pays, Gierek, Jaruzelski, Kania, Lech Walesa, le cardinal Wyszinski, sans parler du Pape Jean-Paul II, sont devenus familiers à l'homme de la rue. Il est vrai que des grèves dures et couronnées de succès, un cardinal discutant d'égal à égal avec le chef du Parti communiste, des débats animés suivis de décisions prises autrement qu'à l'unanimité au sein d'un Parti communiste, un Premier Secrétaire du Parti qui pendant cinq jours ne sait pas si le Congrès de son Parti va le réélire, tout cela constitue en soi des événements uniques dans les annales des pays de l'Europe de l'Est.

A l'arrière-plan de la situation actuelle, il y a cette longue succession de crises politiques, économiques et sociales qui ont débuté le 28 juin 1956 avec la révolte ouvrière de Poznan et qui n'ont jamais été sérieusement réglées depuis. On avait cru que le retour au pouvoir du communiste *national* et soi-disant *libéral* Gomulka règlerait tous les problèmes; il n'en fut rien, bien au contraire. L'expérience Gomulka marquée par un durcissement progressif du régime, par un alignement total sur l'URSS lors des événements de Prague en 1968 et par la persistance, voire l'aggravation de la crise économique qui avait provoqué la crise de 1956, s'acheva en décembre 1970 par une nouvelle révolte de la classe ouvrière. La crise économique dès le début avait été provoquée par la persistance d'une situation inflationniste et par le niveau artificiellement bas des prix de certaines denrées. Lorsque pour freiner l'inflation, le gouvernement polonais décida le 12 décembre 1970 une augmentation importante du prix des denrées alimentaires, ce fut la révolte. Ces mesures nécessaires, mais prises brutalement à la veille des fêtes de Noël provoquèrent une non moins brutale réaction populaire. Le 14 décembre, dans tous les ports de la Baltique de Gdansk à Szczeczin, des grèves éclatèrent spontanément; des manifestations rassemblèrent en quelques heures des milliers d'ouvriers des chantiers navals et dégénérèrent rapidement en émeutes. On incendia les sièges locaux du Parti, on attaqua la Milice. Gomulka fit appel à l'armée et chargea le général Korczynski de rétablir l'ordre. Dans la nuit, toute la région côtière fut isolée du reste du pays et occupée

par les blindés de l'armée polonaise. Le pays ignorait tout
ce qui se passait sur la Baltique. Lorsque le gouvernement, deux jours plus tard, donna sa version des événements, il en attribua la responsabilité aux « voyous » et
aux « houligans ». Ces déclarations furent très mal
accueillies. Les manifestations reprirent de plus belle. Le
17 décembre à Gdynia, la troupe tira sur les ouvriers des
chantiers navals qui venaient reprendre leur travail après
3 jours de grève ; le même jour, la troupe tira aussi à Sze-
zeczin. Au total, il y eut officiellement une cinquantaine
de morts et des centaines de blessés. Dans tout le pays,
des manifestations de solidarité avec les travailleurs des
chantiers navals eurent lieu à Poznan, à Varsovie, en Silésie. Dans les ports de la Baltique, les ouvriers reprirent la
grève et occupèrent les lieux de travail. Des représentants
des ouvriers, démocratiquement élus par eux, entamèrent des négociations avec les autorités locales. C'est
dans ces circonstances qu'apparut pour la première fois
un jeune monteur électricien du nom de Lech Walesa qui
fut élu président du Comité de grève des chantiers navals
de Gdansk-Gdynia. Les pourparlers amenèrent le retrait
progressif des unités de l'armée, et le travail reprit le
22 décembre.

La conséquence immédiate de ces grèves ouvrières fut
le départ de Gomulka. Le Bureau Politique réuni aussitôt
en l'absence de Gomulka, officiellement malade, chargea
Edouard Gierek, un ancien mineur qui avait autrefois tra-
vaillé dans les mines du nord de la France, d'assumer les
fonctions de Premier Secrétaire du Parti ouvrier polonais. Gierek jouissait d'une certaine popularité dans le
monde des mineurs de Silésie dont il était l'élu. Tout
comme Gomulka en 1956, Gierek parut vouloir donner
une nouvelle orientation à la politique polonaise. Il
s'efforça d'ouvrir le dialogue avec les diverses composantes de la société polonaise. Aux paysans, il accorda la
suppression des livraisons obligatoires ; aux ouvriers, il
annonça l'annulation des hausses de prix décidées par
son prédécesseur et promit une démocratisation des syndicats officiels. Tout comme l'avait fait Gomulka, Gierek
renoua aussi le dialogue avec l'Église, dont l'influence
était toujours aussi grande dans le pays. La situation se
détendit rapidement, et aux élections anticipées du

19 mars 1972, au cours desquelles les électeurs eurent la possibilité de modifier l'ordre des candidats sur la liste officielle, Gierek et ses partisans furent plébiscités tandis que les amis de Gomulka se retrouvaient en queue de liste. Malgré ce bon départ, la nouvelle équipe dirigeante conduite par Gierek se montra tout autant incapable de trouver une solution aux différents problèmes de l'équipe précédente.

Sur le plan politique, la situation de crise qui existait déjà en 1970 alla en s'aggravant. Le déficit du commerce extérieur aussi bien dans les échanges avec le CAEM qu'avec les pays capitalistes s'accentua. Le renchérissement des prix de l'énergie et des matières premières, la faible productivité de l'industrie et de l'agriculture, le caractère artificiel et irréaliste des prix n'ont pas manqué d'aggraver les déséquilibres. Face à ces difficultés, le pouvoir tenta de réagir, mais en voulant en juin 1976 augmenter les prix d'une façon sensible sans augmenter des salaires demeurés bas, Gierek provoqua de nouvelles grèves et manifestations, ce qui l'amena à revenir sur sa décision. La pénurie pour les uns, le gaspillage et l'abondance pour les dignitaires et les profiteurs du régime, le marché noir généralisé, accentuèrent le mécontentement d'un nombre grandissant de Polonais. Le fossé entre le pays réel, représenté par l'immense majorité de la population, et la classe dirigeante constituée par quelques milliers de privilégiés et leur clientèle, s'est creusé de plus en plus et a abouti à la situation explosive de l'été 1980.

Face au pouvoir incarné par Gierek, deux forces d'importance inégale se sont dressées. D'abord, issu des mouvements de 1956 et de 1970, un syndicalisme clandestin, dispersé mais actif, est apparu çà et là. Ici encore, le nom de Walesa resurgit. Chassé de son emploi par la répression insidieuse qui a suivi l'agitation ouvrière de juin 1976, Lech Walesa a mené l'existence difficile d'un chômeur mais il a maintenu le contact avec ses anciens camarades de travail qui le tenaient en haute estime ; puis en avril 1978, il a participé à la fondation d'un journal clandestin, *Le travailleur du littoral*, porte-parole du syndicalisme clandestin. Un peu partout dans le pays se sont constitués des groupes analogues en particulier le *Comité de défense ouvrière* ou KOR animé par un universitaire

de Varsovie, Jacek Kuron. Pour la première fois, le mouvement ouvrier recevait l'appui de l'*intelligentsia*. Mais à côté de ces groupes clandestins sans cesse traqués par les autorités, une autre force, d'un poids beaucoup plus grand et agissant au grand jour, a commencé à se dresser contre les abus du pouvoir. Cette force, c'est l'Église catholique qui, pourtant, pendant longtemps, s'était montrée modérée et conciliante. Après avoir soutenu l'action réformatrice menée par Gierek en 1970 comme elle l'avait fait en 1956 pour Gomulka, l'Église s'est rendue vite compte que les nouveaux dirigeants cherchaient à restreindre la liberté religieuse acquise de haute lutte en 1956, et aussi que les déceptions ressenties par les populations en raison des carences du pouvoir risquaient de provoquer de nouveaux troubles. De 1974 à 1980, l'épiscopat polonais conduit par le cardinal Wyszinski a mené le combat à la fois pour la défense des droits du peuple et pour la liberté religieuse tout en s'efforçant de contenir le mécontentement populaire grandissant. Le cardinal Wojtyla déjà, en juin 1974, n'hésitait pas à dénoncer publiquement les atteintes à la liberté religieuse : « Les catholiques ne veulent plus être traités comme des citoyens de seconde zone » déclarait-il alors devant plus de 100 000 fidèles rassemblés à Cracovie. Certes, l'Église polonaise disposait d'une situation privilégiée par rapport à celle des autres pays de l'Est, mais le pouvoir ne manquait jamais une occasion pour y porter atteinte. De 1974 à 1980, les rapports Église-État furent caractérisés par une alternance de périodes de tension et d'accalmie. En 1976 par exemple, on vit d'abord le ministre d'État chargé des Cultes, Casimir Kakol, déclarer : « Même si en tant que ministre, je suis obligé de sourire pour inspirer confiance, en tant que communiste je combattrai sans répit la religion et l'Église. Nous n'admettrons jamais l'éducation religieuse des enfants. J'ai honte lorsque les communistes originaires d'autres pays me demandent pourquoi tant de Polonais vont encore à l'église. Si nous ne pouvons pas anéantir l'Église, empêchons là au moins de nuire... » Puis, à quelques mois de là, le 3 août, le gouvernement polonais fit envoyer des gerbes de fleurs au cardinal Wyszinski à l'occasion de son 75ᵉ anniversaire !
L'Église demeura ferme sur ses positions et n'hésita pas

à défendre les intérêts moraux et matériels du peuple chaque fois qu'elle jugea nécessaire de le faire. Face aux difficultés économiques, elle prit position par la voix du Primat. Dans une lettre pastorale de 1977, le cardinal Wyszinski crut de son devoir de rappeler aux autorités que « les hommes doivent manger tous les jours et pour que cela soit possible, doivent exister des points de vente convenables où ils puissent obtenir facilement du pain, de la viande, du lait, sans perdre autant de temps, de santé et de force ». L'allusion aux difficultés d'approvisionnement et aux longues files d'attente devant les magasins était claire. L'élection le 16 octobre 1978 du cardinal Wojtyla comme Pape sous le nom de Jean-Paul II renforça encore, si besoin était, l'audience de l'Église. L'État se vit obligé de composer avec elle. On le vit bien en novembre 1978 lorsque à Lublin, en présence de ce même ministre Kakol, le cardinal Wyszinski réclama non sans humour la liberté d'expression : « Il suffit pour cela que vous accordiez de bonnes retraites aux censeurs, en les remerciant de leur travail. » Le voyage triomphal que fit le Pape dans son pays natal, ses prises de position en faveur des droits de l'homme et de la liberté religieuse en présence des membres du gouvernement et de la direction du Parti communiste ont encore accru le prestige de l'Église et son influence, même dans les milieux athées. L'Église, forte de l'appui du Pape, a pris dès lors publiquement position en faveur des contestataires emprisonnés. Le 8 mai 1980, l'épiscopat a demandé ainsi aux autorités d'arrêter « dans l'intérêt de la paix intérieure » les poursuites engagées « contre ceux qui ont des vues différentes »... « L'intensification récente des représailles nous remplit d'inquiétude et crée des tensions sociales » déclarait encore le message de l'épiscopat polonais. On était alors au mois de mai. Les événements de l'été 1980 allaient confirmer la justesse des prévisions des évêques polonais.

Une brutale augmentation des prix annoncée pour la fin de juillet 1980 allait encore une fois mettre le feu aux poudres. Dès le 1er juillet, la première grève éclate à Ursus, dans la banlieue de Varsovie, dans une usine de tracteurs, et à Gdansk, une nouvelle fois dans les chantiers navals. Partout, les ouvriers réclament des augmentations de salaires et l'annulation des hausses de prix prévues. Le refus de Gierek de revenir sur sa décision qu'il justifie par la nécessité de lutter contre l'inflation, provoque une extension des mouvements de grève. A la fin de juillet, une centaine d'entreprises sont touchées. Au mois d'août, le mouvement fait tache d'huile. Toutes les branches de l'économie sont affectées; le personnel des transports en commun de Varsovie et de la plupart des grandes villes, les ouvriers du textile de Lodz, les mineurs de Silésie, tous cessent le travail. Mais c'est à Gdansk, aux chantiers navals Lénine, que la grève fut la plus dure. Elle était animée par Lech Walesa et par une autre militante du syndicat libre, Anna Walentynowicz, qui venait d'être licenciée pour son activité syndicale. Les 17 000 ouvriers des chantiers navals ont commencé leur action le 14 août; ils se sont organisés sur le lieu de travail et ont créé un Comité de grève inter-entreprise. Un cahier de revendications fut rapidement élaboré, où l'on trouvait à la fois des revendications à caractère professionnel mais aussi le droit à la liberté religieuse et la diffusion d'une messe chaque dimanche par la radio. Fin août, toute la région de Gdansk était paralysée par les grèves et 100 000 grévistes occupaient leurs usines et leurs ateliers à l'ombre des drapeaux polonais et de portraits géants du pape devant lesquels, chaque dimanche, des prêtres venaient célébrer la messe.

LE POIDS DE L'ÉGLISE EN POLOGNE

28 millions de pratiquants sur 35 millions d'habitants
18 000 prêtres et 30 000 religieux et religieuses
L'Université catholique à Lublin
1 Faculté de Théologie à Varsovie
27 diocèses
27 séminaires
500 à 600 prêtres ordonnés chaque année
2 cardinaux : Mgr Macharski, archevêque de Cracovie
Mgr Wyszinski, Primat de Pologne (décédé le 28 mai 1981). Successeur : Mgr Glemp

Au début, le gouvernement sembla adopter une politique de fermeté. Le chef du gouvernement, Edouard Babiuch, tout comme son vice-Premier ministre Tadeusz

Pyka envoyé sur place, ne semblèrent pas vouloir céder. Le 20 août, des mesures de répression furent même prises non pas contre les ouvriers, mais contre une quinzaine de membres du KOR qui furent arrêtés ainsi que quelques intellectuels dissidents. Les ouvriers ajoutèrent à leurs revendications la libération des personnes détenues. Le gouvernement inquiet du rapprochement qui s'opérait entre les opposants politiques et les ouvriers, assouplit son attitude. Le Premier secrétaire du Parti de Gdansk, Tadeusz Fiszbach, prit contact avec les grévistes. Le gouvernement limogea T. Pyka qu'il remplaça par un libéral M. Jagielski. Finalement, les pourparlers entre le Comité de grève et Jagielski aboutirent le 31 août à un protocole d'accord. Il est vrai qu'entre-temps, le pouvoir avait fait un geste : le Premier ministre Babiuch avait été remplacé par un libéral, Jozef Pinkowski. L'Église de son côté s'était efforcée de calmer les esprits. L'évêque de Gdansk, Mgr Kaczmarek, avait recommandé la reprise du travail si les droits des travailleurs étaient reconnus. L'épiscopat polonais dans un communiqué du 27 août avait pris position sur la nécessité du droit pour les travailleurs à « s'organiser dans des associations nées d'eux-mêmes et défendant leurs intérêts ». C'était là une des revendications présentées par les grévistes de Gdansk.

Dans les *pays frères*, une fois l'effet de surprise passé, ce fut un tollé général. Les *durs* du camp socialiste, les Allemands de l'Est, les Tchécoslovaques, les Bulgares, les Roumains, dénoncèrent l'action des forces antisocialistes qui s'étaient manifestées en Pologne et appelaient à la vigilance. Seuls, les *media* hongrois et yougoslaves firent preuve d'une certaine sympathie à l'égard des grévistes polonais. Quant à l'URSS, elle se borna dans un premier temps à brouiller les radios occidentales, puis la presse soviétique dénonça l'action des agents occidentaux dans le déclenchement des grèves en Pologne. En septembre, les critiques se firent plus vives et la *Pravda* tint à rappeler que « la souveraineté et l'indépendance authentique de la Pologne populaire sont garanties par l'union fraternelle avec les autres pays socialistes ». Début octobre, les premières concentrations de troupes soviétiques le long des frontières orientales de la Pologne étaient signalées.

L'évolution de la crise polonaise depuis l'été 1980 doit

être observée sur trois plans. D'abord sur le plan syndical, il faut constater qu'en quelques semaines, un syndicalisme libre s'est organisé au grand jour en dehors du Parti et des organisations officielles, ce qui n'empêche pas de nombreux militants communistes d'y avoir adhéré. Pendant les grèves de Gdansk, Lech Walesa et les membres du Comité de grève ont jeté les bases du syndicat *Solidarité*, et dans les accords conclus avec le gouvernement le 31 août, le principe de l'organisation d'un syndicalisme indépendant a été officiellement reconnu. Après en avoir rédigé les statuts, les dirigeants de *Solidarité* les ont présentés au tribunal administratif de Varsovie pour en obtenir l'enregistrement officiel. Le 24 octobre, première émotion. Le tribunal modifie de sa propre autorité certains points des statuts, ce qui en dénature profondément le caractère. Lech Walesa, tout en s'efforçant de calmer les militants, fait appel et cette fois, il gagne. Le 10 novembre, la Cour Suprême rétablit les statuts de *Solidarité* dans leur forme originelle. Pour la première fois, dans un pays de l'Europe de l'Est, un syndicat apolitique, libre de tout lien avec le Parti et avec l'État, formé de millions d'adhérents qui s'y sont joints en toute liberté – et non contraints et forcés comme c'était le cas pour les syndicats officiels – est reconnu officiellement par le pouvoir communiste. Aussitôt après cette reconnaissance officielle, *Solidarité* va se porter garant devant les ouvriers des accords conclus à Gdansk. Ses premières actions, il les lance le 10 et le 24 janvier 1981 pour obtenir le samedi libre promis. La majorité des travailleurs refuse de travailler ces deux samedis-là. Dans son action, Lech Walesa a été constamment soutenu par l'Église polonaise, qui a su canaliser l'ardeur de certains militants. Lors de l'audience accordée à Lech Walesa le 15 janvier, le Pape s'est félicité de la formation en Pologne d'un syndicat indépendant car pour lui, « les hommes qui accomplissent un travail déterminé ont le droit de s'associer librement... dans le but d'assurer tous les biens auxquels le travail doit servir. Il s'agit d'un des droits fondamentaux de la personne... ». Puis il a rappelé qu'il s'agissait là d'un « problème strictement interne à la Pologne » mais que dans son action, *Solidarité* devait se laisser « guider par la justice et l'amour ». Le Pape conclut sa déclaration en ces termes : « Que le même courage qui a été à l'origine de votre initiative mais aussi la même prudence et la même modération vous accompagnent toujours. » L'exemple donné par les ouvriers fut suivi par les paysans. La création d'un mouvement *Solidarité rurale* suscita davantage de réserves de la part des autorités qui en refusèrent d'abord l'enregistrement. Mais finalement, le 12 mai, le statut de *Solidarité rurale* fut enregistré à son tour. Les paysans propriétaires disposaient maintenant eux aussi d'un syndicat indépendant, tout aussi apolitique que le syndicat des ouvriers. Désormais dans la Pologne socialiste, le pouvoir et le Parti avaient en face d'eux une organisation responsable et représentative. Malgré des provocations et en dépit de certaines actions locales irréfléchies, la direction de *Solidarité* a su jusqu'à présent faire preuve à la fois d'efficacité et de modération en évitant tout conflit majeur avec le pouvoir sans rien céder sur l'essentiel.

La crise polonaise doit être aussi envisagée sur le plan de la politique intérieure. La conséquence des événements de juillet-août 1980 a été un bouleversement profond dans les organes dirigeants de l'État et du Parti. Dans un premier temps, le VIᵉ Plénum du Comité Central réuni les 4 et 5 octobre a procédé à l'éviction des amis de Gierek. L'ancien Premier Secrétaire, atteint officiellement d'une « crise cardiaque », se trouvait évincé de fait. Une nouvelle direction du Parti fut mise en place avec Stanislaw Kania au poste de Premier secrétaire entouré de libéraux modérés comme Stefan Olszowski et Casimir Barcikowski, d'un libéral ouvert en la personne de Mieczyslaw Rakowski, et du général Moczar. Cette nouvelle direction précisa son programme au Plénum du 1ᵉʳ décembre ; la ligne nouvelle put se définir par cette formule : « oui au renouveau, non à l'anarchie ! ». La présence des plus hautes autorités de l'État à l'inauguration, le 16 décembre, d'un monument à la mémoire des victimes de la répression lors des grèves de Gdansk en 1970, montra bien que quelque chose avait changé en Pologne. Mais le remplacement du libéral Pinkowski à la tête du gouvernement par le général Jaruzelski montrait aussi clairement les limites de ce changement. Avec Kania à la tête du Parti et Jaruzelski à la tête du gouvernement, c'était la ligue *centriste* qui triomphait. Dans sa déclaration faite à la Diète le 12 février 1981, le général Jaruzelski annonça que « le gouvernement œuvrera honnêtement et d'une manière conséquente pour le renouveau socialiste, pour la démocratie socialiste », qu'il poursuivrait les auteurs des erreurs du passé et que « la main du pouvoir restera invariablement tendue, en toute sincérité et bienveillance, à tous les patriotes de bonne volonté. Rappelant en outre les graves difficultés économiques de l'heure, il lançait un appel aux syndicats pour une trêve sociale de 90 jours mais tout en réaffirmant que les engagements pris seraient respectés. Pour rassurer les « pays frères », Jaruzelski concluait ainsi sa déclaration : « La place de la Pologne populaire est et demeurera au sein des forces socialistes... La Pologne demeurera un membre digne de confiance dans l'alliance politico-défensive qu'est le traité de Varsovie. »

Il est vrai que l'attitude des « pays frères » a suscité à plusieurs reprises des craintes sérieuses aussi bien en Pologne qu'en Europe occidentale. La crise polonaise se situe en effet sur un troisième plan, celui des relations entre la Pologne et le camp socialiste en fonction de l'évolution de la situation intérieure du pays. A deux reprises au moins, à la fin de l'année 1980 et en mars-avril 1981, on a redouté une intervention des forces du Pacte de Varsovie comme cela s'est produit en Tchécoslovaquie au moment du *Printemps de Prague*. Le premier coup de semonce a été donné le 5 décembre à Moscou lors d'un sommet des pays du Pacte de Varsovie. En fait, la réunion de Moscou qui se déroula selon le communiqué officiel « dans un climat de camaraderie, de compréhension mutuelle et d'unité de vues », se termina mieux que prévu. Les participants se déclarèrent convaincus en effet « que les communistes, la classe ouvrière, les travailleurs de la Pologne sœur sauront surmonter les difficultés surgies, qu'ils assureront le développement ultérieur du pays dans la voie socialiste »; ils rappelèrent que les communistes polonais « peuvent compter fermement sur la solidarité fraternelle et le soutien des pays signataires du traité de Varsovie ». En dépit d'attaques constantes de la presse soviétique, est-allemande et tchécoslovaque, la situation parut se détendre un peu au début de 1981. La tension remonta brusquement le 2 mars avec le début, en territoire polonais, des manœuvres militaires *Soyouz* qui coïncida d'ailleurs à l'intérieur du pays avec un durcissement du pouvoir à l'égard des dissidents. La prolongation anormale des manœuvres, une recrudescence de la tension sociale avec le matraquage de syndicalistes par des policiers le 19 mars à Bydgoszcz, firent croire à l'imminence d'une reprise en main en liaison avec une intervention militaire des Soviétiques. Les attaques contre les dirigeants polonais se faisaient de plus en plus violentes. On le vit bien le 6 avril à l'ouverture du Congrès du Parti communiste tchécoslovaque. En présence de Brejnev, venu à Prague pour la circonstance, le Premier secrétaire du PC tchécoslovaque Husak n'hésita pas à fustiger « les forces antisocialistes et contre-révolutionnaires qui menacent le socialisme en Pologne » et rappela que « la communauté socialiste ne restera pas impassible devant la menace polonaise ». Pourtant, à la mi-avril, la situation se détendit à nouveau avec la fin de manœuvres *Soyouz*. La visite impromptue du théoricien du PC soviétique Michel Souslov les 23 et 24 avril à la veille du Xᵉ Plénum du PC polonais fit une nouvelle fois naître de nouvelles inquiétudes mais n'empêcha pas la direction du PC polonais d'annoncer une démocratisation dans le fonctionnement du Parti en vue de la préparation du IXᵉ Congrès extraordinaire prévu du 14 au 19 juillet. Entre Moscou et *Solidarité*, Kania s'efforçait de maintenir le cap.

L'attentat contre Jean-Paul II le 13 mai, suivi à 15 jours de distance par la mort du cardinal Wyszinski ont amené une certaine détente entre le pouvoir et *Solidarité*. Mais sur le plan des relations avec l'URSS, la méfiance demeure. La tension est même remontée le 5 juin quand le PC soviétique a adressé un avertissement solennel aux dirigeants du Parti ouvrier polonais. La lettre s'en prenait « à la contre-révolution qui se cache au sein de *Solidarité* », critiquait vivement les concessions successives faites par le pouvoir. « Il s'agit maintenant de mobiliser toutes les forces saines de la société afin de contrer l'adversaire de classe et de combattre la contre-révolution. Ceci exige en premier lieu une volonté révolutionnaire du Parti, de ses militants et de sa direction. Oui, de sa direction. Le temps n'attend pas. Le Parti peut et devrait trouver en lui-même les forces pour renverser le cours des événements et les remettre dans la bonne voie avant même le Congrès ». Ce rappel à l'ordre s'achevait par une évocation de la déclaration antérieure de Brejnev : « Nous ne laisserons pas porter atteinte à la Pologne socialiste et n'abandonnerons pas dans le malheur un pays frère ». Cette lettre présentait bien des analogies avec la *lettre des Cinq* envoyée à Dubcek en juillet 1968.

La lettre du PC soviétique n'a pas été sans influer sur la réunion du Comité Central qui s'est tenue le 10 juin. Kania y a effectivement reconnu que « des actions contre-révolutionnaires conscientes menacent le socialisme et l'existence nationale » mais qu'il n'y a aucune alternative à la ligne de renouveau socialiste défendue jusque-là. Il a rappelé que « le pouvoir d'État, la direction et le Parti sont décidés à défendre le socialisme jusqu'au bout mais que *Solidarité* et l'Église ont aussi leur place dans le processus d'évolution. Kania a cependant reconnu que les craintes des pays frères étaient fondées, mais pour lui, « la Pologne est et restera un pays socialiste et un maillon de la coalition défensive du traité de Varsovie et du CAEM ». De toute façon, en dépit des attaques des conservateurs confortés par la lettre du 5 juin, Kania a maintenu ses positions quant à la préparation du Congrès. Cependant, çà et là, les *durs* ont tenu des réunions dans lesquelles ils ont critiqué la politique du renouveau socialiste. C'est ce qui s'est produit notamment au *Forum de Katowice* tenu à l'initiative des dirigeants locaux du Parti, le professeur Wolczew et le Premier secrétaire local Kotiorz, où l'on a réclamé un retour à une ligne plus dure.

A la veille du IXᵉ Congrès du Parti ouvrier polonais, la situation en Pologne se présentait de la façon suivante. Sur le plan extérieur, la visite d'Andrei Gromyko, ministre soviétique des Affaires étrangères a fait un peu baisser la tension qui avait suivi la réception de la lettre du 5 juin. Le communiqué commun publié le 5 juillet a, une fois de plus et dans la formulation habituelle, insisté sur le fait que « la Pologne était, est et sera un maillon durable de la communauté socialiste ». A l'intérieur, un certain durcissement du pouvoir a pu être constaté à l'égard des dirigeants du KOR dont le procès cependant a été remis au 23 juillet, après que le tribunal ait rejeté la requête du Parquet visant à l'incarcération des inculpés. Sur le plan social, la situation demeure tendue après la grève d'avertissement des 40 000 dockers de la Baltique observée le 8 juillet à la suite de l'échec des négociations salariales entre *Solidarité* et le gouvernement. Le lendemain, le personnel des lignes aériennes *Lot* a observé aussi un arrêt de travail, car le gouvernement refusait d'entériner l'élection par le personnel du nouveau directeur. Les nouvelles grèves prévues pour le 23 juillet ont cependant pu être évitées à la suite de la conclusion d'un accord à la dernière minute.

Le Congrès que tout le monde attendait avec impatience s'est déroulé comme prévu du 14 au 20 juillet, avec la participation de près de 2 000 délégués élus par les membres des 105 000 cellules, et en présence des délégations attentives des « pays frères » conduites, signe intéressant, par des personnalités de second plan. C'est ainsi que la délégation soviétique était conduite par le Premier secrétaire du Parti pour la région de Moscou, Grichine. D'entrée de jeu, Grichine a déclaré que « c'était aux Polonais seuls qu'il appartenait de régler leurs problèmes, car les communistes polonais sont en mesure de retrouver la confiance de la nation. Nous avons confiance que le Parti ouvrier polonais saura surmonter la lourde crise actuelle et repousser la contre-révolution ». Déclaration intéressante qui entre dans la suite logique de la visite conciliante de Gromyko à la veille du Congrès et qui semblait indiquer que pour l'heure, l'URSS entendait laisser encore aux Polonais le soin de régler entre eux leurs propres problèmes.

Le Congrès a commencé par une surprise de taille. Dès la première séance, il a été décidé à une très large majorité que les instances supérieures du Parti, le Premier Secrétaire et le Bureau Politique seraient élus en fin de Congrès et à bulletins secrets. Après ces questions de procédure, le Premier Secrétaire Kania a donné lecture de son rapport d'activité. Pour Kania, la situation actuelle de la Pologne « exige que nous soyons en même temps le parti de la lutte pour le caractère socialiste du renouveau, et le parti de la lutte contre les ennemis du socialisme », confirmant ainsi la ligne « centriste » suivie jusque-là. Il a dénoncé « les groupes réactionnaires et extrémistes qui s'efforcent de donner à Solidarité le caractère d'un parti politique d'opposition à l'État socialiste » ainsi que tous les mouvements dissidents comme le KOR (Comité de défense ouvrière) et le KPN (Confédération de la Pologne indépendante) soutenus par « les centres occidentaux spécialisés dans la subversion contre la communauté socialiste ». Pour faire face aux graves problèmes de l'heure, Kania a demandé que soit renforcée « l'alliance des gens de raison » dont l'Église est une des composantes. Les jours suivants, diverses personnalités sont intervenues dans les débats, et à chaque intervention des représentants du courant libéral comme Fiszbach, le Premier secrétaire de Gdansk, ou Rakowski, le vice-premier ministre chargé des relations avec Solidarité, ils obtenaient un immense succès et des applaudissements nourris. On a même pensé un moment que Mieczyslaw Rakowski pourrait être un concurrent dangereux pour Kania, surtout quand circula la soi-disant lettre de Gomulka évoquant le rôle répressif de Kania lors des grèves de décembre 1970. Dans son intervention, Rakowski avait proposé une vaste alliance entre le Parti, le mouvement Solidarité et l'Église afin de rétablir la confiance pour agir efficacement. Le soir du 16 juillet, le Congrès procéda à l'élection des 200 membres du Comité Central. Avec Jaruzelski, Kania, Barcikowski, Olszowski et Rakowski élus avec près de 3/4 des voix, ce furent « les centristes » qui furent les grands gagnants au Comité Central, les ultra-libéraux comme Fiszbach, la plupart des ultra-conservateurs ayant été éliminés. En fin de Congrès, comme prévu, les délégués procédèrent à l'élection du Premier Secrétaire et du Bureau Politique. Le 19 juillet, Stanislaw Kania était maintenu dans ses fonctions avec 1 311 voix, soit plus des 2/3 des suffrages. Quant au Bureau Politique dont les effectifs furent portés à 15 membres, la tendance « centriste » s'y retrouva majoritaire, mais des éléments conservateurs avaient été également ment élus quoique en petit nombre avec parmi eux Albin Siwak, adversaire connu et notoire de Solidarité. Inversement, le libéral Rakowski n'obtint pas le nombre de voix suffisant pour être élu. Le Congrès prononça également l'exclusion de Gierek et de ses amis et invita la direction du Parti à engager des poursuites contre eux. En ce sens, le Congrès marquait clairement la volonté du Parti de rompre avec le passé, volonté qui s'était manifestée également par le renouvellement des hommes.

Étrange Congrès cependant où les délégués applaudissaient à tout rompre les libéraux mais à la faveur du vote secret, les excluaient des postes de responsabilité. Et finalement, ce vote secret considéré par beaucoup comme le signe évident d'une démocratisation a joué contre les libéraux par le jeu des pressions qui ont pu s'exercer au moment du vote. Dans le discours de clôture, S. Kania a une nouvelle fois montré son attachement à la politique du renouveau socialiste mais s'est aussi manifesté comme un chaud partisan de la « lutte contre les adversaires du socialisme, contre l'anarchie ». Il a recommandé une « large alliance » avec « les citoyens responsables » pour lutter contre les problèmes dramatiques qui se posent au pays. Dans sa conclusion, pour rassurer les « pays frères », il a une nouvelle fois répété que « la Pologne restera l'alliée fidèle de l'Union soviétique, le maillon inaltérable de toute la communauté socialiste ».

Malgré tout le bruit fait autour de ce Congrès, aucun des problèmes qui avaient été à l'origine de la crise polonaise n'a été résolu, ni celui des rapports entre *Solidarité* et l'État, ni la crise économique, ni la pénurie alimentaire, bien au contraire... On s'en est vite rendu compte. A peine le Congrès était-il achevé qu'une nouvelle vague de grèves et de manifestations a parcouru le pays. Malgré l'attitude modératrice des dirigeants de Solidarité et de l'Église, des *marches de la faim* pour protester contre les nouvelles hausses des prix décidées par le gouvernement et contre le renforcement du rationnement, ont eu lieu un peu partout dans le pays. Aux cris de « Nous avons faim ! », des milliers de femmes sont descendues dans les rues de Lodz, de Sczeczin, de Kutno, de Wroclaw et de Varsovie. Dans la capitale, les manifestations ont atteint leur point culminant lorsque les employés des transports en commun et les chauffeurs de taxi ont en signe de protestation contre la pénurie alimentaire, immobilisé leurs véhicules et ainsi paralysé le centre de la ville du 3 au 5 août ! Deux semaines plus tard, les typographes refusaient de faire paraître la presse communiste afin d'appuyer leurs revendications. L'action modératrice de Lech Walesa et du cardinal Glemp permit d'éviter un affrontement avec le pouvoir mais n'arrivait pas cependant à enrayer partout les grèves spontanées qui apparaissait çà et là.

Lors de la première phase du Congrès de *Solidarité* qui s'ouvrit à Gdansk dans les premiers jours de septembre 1981, – alors qu'à quelques dizaines de kilomètres de là en RDA, en Biélorussie, en Lituanie et dans les eaux de la Baltique se déroulaient les grandes manœuvres d'automne de l'Armée soviétique –, les militants n'ont pas ménagé leurs critiques à l'égard de la direction du syndicat jugée trop conciliante avec le pouvoir communiste et n'ont pas hésité à voter une motion de soutien à tous ceux qui, en Europe de l'Est et en URSS, voulaient créer des syndicats libres. La réélection de Lech Walesa le 2 octobre, avec 55 % des voix, montrait clairement que la base, tout en maintenant sa confiance à l'égard de celui qui avait pris la tête de la révolte ouvrière de l'été précédent, demeurait vigilante. La motion finale du Congrès traduisait bien la volonté des militants de « créer des conditions de vie dignes dans une Pologne souveraine économiquement et politiquement, une vie libérée de la pauvreté, de la peur, de l'exploitation et du mensonge, dans une société organisée démocratiquement sur la base du Droit ». On réclamait aussi l'autogestion dans l'économie, c'est-à-dire le droit pour les travailleurs de contrôler la direction des entreprises, ainsi que l'accès du syndicat aux *media*. Avec ses 10 millions d'adhérents, *Solidarité* soutenu par l'immense majorité de la population et bénéficiant de la caution morale de l'Église avait conscience de sa représentativité en face de l'État et d'un Parti Ouvrier abandonné par nombre de ses adhérents.

Cette situation a débouché à la fin d'octobre sur une grave crise interne au sein du Parti Ouvrier à l'occasion de la réunion du Plénum du Comité Central du 16 au 18 octobre au cours de laquelle Stanislaw Kania, mis en minorité, a été remplacé par le général Jaruzelski, déjà Chef du gouvernement. Quelques jours auparavant, le bruit avait couru que l'armée polonaise se préparait à prendre le pouvoir; en fait, les autorités avaient simplement décidé de maintenir sous les drapeaux pendant deux mois supplémentaires les soldats libérables à la fin de leur temps. Une des premières mesures de Jaruzelski a été d'affecter ces soldats à la lutte contre les difficultés économiques du moment, contre le gaspillage, et à l'amélioration du fonctionnement des transports. Le nouveau Premier Secrétaire, dont la nomination a été bien accueillie à Moscou, a manifesté clairement sa volonté d'élargir la base du pouvoir en lui associant tous ceux qui sont prêts à l'aider pour peu qu'ils respectent les principes fondamentaux du socialisme. Le 21 octobre, Mgr. Glemp, de retour de Rome, où il avait rencontré Jean-Paul II, rencontrait le général Jaruzelski, puis Lech Walesa. L'idée d'*entente nationale* toujours défendue par l'Église semblait ainsi se concrétiser. Quelques jours plus tard, le 29 octobre, dans un geste ultime de bonne volonté, la direction de *Solidarité*, malgré les critiques des militants de base, lançait un appel à tous ses adhérents pour qu'ils cessent immédiatement toutes les actions de grève en cours. Ce geste d'apaisement venant après l'émotion suscitée par les inquiétantes décisions prises lors du Plénum d'octobre amena une certaine détente. On aurait pu en être tout à fait convaincu le 11 novembre, lorsque, pour la première fois depuis la guerre, on célébra à Varsovie librement et... officiellement la commémoration de l'indépendance de 1918 en y associant le nom du maréchal Pilsudski, rayé depuis 1945 de l'histoire polonaise. Mieux même, dans les jours qui suivirent, les représentants du gouvernement et de *Solidarité* entamèrent des négociations pour mettre au point la procédure de mise en place de la fameuse *entente nationale*. Après de longues discussions menées « dans une atmosphère sincère et empreinte de compréhension », un accord fut finalement conclu le 18 novembre entre le vice-Président de Solidarité Wadolowski, et le ministre Ciosek chargé des relations avec les syndicats. L'*entente nationale* semblait devoir devenir bientôt réalité.

LA FIN DES ILLUSIONS

Le nouvel espoir qu'avait suscité la conclusion de l'accord du 18 novembre fut rapidement déçu. Tandis qu'il négociait avec *Solidarité*, le gouvernement et le Parti ouvrier préparaient secrètement la reprise en main du pays. Les Polonais, habitués depuis l'été 1980 à voir souffler sur leur pays alternativement le froid et le chaud, ne parurent pas se préoccuper outre-mesure de signes inquiétants qui se profilaient à l'horizon. Il est vrai que depuis le fol été de Gdansk, les Polonais avaient déjà plusieurs fois frôlé la catastrophe, puis tout s'était arrangé. Or, en cette fin de novembre 1981, la situation était en train de se dégrader rapidement. D'abord, le 22 novembre, les services de Sécurité procédèrent sans ménagement à une perquisition au domicile de Jacek Kuron, le chef du KOR, accusé de vouloir créer avec certains membres de *Solidarité* « une organisation à caractère politique et hostile à l'État socialiste ». Ensuite, les *media* déclenchèrent une vaste campagne de dénigrement contre certains dirigeants de *Solidarité* accusés de « menées contre-révolutionnaires et antisocialistes » et rendus par là même responsables des difficultés économiques du pays. Ces accusations étaient d'autant plus dénuées de fondement que les difficultés économiques, loin d'être apparues avec la naissance de *Solidarité*, existaient depuis les années cinquante. Et c'était justement parce que le pouvoir communiste incarné d'abord par Gomulka, puis par Gierek, s'était montré incapable de résoudre la crise économique que la classe ouvrière de Pologne, suivant l'exemple des ouvriers de Gdansk, prit en main son propre destin en s'organisant dans le cadre d'un *syndicat libre*.

Un nouveau degré dans la montée des périls fut atteint lors de la réunion du VIᵉ Plénum du Parti ouvrier polonais tenue les 27 et 28 novembre. Le général Jaruzelski annonça que le Bureau Politique du Parti ouvrier – dont il était le Premier Secrétaire – avait chargé impérativement le gouvernement – dont il était le chef – de présenter à la Diète dans les plus brefs délais un projet de « loi sur des moyens extraordinaires d'action dans l'intérêt de

la protection des citoyens et de l'État » afin « de mettre à
la disposition du gouvernement de la République populaire de la Pologne les pleins pouvoirs indispensables
pour s'opposer avec efficacité aux actions destructrices
ruinant le pays et son économie, menaçant l'État socialiste, l'ordre et la sécurité publique ». Comme on était
loin des belles envolées lyriques sur l'*entente nationale* ! Il
ne s'agissait rien moins que de réduire à néant les acquis
ouvriers de l'été 1980, et en premier lieu de revenir sur le
droit de grève alors accordé. Jaruzelski dévoilait enfin
son vrai visage ; il annonçait clairement à qui voulait le
comprendre que l'heure de la remise au pas était arrivée.
La première concrétisation de la nouvelle attitude du
pouvoir en face de *Solidarité* ne se fit guère attendre. Le
2 décembre, les forces de police procédèrent brutalement à l'évacuation de élèves en grève de l'École des officiers de sapeurs-pompiers de Varsovie. Ces derniers, qui
se considéraient comme des étudiants à part entière, par-
ticipaient au mouvement de grève qui depuis la mi-
novembre touchait l'ensemble des Universités et des
Écoles Supérieures de Pologne.

Face à cette provocation du pouvoir, la direction de
Solidarité réunit le lendemain son Présidium dans la
petite ville de Radom. Constatant que « le pouvoir a
rendu nulles les chances de conclure une *entente nationale* et qu'il a choisi la voie de la force et rejeté les possibilités de dialogue avec la société », la direction de *Solidarité* adopta à une large majorité le principe de la grève
générale au cas où la Diète adopterait les pleins pouvoirs
réclamés par Jaruzelski. Lech Walesa, toujours soucieux
d'éviter l'affrontement, vota contre ce projet de grève
générale.

Deux jours plus tard, le 7 décembre, trois événements
alourdirent encore davantage une atmosphère déjà très
pesante. D'abord, l'Église parut pour la première fois et
d'une façon claire prendre position en faveur de *Solidarité*, contre le Parti ; le cardinal Glemp en effet demanda
instamment aux députés de la Diète de rejeter le projet de
loi sur les « pouvoirs extraordinaires ». Deuxième événement, on apprit ce même jour que les dirigeants polonais
venaient de recevoir de leurs homologues soviétiques un
message leur faisant savoir qu'il était grand temps main-

tenant de remettre au pas le syndicat *Solidarité*. Enfin, en ce même 7 décembre, la radio polonaise commença la diffusion sur ses ondes d'extraits d'interventions de Lech Walesa et d'autres dirigeants de *Solidarité* enregistrés clandestinement lors de la réunion de Radom. On passa entre autres un extrait dans lequel Lech Walesa déclarait : « Depuis 1970, je ne crois en personne qui collabore à ce système. Ils veulent nous rouler. Ils se rendent compte que si nous réalisons notre programme, que si nous distribuons les terres des fermes d'État aux paysans privés et créons des comités d'autogestion partout, nous décomposerons leur système... » Ce que disait Walesa avec tant de clairvoyance, c'était ce que pensait la majorité des Polonais. Pour la direction du Parti, c'en était trop, d'autant plus que certains dirigeants de *Solidarité*, convaincus qu'ils étaient avec leurs 10 millions d'adhérents les véritables représentants du *pays réel* face au *pays légal* mal représenté par un Parti corrompu en pleine décomposition, avaient lancé l'idée d'organiser un référendum sur l'exercice et les méthodes actuelles du pouvoir.

L'épreuve de force était devenue inévitable. *Solidarité* ne pouvait plus reculer ni faire de nouvelles concessions faute de passer aux yeux de ceux qui avaient mis tous leurs espoirs dans le syndicat libre, pour un succédané des anciens syndicats officiels d'autrefois ; malgré Walesa, la direction de *Solidarité* devait tenir compte des aspirations des militants de base. L'Église de son côté, en dépit de ses appels constants à l'apaisement, ne pouvait pas non plus faire machine arrière, car les paroles lénifiantes qu'elle n'avait pas cessé de prodiguer depuis le début de la crise auraient risqué d'être interprétées comme le signe d'une quelconque collusion avec le Pouvoir. Quant à Jaruzelski et à la direction du Parti ouvrier, ils ne pouvaient laisser organiser un tel référendum dont les résultats auraient été de toute évidence un camouflet public pour le Parti et la démonstration sans appel de son impopularité. Il fallait donc agir, et agir vite. Une nouvelle fois, le Kremlin manifestait son impatience. Le 11 décembre, l'agence Tass accusa *Solidarité* de vouloir « renverser le pouvoir tant exécutif que législatif en Pologne populaire » et assurait de l'appui soviétique les mesures énergiques préconisées par le général Jaruzelski. La formidable partie de bras de fer engagée à l'été 1980 entre le syndicat Solidarité et le pouvoir communiste touchait maintenant à sa fin.

Dans la nuit du 12 au 13 décembre, alors qu'à Gdansk la Commission Nationale de Solidarité se prononçait pour l'organisation avant le 15 février 1982 du référendum envisagé précédemment, le général Jaruzelski se décida à crever l'abcès en utilisant les forces armées. En quelques heures, l'armée et la milice prirent en main le contrôle du pays tandis qu'à Varsovie, les blindés faisaient leur apparition dans les rues aux toutes premières heures de la matinée. Dans une allocution radiodiffusée, le général Jaruzelski annonçait l'établissement de l'état de siège et de la loi martiale dans tout le pays, la création d'un Conseil militaire de salut national, l'arrestation des dirigeants de Solidarité et celle aussi, pour faire bonne mesure, de Gierek et de ses amis. Dans la journée du 13 décembre, le pays se trouva coupé du monde extérieur : suspension des relations téléphoniques, fermeture des frontières. Les quelques informations diffusées par la radio et la télévision polonaises – dont le personnel militarisé fit son apparition sur les écrans en uniforme de l'armée – confirmèrent l'arrestation de la direction de Solidarité : le chiffre de 1 000 arrestations fut même évoqué. On apprit aussi l'établissement du couvre-feu de 22 heures à 6 heures du matin, la suspension du droit de grève, le retour à la semaine de travail de six jours et la réduction de moitié de la durée des congés annuels. Surtout, ce qui est sans doute le plus important, les entreprises clé du pays étaient militarisées, c'est-à-dire que le personnel des transports publics, des mines, des centrales électriques, des aciéries, notamment, était considéré comme mobilisé sur ses lieux de travail : dès lors, toute grève ou toute désobéissance était passible des sanctions prévues par le code de justice militaire. Cela n'a pas empêché les membres de Solidarité des usines d'Ursus de lancer dans l'après-midi du 13 décembre un appel à la grève générale au moyen de tracts distribués dans les rues de Varsovie. Mais cet appel fut peu suivi, alors que le Primat de Pologne, tout en condamnant la prise du pouvoir par l'armée préconisait la patience et le calme, tandis que le Pape conjurait ses compatriotes de « ne pas verser une nouvelle fois le sang polonais ». Les *médias* polonais sous contrôle militaire n'ont évidemment pas manqué de diffuser ces appels au calme. De son côté, Lech Walesa, qui semblait avoir échappé à l'internement, aurait, selon certaines rumeurs, commencé des pourparlers avec le gouvernement. Mais tout laisse à penser que ces pourparlers ont tourné court : Lech Walesa fut dès lors interné dans une villa près de Varsovie. Après la surprise et l'abattement qui ont suivi la prise du pouvoir par l'armée, les ouvriers ont commencé à réagir. Dans les principaux centres industriels du pays, à Gdansk, à Szczeczin, à Katowice, en Silésie, les ouvriers en grève se sont enfermés dans leurs lieux de travail. Les tentatives de l'armée et de la milice pour les en déloger ont donné lieu à de très nombreux affrontements, souvent violents, parfois sanglants. C'est ainsi que le 16 décembre, plusieurs mineurs, – au moins une dizaine –, ont été tués à la mine Wujek près de Katowice lors d'une intervention des forces de l'ordre. L'appel à la grève générale lancée pour le 19 décembre par une nouvelle direction clandestine de *Solidarité* semble avoir rencontré un large écho chez les travailleurs polonais. La résistance passive des ouvriers et des étudiants s'est organisée à travers tout le pays en dépit de la répression. Il est sûr en tout cas que c'est à la demande expresse des Soviétiques et sous le contrôle direct du maréchal Koulikov, Commandant en Chef des troupes du Pacte de Varsovie, venu plusieurs fois en Pologne ces derniers temps, que le général Jaruzelski s'est décidé à mettre fin brutalement à l'expérience du *renouveau polonais*. En bon et loyal serviteur de Moscou, Jaruzelski n'avait pas hésité à détruire l'image relativement positive que beaucoup de Polonais se faisaient de leur armée. Mais en réglant lui-même le problème, il ménageait son propre avenir et celui de l'indépendance de la Pologne.

XXVI

LES « ANNÉES 80 » : A L'HEURE DE LA *PERESTROIKA*

LES PROBLÈMES DES PAYS DE L'EST AU DÉBUT DES « ANNÉES 80 »

A partir de 1981, les problèmes politiques et économiques, (qui se posaient déjà depuis plusieurs années dans les pays socialistes de l'Est européen) débouchent un peu partout sur une situation de crise telle que les équipes au pouvoir ont été amenées, soit à durcir les politiques précédemment suivies, soit, dans la plupart des cas, à faire quelques concessions allant dans le sens de la libéralisation du système. La mort de Léonid Brejnev le 10 novembre 1982 et la situation d'interrègne que l'URSS a connue pendant près de 3 ans, a laissé aux dirigeants des pays de l'Est une certaine liberté de manœuvre. Certains d'entre eux l'ont utilisée pour mettre en place, ou bien poursuivre une politique de réforme déjà engagée (Kádár, puis Grosz en Hongrie, Jaruzelski en Pologne); d'autres, au contraire, ont maintenu, et parfois durci une ligne politique déjà rigide (Honecker en RDA, Husak en Tchécoslovaquie, Jivkov en Bulgarie, Ceaucescu en Roumanie). Quant aux dirigeants yougoslaves (en raison de la place particulière de leur pays dans le « camp socialiste »), ils se sont bornés à gérer d'une façon pragmatique les problèmes spécifiques à leur pays, c'est-à-dire principalement le problème des relations entre les différentes nationalités qui le composent.

La désignation de l'ex-chef du KGB, Iouri Andropov, à la tête du Parti et de l'État soviétique, fut généralement interprétée comme une victoire des « réformistes » et sembla donner raison à ceux qui jouaient la carte de la réforme. Pendant son rapide passage à la tête de l'URSS (novembre 1982-février 1984), Andropov s'efforça de mettre en place un plan de réforme de l'économie basé sur les notions de décentralisation et d'efficacité. Tout en maintenant en politique étrangère les mêmes orientations que son prédécesseur, Andropov, peu après son arrivée au pouvoir, proposa en janvier 1983, à l'occasion d'une réunion au sommet des pays membres du Pacte de Varsovie, un plan visant à améliorer les relations Est-Ouest. Andropov, d'un autre côté, semblait vouloir laisser une plus grande liberté d'action aux « pays frères », notamment dans le domaine de la politique intérieure. Le mauvais état de santé d'Andropov l'écarta rapidement de la responsabilité des affaires et provoqua l'ascension d'un de ses « poulains », Mikhail Gorbatchev, le plus jeune des membres du Politburo, qui bénéficiait en outre de l'appui de l'idéologue du Parti, Michel Souslov. A la mort d'Andropov, en février 1984, on crut bien que la politique « dure » de Brejnev allait être remise à l'ordre du jour avec la désignation comme secrétaire général du PCUS et comme chef de l'État de Konstantin Tchernenko, l'homme de confiance et l'ami personnel de Brejnev. Agé et très malade, le nouveau maître du Kremlin ne fut pas en mesure d'imprimer une ligne personnelle à la politique de l'URSS. Le véritable tournant se situe le 4 mars 1985 lorsque, quatre heures seulement après le décès de Tchernenko, on annonça la désignation de Mikhail Gorbatchev comme secrétaire général du Parti. D'emblée, Gorbatchev écarta des principaux postes de responsabilité les amis de Brejnev. En particulier, l'inamovible ministre des Affaires étrangères, Andréi Gromyko, fut éloigné et remplacé par un ami de Gorbatchev, le géorgien Edouard Chevarnadzé. De même, le Comité Central fut totalement renouvelé et de nombreux amis de Gorbatchev y firent leur entrée. Pour Gorbatchev, la priorité des priorités était la remise en ordre de l'économie soviétique. Pour y parvenir, il fallait procéder à une restructuration radicale *(Perestroika)* du système économique et des institutions, mais cela devait se faire au grand jour, dans un climat d'ouverture et de discussion, de trans-

parence *(Glasnost)*. Pour Gorbatchev, les problèmes intérieurs retenaient toute son attention, ce qui l'amenait à
laisser davantage d'autonomie aux « pays frères ».
Les principes de la *Perestroika* et de la *Glasnost* étaient-
ils valables également dans les relations entre l'URSS et
les démocraties populaires? étaient-ils applicables à
l'intérieur même des démocraties populaires? A priori, la
réponse n'est pas évidente. Il est sûr que, dès le début, les
peuples de l'Europe de l'Est ont accueilli avec satisfaction la nouvelle orientation politique du Kremlin. En
revanche, beaucoup de dirigeants de l'Europe de l'Est
étaient sceptiques ou attentistes, voire hostiles, comme
Honecker, Husak et à plus forte raison Ceaucescu. Après
quarante ans d'hégémonie soviétique, les peuples se
demandaient si la *Perestroika* leur permettrait un jour de
recouvrer leur indépendance. Mais la méfiance existait
aussi car, jusqu'en 1987, le comportement de Gorbatchev
pouvait paraître empreint de contradictions. Un jour, à
l'occasion du Congrès du Parti Ouvrier polonais en juin
1986, il réaffirme qu'il n'est pas question de tolérer qu'un
Pays de l'Est sorte du Pacte de Varsovie, ou qu'il renonce
au rôle dirigeant du Parti communiste; mais à plusieurs
reprises et à quelques semaines d'intervalle, le même
Gorbatchev déclarait que l'intervention militaire d'un
État dans les affaires intérieures d'un autre État était inac-
ceptable, ce qui *ipso facto* remettait en question la « doctrine Brejnev ». On comprend dès lors la réticence des
hommes au pouvoir à s'engager dans un sens ou dans
l'autre. Mais pour les peuples, Gorbatchev représentait
un certain espoir d'assouplissement de la tutelle soviétique, en même temps qu'il symbolisait la voie des
réformes auxquelles tous aspiraient. Tel était le nouveau
contexte qui se mettait en place au début des années
1980...

Persistance de la crise économique

Les difficultés économiques apparues dans les Pays le
l'Est vers le milieu des « années 70 » ont pris l'allure
d'une véritable crise économique au cours de la décennie
suivante. L'ampleur de la crise est inégale selon les pays
concernés, mais les manifestations sont identiques :

ralentissement plus ou moins marqué de la croissance, difficultés dans le secteur agricole, persistance d'une faible productivité dans tous les secteurs de l'économie, incompétence et inefficacité au niveau de la direction des entreprises, lourdeur de la bureaucratie. En outre, les Pays de l'Est dans le cadre du CAEM sont, dans le domaine de leurs échanges extérieurs, tributaires les uns des autres, et tous de l'Union Soviétique. Dès lors, les difficultés d'un pays ont des répercussions immédiates dans tous les autres pays. C'est ainsi que la diminution des livraisons de charbon polonais à partir de 1981 s'est traduite par des déficits énergétiques chez les pays acheteurs, déficit aggravé par la diminution des livraisons de pétrole et de gaz par l'URSS.

L'inflation apparue à la fin des « années 70 » et amplifiée épisodiquement par des tentatives de réforme du système des prix, l'augmentation du déficit du commerce extérieur dans la plupart des Pays de l'Est, le recours continuel aux crédits occidentaux pour soutenir les économies défaillantes, tout cela a peu à peu contribué à faire prendre conscience à de nombreux dirigeants de l'Est qu'une réforme en profondeur du système d'économie planifiée était désormais indispensable. Beaucoup d'entre eux prendront l'initiative de ces réformes avec plus ou moins d'enthousiasme, d'autres, à vouloir les retarder, seront contraints de passer la main.

A l'exception de la Bulgarie, de la Hongrie et dans une moindre mesure de la RDA, les États de l'Europe de l'Est souffrent de déficits agricoles chroniques. Ces déficits sont liés à la fois à l'insuffisance du matériel agricole, au manque d'engrais chimiques et aux structures trop rigides des exploitations collectives; en outre, les prix insuffisamment rémunérateurs payés par l'État pour les produits agricoles n'incitent pas les travailleurs de l'agriculture à faire des excès de zèle. Dans certains pays comme la Roumanie (et dans une moindre mesure la Pologne) la pénurie alimentaire est aggravée par le fait qu'une partie de la production agricole est exportée pour se procurer des devises. Si en Bulgarie, en Hongrie et en RDA, les besoins alimentaires de la population sont assurés d'une façon normale, partout ailleurs certains produits, notamment la viande et les laitages sont, ou bien disponibles par intermittence, ou bien rationnés. C'est en Roumanie que le système de rationnement est de beaucoup le plus rigoureux. Quarante ans après la fin de la guerre, la viande, l'huile, les produits laitiers et les œufs, même le pain, sont rationnés et l'insuffisance du réseau de distribution, notamment en province, provoque la formation de longues files d'attente devant les magasins d'alimentation. Dans un article du journal du Parti roumain *Scinteia* (14.07.1982), on recommandait aux Roumains de diminuer leur consommation alimentaire de 300 à 500 calories par jour; il est vrai que le Président Ceaucescu avait affirmé que les Roumains mangeaient beaucoup trop! En même temps la Roumanie exportait vers l'URSS, vers la CEE et vers les pays du Tiers Monde des denrées alimentaires pour financer le remboursement de sa dette extérieure. En revanche, en Hongrie, la pénurie alimentaire est totalement inexistante; mieux même, on exporte des denrées alimentaires en quantités importantes. Il est vrai que la politique agricole inaugurée en 1968 a laissé aux paysans des lots de terres privées qui assurent 30 à 40 % des approvisionnements, les terres collectives étant spécialisées dans la grande culture. Le système des prix agricoles largement favorable aux paysans a eu également un effet stimulant sur la production.

L'inflation constitue le second point faible des économies de l'Europe de l'Est. Les records dans ce domaine sont détenus par la Yougoslavie avec des taux de 140-150 % en 1986 et qui ont continué à progresser en dépit des politiques de rigueur, pour atteindre 215 % en 1988 et dépasser les 1000 % en 1989; le gouvernement yougoslave a donc décidé une réforme monétaire à partir du 1er janvier 1990 avec la création d'un « dinar lourd » (équivalent à 1000 dinars « anciens ») convertible sur la base de 7 dinars « lourds » pour 1 DM. En Pologne, l'inflation, qui avait atteint 300 % en 1982, a quelque peu diminué, mais elle était encore de 60 % en 1988. Ailleurs, en RDA, en Bulgarie, en Hongrie et en Tchécoslovaquie, les taux d'inflation se situent autour de 15 à 20 %. L'un des moyens utilisés pour ne pas pénaliser les exportations, est de recourir à des dévaluations fréquentes, ce qui augmente la méfiance des populations à l'égard de la monnaie nationale et débouche sur un trafic de devises convertibles fort rémunérateur. Il est toléré par les autorités, car ces devises convertibles permettent d'acheter certains produits introuvables dans les circuits normaux de distribution.

Outre l'inflation, l'endettement extérieur est une charge lourde pour les pays de l'Est. Au début de 1989, on estimait le montant total de l'endettement vis-à-vis des banques occidentales à 39,2 milliards de dollars (soit 235 milliards de francs) pour la Pologne, à 23,4 pour la Yougoslavie (140 milliards de francs), à 20 milliards pour la RDA (120 milliards de francs), à 17,6 milliards pour la Hongrie (105 milliards de francs), à 8 milliards pour la Bulgarie (48 milliards de francs) et à 5,7 milliards pour la Tchécoslovaquie (30 milliards de francs). La Roumanie faisait figure d'exception : au début des années 1980 son endettement était de l'ordre de 18 milliards (108 milliards de francs) mais grâce à la priorité absolue donnée aux exportations, la dette avait été ramenée à 3,6 milliards à la fin de 1988 (20 milliards de francs), et peu de jours avant sa chute, Ceaucescu se vantait que son pays avait remboursé toutes ses dettes. Quant à l'Albanie, son endettement extérieur était nul. En 1980-1981, tous les pays de l'Est endettés avaient demandé à leurs créanciers un rééchelonnement du remboursement, ce qui leur avait été accordé, mais pour faire face aux nouvelles obligations ainsi contractées, les gouvernements avaient dû mettre en place des politiques d'austérité mal acceptées par les peuples. L'endettement avait en général été provoqué par la mise en place de politiques coûteuses d'investissements dans le secteur industriel avec des résultats parfois décevants. Mais l'endettement était provoqué également par les déficits commerciaux importants. Selon l'OCDE, le déficit commercial des pays de l'Est à l'égard des pays occidentaux s'élevait en 1986 à plus de 3,5 milliards de dollars, soit 21 milliards de francs, mais à l'égard de l'URSS, la situation n'était guère meilleure puisque le déficit global était d'un peu plus de 2 milliards de dollars (12 milliards de francs) !...

La crise économique des pays de l'Europe de l'Est était encore aggravée par les liens économiques de dépendance qu'ils avaient avec l'URSS. La plupart des pays de l'Est sont tributaires de l'URSS pour leur approvisionnement en pétrole et en gaz, en matières premières. Les prix des livraisons soviétiques sont fixés unilatéralement par l'URSS. Ainsi au moment de la flambée des prix du pétrole, de 1973 à 1979, les Soviétiques ont aligné leurs prix sur les cours mondiaux, mais à partir de 1985, alors que les cours mondiaux chutaient, l'URSS a maintenu ses prix, alors que les démocraties populaires avaient largement contribué financièrement à la construction des oléoducs et gazoducs soviétiques. Encore en 1986, les Soviétiques vendaient aux pays frères le baril de pétrole brut pour l'équivalent de 23 dollars (138 F), alors que le cours mondial était tombé à moins de 10 dollars (60 F)! Il en était de même pour l'ensemble du commerce entre l'URSS et les pays de l'Est européen. De plus, dans la mesure où l'URSS diminuait les livraisons prévues, les pays de l'Est devaient se procurer ailleurs ces produits, c'est-à-dire sur les marchés occidentaux, donc là où il fallait payer en devises convertibles. Enfin, par le biais du système bancaire centralisé reposant sur la prépondérance exclusive du rouble dans les échanges inter-CAEM, l'URSS disposait à son profit des bénéfices commerciaux éventuels des pays frères.

Avec la mise en œuvre de la *Perestroika*, de nouvelles perspectives s'ouvraient pour les pays de l'Est européen. Il fallait réformer de fond en comble les mécanismes de l'économie. Il fallait également (tout le monde en était conscient) redéfinir les relations entre les démocraties populaires de l'Union soviétique. L'économique se trouvait ainsi étroitement lié au politique.

Minorités nationales et affrontements inter-ethniques

MINORITÉS NATIONALES EST-EUROPÉENNES EN URSS

A la fin de sa vie, Lénine avait vigoureusement combattu toute forme de sentiment nationaliste en Union soviétique. Il était conscient que dans un État où se côtoyaient plus d'une centaine de nationalités, toute espèce de « nationalisme » déboucherait inévitablement sur la guerre civile. Selon l'enseignement du marxisme-léninisme, toute communauté à l'intérieur d'un État communiste devait avoir le droit de développer sa propre vie culturelle, de conserver sa langue et ses traditions, et de pouvoir accéder à tous les postes de responsabilité politique ou économique. Malheureusement, il y avait un fossé immense entre la théorie et la pratique. Staline, bien que Géorgien, avait considéré la guerre contre l'Allemagne, comme une véritable « croisade » des Slaves contre les Germains, et c'est au patriotisme *russe* qu'il a fait appel contre l'envahisseur *allemand*. Au lendemain de la guere, Staline se livra à des représailles collectives contre les Baltes, les Tatars de Crimée, les Allemands de la Volga, qui furent dispersés à travers tout le territoire soviétique. En outre, les annexions territoriales faites par l'URSS en 1945 placèrent sous son autorité des populations de l'Est européen qui se retrouvèrent, en tant que *minorités nationales*, citoyens soviétiques : ce fut le cas de quelques 1,2 millions de Polonais, 2,9 millions de Moldaves roumanophones en Bessarabie et de près de 200 000 Hongrois en Ukraine subcarpathique. Jusqu'au début des « années 70 », les Soviétiques pratiquèrent une politique d'assimilation et peu d'informations filtraient sur le sort de ces « nouveaux citoyens soviétiques ». Aujourd'hui, surtout depuis l'arrivée au pouvoir de Gorbatchev, le sort de ces minorités s'est nettement amélioré. Les Polonais d'URSS retrouvent peu à peu leurs droits religieux. Les Moldaves, qui ont manifesté bruyamment leur solidarité avec la révolution roumaine, ont ainsi montré qu'ils n'avaient pas renoncé à leur identité nationale. Quant aux Hongrois d'Ukraine, leur situation s'est très nettement améliorée depuis 1985 et les possibilités de contact avec la Hongrie voisine se sont multipliées. L'URSS de Gorbatchev semble être revenue à la ligne de conduite préconisée par Lénine, mais singulièrement oubliée par ses successeurs. C'est là aussi un aspect de la *Perestroika*.

LES MINORITÉS NATIONALES DANS L'ESPACE DANUBIEN

Le problème des minorités nationales qui résulte du redécoupage politique de l'Europe danubienne en 1919-1920 a resurgi brutalement au cours des « années 70 » et a provoqué de nouvelles et graves tensions depuis lors. Le problème de la minorité allemande ne se pose pratiquement plus qu'en Roumanie, où vivent encore quelques 300 000 Allemands en Transylvanie et dans le Banat ; en revanche, plus de 3 500 000 Hongrois vivent en dehors des frontières actuelles de la Hongrie, ce qui représente le tiers de la population de l'État hongrois.

Depuis 1920, la présence de cette importante population hongroise sur le territoire des « États successeurs » de l'Autriche-Hongrie a été une source permanente de conflits et de tensions. La situation s'est singulièrement détériorée au cours des dernières années, principalement en Roumanie, où vivent 2,5 millions de Hongrois, principalement en Transylvanie. Depuis longtemps, les Hongrois de Hongrie étaient au courant de la politique d'assimilation forcée pratiquée par Ceaucescu à l'encontre des minorités nationales. Progressivement, les autorités roumaines avaient étouffé la vie culturelle de ces minorités fermant les unes après les autres les écoles, interdisant l'usage de la langue hongroise dans les administrations et les services publics, même là où la population était exclusivement magyare. Les premières applications de la politique de destruction des villages avaient eu lieu prioritairement dans les régions peuplées de Hongrois et d'Allemands. On n'hésitait pas, au nom de l'aménagement du territoire, à disperser les Hongrois à travers tout le territoire roumain, tandis qu'on faisait venir massivement des Roumains dans les villes de Transylvanie pour modifier leur composition ethnique.

L'arrestation, au début de novembre 1982, de plusieurs intellectuels hongrois de Transylvanie, l'écrivain Géza Szoecs, le philosophe Ara-Kovacs, le professeur Károly Tóth et son épouse, tous accusés d'avoir collaboré à la revue clandestine Contrepoint (Ellenpontok), provoqua une vive émotion en Hongrie. D'autant plus que quelques jours plus tard, le 17 novembre, une personnalité marquante de l'Église réformée de Transylvanie, le pasteur Iván Hadházy, défenseur des droits de la minorité hongroise, était écrasé dans un « accident » de circulation dans lequel était impliqué un véhicule de la Securitate. Selon Amnesty International, les « accidents » de circulation sont avec les internements en asile psychiatrique, les moyens les plus fréquemment utilisés pour se débarrasser des dissidents. A la suite de ces faits particulièrement graves, à l'initiative de l'écrivain Gyula Illyés, une pétition signée par 70 personnalités du monde des arts et des lettres fut adressée au Premier ministre hongrois György Lazar, demandant que le gouvernement hongrois intervienne auprès des autorités roumaines. Le gouvernement hongrois dépêcha à Bucarest deux membres du Comité Central, Gyögy Aczél et Péter Varkonyi, mais les entretiens avec Ceaucescu tournèrent court. Jusque-là le gouvernement hongrois était réticent à intervenir pour ne pas détériorer ses relations avec un autre pays socialiste, et de surcroît voisin. Toutefois, à partir de 1983, la presse et les *media* hongrois se mirent de plus en plus fréquemment à évoquer le sujet longtemps considéré comme *tabou*, le sort des minorités hongroises. Les officiels de Budapest conseillaient cependant la prudence pour ne pas encourir le risque d'être taxés d'« irrédentistes ». Ainsi, encore en décembre 1985, cédant aux pressions du gouvernement roumain, le gouvernement hongrois retira de l'affiche *in extremis* (alors que toutes les places étaient déjà louées) la pièce d'un auteur hongrois de Transylvanie, András Sütó intitulée « Un avent sur l'Hargita », où il dénonçait les brimades subies par ses compatriotes.

A la suite des troubles de Cluj, en novembre 1986, où des tracts rédigés en Hongrois appelant à la révolte furent distribués, et surtout après les grèves et les émeutes de Brasov, le 15 novembre 1987, les minorités hongroises et allemandes furent accusées de vouloir déstabiliser la Roumanie et leur sort s'en trouva encore aggravé. La destruction des villages fut accélérée. Face à cette répression, certains Hongrois de Roumanie, des jeunes principalement, commencèrent à se réfugier en Hongrie. Au départ, le gouvernement hongrois dissimula mal son embarras, mais sous la pression de l'opinion publique et des Églises, il modifia son attitude et prit les mesures nécessaires à l'accueil de ces réfugiés. De 2 000 à la fin de 1987, le nombre des réfugiés monta jusqu'à 25 000 un an plus tard et, en dépit des contrôles renforcés à la frontière et des patrouilles roumaines constamment présentes, le nombre des réfugiés en provenance de Roumanie dépassait le chiffre de 30 000 à la fin de 1989, des

Hongrois en grande majorité, mais aussi des Allemands et des Roumains même. La question des réfugiés fut évoquée à Vienne devant la Conférence sur la Sécurité et la Coopération en Europe lors de la séance du 19 avril 1988. L'ambassadeur hongrois, András Erdoes, déplora la situation faite à la minorité hongroise de Roumanie. Il dénonça un plan roumain de destruction des villages. Un mois plus tard, le Parlement hongrois reprit à son compte l'émotion de l'opinion publique. Le 27 juin 1988, avec l'agrément du gouvernement hongrois, plus de 100 000 personnes défilèrent silencieusement devant l'ambassade roumaine à Budapest pour protester contre le « génocide culturel » subi par leurs frères de Transylvanie. Le gouvernement roumain riposta en exigeant la fermeture du consulat hongrois de Cluj et dénonça l'« irrédentisme » des Hongrois. Une rencontre de la dernière heure entre Ceaucescu et le chef du Parti hongrois Grosz à Arad, le 28 août, se solda par un échec total. On avait donc désormais un affrontement public entre deux États socialistes voisins, membres tous deux du CAEM et du Pacte de Varsovie.

La situation des quelque 700 000 Hongrois de Tchécoslovaquie, groupés en îlôts compacts en Slovaquie méridionale le long de la frontière hongroise, s'est quelque peu dégradée depuis la fin des « années 70 ». Des arrestations eurent lieu en 1982 dans les milieux intellectuels hongrois. Depuis cette date, le nombre des établissements d'enseignement hongrois a régulièrement diminué. La tension s'est quelque peu accrue à la suite du projet de détournement du Danube au sud-est de Bratislava en vue d'alimenter la centrale électrique prévue à Gabcikovo, en liaison avec la construction d'un autre complexe hydro-électrique à Nagy-Maros, plus en aval, mais en territoire hongrois, dans le cadre d'un accord entre l'Autriche, la Hongrie et la Tchécoslovaquie, signé en 1977. Le projet suscita de sérieuses réserves de la part des écologistes autrichiens et hongrois, et chez les Hongrois de Slovaquie. En effet, le détournement du Danube devait provoquer le déplacement de la population locale en forte majorité hongroise, et son transfert dans d'autres régions du pays. Sous la pression de l'opinion publique, le gouvernement hongrois réussit à plusieurs reprises à faire suspendre les travaux. Finalement, à la fin d'octobre 1989, le Parlement hongrois a décidé de se retirer du projet malgré les protestations tchécoslovaques. Le dossier est maintenant entre les mains du nouveau gouvernement tchécoslovaque.

En Yougoslavie, le sort des quelque 500 000 Hongrois de Voïvodine resta longtemps sans poser de problèmes, car la Constitution yougoslave (celle de 1974 comme les précédentes) garantissait le respect de leurs droits dans le domaine de l'enseignement, de la presse, de la culture et de la religion. Toutefois, depuis 1988, les nationalistes serbes, galvanisés par les événements du Kossovo (révolte de la minorité albanaise), ont demandé à plusieurs reprises une révision de la Constitution afin que la Voïvodine soit purement et simplement incorporée à la République de Serbie, ce qui rendrait plus précaire le sort de la minorité hongroise.

LES AFFRONTEMENTS INTER-ETHNIQUES DANS LES BALKANS

Les affrontements inter-ethniques ont pris une tournure particulièrement inquiétante en Yougoslavie. Le problème le plus sérieux à l'heure actuelle est celui posé par la province autonome du Kossovo, rattachée administrativement à la République de Serbie. Là vivent plus de 1 700 000 Albanais à côté de quelque 200 000 Serbes. La poussée nationaliste albanaise, épisodique au cours des « années 70 », est devenue aujourd'hui un phénomène permanent provoquant un regain de tension sur tout le territoire. La répression violente qui a suivi les attentats à la bombe perpétrés à Pristina en novembre 1982, s'est traduite par l'arrestation de plusieurs centaines de « nationalistes » albanais accusés de terrorisme et de collusion avec l'Albanie voisine. Ces troubles ont provoqué le départ de plusieurs milliers de Serbes du Kossovo, inquiets pour leur sécurité. Après un calme précaire dû à l'importance du dispositif de maintien de l'ordre mis en place par les autorités fédérales, l'agitation a repris du 18 au 20 novembre 1988 pour soutenir les dirigeants locaux du Parti communiste, limogés sous la pression de la direction du Parti de Serbie. Des affrontements très violents se sont produits dans toutes les villes du Kossovo. Le réveil du nationalisme albanais a immédiatement provoqué la réaction du nationalisme serbe. Le 20 novembre 1988, à Belgrade, un million de Serbes ont manifesté pour soutenir le chef du gouvernement, Slobodan Milosevic, dans son désir de faire réintégrer le Kossovo dans la république de Serbie. L'adoption de cette modification constitutionnelle par le Parlement serbe et sa ratification par le Parlement fédéral ont déclenché de nouvelles émeutes au Kossovo à la fin de mars 1989. Selon les sources, les émeutes de Pristina et d'Urosevac auraient fait 29 morts (sources officielles) ou bien 137 (Comité de Défense des Droits de l'Homme au Kossovo) ainsi que des centaines de blessés.

La crainte d'une renaissance du « panserbisme » suscite de vives inquiétudes chez les autres peuples de la Fédération yougoslave, notamment chez les Croates et les Slovènes, que la culture, l'histoire et la religion, séparent des Serbes, sans oublier le renouveau religieux, qui touche aussi bien les Orthodoxes de Serbie et de Macédoine, que les Catholiques de Croatie et Slovénie, et que les Musulmans de Bosnie... et du Kossovo.

La Bulgarie, elle aussi, est concernée par les affrontements inter-ethniques qui opposent les Bulgares de souche et la minorité turque forte de quelque 900 000 ressortissants. Depuis 1984, le gouvernement de Sofia a mis en place une politique d'assimilation forcée, qui s'est traduite par la fermeture des écoles turques et par l'obligation faite aux citoyens bulgares d'origine turque de « bulgariser » leur patronyme. De nombreux Turcs ont pris le parti d'émigrer; d'autres plus nombreux encore, ont été expulsés, ce qui a amené le gouvernement d'Ankara à fermer pratiquement sa frontière avec la Bulgarie à la fin août 1989.

LES SIGNES AVANT-COUREURS DU CHANGEMENT (1982-1988)

Après la disparition de Brejnev et surtout depuis l'accession au pouvoir de Gorbatchev, et la mise en route de sa politique de réformes, l'Europe de l'Est a commencé à bouger. Certains dirigeants ont été conscients que des réformes économiques et politiques devaient être impérativement réalisées si l'on voulait éviter une crise grave. La plupart en revanche, à des degrés divers, ont estimé que la fermeté était le meilleur rempart contre le mécontentement populaire, ce qui n'a fait qu'accroître les risques d'explosion.

C'est en Hongrie et en Pologne que la Perestroïka a trouvé le plus d'écho au sein des gouvernements; au contraire, partout ailleurs, on a cherché à maintenir les structures existantes même si épisodiquement et ponctuellement on pouvait faire quelques concessions mineures à la « mode du jour », la Roumanie de Ceaucescu répondant, elle, au désir de réformes, par le renforcement de la dictature.

Le « bloc » des « conservateurs »

UN MONDE ISOLÉ : L'ALBANIE

A la mort d'Enver Hoxha (11 avril 1985) qui avait exercé un pouvoir absolu sur l'Albanie durant 41 ans, ce pays constituait dans le camp socialiste un cas unique : c'était le dernier bastion de l'orthodoxie stalinienne. Pour Hoxha, l'Albanie était le seul pays où le marxisme n'avait pas été trahi. Ayant rompu successivement avec son voisin yougoslave en 1948, avec son allié l'URSS en 1961 et avec son nouveau allié, la Chine, en 1978 (lorsque les successeurs de Mao Tsé-toung avaient mis en route leur politique de réformes), Hoxha avait réussi à isoler totalement l'Albanie du monde socialiste, sans pour autant se rapprocher du monde occidental. Dans les dernières années de sa vie, Hoxha avait éliminé la plupart de ses compagnons de lutte. En novembre 1982, il révéla que son ancien Premier ministre, Mehmet Shehu (qui s'était « suicidé » le 18 décembre 1981) était en réalité un espion au service de la CIA.

Le successeur d'Enver Hoxha, Ramiz Alia, a maintenu les grandes orientations suivies jusque-là : orthodoxie politique rigoureuse, et développement économique autocentré. Aucun « dégel » n'a accompagné l'arrivée au pouvoir de cet « apparatchik ». En revanche, on constate depuis 1987 une certaine ouverture en direction des Pays occidentaux. Des accords économiques et culturels ont été conclus avec la France et l'Italie; un traité d'amitié a été signé avec la Grèce, mettant fin à l'état de guerre entre les deux pays; des relations diplomatiques ont été établies avec la RFA et le Canada. En dépit de l'épineuse question du Kossovo, les relations se sont améliorées avec la Yougoslavie, qui est le premier partenaire commercial de l'Albanie et avec laquelle une liaison ferroviaire vient d'être mise en service. Le 24 février 1988, l'Albanie était représentée à la Conférence balkanique de Belgrade, où siégeaient les représentants de la Yougoslavie, de la Bulgarie, de la Roumanie, de la Grèce et de la Turquie, même si pour les Albanais il ne s'agissait que d'une « réunion informelle ». L'Albanie continue cependant à réaffirmer sa totale indépendance vis-à-vis des deux Blocs et à refuser toute aide financière de quelque côté qu'elle vienne.

UN SATELLITE-MODÈLE : LA BULGARIE

Souvent qualifiée de « 16ᵉ République soviétique » en raison de son strict alignement sur la politique de Moscou, la Bulgarie faisait figure d'allié inconditionnel de l'URSS. Il est vrai qu'à la différence des autres démocraties populaires, il existe au sein de la population bulgare un préjugé favorable à l'égard de la Russie, lié au rôle que ce pays a joué au XIXᵉ siècle lorsque les Bulgares luttaient pour leur indépendance. Le Secrétaire-Général du PC bulgare, Todor Jivkov, en place depuis 1956, a su, à son profit, organiser un véritable « culte de la personnalité ». Après l'arrivée au pouvoir de Gorbatchev, une Perestroïka limitée au seul secteur économique a été mise en place. A la suite du Congrès du Parti tenu en juillet 1987, le système de planification a été assoupli, une plus large autonomie a été accordée à la direction des entreprises, le système des rénumérations a été modifié de façon à favoriser les travailleurs les plus performants. En revanche, aucun changement majeur n'a affecté le régime politique, si ce n'est que le rôle de l'Assemblée

Nationale a été légèrement accru. Lors de la Conférence extraordinaire du Parti tenue en janvier 1988, Jivkov a fait un bilan des premiers résultats des réformes économiques. Certains jeunes cadres du Parti ont réclamé davantage de cohérence dans les réformes, et davantage de responsabilité dans la direction du Parti. Jivkov a alors fait adopter une disposition limitant à 2 ou 3 ans la durée des mandats dans la haute direction du Parti, mais seulement à partir de 1991. La mission d'accélérer les réformes économiques a été confiée au nouveau Premier ministre Georges Athanassov qui a remplacé dans cette fonction Grisha Filipov au pouvoir depuis 1981.

LA RDA D'ERICH HONECKER

La RDA est incontestablement le pays économiquement le plus développé de toute l'Europe de l'Est. Elle dispose d'une industrie puissante et variée, qui permet des exportations aussi bien dans les pays du CAEM que dans le monde occidental. En dépit d'un ralentissement sensible de la croissance depuis 1985, la population est-allemande jouit d'un niveau de vie relativement élevé par rapport à celui des autres Pays de l'Est. Cette situation n'empêche pas le mécontentement grandissant de la population, notamment des jeunes, qui supporte mal le contrôle omniprésent de l'État sur l'ensemble de la vie culturelle et sociale, et qui aspire à voyager librement, notamment vers l'autre Allemagne. Le « rideau de fer » et le « mur de la honte » sont constamment présents dans la conscience collective des Allemands de l'Est. La toute puissance du SED (2 300 000 membres en 1988) dirigé d'une main de fer par Erich Honecker, Secrétaire général du Parti depuis 1976, fonction qu'il cumule avec celle de Président du Conseil d'État, maintient le pays sous haute surveillance.

Pourtant, les « années 80 » sont marquées par le renforcement des relations politiques et économiques avec les Pays occidentaux, notamment avec la RFA. En septembre 1987, Honecker a été le premier chef d'État est-allemand à se rendre en visite officielle en RFA. Le voyage, déjà programmé en août 1984, n'avait pu alors avoir lieu en raison du veto de Moscou. A la suite de la rencontre Kohl-Honecker de 1987, de nombreux accords de coopération financière, scientifique et technique ont été signés. Ils ont renforcé les liens entre les deux pays. Mais toute idée de réunification, sous quelque forme que ce soit, a été rejetée d'emblée par la partie est-allemande. Après son voyage en RFA, Honecker s'est rendu à Paris en janvier 1988, ce qui fut interprêté comme un succès pour la diplomatie est-allemande : la RDA semblait ainsi admise comme un membre à part entière de la communauté internationale.

En revanche, si la RDA conserve ses relations privilégiées avec l'URSS qui est son premier partenaire commercial, ses dirigeants manifestent un certain scepticisme, non exempt d'inquiétude voire d'hostilité, à l'égard de la *Perestroïka*. Certains écrits et discours de Gorbatchev jugés dangereux, ont même été censurés. Les mesures prises par Gorbatchev pour limiter la durée des mandats des hauts responsables du Parti n'ont trouvé aucun écho en RDA. En 1988, sur les 22 membres du Bureau politique du SED, 12 étaient en place depuis au moins 10 ans : Honecker lui-même y siégeait depuis 1958 et son Premier ministre, Willi Stoph, en était membre depuis 1950! Méfiant à l'égard des initiatives politiques de Gorbatchev, Honecker entendait exercer son autorité en RDA en dehors de toute influence étrangère, fut-ce-t-elle celle de l'allié soviétique.

LA TCHÉCOSLOVAQUIE « NORMALISÉE » DE HUSAK

Gustav Husak, arrivé au pouvoir au lendemain de l'écrasement du « Printemps de Prague », s'identifie avec la politique de « normalisation ». Secrétaire général du PC depuis avril 1969, après l'éviction de Dubcek, il a succédé au général Svoboda en 1975 à la présidence de la République. Husak a été un de ceux qui, en 1981, préconisaient une intervention armée en Pologne pour mettre fin aux désordres. L'arrivée au pouvoir de Gorbatchev n'a modifié en rien la ligne politique des dirigeants de Prague et lors du Congrès du PC tchécoslovaque en mars 1986, Husak a écarté toute idée de réforme. La visite de Gorbatchev à Prague en avril 1987 a été marquée par des critiques à peine voilées du dirigeant soviétique à l'encontre du caractère totalement bloqué du régime tchécoslovaque. La population avait parfaitement compris les allusions et fit un accueil chaleureux à Gorbatchev. Quelques mois plus tard, le 17 décembre 1987, Husak abandonnait la direction du Parti, mais conservait ses fonctions de Chef d'État. Il était remplacé par Milos Jakes, un « apparatchik » de 65 ans, qui avait été président de la « Commission de Contrôle » chargée, après 1968, d'épurer le Parti des éléments favorables à Dubcek. L'arrivée au pouvoir de Jakes fut considérée cependant comme un signe d'ouverture, car on lui attribuait des idées proches de celles de Gorbatchev. En fait, la déception fut grande lorsque au début d'octobre 1988, un remaniement des instances dirigeantes du Parti aboutit à l'élimination des « libéraux ». Le chef du gouvernement fédéral, Lubomir Strougal, était remplacé alors par un autre « conservateur » Ladislav Adamec. Certes, le geste de laisser Dubcek faire un voyage en Italie en novembre suivant, ne passa pas inaperçu, mais ne dissipa pas le scepticisme des « dissidents » à l'égard du nouveau pouvoir.

Malgré les persécutions et les tracasseries continuelles subies par les signataires de la « Charte 77 », l'action en profondeur des dissidents commençait à porter ses fruits en dépit de la passivité apparente des masses. Des intellectuels, comme le dramaturge Vaclav Havel, n'hésitaient pas à s'engager et à payer de leur personne pour défendre les principes de la démocratie. Lors de la commémoration du 70e anniversaire de la création de la Tchécoslovaquie, le 28 octobre 1988, la foule scanda des slogans en faveur de Dubcek. Un peu plus tard, des manifestants furent durement malmenés à l'occasion d'un meeting à la mémoire de Jan Palach, le 18 janvier 1989. Havel fut arrêté. De son côté, l'Église catholique, constamment persécutée depuis 1949, se rangea aux côtés des dissidents. De nombreux prêtres, avec l'accord du vieux cardinal Tomasek, l'archevêque de Prague, se rangèrent aux côtés du mouvement « Charte 77 ». Cette attitude engagée de l'Église correspondait à un renouveau religieux dans ce pays où tout enseignement religieux avait été banni depuis 40 ans. Pendant l'été de 1988, en trois mois, près de 500 000 signatures furent apposées sur une pétition réclamant la liberté religieuse.

Les nouveaux dirigeants étaient-ils conscients de l'ampleur du mouvement d'opposition qui se développait dans le pays et qui réclamait une *Perestroïka* tchécoslovaque ?

LA ROUMANIE DU CLAN CEAUCESCU

Avant la prise du pouvoir par les communistes, la Roumanie était considérée comme le grenier à céréales de l'Europe orientale. Dans les « années 80 », on y faisait la queue pour se procurer les aliments de base et le pays était devenu le plus pauvre d'Europe. La capitale, Bucarest, donnait l'image d'une ville dévastée ; le « Paris de l'Europe de l'Est » était livré aux démolisseurs. Sur ordre du Président Ceaucescu, le centre de la vieille ville historique avait été totalement rasé. Des églises et des monastères célèbres avaient été détruits. La seule synagogue sépharade n'avait pas échappé à la démolition. Tout cela pour réaliser le rêve et l'ambition de Ceaucescu : l'édification de la cité socialiste idéale dans le plus pur style de l'architecture stalinienne. Une artère d'une largeur démesurée, la « Voie de la Victoire du Socialisme », conduisait à une esplanade gigantesque prévue pour accueillir un million de personnes, dominée par un Palais démesurément grand, siège du Parti communiste et résidence officielle du Chef de l'État et de sa famille. La réalisation de ce « projet pharaonique » a été estimée à 1,5 milliard de dollars (près de 9 milliards de francs) ainsi gaspillés au moment où le pays manquait des biens les plus élémentaires.

Le président Ceaucescu, le « génie des Carpates », la « pensée du Danube », le *Conducator*, exerce depuis 1965 un pouvoir absolu sur la République Socialiste de Roumanie. Il cumule les fonctions de chef de l'État, de Secrétaire général du Parti communiste, et de commandant en chef des forces armées, qu'il s'agisse de l'armée régulière ou de la police secrète, la *Securitate*. En outre, il peut compter sur l'aide de tout un réseau d'informateurs qui encadre la population, ainsi que sur les 2 millions de membres du Parti. Bénéficiant du préjugé favorable de la part des pays occidentaux (la Roumanie bénéficie de la clause de la nation la plus favorisée aux États-Unis depuis 1988) et de leurs *media*, Ceaucescu exerce un pouvoir personnel absolu. Autour de lui, le clan Ceaucescu, 13 membres de la proche famille du Conducator (dont sa femme Elena) occupe les postes clés de l'État. En mai 1987, la visite de Gorbatchev en Roumanie provoqua une vague d'espoir dans la population. Devant un Ceaucescu impassible, Gorbatchev vanta les mérites de la *Perestroïka* et de la *Glasnost*. Il fit ensuite allusion aux difficultés rencontrées par les Roumains dans leur vie quotidienne, et ajouta une allusion voilée au traitement infligé aux minorités nationales. Ceaucescu n'apprécia guère cette ingérence soviétique ; désormais, la presse des pays socialistes fut interdite en Roumanie, y compris la *Pravda*.

Face à ce pouvoir tyrannique omniprésent, il était difficile aux opposants de se manifester. Pourtant, à la fin des « années 70 », des syndicats « libres » avaient tenté de se constituer dans les régions minières de Transylvanie, où des grèves sauvagement réprimées eurent lieu en août 1977, puis en 1983 et en novembre 1986. Contre ces velléités d'opposition, le pouvoir répondait par la répression brutale, l'internement psychiatrique, les brimades (cas de Doina Cornea systématiquement persécutée à son domicile de Cluj), ou l'expulsion, lorsqu'il s'agissait d'intellectuels, comme Virgil Tanase ou Paul Goma.

C'est le 15 novembre 1987 que la première véritable manifestation importante contre le régime se produisit, peu après que le gouvernement eut annoncé de nouvelles restrictions de chauffage et d'électricité. A Brasov, plus de 20 000 ouvriers protestèrent contre l'austérité et la diminution de leurs salaires. La manifestation tourna à l'émeute. L'Hôtel de Ville et le siège local du Parti furent incendiés, aux cris de « A bas Ceaucescu ». Des manifestations locales eurent lieu simultanément à Cluj, Timisoara, Arad et Jassy. Outre de nombreux blessés de part et d'autre, la *Securitate*, procéda à des centaines d'arrestations. Le fait que ces troubles se soient produits dans les régions où les minorités hongroises et allemandes étaient nombreuses, provoqua un durcissement de la politique menée à leur égard.

Face à cette tentative de rébellion, le pouvoir resta ferme sur ses positions. Les dirigeants roumains étaient les seuls (avec ceux de l'Albanie) à vouloir maintenir à tout prix la ligne « dure » qui avait été la leur depuis des décennies.

les pays de l' « ouverture »

LA HONGRIE, VITRINE DU MONDE SOCIALISTE EUROPÉEN

Dans toute l'Europe de l'Est, l'effet le plus sensible de la *Perestroïka* fut sans doute la mise à l'écart de János Kádár, Secrétaire général du Parti socialiste, ouvrier hongrois pendant 32 ans. Le 22 mai 1988, à l'issue d'une Conférence nationale extraordinaire du PSOH, il renonça à toutes ses fonctions sous la pression des militants.

En fait, depuis quelques années, avec la fin de la prospérité plus ou moins artificiellement entretenue par le recours aux crédits occidentaux, Kádár était de plus en plus contesté au sein même de son propre Parti. En outre, le climat relativement libéral, que Kádár lui-même avait contribué à mettre en place, se retournait contre son auteur. Il avait permis la naissance d'une véritable « opposition » dirigée par les intellectuels et les universitaires, dont la pensée était véhiculée par les nombreuses publications clandestines. Cette diffusion était plus ou moins tolérée par le pouvoir. A partir de 1985, avec les difficultés économiques grandissantes, de nombreux syndicats « libres » se sont constitués, plus ou moins marginaux, plus ou moins acceptés par le pouvoir. Ils avaient au moins l'avantage de stimuler les actions revendicatives des syndicats « officiels ». Au sein même du Parti, une nouvelle génération de cadres réformateurs commençait à émerger, dont la figure la plus représentative était Imre Pozsgay, patronné d'ailleurs par des « anciens » comme Rezsó Nyers, le père de la Réforme économique de 1968, qui avait été écarté du pouvoir par Kádár en 1974. Pourtant, lors du dernier Congrès qui s'était tenu du 25 au 28 mars 1985, les militants avaient renouvellé massivement leur confiance à Kádár, que l'on avait doublé cependant de deux dauphins potentiels, le

Secrétaire général-adjoint Károly Nemeth, et un nouveau membre du Comité Central, Károly Grosz, réputé adversaire des réformes.

Toutefois, un premier signe avant-coureur du changement se manifesta à l'occasion des élections législatives des 8 et 22 juin 1985. Pour la première fois dans un pays socialiste, des candidats « libres » furent autorisés à se présenter, pourvu qu'ils acceptassent le programme du *Front Populaire Patriotique*. A côté des 704 candidats « officiels » (d'ailleurs plus nombreux que le nombre de sièges à pourvoir), il y eut 77 « indépendants » tolérés. Ces élections permirent pour la première fois à 25 « indépendants » d'entrer au Parlement à côté des 362 élus « officiels ».

Un second signe de l'évolution fut l'importance accordée en 1986 au débat sur les événements de 1956, dont on commémorait le 30ᵉ anniversaire. La télévision hongroise présenta à cette occasion des séquences filmées inédites, sur lesquelles apparaissaient Imre Nagy, le cardinal Mindszenty et d'autres figures de ces jours tragiques. Le secrétaire du Comité Central, János Berecz, l'un des « réformateurs » du Parti (qui avait été autrefois l'un des tenants de la ligne « dure ») déclara à cette occasion que les historiens avaient le devoir d'éviter que soient passées sous silence « les erreurs ayant abouti à la contre-révolution de 1956 ». Certes, on parlait encore de « contre-révolution », mais on cherchait aussi à comprendre les motifs qui avaient poussé les « contre-révolutionnaires » à agir.

Le remplacement à la tête du gouvernement du vieux kadariste György Lazar par Károly Grosz, le 23 juin 1987, aurait pu être interprété comme le signe d'un retour en force des adversaires des réformes. Opportuniste, Grosz était conscient des difficultés économiques du pays. Il savait que pour sortir de la crise, il fallait mettre en place une politique rigoureuse d'austérité, et que pour que celle-ci soit acceptée par la population, il fallait libéraliser le régime. La crise économique était là. Après le « miracle hongrois » des « années 70 » et du début des « années 80 », on prenait tout d'un coup conscience que cette prospérité relative était liée à l'octroi des crédits occidentaux. La dette extérieure s'était ainsi considérablement gonflée pour atteindre à la fin 1988 le chiffre de 17,6 milliards de dollars (environ 105 milliards de francs), avec un taux record d'endettement par habitant, le plus élevé de toute l'Europe de l'Est. L'inflation avait fait son apparition avec un taux de 14 à 20 % en 1986-1987 et de plus de 25 % en 1988. Une croissance très ralentie (moins de 1 % en 1987 et 1988) débouchait sur l'apparition d'un chômage plus ou moins dissimulé par les pouvoirs publics. Conscient que les subventions budgétaires pour soutenir les entreprises déficitaires étaient une charge insupportable pour l'État, Grosz introduisit une législation qui prévoyait le cas de faillite d'entreprises et mettait en place une réforme fiscale inspirée de l'Occident (introduction de la TVA, création d'un impôt sur le revenu avec barème progressif). Ces mesures, mal acceptées par la population, provoquèrent une hausse des prix sur la plupart des produits et sur les services. Pour calmer l'opinion publique, des mesures de libéralisation politique furent prises. Le contrôle du pouvoir sur les media se montra moins tatillon. Les dernières restrictions aux voyages dans les pays occidentaux furent levées avec la suppression à partir du 1ᵉʳ janvier 1988 du visa de sortie, jusque-là obligatoire. Une loi votée par le Parlement autorisa la formation d'associations politiques indépendantes à la condition expresse qu'il ne s'agisse pas de « partis » politiques, formule ambiguë qui laissait la porte ouverte à toutes les interprétations. Ces réformes avaient été préconisées par le *Front Populaire Patriotique*, ancienne courroie de transmission du PSOH mais qui, depuis que Imre Pozsgay le présidait, était le porte-parole des réformateurs. Pozsgay s'y prononçait publiquement en faveur d'un système électoral où les candidatures seraient véritablement libres, en faveur de la liberté de la presse, et de la liberté de création pour les artistes.

Le temps était loin où le Parti entendait tout régenter. Cette nouvelle attitude du pouvoir se traduisit par la tolérance relative dont bénéficièrent les quelque dix mille manifestants qui, le 15 mars 1988, célébrèrent à leur manière la Révolution de 1848. Ils parcoururent les principales artères de Budapest avec des panneaux exigeant la liberté de la presse, la liberté d'association, des élections libres. On réclamait aussi bien dans la presse officielle que dans les *samizdats* « le départ des dirigeants qui avaient perdu la confiance du peuple ».

Face à ce vent de contestation qui soufflait dans les milieux intellectuels, chez le jeunes, et au sein même du Parti, le PSOH réunit du 20 au 22 mai 1988 une Conférence Nationale extraordinaire au cours de laquelle se joua le sort de Kádár. Dans son discours d'ouverture, le vieux Secrétaire Général du Parti hongrois, malade, reconnut d'entrée de jeu que « le mécontentement social a grandi »... que « la confiance dans le Parti a diminué ». Mais il rappela aussi que « la construction du socialisme reste l'essentiel de notre tâche. Il est inadmissible que des doutes planent sur ce point. Nous sommes décidés à nous opposer à toute tentative qui irait à l'encontre de notre système socialiste ». En fait, Kádár fut très rapidement attaqué par de nombreux orateurs. L'un des délégués, György Bartha s'écria : « Le changement des dirigeants est incontournable pour mettre en œuvre une politique de réformes. » Dans la soirée du 22, les délégués à la Conférence prirent acte des changements. János Kádár renonçait au pouvoir en ces termes : « Compte tenu de mon âge et du besoin de renouveau du Parti, je vous demande de ne pas me réélire Secrétaire Général. » Un nouveau Comité Central fut aussitôt désigné où entraient de nombreux réformateurs, notamment Imre Pozsgay et Rezsó Nyers. C'est par un vote au scrutin secret – une innovation de plus – que fut désigné le successeur de Kádár. Károly Grosz l'emporta largement et annonça qu'il renoncerait à ses fonctions de Premier ministre en novembre prochain pour se consacrer alors exclusivement aux affaires du Parti.

Le départ de Kádár fut bien accueilli à Moscou ; il facilitait singulièrement la mise en route de réformes en profondeur. Il donna raison aux opposants. En septembre 1988, près de 350 intellectuels, écrivains, artistes et sociologues se regroupèrent en une organisation qui prit le nom de *Forum démocratique* où siégeaient les écrivains les plus populaires du pays, Sándor Csoori, István Csurka, Gyula Fekete et bien d'autres. Le programme du Forum était la création d'une Hongrie véritablement démocratique. A côté du Forum, d'autre associations émergèrent peu à peu comme la *Fédération des jeunes Démocrates*, et même d'anciens Partis politiques de l'immédiat après-guerre.

Face à la crise économique, Grosz, désormais libre d'agir, a recherché l'ouverture à l'Ouest d'une façon beaucoup plus nette que ne l'avaient fait ses prédécesseurs. Pour moderniser les industries et les rendre compétitives, la Hongrie avait besoin de l'aide financière et de l'assistance technique des Occidentaux. C'est d'abord en direction de la CEE que se tourna le chef du gouvernement. En juin 1988, il signa avec la CEE un accord commercial qui favorisait l'entrée des produits agricoles et industriels hongrois dans l'Europe des 12. Cet accord, le premier de ce genre conclu entre un pays du CAEM et la CEE, fut suivi en novembre de la même année par une série de visites du Premier ministre et chef du Parti hongrois à Londres, Bonn, Madrid et Paris. En revanche, la visite de Grosz aux États-Unis, en juillet 1988, fut moins profitable. Conformément à ce qu'il avait annoncé lors de son arrivée à la tête du PSOH, Grosz abandonna le 22 novembre ses fonctions de Premier ministre. Le lendemain, un jeune économiste de 40 ans, Miklós Németh, un ancien élève de Harvard, le remplaça à la tête du gouvernement à l'issue d'un Plénum du Comité Central où l'on évoqua pour le long terme la possibilité du multipartisme en Hongrie.

C'était désormais à Miklos Németh qu'il appartenait de mettre en place le programme de réformes attendu par tous. Une chance pour lui, les tensions avec la Roumanie à propos de la minorité hongroise de Transylvanie et des réfugiés favorisa l'établissement d'un *consensus* entre le pouvoir politique et l'opposition, avec la collaboration active des Églises catholique et protestantes chargées de coordonner les secours aux réfugiés. L'Église catholique, longtemps discrète mais efficace avec la politique des « petits pas », entrait elle aussi dans le débat. De plus en plus ouvertement, l'épiscopat réclamait la liberté totale d'exercice du culte, y compris la possibilité de reconstituer des Ordres religieux dissous. On allait même jusqu'à demander la réhabilitation du cardinal Mindszenty. Signe des temps, à l'occasion de la Fête du 20 août, où l'État célèbre la Constitution et où l'Église fête saint Etienne, le premier Roi de Hongrie, le nouveau cardinal-Primat Paskai a invité le Pape à se rendre en Hongrie, invitation reprise par le gouvernement. A l'occasion des cérémonies du 20 août, les représentants de l'État ont tous dans leurs discours, salué saint Étienne comme le « symbole de l'ouverture vers l'Occident » !

RENAISSANCE ET RETOUR EN FORCE DE SOLIDARNOSC

La proclamation de l'état de guerre par le général Jaruzelski le 13 décembre 1981 et l'arrestation des principaux dirigeants de Solidarité avaient été bien accueillies par les pouvoirs alors en place en Europe de l'Est. Les dirigeants de la RDA et de la Tchécoslovaquie avaient applaudi à la « leçon » donnée aux dissidents polonais. En Hongrie et en Yougoslavie, on se réjouissait que la crise polonaise avait été résolue de l'intérieur, sans intervention des armées du Pacte de Varsovie, ce qui aurait pu indisposer les Occidentaux à un moment où l'on avait besoin de leur aide financière.

Les Pays occidentaux avaient unanimement condamné le « coup d'État » de Jaruzelski. Le gouvernement américain prit quelques mesures de rétorsion, vite suspendues d'ailleurs. Quant aux Européens, ils se bornèrent à une condamnation verbale. C'est en fait à Rome que le Pape condamna avec le plus de vigueur le coup de force du pouvoir polonais. Dans un message adressé aux pèlerins à l'occasion de la nouvelle année, Jean-Paul II rappela que « les travailleurs ont le droit de se constituer en syndicats autonomes dont le but est de garantir les droits sociaux, familiaux et individuels. Solidarité fait aujourd'hui partie du patrimoine polonais tout autant que du patrimoine du monde entier ». Sur place, l'Église polonaise, par la voix du cardinal Glemp, préconisait le dialogue avec le pouvoir, attitude réaliste puisque dès le 21 juillet 1982, le général Jaruzelski annonçait à la Diète que l'état de guerre serait levé avant la fin de l'année. En dépit de manifestations organisées par Solidarité, clandestines pendant tout le mois d'août 1982 et durement réprimées par la police anti-émeutes (les Zomos), la normalisation s'effectua assez rapidement grâce aux rencontres répétées entre Mgr Glemp et le général Jaruzelski. Le 14 novembre, Lech Walesa et plusieurs centaines de détenus étaient libérés. Un mois plus tard, le 18 décembre, la Diète adoptait à l'unanimité un projet gouvernemental autorisant le Conseil d'État à lever partiellement ou totalement les dispositions liées à l'état de guerre. Quelques jours plus tard, le Conseil d'État décidait la suspension de l'état de guerre sur l'ensemble du territoire à partir du 31 décembre 1982. Les personnes arrêtées au lendemain du 13 décembre 1981 étaient toutes remises en liberté.

La suspension de l'état de guerre a ramené une vie à peu près normale dans une Pologne désillusionnée après l'immense espoir qu'avaient suscité la naissance et le rapide développement d'un syndicat libre, indépendant du pouvoir. Sans intervention étrangère, le général Jaruzelski était parvenu à « normaliser » le pays. Un fragile équilibre s'installa peu à peu dans le pays entre le pouvoir politique représenté par Jaruzelski, appuyé par le Parti Ouvrier Polonais, et les deux contre-pouvoirs ; l'un était constitué par l'*opposition* représentée principalement par les sympathisants de *Solidarité*, mais aussi par le KOR et le KPN, l'autre par la puissante Église catholique, véritable État dans l'État, soutenue de Rome par Jean-Paul II et dirigée avec prudence et souplesse par le cardinal Glemp – une Église que le pouvoir politique tente souvent en vain d'utiliser pour neutraliser les opposants –. Ce subtil équilibre, sans cesse remis en question, a réussi à maintenir un minimum de paix civile dans un pays qui se débattait dans une crise économique aiguë.

Le rôle de Jean-Paul II a été ici capital. Avec beaucoup plus de netteté que le cardinal Glemp, il s'est engagé franchement aux côtés de *Solidarité*. Mgr Glemp a été souvent contesté par certains activistes de *Solidarité* qui n'ont pas hésité à le qualifier de « camarade Glemp ». Beaucoup de catholiques l'ont considéré comme un faible, comme un naïf. Certains prêtres ont eu souvent l'impression qu'il les soutenait mal dans leurs difficultés quotidiennes avec les autorités officielles. Ce fut le cas du Père Jerzy Popieluszko, curé de la paroisse Saint-Stanislaw de Varsovie, où ses messes « Pour la Patrie » attiraient chaque dernier dimanche du mois des foules considérables arborant les couleurs nationales et le badge *Solidarnosc*. Toutefois, la prudence et la diplomatie du Primat permirent à Jean-Paul II de pouvoir faire deux nouveaux voyages en Pologne, l'un du 16 au 23 juin 1983, l'autre du 8 au 14 juin 1987. Chacun de ces voyages fut l'occasion de manifestations populaires en faveur de *Solidarité*, tandis que le Pape, dans chacun de ses discours, renouvelait ses prises de position en faveur du respect des droits de l'homme et du « droit des travailleurs à s'organiser en syndicats indépendants ». Entre ces deux voyages, l'assassinat du Père Popielusko, le 19 octobre 1984, avait vivement ému l'ensemble des Polonais. Le ministre de l'Intérieur, Kiszczak, annonça triomphalement une semaine plus tard que ses services avaient arrêté les meurtriers. Il s'agissait de quatre officiers de Police qui, au cours de leur procès, s'en prirent à la mémoire de leur victime. Lors de l'audience du 9 janvier 1985, le capitaine Piotrowski, celui qui avait étranglé de ses propres mains le malheureux prêtre, se posa en justicier et accusa le pouvoir de laxisme : « Je suis convaincu que ni moi, ni mes collègues Pekala et Chmielewski, nous ne nous trouverions ici au banc des accusés si on avait appliqué la loi à l'encontre du Père Popieluszko. Le laxisme du pouvoir à protéger ce dangereux trublion, qui agissait contre l'État, nous a contraint à recourir à la manière forte ». Les accusés furent condamnés le 7 février 1985 à de lourdes peines de prison, mais furent libérés en 1988. En organisant ce procès public, le pouvoir sauvait la face aux yeux de l'opinion publique nationale et internationale. Néanmoins, le Père Popieluszko devenait un symbole et sa tombe un lieu de pélerinage sur laquelle le Pape vînt se recueillir le soir du 14 juin 1987 avant de repartir pour Rome.

Le dernier voyage du Pape, plus encore que les précédents, avait montré clairement que Jean-Paul II appuyait ouvertement le syndicat de Lech Walesa. *Solidarité* en sortait renforcé au moment où il aurait pu tomber dans l'oubli. *Solidarité* demeurait l'élément incontournable pour toute « table ronde » en vue d'établir la « concorde nationale » recherchée par tous. Le Prix Nobel de la Paix attribué à Lech Walesa consacrait son prestige hors des frontières et aussi en Pologne. Mais l'habileté avec laquelle le général Jaruzelski avait résolu la crise politique en Pologne, lui donnait une dimension d'*homme*

d'État. A l'occasion du Congrès du Parti Ouvrier (29 juin
– 4 juillet 1986), Mikhail Gorbatchev rendit un vibrant
hommage au général Jaruzelski : « La Pologne socialiste
doit beaucoup à son remarquable dirigeant le camarade
Wojcech Jaruzelski, à son énergie, à sa perspicacité, sa
largeur d'esprit, son art de trouver des solutions à des
problèmes très difficiles, de défendre les intérêts de son
peuple et la cause du socialisme ».

Jaruzelski et Walesa étaient condamnés à s'entendre si
l'on voulait surmonter la crise économique persistante.
Sans le concours de *Solidarnosc*, aucune politique de
redressement ne pouvait être entreprise car seuls les dirigeants du syndicat libre étaient en mesure de faire accepter par les ouvriers les sacrifices exigés par la nécessaire
remise en ordre de l'économie.

On ne doit jamais l'oublier en effet qu'à l'arrière-plan
de toutes les tensions politiques et sociales qui domi-
nèrent les années 1980, il y a une grave crise économique.

Contrairement aux autres pays de l'Est européen, la
Pologne est un pays où la population continue à augmenter d'une façon significative. Celle-ci est passée de
35,5 millions d'habitants en 1980 à plus de 38 millions en
1989. Cette situation est le résultat d'une tradition de
démographie vigoureuse dans ce pays de forte tradition
catholique (la natalité, quoique en baisse depuis 1986, est
encore voisine de 17 pour 1000 pour une mortalité intérieure à 10 pour 1000). De plus, l'exode rural se poursuit
alors que les structures de l'agriculture polonaise
demeurent traditionnelles et souvent archaïques. C'est ce
qui explique en grande partie un des aspects de la crise, à
savoir la pénurie alimentaire.

L'augmentation du nombre des consommateurs et la
diminution du nombre des producteurs ne sont compen-
sées ni par une augmentation de la productivité agricole
ni par une augmentation de la production elle-même.
Cette constatation s'explique à la fois par des conditions
climatiques irrégulières, et surtout en raison des prix
d'achat à la production. Ceux-ci payés par l'État, sont
jugés trop faibles. Les agriculteurs préfèrent d'abord
consommer eux-mêmes leur propres produits, à la
rigueur les vendre au marché libre à des prix plus rému-

nérateurs, ou bien les échanger contre des biens de consommation difficiles à trouver dans les circuits officiels de distribution. L'introduction du rationnement alimentaire en août 1981 a mis fin au marché libre, mais a provoqué l'apparition immédiate d'un véritable « marché noir ». Les prix pratiqués peuvent atteindre jusqu'à cinq fois les prix officiels.

Les conséquences de cette situation sont multiples :
– prix alimentaires au marché noir en hausse constante ;
– prix alimentaires au marché officiel moins élevés qu'au marché noir, mais produits plus rares et de qualité inférieure. Mais les denrées alimentaires livrées à l'État en quantités réduites et inférieures aux besoins sont revendues par l'État à perte, ce qui entraîne un poids croissant des subventions pour le budget de l'État. Chaque fois que l'État tente de réduire ces subventions pour parvenir à une « vérité des prix », cela se traduit par une augmentation sensible des prix, source des tensions sociales. La libération des prix, au début de 1982, a provoqué des hausses spectaculaires sur certains produits. Le prix du kilo de sucre et alors passé de 10 à 46 zlotys, celui du jambon de 180 à 550 zlotys, celui de la viande de bœuf de 44 à 190 zlotys. En dépit de ce réajustement des prix, les subventions représentaient encore 40% des dépenses bugétaires en 1986! Le résultat concret, fut une inflation avec des taux qui ont atteint 50% en 1981. A l'inflation s'ajoute la pénurie pour certaines denrées telles que les produits laitiers la viande, le sucre, en raison de la faible productivité de l'agriculture, due à la fois à l'émiettement de la propriété privée, au faible degré de mécanisation et l'emploi insuffisant.

Dans ce pays où les agriculteurs représentaient encore plus de 20% de la population active, on assistait à cette situation paradoxale que les paysans disposaient de revenus fort satisfaisants grâce au « marché noir »! Au contraire les citadins souffraient d'un rationnement rigoureux s'ils se contentaient seulement des achats dans les magasins officiels insuffisamment approvisionnés. L'État était obligé pour honorer les tickets de rationnement d'importer des quantités toujours plus grandes de céréales, de viande et de sucre.

La pénurie alimentaire, ou plus exactement la coexistence d'un marché officiel insuffisamment alimenté et d'un marché noir bien achalandé (mais aux prix prohibitifs) n'était pas le seul aspect de la crise. L'industrie connaissait, elle aussi, de réelles difficultés. La production industrielle, qui avait connu un net essor dans les « années 70 » au prix de coûteuses importations de technologie et d'équipements occidentaux, connaissait maintenant de sérieuses difficultés. De 1980 à 1983, la production industrielle avait baissé de 10% en raison des conflits sociaux et de la résistance passive du monde ouvrier après la proclamation de l'« état de guerre ». Depuis 1983, une timide reprise s'ébauchait. Ce n'est qu'en 1986 que le niveau de production de 1980 a été retrouvé. Outre les tensions sociales, qui ont ralenti la production, on ne doit pas oublier que l'industrie polonaise commençait à souffrir à la fois de l'épuisement de certaines ressources naturelles, du retard technologique de nombreux secteurs et des effets indirects de la conjoncture internationale, en particulier dans les domaines de la sidérurgie et des constructions navales. Il faut y ajouter la qualité médiocre des produits mis sur le marché. Une étude récente révèlait que moins de 3% des produits fabriqués étaient de qualité suffisante pour pourvoir être exportés à l'Ouest! Or, les exportations étaient indispensables. Pour exporter, il fallait améliorer la qualité des produits, donc se moderniser et investir, donc s'endetter.

Le troisième aspect de la crise économique est l'existence d'un fort endettement extérieur, qui atteignait déjà 24 milliards de dollars en 1981. (Soit près de 144 milliards de francs). Il dépassait 39 milliards au début de 1989 et cela seulement à l'égard de l'Occident. (Soit 235 milliards de francs). Il fallait ajouter plus de 7 milliards de roubles empruntés à l'URSS. Après avoir attendu longtemps son admission au Fonds Monétaire International (demandée dès novembre 1981) la Pologne a enfin été réintégrée en juin 1986 après 36 ans d'absence. En dépit des rééchelonnements successifs de sa dette, le service de cette dette, limitée aux seuls intérêts, absorbe aujourd'hui 83% de la valeur des exportations de biens et services. Il faut donc importer moins et exporter davantage. Les dévaluations successives du zloty depuis 1982 visaient à dégager des excédents commerciaux, mais les résultats sont assez minces, et elles pèsent lourdement sur le niveau de vie. Les Polonais en 1988 n'avaient pas encore retrouvé leur niveau de vie de 1978.

La gravité de la situation économique du pays et les risques d'une reprise de l'agitation ouvrière consécutives à l'appui ouvert donné par Jean-Paul II à *Solidarité*, ont incité le gouvernement à rechercher une solution politique à la crise. Au début d'octobre 1987, un rapport du Comité Central du POUP a préconisé la nécessité « de développer la démocratie dans la vie politique intérieure sans remettre en question les engagements militaires et diplomatiques de la Pologne ». Pour cela il a été institué un certain « pluralisme ». Le rapport suggérait la mise en place de « Comités consultatifs » auprès des Préfets et la création d'une deuxième Chambre représentant les élus locaux. Le rapport insistait sur la nécessité de respecter « la légalité, la dignité humaine, la justice et la démocratie politique ». Pour résoudre la crise économique, le rapport préconisait une réforme économique dont les principales mesures envisagées étaient les suivantes :
– facilités accrues pour la création de coopératives et d'entreprises privées ;
– réduction du nombre des ministères ;
– autonomie plus grande des entreprises d'État ;
– Contrôle plus strict de l'augmentation de la masse monétaire pour freiner l'inflation ;
– hausse des prix de 20 à 50% et blocage des salaires.

Cette dernière mesure particulièrement impopulaire risquait de provoquer de nouveaux conflits avec le monde du travail, même si en contrepartie, le gouvernement mettait en place un timide processus de démocratisation de la vie politique.

Les recommandations de ce rapport furent reprises dans un texte de projet de loi qui fut soumis par référendum au peuple polonais. La Diète en effet avait adopté le 6 mai 1987 un amendement à la Constitution qui rendait possible ce recours à la procédure du référendum.

Le référendum eut lieu le 29 novembre. Les 26 201 000 électeurs inscrits furent invités à se prononcer sur deux projets de loi, l'un sur la démocratisation de la vie politique, l'autre sur la réforme économique. C'est ce dernier qui suscitait le plus d'hostilité en raison des hausses de prix inévitables qui en résulteraient. Mais pour beaucoup d'électeurs, ce qui comptait, n'était pas tant le contenu du projet que ses auteurs. Les électeurs, en fait, se sont prononcés pour ou contre le général Jaruzelski. Bien que le vote fut obligatoire, 67% seulement des électeurs prirent part au scrutin; 69% des votants approuvèrent la réforme politique, et 64% la réforme économique. Mais par rapport aux inscrits, cela représentait respectivement 46,3% et 42,2%. Or, selon le code électoral, le calcul des résultats définitifs doit être établi par rapport au nombre des inscrits et non par rapport à celui des votants. Le résultat du référendum était ambigu. Malgré les consignes d'abstention, deux Polonais sur trois avaient voté. Mais pour le gouvernement on était loin de pavoiser, car les deux projets avaient été approuvés par moins de la moitié des électeurs inscrits!

Le lendemain des élections, le porte-parole du gouvernement, Jerzy Urban, déclara : « Ce résultat ne nous incite absolument pas à corriger la direction de nos réformes car l'alternative serait la stagnation et la dégradation de l'économie ». Mais pour Walesa, « le référendum n'a rien résolu, loin de là. Il a démontré qu'aucune des forces en Pologne n'était en mesure de résoudre à elle seule la crise... J'espère que le pouvoir l'a désormais compris ».

Toutefois, le gouvernement ne s'avoua pas vaincu. Après le semi-échec de son référendum, il présenta à la Diète les deux textes qui avaient fait l'objet de la consultation populaire. Le 5 décembre, la Diète, après un débat animé, les adopta avec quelques modifications de détail sur les hausse de prix envisagées. Celle des prix alimentaires de 110% serait étalée sur 3 ans; mais les autres hausses (transports, loyers, énergie) entreraient en vigueur au début de 1988.

Toutes les conditions étaient à nouveau réunies pour un nouvel affrontement entre le « pays légal » et le « pays réel ».

Comme on pouvait s'y attendre les premières applications des mesures d'austérité ont débouché sur des grèves et des manifestations. Face au « pays réel » qui ignore de plus en plus les institutions officielles (plus de 50% d'abstentions aux élections municipales et régionales du 19 juin 1988), le pouvoir se résolut finalement à négocier avec Lech Walesa. La visite de Gorbatchev en Pologne n'était peut-être pas étrangère à ce revirement dans le sens de l'ouverture. Après de longs préliminaires au cours desquels l'Église polonaise joua un rôle de médiation, Lech Walesa rencontra le 31 août 1988 le général Kiszczak, ministre de l'Intérieur. Il y eut encore d'autres entretiens en septembre qui débouchèrent sur un accord. Le gouvernement polonais et Lech Walesa organiseraient au début de l'année 1989 une « table ronde » où l'on déciderait des réformes à apporter au système politique, au droit syndical et afin de mettre en place une véritable démocratie en Pologne, seule capable de reconstruire une économie totalement désarticulée. Le petit électricien des chantiers navals de Gdansk devenait l'interlocuteur incontournable du pouvoir communiste. *Solidarnosc* était sorti de l'épreuve plus puissant que jamais.

XXVII

L'EFFONDREMENT
DES RÉGIMES COMMUNISTES
(1989)

Les signes avant-coureurs du changement qui étaient apparus en Europe de l'Est dès 1986, particulièrement en Hongrie et en Pologne (mais également dans les autres États où le durcissement des autorités prouvait *a contrario* qu'il y avait désir de changement dans le peuple), s'amplifièrent au cours des années suivantes pour déboucher sur un point de non-retour en 1989. Deux siècles après la Révolution française, les peuples de l'Est faisaient à leur tour LEUR révolution, et partout la dictature communiste, – leur « Ancien Régime » – s'écroulait sous la pression des foules, avec une rapidité que les observateurs les plus optimistes n'auraient jamais osé imaginer. Sans doute, dans quelques années, les historiens seront-ils en mesure de donner une explication globale et satisfaisante des événements, car ils disposeront alors d'informations et de documents qui leur permettront d'affiner leur analyse. Pour l'instant, nous ne disposons que des faits dans leur brutalité mais ils nous permettent cependant de nous faire une idée de l'importance des changements en cours.

UN ENVIRONNEMENT FAVORABLE AU CHANGEMENT

Il est possible déjà, dès maintenant, d'avancer quelques explications quant à l'origine de la brutale accélération de l'Histoire à laquelle on vient d'assister. Il est certain, en premier lieu, que l'arrivée au pouvoir de Mikhail Gorbatchev et l'évolution rapide des événements en URSS ont pesé largement sur le destin des peuples de l'Europe de l'Est et sur le comportement de leurs dirigeants. Le réveil des nationalités d'abord dans le Caucase (Arméniens, Géorgiens, Azeris), puis dans les Républiques baltes (Lituaniens, Lettons, Estoniens), la volonté ouvertement proclamée de certaines d'entre elles d'accéder à l'indépendance sans que l'Armée Rouge n'écrasât le mouvement dans un bain de sang, la lente libéralisation de l'information en Union Soviétique, tout cela a contribué à faire naître un immense espoir chez ceux qui avaient pris l'initiative courageuse de réclamer le changement. Les « dissidents » de l'Europe de l'Est ne pouvaient qu'applaudir aux manifestations des Arméniens et des Baltes ; ils ne pouvaient que se féliciter de l'attitude tout à fait nouvelle des dirigeants soviétiques qui, au nom de la Perestroïka et de la Glasnost, toléraient ainsi, sur leur propre territoire, une contestation de plus en plus audacieuse. De plus, le retrait des troupes soviétiques d'Afghanistan (qui masquait à peine leur échec militaire), la volonté maintes fois réaffirmée par Gorbatchev de renoncer définitivement à la *doctrine Brejnev* et de s'interdire toute intervention dans les affaires intérieures d'un autre État, étaient autant de signes encourageants pour ceux qui aspiraient à rendre à leur pays l'indépendance perdue après 1945. Il est certain aussi que les rencontres successives de Gorbatchev avec les dirigeants américains, le président Reagan d'abord, puis son successeur Georges Bush, donnaient une signification nouvelle au mot « détente », ce qui pouvait laisser supposer que désormais l'URSS renonçait à intervenir militairement dans les affaires intérieures d'un État souverain, car inévitablement cela remettrait en question cette « détente ».

A ces explications d'ordre purement politique s'ajoute le poids de la crise économique, présente partout en Europe de l'Est, y compris en Union Soviétique. Pour Gorbatchev, la coopération économique avec le monde occidental est indispensale et on peut imaginer facilement ce qu'il adviendrait si d'aventure les Soviétiques tentaient de reprendre en main, par la force, leur position hégémonique. Les démocraties populaires, aux prises avec leurs difficultés économiques persistantes, ont, elles aussi, besoin de l'aide financière du monde occidental, et plus particulièrement de la CEE, d'autant plus qu'elles ne peuvent plus compter sur le soutien financier du partenaire soviétique. Il est vraisemblable aussi que les pays de l'Ouest ont probablement demandé, en échange de leur aide, des engagements en matière de libéralisation.

Dès lors, les gouvernements qui, par nécessité ou par volonté délibérée, avaient déjà engagé timidement un processus de réformes économiques accompagné de mesures de libéralisation politique, ne risquaient plus d'être rappelés à l'ordre par le Kremlin. Mais toute mesure de libéralisation contenait intrinsèquement le risque de remettre en cause l'ensemble du système comme d'ailleurs le souhaitaient les opposants. Dans la mesure où Gorbatchev, chez lui, admettait la contestation des nationalités et l'existence même d'une opposition politique, il devenait clair désormais qu'il n'était plus question pour lui de s'opposer à des mouvements analogues hors des frontières de l'URSS. Les élections presque « libres », qui eurent lieu en Union Soviétique le 26 mars 1989, impliquaient que des consultations analogues pouvaient être organisées dans les « pays frères », avec tous les risques que comporte pour le pouvoir en place tout scrutin honnête.

LES CHANGEMENTS DANS L'ORDRE : LA POLOGNE ET LA HONGRIE

Les gouvernements polonais et hongrois qui, les premiers dès 1988, avaient enclenché le processus de réformes radicales, ont inconsciemment ou non, été les véritables promoteurs de ce vent de révolte qui a soufflé à l'Est à partir de l'été 1989.

La Pologne : réformes politiques à rebondissements

Tout est parti en effet de la Pologne qui, en 1980-1981, avait offert au monde l'image originale d'un pays officiellement socialiste, où les travailleurs rejetaient le système en place et formaient leur propre organisation, le mouvement Solidarité à l'initiative de l'un des leurs, Lech

Walesa. Après avoir tenté en vain d'étouffer Solidarité, le pouvoir polonais s'était finalement décidé à composer avec lui. La « table ronde » promise à l'issue des entretiens Kiszczak-Walesa s'ouvrit effectivement le 6 février 1989, après une succession de périodes de tensions dues à la multiplication des mouvements de grève que tous, Walesa compris, cherchaient à faire cesser, suivies de périodes d'accalmie qui ramenaient l'espoir. Les discussions de la « table ronde » se prolongèrent jusqu'au 5 avril, date de la signature d'un accord global entre le pouvoir et Solidarité. Avant même la signature de l'accord final, on savait déjà que le pluralisme politique et syndical serait officialisé. Le nouveau Premier ministre, Mieczyslaw Rakowski (plus « libéral » que son prédécesseur Zbigniew Messner révoqué en septembre 1988), dans un entretien avec Sylvie Kauffmann du *Monde* en date du 11 février 1989, prenait acte de la rapidité des évolutions. A la question : « Peut-on envisager l'abandon du rôle dirigeant du Parti ? », il répondait : « Certainement, oui. Le POUP a abordé une phase très importante de son développement ; après avoir analysé la situation et les nécessités, il renonce au monopole du pouvoir. C'est une expérience historique très importante. » Puis, répondant à une question sur l'attitude des Soviétiques en face des changements en cours, Rakowski précisait : « Ce tournant, nous l'avons pris sans aucune ingérence extérieure, avec la confiance totale de Gorbatchev. La presse soviétique ne cache pas son intérêt et sa sympathie pour ce que nous faisons. Le fait qu'à Moscou la direction soit aussi animée d'une volonté réformatrice est d'une importance énorme. » Et Mme Kauffmann de demander : « Si Gorbatchev était en difficulté, cela influerait-il négativement sur le cours des choses ici ? » Réponse du Premier ministre polonais : « Bien sûr, et inversement. Car nous constituons actuellement un champ d'expérience plus grand que tout pays. »

L'accord du 5 avril 1989 marque un tournant décisif non seulement pour la Pologne, mais également pour l'ensemble du camp socialiste. L'accord prévoit en premier lieu le rétablissement du pluralisme syndical (c'est-à-dire la légalisation de Solidarité, y compris sa branche rurale, et de l'Association Indépendante des Étudiants). Il stipule également une refonte totale des institutions. A la tête du pays, il y aura désormais un Président de la République, véritable Chef de l'État, disposant d'importants pouvoirs, élu pour 6 ans par le Parlement. Le pouvoir législatif sera exercé par un Parlement formé de deux Chambres élues au suffrage universel : une *Diète* de 460 députés dans laquelle –concession de Walesa au pouvoir –, l'opposition devra se contenter de 35 % des sièges, le reste devant aller au POUP et à ses alliés (Parti paysan, Parti démocrate, Parti catholique progouvernemental); et un *Sénat* de 100 membres où aucun « numerus clausus » ne sera imposé aux candidats « indépendants ». Ce Sénat dispose de pouvoirs non négligeables, puisqu'il peut rejeter les projets de loi votés par la Diète; dans ce cas, la Diète devra se prononcer en deuxième lecture à la majorité des 2/3 pour que son projet soit définitivement adopté. L'accord évoquait aussi le plan de réforme économique que l'opposition s'engageait à soutenir, en dépit des réserves émises par elle sur la non-indexation totale des salaires sur les prix.

Après la nouvelle légalisation de Solidarité et des autres syndicats dissous après le 13 décembre 1981, le volet politique de l'accord du 5 avril se traduisit par l'organisation des premières élections libres depuis 1945. Ces élections du 4 et du 18 juin furent un succès pour l'opposition groupée autour de Solidarité. Au Sénat, les opposants prirent 99 des 100 sièges. A la Diète, les 161 élus « indépendants » (presque tous furent élus dès le premier tour) talonnaient de près les 173 élus du POUP; des opposants célèbres comme Geremek, Kuron et Michnik siégeaient maintenant à la Diète. Les communistes ne disposaient plus de la majorité absolue et ne pouvaient conserver leur influence qu'avec l'appui des petites formations qui l'avaient soutenu jusque-là et qui totalisaient 126 mandats (76 pour le Parti paysan, 27 pour le Parti démocrate et 23 pour les catholiques progressistes). Après avoir longtemps hésité, le général Jaruzelski présenta sa candidature au poste de Président de la République; il fut élu le 19 juillet, mais d'extrême justesse : 270 voix sur un total de 537 bulletins valables; 233 députés avaient voté contre lui et 34 s'étaient abstenus. Le nouveau Président reçut immédiatement un télégramme de félicitations de Lech

Walesa. Restait maintenant à constituer un nouveau gouvernement. Jaruzelski penchait pour un gouvernement de coalition, car « il est très important de parvenir à une coopération de toutes nos forces », tandis que pour Walesa « seul un gouvernement Solidarité sera en mesure de convaincre la Nation du caractère irréversible de la libéralisation politique en Pologne, et de la nécessité absolue des réformes économiques ». Le gouvernement Rakowski, accusé de « mauvaise gestion » par l'opposition, continua d'expédier les affaires courantes jusqu'au 31 juillet. Après l'échec de la tentative du général Kiszczak pour former le gouvernement, la situation parut se compliquer avec la reprise de l'agitation sociale due aux premiers effets de la libération des prix, qui avait provoquée une forte hausse des cours des denrées alimentaires. Le pouvoir, tout comme Walesa, s'efforça de calmer le mécontentement populaire. Pour résoudre la crise gouvernementale, Solidarité se tourna vers les petits Partis alliés du POUP pour constituer un gouvernement de coalition sous la direction de l'un des siens. Il était entendu que certains postes clé seraient confiés à des communistes. C'est sur cette base que le 24 août, la Diète donna son investiture à Tadeusz Mazowiecki, l'un des conseillers de Walesa et élément modérateur au sein de Solidarité. Le nouveau Premier ministre avait obtenu 378 voix en sa faveur contre 4, et 41 abstentions; la majorité des députés du POUP lui avaient fait confiance. La Pologne était ainsi le premier pays de l'Est a être dirigé par un gouvernement présidé par une personnalité non communiste. Treize des 24 ministres appartenaient à Solidarité, 7 aux petits Partis alliés du POUP; ce dernier recevant 4 portefeuilles, dont ceux de l'Intérieur et de la Défense.

Il s'agissait maintenant de s'attaquer au problème majeur du pays, la crise économique. Tout le monde était d'accord pour mettre en place un programme radical d'assainissement économique reposant sur l'introduction d'une véritable économie de marché, sur la lutte contre l'inflation par une politique de rigueur budgétaire et par la diminution rigoureuse des subventions aux industries défaillantes (avec le risque de chômage que cela pouvait impliquer). Restait à faire accepter par le pays ce plan d'austérité. C'était là un point très délicat, car il était évident que les premiers résultats positifs d'un tel plan ne seraient pas immédiats. L'aide financière promise et accordée par la CEE, et par les États-Unis à l'occasion de la visite du président Bush au début de juillet, n'était qu'un ballon d'oxygène pour une économie sinistrée. Tout dépendait maintenant du degré de maturité politique de la population. Des satisfactions d'amour-propre national, comme la reconnaissance officielle par les Soviétiques de leur responsabilité dans le massacre de Katyn, des initiatives politiques symboliques comme le vote par la Diète le 29 décembre 1989 d'amendements constitutionnels rétablissant le nom de « République de Pologne » avec suppression des qualificatifs de « socialiste » et de « populaire », ainsi que le retour aux anciennes armoiries surmontées de la couronne, sont-elles suffisantes pour faire accepter à la population des effets de la rigueur? Mais de son côté, le POUP paraît vouloir suivre l'exemple hongrois. Le Comité Central, réuni le 6 janvier 1990, a discuté d'un projet prévoyant la dissolution du Parti et son remplacement par un nouveau Parti non marxiste qui pourrait s'appeler « Parti social-démocrate » ou « Parti travailliste ». Le sabordage du POUP devrait être ratifié par le XIᵉ Congrès annoncé par le Premier Secrétaire Rakowski pour le 27 janvier 1990. Le programme du nouveau Parti, présenté au Comité Central, fait un bilan désastreux de l'action antérieure du POUP : « L'effondrement du socialisme dans de nombreux pays confirme notre conviction que ce système dès le départ était erroné... Sur le Parti repose la responsabilité des crimes de la période stalinienne, des agissements à l'encontre des principes de la démocratie, des conflits avec la classe ouvrière, de la collectivisation forcée, de l'appauvrissement intellectuel de l'intelligentsia, de la crise économique et sociale actuelle. » Il est vrai que la crise est là. Elle conditionne tout l'avenir de l'expérience en cours. Or l'année 1990 s'est ouverte dans un climat social tendu. Les ouvriers sont mécontents, même s'ils ont appris que les chantiers navals de Gdansk ne seront pas fermés, comme on l'avait laissé entendre précédemment. Les manifestations contre la vie chère se multiplient. Les paysans sont déçus par le retour aux lois du marché, qui risquent de leur faire perdre de substantiels avantages.

A L'OMBRE DE MOSCOU

Les mesures de privatisations annoncées inquiètent ceux qui pensent qu'elles se traduiront par des licenciements. Il y a là bien des difficultés pour la nouvelle équipe gouvernementale et pour sa crédibilité.

La Hongrie, ou la « réforme tranquille »

A la différence de ce qui s'est passé en Pologne (où la mise en route des réformes s'est faite dans un climat tendu avec sans cesse des incidents, des ruptures suivies de réconciliations entre les partenaires), la Hongrie a poursuivi sans discontinuer, dans le calme et la sérénité, sa marche vers la démocratie. La réforme menée avec constance et prudence par le gouvernement de Miklós Németh, avec le concours de l'aile réformatrice du Parti conduite par Imre Pozsgay, a réussi sans heurts à faire de la Hongrie un État de droit reposant sur des bases démocratiques. La réforme, « officielle » est doublée par une réforme « spontanée ». Elle a été mise en route à travers tout le pays avec d'autant plus de facilité que le Parlement, dès le 11 janvier 1989, a levé tous les obstacles qui entravaient l'exercice de la liberté d'association et de manifestation. La première grande manifestation de masse autorisée s'est déroulée à Budapest le 15 mars suivant, à l'occasion de la commémoration de la Révolution de 1848. Pour la première fois depuis bien longtemps, le 15 mars était redevenu une Fête officielle. A cette occasion, des dizaines de milliers de manifestants se répandirent dans les rues de la capitale, arborant les couleurs nationales.

En fait depuis l'été 1988, les associations et groupements de toutes sortes, politiques, religieux, culturels, écologistes, pacifistes, s'étaient multipliés aux côtés des mouvements d'opposition mieux structurés, apparus à partir de 1980, tels que le *Forum Démocratique*, l'*Union des jeunes démocrates* ou l'*Union des démocrates libres*. Les Partis politiques de l'ancienne coalition de 1945, le Parti social-démocrate, le Parti national-paysan, le Parti indépendant des Petits Propriétaires, se reconstituaient à côté de forces politiques nouvelles comme le Parti démocrate-chrétien. De même réapparassaient l'Ordre de Malte, les organisations de Scouts, le *Regnum Marianum*.

La presse s'était spontanément libérée de toute auto-censure. Partout, aux devantures des libraires et dans les kiosques, on pouvait voir les livres précédemment inter-dits, ainsi qu'une profusion de nouveaux journaux litté-raires ou politiques. Avec l'accord tacite des autorités, les anciennes armoiries surmontées de la couronne de Saint-Étienne avaient fait leur réapparition sur le drapeau national, même lors des cérémonies officielles. L'archi-duc Otto de Habsbourg, fils du dernier Empereur-Roi (chef de cette famille de Habsbourg que le pouvoir communiste considérait comme le symbole de l'oppres-sion féodale) était reçu par le Parlement et par les plus hauts responsables de l'État, Otto donnait des interviews à la Télévision d'autant plus influentes que l'archiduc s'exprimait parfaitement en hongrois. Mieux même, à l'occasion du décès de l'Impératrice-Reine Zita, – deux jours après les funérailles à Vienne – il y eut à Budapest, le 3 avril 1989, une cérémonie officielle en l'église du Couronnement de Buda, en présence de l'archiduc Otto et de sa famille, mais aussi du chef du gouvernement Miklós Németh. Tout semblait se passer comme si le pou-voir cherchait à canaliser les opposants politiques vers une solution de recours en cas de situation critique. Il est vrai aussi que certains partis politiques comme le Parti démocrate-chrétien et le Parti des Petits Propriétaires envisageaient sérieusement une candidature d'Otto de Habsbourg à la Présidence de la République. Pour Imre Boross, l'un des chefs du Parti des Petits Propriétaires, « Otto de Habsbourg pourrait être la personne la mieux indiquée pour obtenir le consensus national ».

Le pouvoir, de son côté, voulait intégrer la réforme dans le cadre de la tradition nationale. N'a-t'on pas vu le 20 août, à l'occasion de la fête saint Étienne, se dérouler dans les rues de Budapest (c'était la première fois depuis 1946) la procession des reliques du Saint Roi, suivie par le Président du Conseil de Présidence Bruno Straub, le Président de l'Assemblée Nationale, Matyas Szürös, et le maire de Budapest, entourant le cardinal-primat Paskai, au milieu d'une foule considérable brandissant les dra-peaux aux armes royales?

De la même façon, le gouvernement a fait un geste d'une portée considérable en réhabilitant les combattants de 1956. Le symbole de l'ex-« contre-révolution » de 1956, Imre Nagy, condamné à mort et exécuté le 16 juin 1958, a été offciellement réhabilité, car « les accusations étaient sans fondements, « les règles de la Cour étaient sérieuse-ment violées ». Le verdict était sans fondement, car « il n'y a pas eu d'enquête sérieuse et suffisante ». Le gouver-nement publiait le 14 juin 1989 un communiqué sou-lignant qu'Imre Nagy avait été « un homme d'État éminent » et rendant hommage « à toutes les victimes du soulèvement populaire et de la tragédie nationale de 1956 ». La réhabilitation officielle d'Imre Nagy fut suivie le 16 juin, jour anniversaire de son exécution, d'une céré-monie de funérailles officielles sur la Place des Héros. Cinq cercueils contenant les restes exhumés d'Imre Nagy et de quatre de ses collaborateurs (ainsi qu'un sixième cercueil vide symbolisant les centaines de victimes de la répression) reçurent l'hommage de centaines de milliers de Hongrois, en présence d'anciens combattants de la Liberté venus de l'étranger, où ils vivaient en exil depuis 1956. Le gouvernement était représenté par le Premier ministre Németh et le ministre d'État Pozsgay. A quelques centaintes de mètres de là, un emplacement vide entouré d'échafaudages marquait l'emplacement de la statue de Lenine, retirée officiellement « pour rénovation » et qui ne sera jamais remise à sa place. Curieux retournement de l'Histoire : un mois plus tôt, le Comité Central du Parti hongrois démettait Kádár de toutes les fonctions honori-fiques qu'il occupait encore. Quelques jours plus tard, Kádár mourait, totalement oublié.

Au sein du Parti, on s'activait fébrilement pour mettre en place la rénovation attendue par de nombreux mili-tants. Le 24 juin, le Comité Central mettait en place une nouvelle structure à la tête du Parti avec la création d'une direction collégiale de 4 membres présidée par Rezsó̈ Nyers, assité de deux réformateurs Imre Pozsgay et le Pre-mier ministre Németh, le quatrième étant Károly Grosz, le Secrétaire Général du PSOH, qui désormais faisait figure de « conservateur ». Le Comité Central annonça la tenue d'un Congrès extraordinaire du Parti pour le 6 octobre suivant : Peu après cette réunion, Miklós Németh devant un journaliste du FIGARO (30 juin 1989) insistait sur le caractère irréversible des réformes en cours; même si la réforme était bloquée en URSS, « *cela ne pourrait pas bloquer la réforme hongroise. En Hongrie, on ne peut plus faire autre chose* ». Pourtant le réforme pouvait être fatale au pouvoir communiste. En effet, des élections « libres » eurent lieu au cours de l'été 1989 dans quatre circonscriptions. Le 22 juillet à Gödöllö. Le candidat indépendant, le Pasteur Roszik, membre du Forum démocratique, l'emporta avec près de 70 % des voix. Dans les trois autres circonscriptions, les candidats de l'opposition étaient largement en tête au premier tour; mais à cause du nombre élevé des abstentions, il fallut procéder à un deuxième tour de scrutin. Les trois opposants furent élus. Cet échec électoral du parti communiste ne modifia en rien l'évolution en cours. Le XIV ème Congrès du PSOH (6-10 octobre) fut le congrés de la réforme. Le 7 octobre, 1059 délégués sur 1256 votaient la dissolution du Parti Socialiste ouvrier Hongrois et son remplacement par un Parti Socialiste Hongrois (PSH) : 159 délégués seulement avaient voté contre et 38 s'étaient abstenus. Pour Rezsó' Nyers, « la création de ce nouveau Parti implique une rupture définitive avec la dictature du prolétariat et son idéologie. Elle élève la démocratie et la liberté d'expression au rang de loi pour le Parti ». Le 9 octobre, Rezsó' Nyers était élu Président du PSH par 1065 voix sur 1256 votants le nouveau Parti était cependant divisé en un courant réformateur majoritaire représenté par Pozsgay, un courant « centriste » que conduisait Nyers et un courant « communiste réformateur » autour de Károly Grosz et János Berecz. Le courant animé par Grosz s'est très vite structuré en un mouvement politique indépendant qui en décembre 1989 a réuni le « véritable » XIV ème Congrés, où participèrent Grosz, Berecz et le vieux militant socialiste György Marosan Pour Grosz, les nouveaux dirigeants du PSH étaient en train de détruire le socialisme. Des militants « communistes orthodoxes », largement minoritaires se sont à leur tour regroupés au sein d'une « Société János Kádár », avec pour but de lutter contre « toute renaissance du fascisme en Hongrie ». Néanmoins, ceux des anciens adhérents du PSOH qui entendaient continuer à militer à gauche ont rejoint principalement le nouveau Parti socialiste.

A la suite du Congrés, le Parlement hongrois a procédé à une refonte totale de la Constitution de 1949. Le 18 octobre, par 333 voix contre 5 et 8 abstentions, une centaine d'amendements furent adoptés. Le pays n'était plus « République populaire » mais seulement la « République de Hongrie »; un État de droit qui reconnait « à la fois les valeurs de la démocratie bourgeoise et celles du socialisme démocratique », ainsi que le multipartisme. Le Conseil de Présidence est remplacé par un Président de la République, chef de l'État. Ce poste sera occupé provisoirement par le Président de l'Assemblée Nationale. Des élections libres devront mettre en place une nouvelle Assemblée qui devra organiser le nouveau régime. Le 23 octobre 1989, 33 ans jour pour jour après le début de la Révolution de 1956, le Président Szürös a proclamé solennellement la naissance de la « République de Hongrie » du haut des marches du Parlement en présence d'une foule considérable. A la suite d'une pétition signée par 206 000 citoyens, l'un des mouvements d'opposition, l'Union des Démocrates libres, a obtenu du Parlement que soit organisé un référendum pour savoir si les élections présidentielles devaient avoir lieu tout de suite et au suffrage direct, ou bien s'il fallait d'abord élire un nouveau parlement qui à son tour désignerait le futur Président. Ce dernier choix était celui de l'opposition. Le référendum a eu lieu le 26 novembre et a donné une légère majorité (50,1 %) à l'option soutenue par l'Union des Démocrates libres. Plus de 45 des électeurs s'étaient abstenus comme l'avait recommandé le Forum démocratique. Le résultat des élections montrait clairement que les ex-communistes reconvertis en « socialistes » étaient minoritaires dans le pays. Les élections législatives sont prévues au printemps 1990 et seront suivies de l'élection présidentielle; ainsi en ont décidé les participants à une « table ronde » pouvoir-opposition.

D'autres mesures décidées par le gouvernement avaient montré clairement que le passé était bien révolu. Le 26 septembre, le ministre de la Justice annonçait officiellement la réhabilitation du cardinal Mindszenty, condamné en 1949 pour « haute trahison », et reconnaissait que le prélat avait été soumis « à des tortures physiques et psychiques ». Dans tout le pays, les mouvements d'opposition ont fébrilement préparé la commémoration de la Révolution de 1956. A côté de la cérémonie officielle du 23 octobre, des cérémonies populaires ont eu lieu un peu partout. Des monuments commémoratifs ont été érigés par souscription publique. La presse, la télévision ont célébré les « héros de 1956 » avec émotion. Ceux qui avaient sacrifié leur vie en luttant pour la liberté n'étaient pas morts en vain; 33 ans plus tard, on leur rendait hommage et l'idéal pour lequel ils étaient tombés, était devenu réalité.

La politique extérieure de la Hongrie n'avait pas échappé au vent de réformes qui avait affecté la vie politique du pays. Le nouveau ministre des Affaires étrangères, Gyula Horn (qui a remplacé en avril 1989 Péter Varkonyi) s'est avéré être l'homme de tous les changements. Par rapport aux autres pays de l'Est, la Hongrie s'est d'abord singularisée en rétablissant des relations diplomatiques avec l'État d'Israël en septembre 1989 (la Pologne a fait de même au même moment) et en entamant des pourparlers économiques et politiques avec la Corée du Sud. En décembre 1989, le Président sud-coréen est même venu en visite officielle à Budapest. D'autre part, la Hongrie a pris ses distances vis-à-vis du Pacte de Varsovie. Après le départ, en avril, de 10 000 des 65 000 soldats soviétiques stationnés en Hongrie, la presse et les dirigeants hongrois ont à plusieurs reprises évoqué la possibilité d'une neutralisation du pays. Attitude d'autant plus importante à souligner qu'elle s'accompagne de relations toujours plus étroites avec l'Autriche voisine qui, depuis 1955, grâce à son statut de neutralité, constitue en Europe centrale un véritable « pont » entre les Pays de l'Ouest et le monde socialiste. Dans ce sens, la mesure la plus importante (et la plus lourde de conséquences pour l'ensemble des Pays de l'Est) a été la décision du gouvernement de démanteler le « rideau de fer ». Sur près de 350 km il séparait la Hongrie de l'Autriche. Ses travaux de démantèlement ont commencé le 3 mai 1989 à Hegyeshalom, le poste-frontière le plus fréquenté entre les deux pays. Le 27 juin suivant, à l'occasion d'une rencontre informelle sur la frontière, Gyula Horn et son collègue autrichien Aloïs Mock, dotés l'un et l'autre de cisailles, ont de leurs propres mains, et devant les objectifs des photographes, procédé à la coupure symbolique des fils de fer barbelés. La nouvelle Hongrie se tourne résolument vers l'Occident. Déjà Grosz, en 1988, avait multiplié les contacts avec les pays de la CEE. Ses successeurs ont poursuivi et accentué cette politique. La visite du président américain Bush, du 11 au 13 juillet, a provoqué une vague d'enthousiasme, même si l'aide économique accordée a été jugée décevante. Ce qui renforce grandement l'orientation vers l'Europe des Douze. Le 16 novembre, les autorités hongroises ont déposé à Strasbourg une demande officielle d'adhésion au Conseil de l'Europe, tandis qu'en janvier 1990, à l'occasion d'une réunion du Conseil du CAEM à Sofia, la Hongrie ne cachait pas son intention de réclamer une totale refonte de l'organisation et un regroupement des pays « réformateurs », la Hongrie, la Pologne et la Tchécoslovaquie.

La brèche dans le « rideau de fer » a débouché très rapidement sur une phénomène inattendu. Des milliers d'Allemands de l'Est, désireux de s'installer en RFA, sont venus en « touristes » en Hongrie et n'ont pas voulu regagner leur pays à l'issue de ces curieuses « vacances ». Certains ont cherché à passer en Autriche en franchissant illégalement la frontière devenue perméable. D'autres se sont réfugiés dans l'ambassade de RFA à Budapest, puis dans des camps d'accueil aménagés par les associations caritatives hongroises. Les autorités officielles, un moment embarrassées par cette situation (un accord avec la RDA prévoit en effet que la Hongrie doit remettre aux autorités est-allemandes ceux de ses ressortissants qui cherchent à passer en Autriche) ont finalement décidé de laisser les réfugiés sortir du pays. Dans la nuit du 10 au 11 septembre, la frontière austro-hongroise s'est ouverte devant des milliers de réfugiés. Ce geste a été salué chaleureusement par les autorités de Bonn. Le chancelier Kohl déclara aussitôt que la Hongrie avait pris « une décision qui est un témoignage d'humanité et de solidarité européenne ». Son ministre des Affaires étrangères, Genscher, faisait savoir que la République fédérale n'oublierait pas ce que la Hongrie avait fait « d'une façon autonome et sous sa propre autorité ».

Le geste humanitaire du gouvernement hongrois rapprochait un peu plus la Hongrie du monde occidental, mais allait avoir des conséquences fatales pour le régime de RDA

LES MASSES À L'ASSAUT DU POUVOIR : BERLIN, PRAGUE, SOFIA

A l'inverse de ce qui s'était produit en Pologne et en Hongrie (où opposants et dirigeants avaient d'un commun accord, par des démarches parallèles et épisodiquement convergentes, réalisé le changement) en RDA, en Tchécoslovaquie et en Bulgarie ce sont les manifestations populaires pacifiques qui ont réussi, sans effusion de sang, à faire reculer le pouvoir et à imposer la réforme.

La chute d'Honecker et la fin du « mur de Berlin »

Les dirigeants de la RDA avaient, dès le départ, manifesté leur inquiétude, voire leur hostilité, aux changements qui étaient en cours en Pologne et en Hongrie. Pour eux, la RDA devait être le rempart du socialisme face à l'anarchie. La ligne « dure » était de rigueur à Berlin-Est. Néanmoins, les jeunes Allemands de l'Est supportaient de plus en plus difficilement le contrôle omniprésent de l'État et du Parti sur toute la vie culturelle et artistique. Les lieux de culte protestants, peu à peu, sont devenus des lieux de réunions où les opposants au régime prirent l'habitude de se rencontrer, de discuter de l'avenir du pays. C'était le cas de l'église de Gethsemanie à Berlin. Il est vrai que l'Église réformée n'avait pas hésité à prendre parti dans le passé en faveur de tous ceux qui étaient persécutés par le régime. L'annonce de la destruction du « rideau de fer » entre la Hongrie et l'Autriche incita des milliers d'Allemands de l'Est à profiter de cette chance de passer à l'Ouest. Les autorités de RDA réagirent en fermant leur frontière avec la Tchécoslovaquie, lieu de transit indispensable pour quiconque voulait, par la Hongrie, gagner l'Ouest. De leur côté, à la demande de la RDA, les gardes-frontières tchécoslovaques verrouillèrent la frontière de leur pays avec la Hongrie. Les Allemands de l'Est, candidats à l'émigration, se trouvèrent bloqués en Tchécoslovaquie lorsque ces mesures furent prises. Ils allèrent se réfugier dans l'ambassade de RFA à Prague, ce qui posa de sérieux problèmes d'hébergement. D'autres préférèrent tenter leur chance en passant par la Pologne et se présentèrent à l'ambassade de RFA à Varsovie. Le gouvernement est-allemand, sous la pression de l'opinion internationale et soucieux de ne pas compromettre ses relations économiques avec la RFA, accepta finalement le transit à travers son territoire de trains spéciaux affrêtés spécialement pour les réfugiés désireux de s'installer en RFA. Les 1er et 3 octobre, ces trains partis de Varsovie et de Prague, transportèrent ainsi près de 20 000 réfugiés. Au cours du transit en RDA, dans plusieurs gares, notamment à Leipzig, des candidats à l'émigration tentèrent en vain d'arrêter les trains pour se joindre aux heureux partants.

La situation paraissait singulièrement explosive au moment où Mikhail Gorbatchev arrivait en RDA pour participer à Berlin aux cérémonies du 40e anniversaire de la fondation de la République Démocratique Allemande. Après la parade militaire du 6 octobre présidée par Erich Honecker avec au premier rang les représentants des « pays frères », Mikhail Gorbatchev entouré de Milos Jakes et du général Jaruzelski, des entretiens prolongés eurent lieu entre les dirigeants est-allemands et le chef du Parti soviétique. Au même moment, à Berlin et dans les principales villes de RDA et notamment à Leipzig, des milliers de manifestants se réunissaient dans les rues pour exprimer leur hostilité à Honecker aux cris de « Gorby! », « Liberté! ». Le 6 octobre au soir, Gorbatchev prenait la parole au Palais de la République devant les militants et les cadres du Parti est-allemand. Il faisait allusion aux difficultés rencontrées par ses hôtes : « *La RDA comme tout autre pays, a des problèmes d'évolution qui demandent à être analysés et qu'on leur trouve une solution.* » *Il ajouta qu'il fallait tenir compte* « *du processus général de modernisation et de renouvellement qui a lieu actuellement dans tout le camp socialiste... Le choix des formes d'évolution est une décision souveraine de chaque peuple...* ». Visiblement, Honecker ne semblait pas impressionné par ces remarques. Ce fut la multiplication des manifestations populaires, rassemblant chaque fois des foules de plus en plus nombreuses et de plus en plus décidées qui le fit reculer. A Leipzig – comme cela se produisait chaque lundi depuis le début de septembre –, le lundi 16 octobre fut marqué par une manifestation de plus de 100 000 personnes réclamant la liberté de la presse, des élections libres, le droit de voyager à l'Ouest. Cette manifestation fut la plus importante de toute l'histoire de la RDA depuis la révolte de Berlin-Est le 17 juin 1953. Les jours suivants, des manifestations analogues eurent lieu à Berlin sans que la police n'intervienne. Le 18 octobre 1989, le peuple remportait sa première victoire : Erich Honecker abandonnait toutes ses fonctions à la tête de l'État, du Parti et de l'Armée. Il était immédiatement remplacé à la tête du Parti par son « second » Egon Krentz, considéré comme un « conservateur ». Cette nomination, considérée comme une provocation, loin d'apaiser les esprits, relança la contestation. Le 23, puis le 30, les manifestations du lundi soir à Leipzig rassemblèrent plus de 300 000 participants, jeunes et moins jeunes au coude à coude. Il en fut de même à Berlin. Partout, la foule réclamait le départ de Krentz, la dissolution de la police politique (la STASI), et l'abolition du monopole politique du Parti communiste. Les manifestations quotidiennes trouvèrent leur point culminant à Berlin le 4 novembre. Plus d'un million d'Allemands de l'Est venus de toutes les régions exigèrent la mise en œuvre de véritables réformes. Entre-temps, Egon Krentz s'était rendu à Moscou pour y rencontrer Gorbatchev. A son retour, le Comité Central, réuni les 7 et 8 novembre, annonça la démission du gouvernement dirigé par Willy Stoph et celle de tous les membres du Bureau Politique. Le responsable du Parti pour la ville de Dresde, Hans Modrow, un réformateur, fut nommé chef du gouvernement, tandis que Krentz demeurait à la tête du Parti. Pour calmer les esprits, le gouvernement annonça immédiatement l'ouverture de la frontière avec la RFA à partir du 9 novembre. Ce jour-là, au milieu d'un enthousiasme extraordinaire, le « mur de la honte » tombait; des milliers d'Allemands se ruaient vers Berlin-Ouest. Le 11 et le 12 novembre, 2 millions d'Allemands de l'Est firent connaissance avec la partie jusque-là interdite de Berlin; ils furent 3 millions le week-end suivant.

Le 17 novembre, le gouvernement Modrow était constitué ; à côté des 17 membres du SED, 11 représentants des petites formations alliées du SED obtenaient un portefeuille. La crise n'était pas résolue pour autant. Les structures en place demeuraient. Le 20 novembre, la manifestation du lundi à Leipzig rassembla encore 200 000 personnes réclamant le départ de Krentz, des élections libres mais aussi la réunification de l'Allemagne. Les changements amorcés en RDA débouchaient ainsi sur un problème international qui mettait dans l'embarras aussi bien les Soviétiques que les pays occidentaux ; en premier lieu les pays de la CEE, dont la RFA était un des membres les plus directement concernés. A Bonn, le chancelier Kohl proposait au *Bundestag* dès le 28 novembre un plan en 10 points en vue de la création de « structures confédérales », prélude à une réunification ultérieure tant à l'Est qu'à l'Ouest. En RDA, les slogans en faveur de la réunification de la « patrie allemande » se faisaient chaque jour plus nombreux à l'occasion des rassemblements populaires, en dépit du refus catégorique des nouveaux dirigeants d'envisager la réunification et de l'hostilité marquée de certains groupes d'opposition comme la *Gauche Unie* et les *Verts*.

Le 3 décembre, le Comité Central et le Bureau politique du SED annonçaient leur dissolution. Trois jours plus tard, c'était au tour d'Egon Krentz d'abandonner la direction du Parti. Le 9 décembre, c'est un avocat considéré comme proche des « réformateurs », Gregor Gysi, qui le remplaçait au Secrétariat Général d'un Parti à qui, une semaine auparavant, le Parlement avait retiré le rôle dirigeant en admettant le multipartisme. A l'issue d'une « table ronde » réunissant tous les Partis politiques (c'est-à-dire le SED et les formations qui le soutenaient) et les représentants des mouvements d'opposition, il fut annoncé que des élections libres auraient lieu le 6 mai 1990 pour désigner un nouveau Parlement. La situation cependant était ici beaucoup moins claire qu'en Pologne et en Hongrie. Le Parti communiste d'abord n'avait pas désarmé ; il pouvait compter sur l'appui de ses vieux militants en brandissant devant eux la menace du danger fasciste représenté par les slogans nationalistes apparus au cours des dernières manifestations. Mais rien n'inter-

disait de penser non plus que des provocateurs au service
du SED ne les avaient pas lancés à dessein. D'autre part,
le Parti contrôlait encore presque tout l'appareil de l'État
et pouvait s'appuyer sur les membres de la STASI, officiellement dissoute le 19 décembre, en cours de démantèlement, mais que le gouvernement cherchait à reconstituer sous une autre appellation. La population, elle, est
très consciente que le pouvoir communiste n'a pas
désarmé et que rien n'est encore joué. En dépit de la caution apportée au gouvernement Modrow par certains dirigeants occidentaux comme le chancelier Kohl venu le
rencontrer à Dresde les 19 et 20 décembre (en fait le
chancelier s'est taillé un beau succès dans le public est-
allemand), suivi par le Président Mitterrand, premier chef
d'État occidental à faire une visite officielle en RDA;
l'opinion publique en RDA n'avait aucune confiance dans
ses nouveaux dirigeants. Pour les Allemands de l'Est, en
dehors de la possibilité de voyager librement en RFA, rien
n'était changé sur le fond. Les manifestations moins nombreuses au cours des derniers jours de décembre,
reprirent dès les premiers jours de janvier 1990. De son
côté, l'opposition très divisée a pris conscience de sa faiblesse. Ses principales composantes, nées en général
spontanément lors des grandes manifestations de
l'automne, sont encore mal structurées. Tous les mouvements d'opposition sont d'accord entre eux pour vouloir
construire une démocratie pluraliste garantissant les
libertés fondamentales, mais en dehors de toute coalition
avec les communistes. Là où les différences apparaissent,
c'est sur le problème de la réunification de l'Allemagne.
Certains, tels les *Verts* et la *Gauche Unie*, sont partisans
du maintien d'un État est-allemand indépendant et souverain; d'autres au contraire, comme le *Réveil Démocratique* du Pasteur Eppelmann, seraient favorables à une
réunification par étapes des deux États allemands. Quant
au *Neues Forum*, il demeure discret sur cette question. A
côté de ces mouvements « dissidents », les Partis alliés du
SED essayent de se démarquer de leur encombrant partenaire et de retrouver une autonomie crédible avec l'aide
de leurs homologues et homonymes de RFA.
    Face à toutes ces forces plus ou moins organisées et
dont les objectifs demeurent souvent vagues (à l'exception du SED qui, lui, dispose d'un programme), il y a la

rue, une rue impatiente et méfiante. Le peuple, dans sa majorité, a rejeté les communistes, mais il attend la réalité du changement. Tant qu'il n'aura pas contasté que le changement est réel et irréversible, il se tient mobilisé. Ici, le peuple a conscience qu'il est la *majorité*, mais une majorité qui n'est plus silencieuse ni passive, une majorité qui aspire à la réunification du pays. Ce peuple constitue l'une des trois forces en présence dans la RDA de 1990. En face de lui, il y a le SED, sur la défensive, mais qui dispose encore d'atouts non négligeables. Il y a enfin les groupes d'opposition qui cherchent à s'unir pour assurer la relève. Situation particulière d'un État particulier, issu de la *Guerre froide*, qui s'est identifié à un Parti communiste, qui a toujours été maintenu à bout de bras par les Soviétiques. Situation exceptionnelle puisque, par sa situation géographique, le territoire de la RDA est un des bastions avancés du dispositif militaire de l'Est, renforcé par la présence de plus de 300 000 militaires soviétiques. C'est donc à Moscou (et aussi à Vienne, où se tient la Conférence sur la sécurité et la coopération en Europe) que se trouve la clé de l'avenir pour les Allemands de l'Est. Les Allemands de l'Est ne veulent plus entendre parler ni de STASI ni de communisme. Ils ne veulent pas que les marxistes reprennent en main la direction des affaires après avoir transformé le SED en un Parti « socialiste » ou « social-démocrate ». Ils l'ont clairement montré le 15 janvier 1990. Ce jour-là, à Berlin-Est, des dizaines de milliers de manifestants ont pris d'assaut l'immeuble du siège central de la STASI et l'ont mis à sac. Puis il se sont répandus dans les rues en criant des slogans favorables à la réunification et hostiles au gouvernement Modrow. De leur côté, les ouvriers organisent çà et là des grèves pour accélérer le processus de changement. L'annonce de l'ouverture de poursuites contre Erich Honecker et contre l'ancien chef de la STASI Erich Mielek a été un premier succès pour *Neues Forum*, l'organisateur de la manifestation du 15 janvier.

Le triomphe du peuple en Tchécoslovaquie

L'accélération du cours de l'Histoire – qui a amené la chute du pouvoir communiste en Tchécoslovaquie à la fin de l'année 1989 – s'explique largement par la conjonction de deux séries d'événements. D'une part, il faut tenir compte de l'effet contagieux des rapides changements survenus dans les pays voisins, – en particulier de l'exode massif des Allemands de l'Est au cours de l'été 1989 à la suite de l'initiative hongroise d'ouvrir sa frontière occidentale –. Ce fut un événement capital auquel la Tchécoslovaquie s'est trouvée associée – malgré elle – dans la mesure où l'ambassade de RFA à Prague a été une des étapes sur la route de la liberté pour tous ces réfugiés. L'exode de ces milliers d'Allemands de l'Est a entraîné la chute d'Erich Honecker et la fin du « mur de Berlin ». Dans le même ordre d'idées, le retour à la démocratie parlementaire pluraliste en Pologne et en Hongrie a largement influé sur les événements en Tchécoslovaquie, dans la mesure où ces deux pays sont ses voisins directs, régulièrement visités par les touristes tchécoslovaques, même si depuis 1988 les autorités de Prague ont cherché à entraver les voyages touristiques vers ces pays jugés « suspects ». D'autre part, il faut également souligner qu'en Tchécoslovaquie même, les divers mouvements d'opposants ont constamment entretenu la flamme de la résistance en organisant, avec tous les risques que cela pouvait comporter, des manifestations, en diffusant des tracts, en lançant des pétitions.

Le pouvoir communiste tchèque représenté par Gustav Husak, chef de l'État et par Milos Jakes, secrétaire Général du Parti, artisan de la « normalisation », a réussi jusqu'au début de l'année 1989 à contenir la montée de l'opposition. La répression violente a été jusque-là la seule réponse faite aux aspirations populaires. L'année 1989 avait commencé par une première vague de protestation qui débuta le 15 janvier et s'acheva le 20. Les étudiants et les jeunes, à l'intiative de l'opposition voulaient commémorer le souvenir de l'étudiant Jan Palach. Celui-ci, en 1969, s'était immolé par le feu pour protester contre l'entrée en Tchécoslovaquie des armées du Pacte de Varsovie. Au cours de ces journées, plusieurs centaines de manifestants furent arrêtés, dont l'un des chefs de l'opposition, le dramaturge Vaclav Havel. Le 21 février suivant, Havel fut condamné à 9 mois de prison pour « incitation à commettre un acte illégal » et pour « obstruction à agents de la force publique ». Cette condamnation provoqua une vague de protestations. En Tchécoslovaquie même, plusieurs centaines de scientifiques adressèrent au Premier ministre Adamec une lettre protestant contre « l'attitude absolument excessive » de la répression policière et réclamant l'ouverture d'un « dialogue ouvert » pouvoir-opposition. A l'étranger, tandis que le Président Mitterrand faisait part de son « inquiétude » au Président Husak, la plupart des délégués de la Conférence sur la Sécurité de la Coopération en Europe manifestaient publiquement leur indignation. Vaclav Havel sera finalement libéré en mai. L'opposition n'avait pas désarmé cependant. A la fin du mois du juin, une pétition signée par 1 800 écrivains, artistes et universitaires dont Havel et les principaux dirigeants de la « *Charte 77* », fut adressée aux dirigeants du pays. Les signataires y réclamaient la libération de tous les prisonniers politiques, le droit d'association, l'arrêt des persécutions contre les opposants, la fin de « toutes les entraves à l'apparition de nouveaux mouvements civiques, de syndicats indépendants, d'unions et d'associations », la liberté d'expression et la fin de la censure, le respect « des revendications légitimes de tous les croyants », la défense de l'environnement, l'ouverture « d'un libre débat tant sur les " années 50 " que sur le *Printemps de Prague*, l'invasion du pays par cinq États du pacte de Varsovie et la *normalisation*. » L'opposition souhaitait visiblement le dialogue. Cela ressortait également des prises de positions du cardinal Tomasek. Au nom de l'Église catholique, le prélat se disait prêt à jouer un rôle de « médiateur entre dirigeants et opposants » à l'occasion d'un message en date du 4 août. Face à la volonté de dialogue de l'opposition, le gouvernement riposta en faisant arrêter un certain nombre d'opposants à la veille de l'anniversaire des événements du 21 août 1968, tandis qu'il mettait en garde la population contre toute tentative de manifestation à cette occasion. Cela n'empêcha pas un rassemblement de plusieurs milliers de personnes sur la place Venceslas, au cœur de Prague, lieu traditionnel de rassemblement des opposants, en dépit d'un dispositif policier impressionnant ; 376 manifestants furent arrêtés, dont 50 étrangers, des Polonais de *Solidarité* et des Hongrois, membres des groupes d'opposition. Des slogans tels que « *vive la Liberté* », « *vive Havel* », « *vive la Pologne* » furent criés, tandis que la police chargeait brutalement.

L'évolution des événements en Hongrie, en liaison avec le problème des réfugiés est-allemands, incita le pouvoir à faire preuve d'une fermeté accrue. On s'apprêtait à fêter le 71ᵉ anniversaire de l'Indépendance. Quelques jours avant la date de la cérémonie, la police procéda à plusieurs interpellations dans les milieux de l'opposition. C'est ainsi que le 25 octobre Vaclav Havel fut à nouveau appréhendé et hospitalisé de force. Les mouvements d'opposition avaient appelé la population à manifester. Le 28 octobre, plus de 10 000 personnes envahirent la place Venceslas, réclamant la liberté et la démission de Jakes, le chef du Parti. Pour Havel, interviewé peu après sa remise en liberté par un journaliste du *Figaro* (4-5 novembre), le pays était à un tournant décisif de son histoire : « *Nous sommes à un carrefour. Le gouvernement et la société sentent, chacun de son côté, que quelque chose a déjà changé, que le pays est entré en mouvement. Mais le pouvoir s'oppose encore à cette évolution. Quant à la société, elle ne se perçoit pas encore assez forte pour brûler les étapes.* »

Pourtant, les événements qui se déroulaient dans les pays voisins allaient brutalement accélérer l'évolution tchécoslovaque. L'ouverture des frontières en RDA, le 9 novembre, incita le gouvernement de Prague à faire un geste dans le même sens. Le 14 novembre, le Premier ministre Adamec annonça la fin des autorisations de sortie pour les voyages à l'Ouest et l'accélération des procédures d'octroi des passeports. De leur côté, les opposants, encouragés par les succès obtenus par le peuple en RDA, multiplièrent les manifestations à Prague et à Bratislava. Le 17 novembre, la brutale répression d'une manifestation de 30 000 personnes dans les rues de Prague, mobilisa l'opinion contre le régime. A l'initiative du *Forum civique*, qui rassemblait toutes les composantes de l'opposition, il y eut tous les jours à partir du 19 novembre des manifestations rassemblant des foules de plus en plus nombreuses. Le vieux leader de 1968, Alexandre Dubcek, et le jeune chef de l'opposition de 1989, Vaclav Havel, prenaient la parole. C'est surtout Havel qui recueillait les applaudissements de la foule. Il n'avait pas derrière lui un passé de communiste! Sous la pression de la foule, le Bureau Politique du Parti démissionna en bloc le 24 novembre. Milos Jakes fut remplacé à la tête du Parti par Karel Urbanek. Entre-temps, Adamec avait pris contact avec le *Forum civique* en vue d'une éventuelle participation de personnalités non communistes à son gouvernement. Le renouvellement de la direction du Parti ne réglait rien. Les manifestations monstres des 25 et 26 novembre furent suivies le 27 d'une grève générale de deux heures, suivie dans tout le pays par des millions de travailleurs.

C'est finalement le Parlement qui enclencha la première mesure susceptible de calmer la foule. A l'unanimité, les députés décidèrent le 29 novembre d'abolir le rôle dirigeant du Parti communiste. Ceci impliquait la reconnaissance du multipartisme en Tchécoslovaquie. Des contacts furent à nouveau pris entre Adamec et le *Forum civique* pour former un nouveau gouvernement plus représentatif. Le rejet des propositions du pouvoir, jugées insuffisantes, provoquèrent le 7 décembre la démission d'Adamec et la désignation du slovaque « réformateur » Marian Calfa pour le remplacer. Le 10 décembre, un cabinet d'« entente nationale », formé en majorité de non-communistes, prêtait serment entre les mains du Président Husak. Ce fut là son dernier acte politique. Le soir même, Husak démissionnait. Le nouveau gouvernement annonça immédiatement deux mesures attendues par la population depuis longtemps : le démantèlement du « rideau de fer » avec l'Autriche et la dissolution de la Police politique. Le triomphe du peuple était presque total. Il ne restait plus qu'à désigner le nouveau Président de la République. Le Parti communiste (qui venait de modifier ses structures en nommant Adamec à sa tête) optait pour une élection au suffrage universel ; mais à la suite de vives discussions avec l'opposition, il fut décidé que le prochain Président serait élu par le Parlement. Les événements se précipitèrent alors. Alexandre Dubeck fut élu le 28 décembre Président du Parlement, poste essentiellement honorifique. Mais le lendemain, à l'unanimité, Vaclav Havel était choisi Président de la République. Lui, l'intellectuel tant de fois persécuté par les communistes, devenait le premier Président non communiste de la Tchécoslovaquie depuis 1948.

Le peuple tchécoslovaque avait triomphé. Les premières décisions du nouveau Président laissaient présager un avenir plein d'espoir. Après avoir déposé une gerbe devant la statue de Saint Venceslas, « Monsieur » (et non plus « camarade ») Havel annonça une amnistie générale. Il nomma ministre de l'Intérieur Richard Sacher, du Parti populaire, proche de la Démocratie chrétienne. Dans son message de félicitations, le pape Jean Paul II saluait l'arrivée au pouvoir de Dubcek et de Havel comme « *une étape décisive vers la paix, la prospérité et la liberté pour les peuples de Tchécoslovaquie.* »

En Bulgarie

La Bulgarie constitue le dernier exemple de pays de l'Est où le pouvoir en place a reculé sous la pression des manifestations populaires et sans effusion de sang. A l'exception de quelques changements mineurs au sein des organes dirigeants du Parti et de l'État (et de l'encouragement donné à la Presse par le président Jivkov lui-même de se livrer « à la critique constructive ») le souffle de la *Perestroïka* n'avait pas encore soufflé d'une façon significative dans ce pays. Toutefois, les réformes économiques mises en place en 1987-1988 commençaient à porter leurs fruits, les entreprises d'État disposaient maintenant d'une autonomie plus large et étaient incitées à stimuler le zèle de leur personnel par l'octroi de primes. En janvier 1989, l'ouverture aux capitaux étrangers fut rendue possible par un décret autorisant la création de « sociétés mixtes ».

Toutefois, en politique, tout restait à faire. La situation était bloquée. Au contraire même, le pouvoir avait fait arrêter à la mi-janvier 1989 plusieurs membres de l'*Association indépendante de défense des Droits de l'homme* pour propagation de « fausses informations destinées à saper la confiance dans les autorités gouvernementales ». Mais les transformations en cours en Pologne et en Hongrie ne laissaient pas indifférents les milieux intellectuels et les jeunes, désireux de réformes politiques. Divers mouvements d'opposition constitués dans la clandestinité au cours des « années 80 », se regroupèrent en une *Union des Forces démocratiques* », véritable Parti d'opposition avec à sa tête le professeur Gelio Gelev et le sociologue Petko Simeonov. Pour détourner l'opinion publique des problèmes de réforme politique, le gouvernement joua la carte du nationalisme bulgare et accentua les mesures déjà en cours depuis quelques années visant à l'élimination de la minorité d'origine turque. A la suite d'incidents violents, qui opposèrent en mai 1989 les forces de l'ordre à des manifestants turcs – qui firent plusieurs morts –, le pouvoir décida l'expulsion de la minorité turque, en dépit des protestations du gouvernement d'Ankara. Cette diversion n'avait rien réglé et des Bulgares de plus en plus nombreux prenaient maintenant conscience de caractère figé du régime. Tous aspiraient à des réformes analogues à celles mises en place dans d'autres pays de l'Est. Plusieurs manifestations eurent lieu à Sofia en septembre et en octobre. Le président Jivkov se rendit alors compte qu'il fallait faire quelques concessions. Il déclara le 28 octobre qu'il était favorable à « une restructuration de la société ». La mesure devait s'accompagner du « pluralisme politique ». Il annonça que la mise en œuvre de cette nouvelle politique serait examinée lors du prochain Congrès du Parti, fixé à la fin de 1990 et non en avril 1991 comme cela avait été initialement prévu. Ces concessions tardives (dont l'application était remise à plus tard), loin de calmer les esprits, accentuèrent la pression populaire. De nouvelles manifestations eurent lieu à Sofia à l'initiative de l'opposition. Finalement Todor Jivkov démissionna le 10 novembre 1989. Le Comité central le remplaça immédiatement à la tête du Parti et de l'État par le ministre des Affaires étrangères Petar Mladenov, considéré comme un réformateur modéré. De nombreux indices évoqués par la presse occidentale (reprenant des informations reçues des milieux dissidents bulgares), laissent penser que la « démission » de Jivkov avait été programmée à Moscou. Le nouveau maître de la Bulgarie, Mladenov, annonça immédiatement la mise en route d'une politique de « *restructuration uniquement et exclusivement dans le cadre du socialisme, au nom du socialisme et sur la voie du socialisme* ». Cependant, quelques mesures libérales furent annoncées. Elles rétablirent la liberté d'association et de manifestation. Les opposants organisèrent immédiatement le 18 novembre une manifestation. Elle rassembla à Sofia plus de 50 000 personnes réclamant des élections libres et le pluralisme politique. Cette manifestation fut suivie par de nombreuses autres réunissant des foules de plus en plus importantes. Le 10 décembre, les manifestants étaient plus de 100 000! Un plénum du Comité central, réuni d'urgence, céda aux revendications populaires. Le 11 décembre, il annonça l'organisation d'élections libres en mai 1990 et décida d'exclure du Parti Todor Jivkov. Sous la pression de la foule, le pouvoir communiste avait cédé.

Toutefois, en annonçant le 29 décembre le rétablissement de la minorité turque dans la plénitude de ses droits, le Comité Central espérait susciter une réaction nationaliste antiturque de la part des Bulgares. Ceci devait mettre l'opposition dans l'embarras, et permettre éventuellement au pouvoir de reprendre en main la conduite exclusive des affaires sous prétexte de rétablir la paix civile. Effectivement, au début de janvier 1990; des affrontements violents entre Bulgares de souche et Bulgares d'origine turque ont eu lieu dans le nord-est et le sud-est du pays. Face à cette montée du nationalisme bulgare, l'opposition s'est montrée inquiète pour l'avenir de la politique de libéralisation. Elle n'hésite pas à dénoncer les provocations du pouvoir, à l'origine des affrontements inter-ethniques. L'annonce d'un Congrès extraordinaire du Parti pour le 30 janvier n'a pas calmé les inquiétudes. Les manifestations ont repris. Le 14 janvier, des milliers de Bulgares ont manifesté dans les rues de Sofia en faveur de véritables réformes. Leur faisant écho, l'Assemblée Nationale, le lendemain même, a voté une loi mettant fin au monopole politique du Parti communiste. La Bulgarie s'est orientée sur la voie suivie par les autres pays « réformateurs ».

LA TRAGÉDIE ROUMAINE

De tous les pays de l'Est – exception faite toutefois de l'Albanie, la Roumanie était sans conteste celui où le communisme avait pris l'aspect le plus tyrannique, dans le cadre d'un système de pouvoir absolutiste au profit d'un homme, Nicolae Ceaucescu et de son clan. Ici, à l'ombre des Carpates, le culte de la personnalité avait atteint un tel niveau qu'on aurait pu se croire revenu aux pires heures du *stalinisme*.

En dépit du fonctionnement apparemment très efficace du système répressif, la population supportait de plus en plus mal ce régime symbolisé à ses yeux par la pénurie et la terreur. L'accélération dans l'application du « programme de systématisation du territoire », décidée par le Parlement le 17 avril 1989 et les destructions de milliers de villages qu'il entraînait, augmenta encore le mécontentement de l'ensemble du monde paysan, particulièrement en Transylvanie, où les villages peuplés de minorités nationales étaient les premiers visés. Les dépenses considérables entraînées par la « modernisation » de Bucarest faisaient l'objet de critiques amères sans que personne n'osât les exprimer publiquement en raison du climat de délation qui régnait dans le pays. La dure répression des émeutes de Brasov en novembre 1987 incitait à la prudence quiconque aurait voulu mener une action collective de protestation. Seuls, quelques « dissidents » de l'intérieur particulièrement courageux (mais relativement « protégés » dans la mesure où la presse internationale rendait compte de leur action), avaient osé parler. Le cas de Mme Doïna Cornea, chassée de l'Université de Cluj, où elle enseignait (parce qu'en 1987 elle avait donné une interview à la télévision française), était tout à fait typique. Constamment arrêtée, battue par la police, libérée puis soumise à une surveillance étroite de la *Securitate*, elle n'en continuait pas moins à dénoncer le régime de Ceaucescu. Les deux « lettres ouvertes » envoyées en mars et avril 1989 lui valurent une nouvelle arrestation. N'avait-elle pas conclu l'une d'elles par cet apostrophe au *Conducator* : « *Une chose est certaine. Le peuple ne veut plus, et depuis longtemps, du type de socialisme que vous lui faites subir... Tant que vous êtes en vie, tant que votre armée de la Securitate occupe le pays, vous avez la possibilité de présenter aux citoyens une image contrefaite de la réalité dans laquelle personne, personne ne croit plus. Vous pouvez par contre être sûr que l'Histoire, elle, ne pardonne pas !* ».

598 HISTOIRE DES PAYS DE L'EST

Vision prophétique qui allait se réaliser moins d'un an plus tard. D'autres intellectuels adoptèrent une ligne de conduite analogue ; ainsi les poètes Dan Desliu et Mircea Dinescu et bien d'autres encore subirent les rigueurs de la répression. Des prêtres également n'hésitaient pas à s'engager pour la défense de leurs fidèles, comme le pasteur hongrois Tökés, de Timisoara, qui s'efforçait de défendre les droits de la minorité hongroise et la liberté religieuse.

Au sein même du Parti communiste roumain, certains hauts dignitaires du Parti avaient pris leurs distances à l'égard de Ceaucescu. En mars 1989, six anciens hauts responsables de l'État (parmi eux l'ancien dirigeant des Syndicats officiels, Gheorghe Apostol et l'ancien ministre des Affaires étrangères Corneliu Manescu) avaient adressé à la presse occidentale une « lettre ouverte » dénonçant les effets désastreux de la politique suivie par le *Conducator*. A l'étranger, l'image de Nicolae Ceaucescu était en train de se dégrader singulièrement. Après le voyage de Gorbatchev à Bucarest en mai 1987, les relations avec l'URSS se détériorèrent rapidement. Il en était de même pour les relations avec la Hongrie, qui était régulièrement taxée d'irrédentisme et de nationalisme, parce qu'elle accueillait les Hongrois de Roumanie qui cherchaient refuge chez elle. Elle accueillait aussi les Allemands de Roumanie et aussi des Roumains qui fuyaient leur pays. Le monde occidental (qui avait eu pendant très longtemps une certaine sympathie pour l'expérience roumaine) prit conscience à son tour de ce qu'était réellement le régime de Ceaucescu. La destruction des villages, les mauvais traitements aux minorités nationales, les violations répétées des Droits de l'Homme, la pénurie érigée au rang d'institution officielle, tirèrent peu à peu le monde occidental de sa torpeur. En février 1989, Michel Rocard, à la tribune de l'ONU, évoque la situation du « malheureux peuple roumain » l'Assemblée européenne de Strasbourg, le mois suivant, demande à la Commission de Bruxelles de geler les négociations en cours avec la Roumanie. La quasi-totalité des Pays occidentaux dénoncent le régime Ceaucescu à l'occasion de la Conférence sur les Droits de l'Homme en juin 1989.

Le pouvoir roumain semblait demeurer sourd à toutes

ces critiques. Alors que dans presque toute l'Europe de l'Est le changement était en marche, Ceaucescu campait plus que jamais sur ses positions et se préparait à réunir le XIVe Congrès du Parti. Au sein de celui-ci certains contestataires (soutenus sans doute par Gorbatchev) groupés en un « Front de Salut national », firent circuler parmi les délégués au Congrès un document invitant les congressistes à destituer Ceaucescu, car ce Congrès « est peut-être la dernière occasion d'éviter un conflit social majeur, d'éviter le bain de sang auquel conduit presque toujours le désespoir ». Ils y dénonçaient l'échec économique, « le niveau incroyablement bas de la vie culturelle transformée par la dictature en un office perpétuel du culte de la personnalité de Ceaucescu et de son épouse ».

Le Parti ne semblait donc pas unanime. Pourtant, lors de l'ouverture du Congrès le 20 novembre 1989, en dépit de l'absence des représentants des Partis hongrois et italien et de celle des diplomates occidentaux (mais en présence d'une délégation du PCF et de nombreuses délégations étrangères dont une de l'OLP conduite par Yasser Arafat). Nicolae Ceaucescu ne manqua pas de célébrer « les résultats politiques et économiques du socialisme scientifique à la roumaine », rappelant qu'en mars dernier, « la liquidation totale de la dette extérieure roumaine... mettait fin ainsi à l'ingérence du capital étranger dans nos affaires intérieures ». Ceaucescu s'en est pris à ceux qui dévient du socialisme et qui cherchent à se rapprocher du capitalisme, puis il a ajouté : « Nous ne pouvons tolérer sous aucune forme et en aucune circonstance que quelqu'un porte atteinte au socialisme ». Le Congrès s'est achevé le 24 novembre par la réélection triomphale du Conducator au poste de Secrétaire Général du Parti, annoncée par le vice-président du Conseil d'État, Manea Manescu. Une manifestation populaire « spontanée » a salué la réélection de Ceaucescu aux cris de « Vive le socialisme et l'indépendance! Vive Ceaucescu! ». En dépit de cet enthousiasme de rigueur, on remarquait toutefois une certaine inquiétude des autorités. Les frontières terrestres de la Roumanie avaient été fermées pendant toute la durée du Congrès. Les routes conduisant à Bucarest étaient étroitement surveillées. De nombreux journalistes étrangers arrivés par la voie des airs avaient été refoulés...

Un mois plus tard, il est vrai, le régime s'effondrait après plus d'une semaine d'affrontements sanglants. Cette révolution roumaine, au cours de la deuxième quinzaine semaine de décembre, chasse du pouvoir Ceaucescu et les siens. Elle est le résultat de l'enchaînement de trois séries d'événements. A l'origine, il y a l'aggravation de la situation des minorités hongroises et allemandes de Transylvanie depuis 1987. Elle a provoqué le début d'un exode massif vers la Hongrie. Les premiers véritables incidents ont commencé le 6 octobre 1989 à Arad, ville où la communauté hongroise (environ un quart de la population) avait coutume de commémorer ce jour-là les « 13 martyrs d'Arad », 13 généraux hongrois qui avaient été exécutés le 6 octobre 1849 après l'échec de la Révolution de 1848. Par crainte de manifestations, la *Securitate* et l'armée avaient investi la ville, tandis que la frontière avec la Hongrie, toute proche, avait été fermée. Ceux qui tentèrent de manifester furent brutalement dispersés par les forces de l'ordre. Dans les derniers jours d'octobre, d'autres incidents éclatèrent à Timisoara, ville qui comprend une assez nombreuse communauté hongroise et allemande. Un pasteur hongrois, László Tökés, était agressé par des hommes masqués qui le rouèrent de coups. Tout laisse à penser qu'il s'agissait d'agents de la *Securitate*. Le pasteur Tökés avait pris la mauvaise habitude de dénoncer publiquement les abus des autorités et n'hésitait pas à reprocher à ses supérieurs leur passivité et leur docilité à l'égard du pouvoir. Ce prêtre gênant (que son évêque, László Papp, voulait transférer dans une paroisse rurale par ce qu'il violait « à la fois les lois de l'Église et celles de l'État ») fut le détonateur qui provoqua l'explosion en Transylvanie d'abord, dans le reste de la Roumanie ensuite. Lorsque le 16 décembre, la Police voulut l'arrêter, ses paroissiens se relayaient autour de son domicile pour assurer sa protection. Ils s'opposèrent aux policiers. Très rapidement, ils furent rejoints par des milliers d'habitants de la ville. Le lendemain, ils étaient plus de 10 000 manifestants dans le centre de la ville, s'attaquant aux bâtiments publics, au siège du Parti, brûlant les portraits de Ceaucescu. Côte à côte, Hongrois, Roumains et Allemands criaient leur haine du régime. La Révolution commençait. La répression fut sanglante. Les blindés de l'armée et les unités spéciales de la *Securitate* tirèrent sur la foule. Le bilan était lourd, plusieurs centaines de morts et encore plus de blessés, des arrestations nombreuses. Le même jour, par solidarité, des manifestations ont lieu à Arad, à Oradea, à Curtici, à Cluj, à Brasov, à Sibiu, à Tirgu-Mures. Partout les forces de l'ordre tirèrent dans la foule. Les *media* roumains officiels ne font allusion aux événements que le 20 décembre. Ils ne parlent que du départ de Ceaucescu pour une visite officielle en Iran (18-20 décembre). Pourtant, les manifestations se poursuivaient à Timisoara, en particulier le 20. Des milliers de personnes protestèrent contre l'interdiction qui leur est faite d'enterrer les corps des victimes de la répression. C'est ce jour-là que la population roumaine est officiellement informée par un discours de Ceaucescu, revenu précipitamment d'Iran, annonçant que l'armée est intervenue à Timisoara « pour riposter aux attaques de groupes de *Hooligans* et de groupes fascistes et antinationaux ». En fait, à ce moment-là, la plus grande partie de la ville de Timisoara se trouvait aux mains des révoltés, mais à quel prix !

C'est alors qu'ont débuté de façon quasiment simultanée les 2e et 3e phases du processus, qui allait déboucher sur l'élimination de Ceaucescu. A Bucarest, où les autorités redoutaient la contagion révolutionnaire, un important dispositif de sécurité avait été mis en place. Le jeudi 21 décembre, Ceaucescu organisa une manifestation officielle de soutien. Elle rassemblait une centaine de milliers de personnes sur la place de la République. La plupart étaient des militants du Parti et de la « Garde Patriotique », organisation de masse, qui servait généralement de « machine à applaudir » lors des rassemblements de ce genre. Très rapidement, le discours de Ceaucescu fut interrompu par les cris hostiles de la foule « *A bas Ceaucescu ! Timisoara ! Liberté !* ». Ceci incita la télévision roumaine à interrompre aussitôt la retransmission du meeting. L'insurrection avait ainsi gagné la capitale et s'étendait aux villes de l'est du pays, à Iassy et à Constantza. A Timisoara, où tout avait commencé, la population était maîtresse de la ville en dépit des réactions brutales de la *Securitate*.

Le mouvement révolutionnaire, débuté à Bucarest le

21 décembre, s'est en fait scindé en deux. D'un côté, la foule rassemblée dans tout le centre de la ville s'attaquait à tous les symboles du régime. Les forces de l'ordre n'hésitaient pas à lancer contre elle ses blindés ou à projeter depuis les hélicoptères des grenades qui faisaient de nombreuses victimes. Malgré tout, la foule demeurait sur place, sans cesse grossie par l'arrivée de nouveaux venus. Toute la nuit, on se battit dans les rues de Bucarest. Le lendemain, une partie des manifestants se lancèrent à l'assaut de l'immeuble de la télévision et s'en emparèrent. Cette télévision, devenue « libre », permit ainsi au monde entier de suivre en direct, heure par heure, le déroulement des événements.

D'un autre côté, en cette même journée du 22 décembre, on apprit que Ceaucescu et sa femme avaient abandonné le pouvoir, quitté leur Palais en hélicoptère, pour se réfugier à l'étranger. En fait leur échappée se termina rapidement. Reconnus, ils furent arrêtés par des militaires ralliés à la Révolution. Ce même jour, on vit surgir un *Conseil du Front de Salut National* (CFSN). Il s'arrogea la direction du pays, tandis que l'armée, traumatisée par le suicide du ministre de la Défense Vasile Milea, se ralliait aux nouveaux dirigeants. Cette armée, forte de quelque 200 000 hommes mal équipés et peu entraînés (en majorité des conscrits) avait en face d'elle la *Securitate*, garde prétorienne du régime, forte de 40 000 hommes bien équipés, bien armés, et restée fidèle dans sa majorité à Ceaucescu. Après la démission du gouvernement, le seul pouvoir « légal » *de facto* était le CFSN, composé de 37 membres, dont certains avaient à un moment ou à un autre de leur carrière, servi et parfois avec zèle, le régime. C'était le cas du Président du CFSN, Ion Iliescu, ancien Secrétaire du Comité Central du Parti ; de Corneliu Manescu (ministre des Affaires étrangères de 1961 à 1972 puis ambassadeur à Paris de 1977 à 1982), de Dimitru Vazilu, ancien représentant de la Roumanie à l'ONU. A côté d'eux on trouvait également quelques grands noms de la littérature comme le poète Mircea Dinescu ou l'écrivain Aurel-Dragos Munteanu. Il y avait aussi des dissidents célèbres comme le pasteur Tökes et Doïna Cornea. Tandis que le CFSN prenait les premières mesures d'urgence et que se mettait en place l'aide internationale, on se battait toujours à Bucarest et dans les principales villes. L'armée essayait, tant bien que mal, de mettre fin aux actions « terroristes » des irréductibles de la *Securitate*. Ce n'est vraiment qu'à la veille de la nouvelle année que le calme revînt véritablement dans le pays.

Le nouveau pouvoir s'empressa d'annoncer dès le 25 décembre au soir que Nicolae Ceaucescu et sa femme Elena avaient été condamnés à mort par une juridiction d'exception. Ils avaient été éxécutés à l'issue d'un procès expéditif dont certaines séquences, singulièrement tronquées, furent présentées aux téléspectateurs du monde entier les 26 et 27 décembre. Procès étrange qui laissait dans l'ombre bien des aspects de la politique de Ceaucescu, à laquelle avaient collaboré, au moins passivement, ceux qui le jugeaient. Dès le 26 décembre, un nouveau gouvernement, présidé par Petre Roman (un universitaire dont le père avait fait une brillante carrière à l'ombre de Ceaucescu), fut nommé par le CFSN. Le ministre de la Défense était le général Nicolae Militaru (condamné à mort par la « justice » de Ceaucescu puis grâcié à la demande des Soviétiques). Le ministre des Affaires étrangères était Sergiu Celac. L'écrivain dissident Aurel-Dragos Munteanu était nommé à la tête de l'Office de Radio-Télévision. Pour donner satisfaction aux revendications de l'opinion publique, le gouvernement annonça un certain nombre de mesures : la mise en place de tribunaux d'exception pour juger les auteurs d'actes « terroristes », l'abrogation du « plan de systématisation du territoire », le respect des droits des minorités nationales, et l'organisation d'élections libres en avril 1990 sur la base du multipartisme. Ces mesures furent complétées par l'annonce de l'abolition de la peine de mort, le rétablissement de la liberté de la presse, la restitution aux paysans d'une partie des terres collectivisées, l'instauration de la semaine de 5 jours à partir de mars 1990 (au lieu de 6 jours et même 7 à la fin du règne de Ceaucescu), la suppression des restrictions sur le chauffage, l'électricité et les carburants, et la mise en place d'un meilleur approvisionnement.

Cependant, un climat de méfiance s'installa vite entre ceux qui, au péril de leur vie, avaient contribué à la victoire de la Révolution et ceux qui, installés aux postes-clé du nouveau pouvoir, cherchaient à en limiter les effets. Pour beaucoup de Roumains, les principaux responsables du CFSN étaient des communistes qui avaient été longtemps des complices de Ceaucescu. Les « dissidents » du CFSN étaient de plus en plus marginalisés par le Trio Ilescu-Manescu-Roman.

C'est ce dont se rendait compte Doïna Cornea. Elle réclamait « une démocratie réelle, une démocratie de type occidental ». Dans une interview au *Figaro* du 12 janvier 1990, elle affirmait à propos du comportement à son égard de la direction du CSFN : « *Oui, je sens que l'on a parfois besoin de ma popularité. Mais on n'a pas toujours besoin de mon opinion. Je ne suis pas vindicative, mais j'aimerais quand même que l'on fasse justice... A CLUJ, j'ai observé un retour des anciens membres du Parti et une relative liberté des membres de la Securitate.* » Les étudiants, les jeunes, la foule, qui avaient combattu pour la liberté, étaient très inquiets pour *leur révolution*. Ils le faisaient savoir bruyamment à l'occasion des manifestations quotidiennes auxquelles ils prenaient part. Les anciens Partis politiques traditionnels, le Parti national-Paysan et le Parti libéral, dénonçaient la trop grande influence des communistes au sein du nouveau pouvoir. Pour calmer les foules, Iliescu annonça le 12 janvier la mise « hors la loi » du Parti communiste, mesure qui fut abandonnée trois jours plus tard. Les Roumains seront consultés sur ce problème par référendum tout comme sur la suppression de la peine de mort. Ce climat d'incertitude et de totale désorganisation n'est pas fait pour ramener le calme dans les esprits. Au début de 1990, les problèmes demeurent. La paix civile est précaire. Pour quelques centaines d'agents de la *Securitate* arrêtés, il y a encore des milliers d'autres en liberté, à l'abri pour éviter les « réglements de comptes ». Après l'euphorie des premiers jours de liberté retrouvée, le peuple reste confronté aux difficultés de la vie quotidienne, même si les magasins sont davantage garnis que précédemment. Chacun redoute d'avoir été dupé par ce qui, après tout, n'a été qu'un simple « coup-d'État » militaire, survenu plus tôt que ne l'avaient prévu ses organisateurs, parce que, à Timisoara, une révolte populaire imprévue a accéléré les événements.

Les peuples de l'Europe de l'Est vivent sous le choc des événements de portée incalculable. Ici le changement a été progressif, venu d'en haut ; là, le changement a été imposé par les manifestations de rue. Ici, le pouvoir a accepté, voire provoqué le changement ; là, il a subi, il a été victime du changement. Cependant partout (à l'exception de la Roumanie où les dirigeants en place ont cherché en vain à opposer la force armée aux manifestants aux mains nues ce qui a débouché sur un bain de sang), le changement s'est déroulé dans le calme et la dignité, parfois même dans la bonne humeur, quand ce n'était pas dans l'explosion de joie. Partout aussi, les peuples ont manifestement rejeté le régime communiste et systématiquement détruit les signes extérieurs de sa présence.

EN GUISE DE CONCLUSION

Après ce survol de l'Histoire bimillénaire de tous ces peuples et à la lumière des événements contemporains, un certain nombre de constatations s'imposent. Ce qui frappe au premier abord, quand on examine attentivement le déroulement de l'Histoire de ces peuples d'origines, de cultures et de traditions aussi différentes, c'est la permanence de certains clivages, de certaines coupures. La ligne de partage entre les pays balkaniques de tradition orthodoxe et les autres Pays de l'Est de tradition chrétienne occidentale demeure aujourd'hui aussi nette que dans le passé. Elle correspond également à la ligne de partage entre les régions qui ont subi longtemps la domination ottomane (Albanie, Bulgarie, Roumanie, provinces orientales de la Yougoslavie) et celles qui ont fait partie plus ou moins directement de l'ensemble politico-culturel germano-habsbourgeois (RDA, Tchécoslovaquie, Pologne, Hongrie, Transylvanie, provinces occidentales de Yougoslavie). Cette coupure se retrouve aujourd'hui dans les comportements politiques des populations face aux changements en cours.

La seconde constatation découle de la remarque précédente. Il faut souligner une fois encore l'importance du fait religieux en tant que fait permanent et durable de civilisation en dépit des persécutions de toutes sortes subies à toutes les époques, et encore très récemment dans certains pays pour les fidèles et leurs Églises. Partout, ce fut l'Église qui, en l'absence du pouvoir politique légitime (ou quand celui-ci se faisait oppresseur) s'est trouvée à la tête des luttes pour la liberté ; partout, c'est le clergé qui a mené le combat pour la défense de l'identité nationale quand celle-ci se trouvait menacée. L'action de l'Église polonaise, celle d'aujourd'hui comme celle d'hier, en est un exemple vivant. Au cours des dernières années, dans les pays de l'Est de tradition occidentale, les noms des cardinaux Wyszinski et Glemp en Pologne, des cardinaux Beran et Tomasek en Tchécoslovaquie, Mindszenty et Lékai en Hongrie, celui des pasteurs Eppelmann et Richter en RDA, et par-dessus tout celui du pape Jean-Paul II, ont toujours été associés au combat pour les droits de la Nation et pour la liberté, chacun à sa manière ; les uns avec vigueur et énergie, les autres avec prudence et diplomatie ; les uns en s'opposant de front au pouvoir en place, quitte à en subir ses foudres, les autres en négociant patiemment sans céder sur l'essentiel. En revanche, dans les pays de tradition orthodoxe, le haut clergé (à l'époque ottomane tout autant que sous le régime communiste) a été enclin à collaborer avec le pouvoir en place, au grand dam de leurs fidèles et du clergé de base, toujours resté proche du peuple et subissant comme lui la persécution. Ce n'est pas par hasard si l'un des premiers actes des nouveaux gouvernements démocratiques polonais, tchécoslovaque et hongrois, a été de rétablir les relations diplomatiques avec le Vatican, tandis qu'au contraire, le patriarche de Bucarest, trop compromis avec le régime Ceaucescu, se voyait contraint de démissionner sous la pression des fidèles.

Troisième remarque. En dépit de l'intégration depuis 1945 de la quasi totalité de ces pays dans un système politico-militaire dominé par Moscou, les nations ont conservé non seulement leurs cultures et leurs traditions, mais aussi leurs rivalités et leurs antagonismes d'antan. La « communauté fraternelle des pays socialistes » n'était qu'un trompe-l'œil qui dissimulait à peine les réalités profondes. Les Hongrois et les Roumains continuent plus que jamais à se disputer une Transylvanie que mille ans d'Histoire avaient intégré à l'Occident et qui, depuis 1920, a été rattachée au monde balkanique sans que ses habitants n'aient jamais été consultés. Les peuples qui constituent la Fédération yougoslave cherchent eux aussi à défendre leurs identités face à des structures qui leur ont été imposées. Les Croates et les Slovènes au nord, les Albanais au sud, rejettent ouvertement le centralisme serbe en 1990 comme ils le rejetaient déjà pendant l'entre-deux-guerres. Les Allemands de l'Est, manifestent chaque jour plus ouvertement leur volonté de rejoindre leurs frères de RFA. La réunification de l'Allemagne est maintenant acceptée, y compris par Mikhaïl Gorbatchev lui-même, qui l'a fait savoir au chancelier Kohl lors de sa visite à Moscou les 9 et 10 février 1990. En votant massivement le 18 mars pour la CDU et ses alliés conservateurs, les électeurs est-allemands ont opté pour une union rapide avec la RFA.

Dernière remarque enfin. A l'origine de tous les bouleversements qui se sont produits ces derniers temps en Europe de l'Est, ce sont les jeunes, ouvriers et intellectuels réunis, qui se sont trouvés à l'origine des changements. Ce sont eux qui, par leurs manifestations, ont fait reculer le pouvoir communiste et imposé la démocratie. Pourtant ils n'avaient jamais rien connu d'autre que le système dans lequel ils vivaient. Pour la propagande officielle, ils étaient l'avenir du socialisme... Il y a là matière à réflexion pour tous ceux qui seraient tentés, dans cette partie de l'Europe, de substituer à l'hégémonie défunte une autre forme de domination.

INDEX DES ÉQUIVALENCES
DES NOMS DE LIEUX

Les noms de lieux sont mentionnés dans cet index sous leurs différentes appellations en albanais (Alb), allemand (D), bulgare (Bg), grec (Gr), hongrois (H), italien (It), lithuanien (Lit), polonais (Pl), roumain (R), russe (Rus), serbo-croate (Yu), slovaque ou tchèque (Cs).

Alba Julia (R) :   Gyulafehérvár (H)
Alexandropolis (Gr) :   Dédeagatch (Bg)
Allenstein (D) :   Olsztyn (Pl)

Balazsfalva (H) :   Blaj (R)
Banska Bystrica (Cs) : Besztercebánya (H)
Beszterce (H) :   Bistrita (R)
Blaj (R) :   Balazsfalva (H)
Bitola (Yu) :   Monastir (Bg)
Brasov (R) :   Brassó (H) Kronstadt (D)
Brassó (H) :   Brasov (R) Kronstadt (D)
Bratislava (Cs) :   Pozsony (H) Presbourg/
                       Pressburg (D)
Breslau (D) :   Wroclaw (Pl)
Brno (Cs) :   Brünn (D)
Bromberg (D) :   Bydgoszcz (Pl)
Brünn (D) :   Brno (Cs)
Bydgoszcz (Pl) :   Bromberg (D)

Cluj (R) :   Klausenburg (D)
                       Kolozsvár (H)
Curtici (R) :   Kürtös (H)

Danzig (D) :   Gdansk (Pl)
Dédeagatch (Bg) :   Alexandropolis (Gr)
Dubrovnik (Yu) :   Raguse (It)
Durazzo (It) :   Durrës (Alb)
Durrës (Alb) :   Durazzo (It)

Eperjes (H) :   Presov (Cs)
Ersekujvar (H) :   Nové Zemky (Cs)
Eszék (H) :   Osijek (Yu)

Fiume (It) :   Rijeka (Yu)

Gdansk (Pl) :   Danzig (D)
Gyulafehérvár (H) :   Alba Julia (R)

Kaliningrad (Rus) :   Königsberg (D)
Karlsbad (D) :   Karlovy Vary (Cs)
Karlovy Vary (Cs) :   Karlsbad (D)
Kaschau (D) :   Kassa (H) Kosice (Cs)
Kassa (H) :   Kaschau (D) Kosice (Cs)
Katowice (Pl) :   Kattowitz (D)
Kattowitz (D) :   Katowice
Késmark (H) :   Kezmarok (Cs)
Kezmarok (Cs) :   Késmark (H)
Klaipeda (Lit) :   Memel (D)
Klausenburg (D) :   Cluj (R) Kolozsvár (H)
Kolozsvar (H) :   Cluj (R) Klausenburg (D)
Komárom (H) :   Komarno (Cs)
Komarno (Cs) :   Komárom (H)
Königsberg (D) :   Kaliningrad (Rus)
Kosice (Cs) :   Kaschau (D) Kassa (H)
Kronstadt (D) :   Brassó (H) Brasov (R)
Kürtös (H) :   Curtici (R)
Kutenberg (D) :   Kutna Hora (Cs)
Kutna Hora (Cs) :   Kutenberg (D)
Laybach (D) :   Ljubljana (Yu)
Lemberg (D) :   Leopol (D) Lvov (Rus)
Leopol (D) :   Lemberg (D) Lvov (Rus)
Liberec (Cs) :   Reichenberg (D)
Liptó Szt. Miklos (H) :   Liptosvky Sv. Mikulas (Cs)
Liptovsky Sv. Mikulas (Cs) : Liptó Szt. Miklós (H)

Ljubljana (Yu) :	Laybach (D)
Lvov (Rus) :	Lemberg (D) Leopol (D)
Marburg (D) :	Maribor (Yu)
Maribor (Yu) :	Marburg (D)
Marosvásárhely (H) :	Tirgu-Mures (R)
Memel (D) :	Klaipeda (Lit)
Monastir (Bg) :	Bitola (Yu)
Munkács (H) :	Munkatchevo (Cs Rus)
Munkatchevo (Cs Rus) :	Munkács (H)
Nagyszombat (H) :	Tirnovo (Cs)
Nagyvárad (H) :	Oradea Mare (R)
Nitra (Cs) :	Nyitra (H)
Nové Zamky (Cs) :	Ersekujvár (H)
Novi Sad (Yu) :	Ujvidék (H)
Nyitra (H) :	Nitra (Cs)
Ochrid (a) (Bg) :	Ohrid (Yu)
Ohrid (Yu) :	Ochrid (a) (Bg)
Olsztyn (Pl) :	Allenstein (D)
Oradea Mare (R) :	Nagyvárad (H)
Osijek (Yu) :	Eszék (H)
Oujgorod (Cs Rus) :	Ungvár (H)
Philippopolis (Gr) :	Plovdiv (Bg)
Plovdiv (Bg) :	Philippopolis (Gr)
Posen (D) :	Poznan (Pl)
Poznan (Pl) :	Posen (D)
Pozsony (H) :	Bratislava (Cs)
Presbourg/Pressburg (D) :	Presbourg/Pressburg (D)
Presov (Cs) :	Eperjes (H)
Raguse (It) :	Dubrovnik (Yu)
Reichenberg (D) :	Liberec (Cs)
Rijeka (Yu) :	Fiume (It)
Satu Mare (R) :	Szatmárnemeti (H)
Skoplje (Yu) :	Uskub (Bg)
Spalato (It) :	Split (Yu)
Split (Yu) :	Spalato (It)
Stettin (D) :	Szczeczin (Pol)
Subotica (Yu) :	Szabadka (H)

Szabadka (H) :	Subotica (Yu)
Szatmárneméti (H) :	Satu Mare (R)
Szczeczin (Pl) :	Stettin (D)
Temesvár (H) :	Timisoara (R)
Thorn (D) :	Torun (Pl)
Timisoara (R) :	Temesvár (H)
Tirgu-Mures (R) :	Marosvásárhely (H)
Tirnovo (Cs) :	Nagyszombat (H)
Torun (Pl) :	Thorn (D)
Trencsén (H) :	Trencin (Cs)
Trencin (Cs) :	Trencsén (H)
Turciansky Sv. Martin (Cs) :	Turóc Szt. Marton (H)
Turóc Szt. Marton (H) :	Turciansky Sv. Martin (Cs)
Ujvidék (H) :	Novi Sad (Yu)
Ungvár (H) :	Oujgorod (Cs Rus)
Uskub (Bg) :	Skoplje (Yu)
Wroclaw (Pl) :	Breslau (D)
Zadar (Yu) :	Zara (It)
Zara (It) :	Zadar (Yu)
Zólyom (H) :	Zvolen (Cs)
Zvolen (Cs) :	Zólyom (H)

BIBLIOGRAPHIE SOMMAIRE

I – OUVRAGES GÉNÉRAUX

Outre les ouvrages grandes collections d'Histoire Générale (Halphen-Sagnac, Nouvelle Clio, Histoire des Relations Internationales), et les Encyclopédies (Quid, Universalis) nous signalons au lecteur les titres suivants, étant entendu que l'abondance des ouvrages publiés nous oblige à en limiter le nombre.

A – *Ouvrages portant sur l'ensemble des pays de l'Est ou sur plusieurs d'entre eux.*

J. Aulneau, *Histoire de l'Europe centrale des origines à nos jours*, Paris 1926.

J. Ancel, *Peuples et nations des Balkans*, Paris 1930.

E. de Martonne, *L'Europe centrale*, Paris 2 vol. 1930-1931.

R. Ristelhueber, *Histoire des peuples balkaniques*, Paris 1950.

P. George, J. Tricart, *L'Europe centrale*, 2 vol., Paris 1954.

M. Derruau, *L'Europe*, Paris 1961.

R. Portal, *Les Slaves*, Paris 1965.

Les Balkans (coll. Life), Paris 1965.

L'Europe de l'Est (coll. Life), Paris 1965.

A. Blanc, P. George, H. Smotkine, *Les Républiques socialistes d'Europe centrale*, Paris 1967.

Dossier de l'Europe de l'Est (coll. Marabout Université), 2 col., Verviers 1968.

G. Stadtmüller, *Geschichte Südosteuropas*, München-Wien 1976.

A. & Y.D. Miroglio, *L'Europe et ses populations*, La Haye 1978.

B – Ouvrages généraux traitant de l'ensemble de l'histoire ou de la civilisation d'un pays

a) Albanie

T. Schreiber, *L'Albanie*, Paris 1978.
G. Castellan, *L'Albanie* (coll. Que sais-je?), Paris 1980.

b) Autriche

E. Zöllner, *Histoire de l'Autriche des origines à nos jours*, Roanne 1955.

c) Bulgarie

S. Evans, *A short History of Bulgaria*, London 1960.
G. Castellan, N. Teodorov, *Histoire de la Bulgarie* (coll. Que sais-je), Paris 1976.
I. Dujcev, V. Velkov, I. Mitev et L. Panaytov, *Histoire de la Bulgarie des origines à nos jours*, Roanne 1977.

d) Hongrie

F. E. Eckhardt, *Histoire de la Hongrie*, Paris 1932.
L. Makkai, *Histoire de la Transylvanie*, Paris 1946.
D. Sinor, *History of Hungary*, London 1959.
H. Bogdan, *Histoire de la Hongrie* (coll. Que sais-je?), Paris 1966.
E. Pamlényi, *Histoire de la Hongrie des origines à nos jours*, Budapest 1970.

e) Pologne

W. Sobieski, *La Pologne des origines à nos jours*, Paris 1934.
A. Jobert, *Histoire de la Pologne* (coll. Que sais-je?), Paris 1953.
A. Gieystorj, S. Herbst, B. Lesnodorsk, *Le millénaire de la Pologne*, Varsovie 1966.
V. Meystowicz, *La Pologne dans la chrétienté 966-1966*, Paris 1966.

f) RDA

G. Badia, P. Lefranc, *Un pays méconnu, la République Démocratique allemande Leipzig 1963*.
G. Castellan, *La République Démocratique Allemande* (coll. Que sais-je?), Paris 1964.

g) Roumanie

N. Iorga, *Histoire des Roumains et de leur civilisation*, Paris 1920.
M. Constantinescu, C. Daicoviciu, S. Pascu, *Histoire de la Roumanie des origines à nos jours*, Roanne 1970.

h) Tchécoslovaquie

J. Prokes, *Histoire tchécoslovaque*, Prague 1927.
R.W. Seaton-Watson, *A History of the Czechs and Slovaks*, London 1943.
J. Lettrich, *History of modern Slowakia*, New York 1955.
F. Kavka, *La Tchécoslovaquie. Histoire ancienne et récente*, Prague 1960.
P. Bonnoure, *Histoire de la Tchécoslovaquie* (coll. Que sais-je?), Paris 1968.
J. Béranger, *La Tchécoslovaquie* (coll. Que sais-je?), Paris 1978.

i) Yougoslavie

L. de Vojnovic, *Histoire de la Dalmatie*, 2 vol. Paris 1934.
M. de Vos, *Histoire de la Yougoslavie* (coll. Que sais-je?) Paris 1965.
A. Jelen, *En Yougoslavie orthodoxe*, Paris 1970.
M.P. Canapa, *La Yougoslavie* (coll. Que sais-je?), Paris 1980.

C – *Revues spécialisées*

Documentation sur l'Europe Centrale (Louvain, Centre d'études et de recherches sur l'Europe Centrale).
Le Courrier des Pays de l'Est, (Paris).
Notes et Études Documentaires, (Paris).

II – TRAVAUX PARTICULIERS SUR CERTAINS POINTS

1) *Antiquité-Moyen Age*

F. Lot, *Les invasions barbares et le peuplement de l'Europe*, Paris 1937.
R. Grousset, *L'Empire des steppes*, Paris 1969.
G. Ostrogorsky, *Histoire de l'État byzantin*, Paris 1969.
L. Hambis, *Attila et les Huns* (coll. Que sais-je?), Paris 1972.
J. Macek, *Jean Hus et les traditions hussites*, Paris 1973.
A. Du Nay, *The early History of the rumanian language*, Lake Bluff/Illinois 1977.

2) *xvf-xviif siècles*

E. Denis, *La fin de l'indépendance bohême*, 2 vol. Paris 1890.
E. Denis, *La Bohême depuis la Montagne-Blanche*, 2 vol. Paris 1903.

L. André, *Louis XIV et l'Europe*, Paris 1950.
L. Reau, *L'Europe française au siècle des Lumières*, Paris 1951.
V.L. Tapié, *Baroque et clacissisme*, Paris 1957.
G. Livet, *La Guerre de Trente Ans* (coll. Que sais-je?), Paris 1963.
V.L. Tapié, *L'Europe de Marie-Thérèse*, Paris 1973.
Les lumières en Hongrie, en Europe Centrale et en Europe Orientale, (IIIe colloque de Matrafüred), Budapest 1977.

3) 1780-1918

A. Cheradame, *L'Europe et la question d'Autriche au seuil du xxe siècle*, Paris 1901.
H. Wickham-Steed, *La monarchie des Habsbourg*, Paris 1914.
J. Godechot, *La Grande Nation. L'expansion révolutionnaire de la France dans le monde*, 2 vol. Paris 1956.
A.J.P. Taylor, *The Habsbourg Monarchy 1806-1918*, London 1957.
J. Droz, *L'Europe centrale. Évolution historique de l'idée de « Mittel Europa »*, Paris 1960.
L. Eisenmann, *Le compromis austro-hongrois de 1867*, Paris rééd. 1968.
V.L. Tapié, *Peuples et monarchies du Danube*, Paris 1969.
J. Vidalenc, *L'Europe danubienne et balkanique 1867-1970*, Paris 1973.
J. Bérenger, *L'Europe danubienne de 1848 à nos jours*, Paris 1976.
J.B. Bled, *François-Joseph*, Paris 1987.
F. Fejtö, *Requiem pour un Empire défunt : Histoire de la destruction de l'Autriche-Hongrie*, Paris 1988.

4) Depuis 1919

B. Mirkine-Guetzevitch, A. Tibal, *La Téchoslovaquie*, Paris 1929.
B. Mirkovitch, *La Yousgoslavie politique et économique*, Paris 1935.
S. Dragomir, *La Transylvanie*, Paris 1946.
W. Anders, *Mémoires 1939-1946*, Paris 1948.
F. Honti, *Le drame hongrois*, Paris 1949.
D. Healey, *Le rideau tombe. Histoire des socialistes en Europe orientale*, Paris 1952.
J. Laroche, *La Pologne de Pilsudski*, Paris 1952.
G. Serbanesco, *Ciel rouge sur la Roumanie*, Paris 1952.
Mémoires de l'amiral Horthy, Paris 1954.
H. Prost, *Destin de la Roumanie (1918-1954)*, Paris 1954.
J. Szalay, *Vérités sur l'Europe centrale*, Paris 1956.
M. Djilas, *La nouvelle classe dirigeante*, Paris 1957.
J. Kádár, *L'édification du socialisme en Hongrie*, Budapest 1961.
M. Naegelen, *Tito*, Paris 1961.
Pourquoi Prague? (Le dossier tchécoslovaque 1945-1968), Paris 1968.

G. d'Orcival, *Le Danube était noir. La cause de la Slovaquie indépendante*, Paris 1968.

E. Benès, *Munich*, Paris 1970.

Y. de Daruvar, *Le destin dramatique de la Hongrie*, Paris 1971.

J. B. Duroselle, *Histoire diplomatique de 1919 à nos jours*, Paris 1971.

F. Fejtö, *Histoire des démocraties populaires 1945-1971*, 2 vol., Paris 1971.

T. Schreiber, *Les problèmes religieux en Europe orientale 1945-1970*, (Notes et Études documentaires), Paris 1971.

R. Bardy, *1919. La Commune de Budapest*, Paris 1973.

Cardinal J. Mindszenty, *Mémoires*, Paris 1974.

La guerre russo-polonaise de 1919-1920 (Colloque de l'Institut d'Études Salves), Paris 1975.

H. Bogdan, *Le problème des minorités nationales dans les « États successeurs » de l'Autriche-Hongrie*, Louvain 1976.

F. Fejtö, *Le « coup » de Prague 1948*, Paris 1976.

M. Haraszti, *Le salaire aux pièces*, Paris 1976.

T. Schreiber, *La Yougoslavie de Tito*, Paris 1977.

D.T. Analis, *Les Balkans 1945-1960*, Paris 1978.

C. Gras, *Les États marxistes-léninistes de 1917 à nos jours*, Paris 1978.

J. Hajek, *Dix ans après. Prague 1968*, Paris 1978.

S. Kopacsi, *Au nom de la classe ouvrière*, Paris 1979.

Numéro spécial de *Dossiers de l'Histoire*, Paris septembre-octobre 1980 sur « les minorités nationales dans les pays danubiens ».

G. Castellan, *Dieu garde la Pologne!* Paris 1981.

K. Kaplan, *Procès politiques à Prague 1952*, Paris 1981.

D. Moravski, *Chrétienne Pologne*, Paris 1981.

H. Carrère d'Encausse, *Le grand Frère : l'Union soviétique et l'Europe soviétisée*, Paris 1983.

Numéro spécial de *Hérodote*, Paris, janvier-mars 1988 sur l'Europe médiane.

Les États de l'Europe de l'Est

	Superficie en km²	Population 1989	Densité au km²
Albanie	28 748	3 200 000	111,3
Bulgarie	110 912	9 000 000	81,1
Hongrie	93 030	10 600 000	113,9
Pologne	312 519	38 200 000	122,2
R.D.A.	108 178	16 600 000	153,5
Roumanie	237 500	23 200 000	97,7
Tchécoslovaquie	127 869	15 600 000	122,0
Yougoslavie	255 804	23 700 000	92,6
Total	1 274 560	140 100 000	109,1

Le caractère et les traditions des 3 Républiques baltes incorporées à l'URSS en 1940 les rapprochent davantage de la Pologne et du monde germanique que de l'Union Soviétique.

	Surface en km²	Population en 1979	% d'habitants de la nationalité de l'État en 1979
R.S.S. d'Estonie	45 100	1 530 000	64,7 %
R.S.S. de Lettonie	63 700	2 600 000	53,7 %
R.S.S. de Lithuanie	65 200	3 570 000	80,0 %

TABLE DES MATIÈRES

Cet ouvrage a été réalisé par la
SOCIÉTÉ NOUVELLE FIRMIN-DIDOT
Mesnil-sur-l'Estrée
pour le compte des Éditions Perrin
en juillet 1990

Imprimé en France
Dépôt légal : mars 1990
N° d'édition : 928 – N° d'impression : 15326